Collection universitaire de mathématiques

Introduction à l'analyse réelle

JACQUES LABELLE

ARMEL MERCIER

MODULO

Données de catalogage avant publication (Canada)

Labelle, Jacques, 1947–

   Introduction à l'analyse réelle

   (Collection universitaire de mathématiques)
   Comprend des réf. bibliogr. et un index.

   ISBN 2-89113-448-6

   1. Analyse mathématique.   2. Fonctions (Mathématiques).
3. Calcul infinitésimal.   4. Suites (Mathématiques).   5.
Séries (Mathématiques).   6. Analyse mathématique – Problèmes et exercices.   I. Mercier, Armel.   II. Titre.
III. Collection.

QA300.L32 1993   515   C93-096776-3

Équipe de production
Révision linguistique : Léon Collet
Correction d'épreuves : Monique Tanguay
Typographie : Lina Remond
Illustrations : Chantal Rousseau
Illustration de la couverture : André-Jean Deslauriers

MODULO

5800, rue Saint-Denis, bureau 900
Montréal (Québec) H2S 3L5 Canada
Téléphone : 514 273-1066
Télécopieur : 514 276-0324 ou 1 800 814-0324
info.modulo@tc.tc   www.groupemodulo.com

Dépôt légal — Bibliothèque nationale du Québec, 1993
Bibliothèque nationale du Canada, 1993
ISBN 978-2-89113-**448**-4

Imprimé au Canada
15 16 17 18 19 M 23 22 21 20 19

Ce projet est financé en partie par le gouvernement du Canada | Canada

À Dominic, Émilie, Éric, France, Jean-François,
Julien, Nathalie et Nicole

Remerciements

Les auteurs tiennent à remercier sincèrement M. Laurent Habsieger de l'Université de Bordeaux de ses précieux conseils. Ils remercient également les étudiantes et étudiants de l'UQAC et de l'UQAM qui ont vérifié, critiqué et amélioré le manuscrit de cet ouvrage. Merci aussi aux membres du comité de lecture de la Collection, et particulièrement à Gilbert Labelle qui a revu les figures, de leur soutien et de leurs judicieuses remarques. Merci enfin à toute l'équipe de Modulo dont nous avons apprécié le professionnalisme.

Table des matières

AVANT-PROPOS   **xiii**

CHAPITRE 1   Le système des nombres réels   **1**

1.1   INTRODUCTION   1

1.2   PROPRIÉTÉS DU SYSTÈME DES NOMBRES RÉELS   1
     1.2.1   Exercices   9

1.3   VALEUR ABSOLUE   9
     1.3.1   Exercices   12

1.4   INDUCTION MATHÉMATIQUE   13
     1.4.1   Exercices   15

1.5   CONSÉQUENCES DE L'AXIOME DE COMPLÉTUDE   17
     1.5.1   Exercices   21

EXERCICES SUR LE CHAPITRE 1   21

CHAPITRE 2   Quelques concepts topologiques   **27**

2.1   INTRODUCTION   27

2.2   INTERVALLES   27

2.3   VOISINAGE ET ENSEMBLE OUVERT   28
     2.3.1   Exercices   31

2.4   POINT D'ACCUMULATION ET ENSEMBLE FERMÉ   32
     2.4.1   Exercices   35

2.5   ADHÉRENCE ET FRONTIÈRE D'UN ENSEMBLE   36
     2.5.1   Exercices   38

2.6   THÉORÈME DE BOLZANO-WEIERSTRASS   38
     2.6.1   Exercices   40

2.7 THÉORÈME D'HEINE-BOREL   40
    2.7.1 Exercices   44

EXERCICES SUR LE CHAPITRE 2   44

CHAPITRE 3 Suites numériques   47

3.1 INTRODUCTION   47

3.2 LIMITE D'UNE SUITE ET SUITE BORNÉE   48
    3.2.1 Exercices   53

3.3 OPÉRATIONS SUR LES LIMITES   54
    3.3.1 Exercices   62

3.4 SOUS-SUITES ET SUITES MONOTONES   64
    3.4.1 Exercices   69

3.5 SUITES DE CAUCHY   71
    3.5.1 Exercices   75

3.6 LIMITE SUPÉRIEURE ET LIMITE INFÉRIEURE   75
    3.6.1 Exercices   77

EXERCICES SUR LE CHAPITRE 3   78

CHAPITRE 4 Limite et continuité   83

4.1 INTRODUCTION   83

4.2 RAPPEL SUR LA NOTION DE FONCTION   83

4.3 LIMITE D'UNE FONCTION   84
    4.3.1 Exercices   93

4.4 OPÉRATIONS SUR LES LIMITES   95
    4.4.1 Exercices   97

4.5 CONTINUITÉ   98
    4.5.1 Exercices   104

4.6 OPÉRATIONS SUR LES FONCTIONS CONTINUES   105
    4.6.1 Exercices   108

4.7 PROPRIÉTÉS DES FONCTIONS CONTINUES   109
    4.7.1 Exercices   112

4.8 CONTINUITÉ UNIFORME   112
    4.8.1 Exercices   116

4.9 FONCTIONS RÉCIPROQUES   117
     4.9.1 Exercices   120

EXERCICES SUR LE CHAPITRE 4   120

CHAPITRE 5 Dérivation   **125**

5.1 INTRODUCTION   125

5.2 FONCTIONS DIFFÉRENTIABLES OU DÉRIVABLES   125
     5.2.1 Exercices   129

5.3 OPÉRATIONS SUR LES FONCTIONS DIFFÉRENTIABLES   131
     5.3.1 Exercices   138

5.4 PROPRIÉTÉS DES FONCTIONS DIFFÉRENTIABLES   139
     5.4.1 Exercices   146

5.5 RÈGLE DE L'HÔPITAL   147
     5.5.1 Exercices   152

5.6 FORMULE DE TAYLOR   153
     5.6.1 Exercices   157

5.7 NOTATIONS O, o ET DÉVELOPPEMENTS LIMITÉS   157
     5.7.1 Exercices   166

5.8 EXTREMUMS D'UNE FONCTION   166
     5.8.1 Exercices   171

5.9 MÉTHODE DE NEWTON   172
     5.9.1 Exercices   176

EXERCICES SUR LE CHAPITRE 5   178

CHAPITRE 6 Intégrale de Riemann   **183**

6.1 INTRODUCTION   183

6.2 INTÉGRALE DE RIEMANN   183
     6.2.1 Exercices   186

6.3 INTÉGRABILITÉ D'UNE FONCTION   187
     6.3.1 Exercices   196

6.4 L'INTÉGRALE COMME LIMITE D'UNE SOMME   197
     6.4.1 Exercices   202

6.5 LA CLASSE DES FONCTIONS INTÉGRABLES   202
     6.5.1 Exercices   211

6.6 THÉORÈME FONDAMENTAL DU CALCUL INTÉGRAL   212
    6.6.1 Exercices   217

6.7 MÉTHODES D'INTÉGRATION   218
    6.7.1 Exercices   223

6.8 THÉORÈMES DE LA MOYENNE POUR LES INTÉGRALES   225
    6.8.1 Exercices   227

6.9 INTÉGRALES IMPROPRES   228
    6.9.1 Exercices   229

6.10 UNE MÉTHODE NUMÉRIQUE   229
    6.10.1 Exercice   233

EXERCICES SUR LE CHAPITRE 6   233

CHAPITRE 7   Séries numériques   **237**

7.1 INTRODUCTION   237

7.2 CONVERGENCE DES SÉRIES NUMÉRIQUES   237
    7.2.1 Exercices   244

7.3 CRITÈRES DE CONVERGENCE   245
    7.3.1 Exercices   257

7.4 SÉRIES ALTERNÉES ET RÉARRANGEMENT D'UNE SÉRIE   259

7.5 MULTIPLICATION DE SÉRIES   265
    7.5.1 Exercices   268

EXERCICES SUR LE CHAPITRE 7   269

CHAPITRE 8   Suites de fonctions   **273**

8.1 INTRODUCTION   273

8.2 CONVERGENCE PONCTUELLE ET UNIFORME   273

8.3 SUITES DE FONCTIONS CONTINUES   281
    8.3.1 Exercices   283

8.4 SUITES DE FONCTIONS INTÉGRABLES   283

8.5 SUITES DE FONCTIONS DIFFÉRENTIABLES   287
    8.5.1 Exercices   290

EXERCICES SUR LE CHAPITRE 8   291

CHAPITRE 9   Séries de fonctions   293

9.1 INTRODUCTION   293

9.2 CONVERGENCE PONCTUELLE ET UNIFORME   293

9.3 PROPRIÉTÉS DES SÉRIES DE FONCTIONS   295
    9.3.1 Exercices   299

9.4 SÉRIES DE PUISSANCES   300

9.5 FONCTIONS DÉFINIES PAR UNE SÉRIE DE PUISSANCES   304
    9.5.1 Exercices   308

9.6 SÉRIES DE TAYLOR   308

9.7 OPÉRATIONS SUR LES SÉRIES DE PUISSANCES   316
    9.7.1 Exercices   323

EXERCICES SUR LE CHAPITRE 9   324

ANNEXE A   Généralités sur les ensembles   327

A.1 RAPPELS DE LA THÉORIE DES ENSEMBLES   327

A.2 QUELQUES SYMBOLES   328

A.3 RELATIONS ET FONCTIONS   329
    A.3.1 Exercices   332

A.4 ENSEMBLES DÉNOMBRABLES   333
    A.4.1 Exercices   336

ANNEXE B   Dérivées des fonctions   339

B.1 RAPPELS SUR LES FONCTIONS   339

B.2 FONCTIONS USUELLES   339

B.3 VALEUR DE $\lim_{x \to 0} \sin x / x$ 341

B.4 DÉFINITION DE LA DÉRIVÉE   342

B.5 DÉRIVÉE DES FONCTIONS USUELLES   343

B.6 MAXIMUM ET MINIMUM   346

B.7 Exercices   348

ANNEXE C   Espaces métriques   351

C.1 SUITES DANS LES ESPACES MÉTRIQUES   351

C.2 OUVERTS ET FERMÉS 352
C.3 COMPLÉTUDE 358
C.4 COMPACITÉ ET CONNEXITÉ 360
C.5 Exercices 363

SOLUTIONS DES EXERCICES   **367**
CHAPITRE 1 367
CHAPITRE 2 370
CHAPITRE 3 372
CHAPITRE 4 376
CHAPITRE 5 381
CHAPITRE 6 386
CHAPITRE 7 391
CHAPITRE 8 394
CHAPITRE 9 395
ANNEXE A 401
ANNEXE B 404
ANNEXE C 406

BIBLIOGRAPHIE   **409**

INDEX   **410**

Avant-propos

> On peut apprendre à maîtriser
> une branche des mathématiques
> en résolvant des problèmes et
> en regardant parfois la solution.
>
> I.M. Guelfand

Au XVIIe siècle, faisant suite aux travaux précurseurs de Descartes et de Fermat sur la Géométrie analytique, Newton et Leibniz inventent (découvrent?) le Calcul différentiel et intégral. Puis Taylor, Jacques et Jean Bernoulli, Stirling, de Moivre, les géants Euler et Lagrange, Laplace, Clairaut, Daniel Bernoulli, MacLaurin, Monge, Legendre, d'Alembert et bien d'autres le développent rapidement, mais sans grande rigueur. Cette période de l'histoire des mathématiques est extrêmement riche et féconde. Les théorèmes, formules et méthodes se succèdent à grande vitesse. De nouvelles branches des mathématiques (Calcul des variations, Équations différentielles, Géométrie différentielle, Équations aux dérivées partielles, Analyse complexe, Théorie de l'approximation) naissent et les méthodes du Calcul différentiel influent fortement sur les autres sujets (la Théorie des nombres, la Géométrie et la Théorie des probabilités, par exemple). Les applications, d'abord à la Mécanique et à l'Astronomie, s'étendent aux autres Sciences de la nature. (Le Calcul infinitésimal, surtout par les probabilités et les statistiques, est aujourd'hui un outil indispensable pour toutes les Sciences naturelles, le Génie, l'Économie et les Sciences humaines.)

Malgré ces immenses succès, le mystère et le flou des infiniment petits, des quantités évanouissantes, des séries et des suites divergentes conduisent parfois à des contradictions et laissent de nombreux mathématiciens insatisfaits. Le Calcul infinitésimal n'a pas la logique et la rigueur de la Géométrie euclidienne, pourtant vieille de plusieurs millénaires. Un besoin urgent de formalisme et de rigueur, avec des définitions et des théorèmes plus précis pour bien établir les fondements, se fait sentir. Dès le début du XIXe siècle, on commence à réfléchir sur la nature des notions de base et des modes de raisonnement admissibles du Calcul infinitésimal. Cela aboutit à une rigueur complète en Analyse et à la présentation axiomatique de toutes les théories mathématiques rattachées à une source unique, la Théorie des ensembles. Pendant plus d'un siècle, tout en poursuivant le développement et les applications, plusieurs des meilleurs mathématiciens cherchent à définir plus rigoureusement les notions de convergence de suite et de série, de continuité de fonction, de limite de fonction, de dérivée de fonction, et même la notion et les propriétés des nombres.

Lagrange, Gauss, Bolzano et Cauchy étudient et précisent d'abord certaines notions de convergence et de continuité. Abel, Dirichlet, Riemann et Weierstrass raffinent leurs travaux. Un peu plus tard, Dedekind, Méray et d'autres montrent comment construire rigoureusement l'ensemble des nombres réels, en clarifiant sa propriété de complétude. Tous ces travaux donnent naissance à la Théorie des ensembles, grâce surtout à Dedekind et à Cantor, vers la fin du XIXe siècle, qui influe fortement sur toutes les mathématiques. La Topologie générale, l'Analyse fonctionnelle, la Théorie de la mesure et l'Analyse harmonique naissent de ces travaux. Signalons que des problèmes de convergence de séries de Fourier obligent les mathématiciens à préciser les concepts de fonction, de fonction continue, de fonction analytique, et conduisent Cantor à développer sa théorie des ordinaux et cardinaux transfinis.

Dans ce traité d'Analyse réelle (donc de Calcul différentiel et intégral rigoureux), nous expliquerons les concepts de limite de suite et de fonction, de somme de séries, de continuité et de différentiabilité de fonction, d'intégration de fonction, de convergence (ponctuelle et uniforme) de suite et de série de fonctions et nous démontrerons les principales propriétés de ces notions. Nous expliquerons donc le dur labeur, de presque un siècle, de plusieurs des plus grands mathématiciens de tous les temps en quelques centaines de pages. Et vous devrez comprendre et «digérer» tout cela en quelques dizaines d'heures... La tâche ne sera pas de tout repos; après tout, même le grand Cauchy a cru, écrit et démontré que la limite de toute suite convergente de fonctions continues est une fonction continue, jusqu'à ce que Dirichlet fournisse un contre-exemple, et que la notion de convergence uniforme d'une suite de fonctions apparaisse. Pendant longtemps, on a confondu continuité et continuité uniforme; la nuance subtile entre ces deux notions n'a été décelée que bien plus tard. Tous croyaient également, ce qui s'est révélé faux, qu'une fonction indéfiniment dérivable sur un intervalle était forcément égale à la somme de sa série de Taylor partout sur cet intervalle, c'est-à-dire qu'«indéfiniment dérivable» impliquait «analytique». C'est dire que certains passages de ce livre vous forceront à réfléchir.

Cet ouvrage, surtout destiné aux étudiants de première année du baccalauréat en mathématiques, est avant tout un manuel de référence. Vous pourrez l'utiliser durant deux semestres.

L'analyse mathématique commence par l'étude des nombres réels. Plus précisément, elle débute, comme nous le faisons au chapitre 1, avec l'introduction de la propriété qui distingue le corps des réels de celui des rationnels. Cette distinction repose sur une seule propriété, à savoir l'axiome de complétude. Elle permet, par exemple, de prouver l'existence de $\sqrt{2}$. Pour bien comprendre les propriétés des fonctions réelles d'une variable réelle, il faut posséder quelques notions de la topologie de $\mathbb{R}$, l'objet du chapitre 2. Au chapitre 3, nous approfondissons les suites de nombres réels, ce qui permet d'obtenir plus rapidement les résultats du chapitre 4 sur la limite des fonctions et sur les fonctions continues. Puis, au chapitre 5, nous abordons la notion de fonction différentiable centrée sur l'approximation d'une fonction au voisinage d'un point. Nous introduisons l'intégrale de Riemann et nous démontrons ses principales propriétés au chapitre 6 en utilisant la notion de somme supérieure et de somme inférieure. Nous présentons finalement au chapitre 7 les séries numériques à l'aide des suites de nombres réels, puis nous nous attardons sur la convergence uniforme des suites et séries de fonctions dans les deux derniers chapitres. Ce traité comprend trois annexes. L'annexe A rappelle la théorie des ensembles. Elle précise quelques termes et notations. L'annexe B révise rapidement un premier cours de Calcul différentiel et intégral. Finalement, l'annexe C, sur les espaces métriques, généralise plusieurs notions et résultats.

Dans l'enseignement et en recherche, le but principal des mathématiques est la résolution de problèmes. Souvent, le langage axiomatique des mathématiques impressionne tellement les étudiants qu'ils ne voient pas que cette science requiert de la sagacité et du bon sens. C'est en analyse que le raisonnement mathématique en exige le plus. On ne peut utiliser les théorèmes généraux sans réfléchir aux questions : Quel théorème s'applique à ce problème ? Quel théorème exigera le minimum de calculs ? Seule l'expérience permet de répondre à ces questions et de maîtriser réellement la matière. Le grand choix d'exercices offert met en œuvre les diverses techniques de l'analyse. Les exercices à la fin des sections sont des applications faciles du cours, ceux qui clôturent les chapitres exigent un peu plus. Les solutions de la plupart des exercices (excepté ceux en fin de chapitre) se trouvent à la fin de l'ouvrage. Si, après réflexion, vous ne voyez pas comment commencer un problème, consultez ce solutionnaire. Pour vous stimuler, nous vous avons souvent laissé le soin de compléter le raisonnement de points faciles de certains problèmes.

Bonne lecture, le résultat de vos efforts sera une maturité et une sagesse mathématiques! Comme le développement de l'Analyse a grandement influé sur la pensée mathématique, la lecture des différentes méthodes de preuves, la manipulation de concepts délicats et la résolution d'exercices sont la meilleure initiation aux mathématiques contemporaines.

Nous remercions les personnes qui nous signaleront les lapsus et autres coquilles qui ont échappé à notre vigilance.

J. Labelle et A. Mercier, mai 1992.

Chapitre 1

Le système des nombres réels

1.1 Introduction

Ce chapitre introduit le système des nombres réels, la base de l'analyse réelle. On peut construire rigoureusement le système des nombres réels en n'utilisant que la théorie des ensembles (voir E. Landau, *Foundations of Analysis*, Chelsea). Nous ne suivons pas cette construction difficile, laborieuse et longue. Une construction rigoureuse des nombres réels cadre mieux dans un cours de logique traitant des *fondements de l'analyse*. Notre approche est beaucoup plus simple : nous listons des propriétés de base (ou axiomes) intuitives (sauf peut-être la septième) du système des nombres réels et, à l'aide de ces propriétés, nous établissons d'autres propriétés de ce système. Cette *connaissance* des réels, dite parfois naïve, suffit pour les besoins de ce cours. Rappelons que l'ensemble des nombres réels, noté $\mathbb{R}$, contient les nombres entiers, les nombres rationnels et les nombres irrationnels (brièvement les entiers, les rationnels et les irrationnels). Sa représentation géométrique est un axe orienté sur lequel on choisit une origine et une unité de longueur. D'où le nom de *droite numérique* attribué à l'ensemble $\mathbb{R}$.

1.2 Propriétés du système des nombres réels

Le système des nombres réels est un ensemble $\mathbb{R}$ sur lequel on définit deux opérations, à savoir l'addition $(x, y) \mapsto x + y$ et la multiplication $(x, y) \mapsto x \cdot y$, et une relation d'ordre $(x \leq y)$. Cet ensemble $\mathbb{R}$ muni de ces deux opérations et de cette relation satisfait aux sept propriétés de cette section.

Les cinq premières propriétés font du système des nombres réels un corps, aussi les appelle-t-on *propriétés d'un corps*.

Propriété 1 (*commutativité*) $\forall x, y \in \mathbb{R}$, $x + y = y + x$ et $x \cdot y = y \cdot x$.

Propriété 2 (*associativité*) $\forall x, y, z \in \mathbb{R}$, $(x+y)+z = x+(y+z)$ et $(x \cdot y) \cdot z = x \cdot (y \cdot z)$.

Propriété 3 (*distributivité*) $\forall x, y, z \in \mathbb{R}$, $x \cdot (y+z) = x \cdot y + x \cdot z$.

Propriété 4 (*existence d'éléments neutres*)   Il existe des éléments 0 et 1 de $\mathbb{R}$ tels que pour tout $x \in \mathbb{R}$, $x + 0 = x$ et $x \cdot 1 = x$.

Propriété 5 (*existence de l'inverse additif et multiplicatif*)   Pour tout $x \in \mathbb{R}$, il existe un élément de $\mathbb{R}$, noté $-x$, tel que $x + (-x) = 0$ et pour tout élément (non nul) $x \in \mathbb{R}$, il existe un élément de $\mathbb{R}$, noté x^{-1}, tel que $x \cdot x^{-1} = 1$.

Remarque   Le nombre réel $x + (-y)$ se note, en abrégé, $x - y$.

Les nombres de $\mathbb{R}$ à droite de zéro sur la droite réelle sont dits positifs. Si x est positif, on écrit $x > 0$. Si $-x > 0$, on dit que x est négatif et on écrit $x < 0$. Les nombres négatifs de $\mathbb{R}$ sont à gauche de zéro sur la droite réelle.

Propriété 6 (*liens entre la relation d'ordre et les opérations*)

a) Soit $x, y \in \mathbb{R}$, si $x > 0$ et $y > 0$, alors $x + y > 0$ et $x \cdot y > 0$.

b) $\forall x \in \mathbb{R}$, on a une seule des trois relations

$$x > 0, \qquad x = 0, \qquad x < 0.$$

On définit $x < y$ (ou $y > x$) par $y - x > 0$. Soit les réels x, y, z. Selon la propriété 6,

$$x < y \text{ et } y < z \Longrightarrow x < z, \qquad x < y \Longrightarrow x + z < y + z,$$
$$x < y \text{ et } z > 0 \Longrightarrow xz < yz, \qquad x < y \text{ et } z < 0 \Longrightarrow xz > yz.$$

L'expression $x \leq y$ (ou $y \geq x$) signifie $x < y$ ou $x = y$. La plupart des règles de l'algèbre élémentaire reposent sur les propriétés 1 à 6.

Avant d'énoncer la dernière propriété du système des nombres réels, définissons certains concepts nécessaires.

Définition 1.1   Soit $E \subset \mathbb{R}$. On dit que E est borné supérieurement (resp. borné inférieurement) s'il existe un nombre $M \in \mathbb{R}$ (resp. $m \in \mathbb{R}$) tel que pour tout $x \in E$, $x \leq M$ (resp. $x \geq m$). On dit alors que M (resp. m) est une borne supérieure (resp. borne inférieure). Si l'ensemble E est borné supérieurement et inférieurement, on dit qu'il est borné.

Remarque   Cette définition en contient deux se rapportant à deux notions opposées (l'une d'elles est mise entre parenthèses).

Exemple 1.2

1. Soit $E = \{1, 2, 3\}$; 0 est une borne inférieure de E, π une borne supérieure de E.

2. Soit $E = \{1/n \mid n$ est un entier positif$\}$; 0 est une borne inférieure de E, 1 une borne supérieure de E.

Un ensemble E borné a toujours plusieurs bornes supérieures et plusieurs bornes inférieures. En effet, tout nombre supérieur (resp. inférieur) à une borne supérieure (resp. borne inférieure) est lui-même une borne supérieure (resp. borne inférieure). D'où les notions suivantes.

Définition 1.3   Soit $E \subset \mathbb{R}$. On appelle plus petite borne supérieure (ou supremum) de l'ensemble E tout élément b^0 de $\mathbb{R}$ tel que

a) b^0 est une borne supérieure de E,

b) pour toute borne supérieure y de E, $b^0 \leq y$.

On appelle plus grande borne inférieure (ou infimum) de l'ensemble E tout élément b_0 de $\mathbb{R}$ tel que

a) b_0 est une borne inférieure de E,

b) pour toute borne inférieure y de E, $b_0 \geq y$.

Si un tel b^0 (resp. b_0) existe, il est unique. D'où la notation

$$b^0 = \sup E \quad \text{et} \quad b_0 = \inf E.$$

Les symboles $\sup E$ (lire «sup de E») et $\inf E$ (lire «inf de E») sont respectivement les abréviations de supremum de E et infimum de E. On écrit $\sup E = +\infty$ (resp. $\inf E = -\infty$) si l'ensemble E n'est pas borné supérieurement (resp. borné inférieurement).

Exemple 1.4   On a $\inf\{1, 2\} = 1$ et $\sup\{1, 2\} = 2$.

La propriété 7 (axiome de complétude) traite de l'existence de la plus petite borne supérieure.

Propriété 7 (*axiome de complétude*)   Tout sous-ensemble non vide de $\mathbb{R}$ ayant une borne supérieure possède une plus petite borne supérieure qui appartient à $\mathbb{R}$.

Nous verrons que cette propriété, moins familière à l'étudiant, joue un rôle important dans la démonstration de nombreux théorèmes. Pour illustrer cela, prenons le système $\mathbb{Q}$ des nombres rationnels, qui vérifie les propriétés 1 à 6 et non la propriété 7. On a

$$\mathbb{Q} = \{m/n \mid m \in \mathbb{Z}, n \in \mathbb{Z} \setminus \{0\}\},$$

où $\mathbb{Z} = \{\ldots, -1, 0, 1, 2, \ldots\}$. Les propriétés 1 à 6 sont vraies dans $\mathbb{Q}$. Nous allons voir que la propriété 7 y est fausse, c'est-à-dire qu'il existe un sous-ensemble non vide de $\mathbb{Q}$ possédant une borne supérieure mais aucune plus petite borne supérieure dans $\mathbb{Q}$. Démontrons d'abord le théorème 1.5.

Théorème 1.5   *Pour tout $x \in \mathbb{Q}$, $x^2 \neq 2$.*

DÉMONSTRATION   Supposons qu'il existe un nombre rationnel x tel que $x^2 = 2$. Puisque x est rationnel, $x = m/n$, où m et n sont des entiers, $n \neq 0$, n'ayant aucun facteur en commun. Or $x^2 = 2$ entraîne que $m^2 = 2n^2$. Par conséquent, m est un entier pair, c'est-à-dire que $m = 2r$, r étant un entier. En remplaçant $m = 2r$ dans $m^2 = 2n^2$, on obtient $n^2 = 2r^2$, c'est-à-dire que n est un entier pair. Donc m et n sont des entiers pairs; cela contredit le fait que m et n n'ont aucun facteur en commun. Il n'existe donc pas de nombre rationnel x tel que $x^2 = 2$.   ∎

Remarque   Le nombre $\sqrt{2}$ est donc un nombre irrationnel, c'est-à-dire non rationnel. Il n'est pas toujours aussi facile de prouver qu'un nombre est irrationnel. Ainsi, on ne sait pas encore si les nombres 2^π, 2e et π^e sont irrationnels. Le théorème ci-dessous, relativement facile à démontrer, fournit cependant un critère pour déterminer si un nombre algébrique est irrationnel ou non.

Théorème 1.6   *Si le nombre rationnel $x_0 = p/q$, où la fraction est réduite, est une racine de l'équation*

$$a_n x^n + a_{n-1} x^{n-1} + \cdots + a_1 x + a_0 = 0, \qquad (a_n \neq 0),$$

où les $a_i \in \mathbb{Z}$, $0 \le i \le n$, alors p divise a_0 et q divise a_n.

DÉMONSTRATION   Puisque x_0 est une racine de

$$a_n x^n + a_{n-1} x^{n-1} + \cdots + a_1 x + a_0 = 0,$$

alors

$$a_n (p/q)^n + a_{n-1} (p/q)^{n-1} + \cdots + a_1 (p/q) + a_0 = 0.$$

D'où $a_n p^n + a_{n-1} q p^{n-1} + \cdots + a_1 p q^{n-1} + a_0 q^n = 0$. Comme p divise $-p(a_1 q^{n-1} + \cdots + a_n p^{n-1}) = a_0 q^n$ et qu'il n'a aucun facteur premier en commun avec q^n, il divise a_0. De même, comme q divise $-q(a_0 q^{n-1} + \cdots + a_{n-1} p^{n-1}) = a_n p^n$ et qu'il n'a aucun facteur premier en commun avec p^n, il divise a_n. ∎

Exemple 1.7   Montrons que $\sqrt{2} + \sqrt{3}$ est un nombre irrationnel.

SOLUTION   Posons $x = \sqrt{2} + \sqrt{3}$. On obtient $x^2 - 5 = 2\sqrt{6}$ et

$$x^4 - 10x^2 + 1 = 0.$$

Si $x = \sqrt{2} + \sqrt{3}$ est un nombre rationnel, alors $\sqrt{2} + \sqrt{3} = p/q$ où p divise 1 et q divise 1. Donc $\sqrt{2} + \sqrt{3} = 1$ ou -1. Ce qui est évidemment faux. L'irrationnalité d'autres nombres algébriques, celle de $\sqrt[3]{2}$, par exemple, est également facile à démontrer.

Remarque   Nous verrons que la preuve de l'irrationnalité des nombres π et e est beaucoup plus délicate.

On connaît le nombre $\sqrt{2}$ dont le carré est 2. Puisque $1 < 2 < 4$, alors $1 \le \sqrt{2} \le 2$. En subdivisant l'intervalle $[1, 2]$ en 10 parties de longueur $1/10$, on trouve que $1{,}4 < \sqrt{2} < 1{,}5$ puisque $1{,}96 < 2 < 2{,}25$. En divisant l'intervalle $[1{,}4; 1{,}5]$ en 10 parties de longueur $1/100$ chacune, on trouve que $\sqrt{2} \in [1{,}41; 1{,}42]$ puisque $1{,}9881 < 2 < 2{,}0164$. En continuant le procédé on trouve, par exemple, que

$$1{,}414\ 213\ 562\ 4 < \sqrt{2} < 1{,}414\ 213\ 562\ 5.$$

On dit que $1{,}414\ 213\ 562\ 4 \ldots$ est le développement décimal de $\sqrt{2}$. On peut appliquer ce procédé à n'importe quel nombre réel; on peut également choisir une base b différente de 10. Il faudrait alors diviser en b parties plutôt qu'en 10. On obtient ainsi les développements binaires, ternaires, etc.

Remarque   Certains nombres admettent deux développements décimaux distincts. Exemple :

$$\frac{217}{100} = 2 + \frac{1}{10} + \frac{7}{100} = 2{,}17.$$

mais $217/100 = 2{,}169\,999\ldots = 2{,}16\overline{9}$. En effet, si $x = 2{,}169\,99\ldots$, alors

$$100x = 216{,}999\ldots; \quad 1000x = 2169{,}999\ldots$$

d'où, par soustraction, $900x = 1953$, soit $x = 217/100$.

Théorème 1.8   *Soit* $0{,}a_1a_2\ldots$ *et* $0{,}b_1b_2\ldots$ *deux développements décimaux distincts dont aucun ne se termine par une suite infinie de 9. Ces deux développements déterminent des nombres réels différents.*

DÉMONSTRATION   On peut, sans perdre de généralité, supposer que

$$a_1 = b_1, a_2 = b_2, \ldots, a_n = b_n \text{ et } a_{n+1} > b_{n+1}.$$

Il s'ensuit que

$$0{,}a_{n+1}a_{n+2}a_{n+3}\ldots \geq 0{,}a_{n+1}00\ldots \geq 0{,}b_{n+1}00\ldots + 0{,}100\ldots$$
$$= 0{,}b_{n+1}00\ldots + 0{,}0999\ldots = 0{,}b_{n+1}999\ldots$$
$$> 0{,}b_{n+1}b_{n+2}b_{n+3}\ldots$$

et finalement $0{,}a_1a_2a_3\ldots a_na_{n+1}\ldots > 0{,}b_1b_2\ldots b_nb_{n+1}\ldots$ ∎

Remarque   D'après le théorème 1.8, un nombre réel x admet deux développements décimaux distincts seulement s'il en admet un se terminant par une suite infinie de chiffres 9 et un autre fini. Le nombre x est alors un rationnel particulier de la forme $N/10^n$ avec $n \geq 0$ et $N \in \mathbb{Z}$.

Définition 1.9   Un développement décimal de la forme

$$n_0{,}a_1a_2\ldots a_nb_1b_2\ldots b_mb_1b_2\ldots b_mb_1\ldots,$$

où $n \geq 0$, $m \geq 1$ et la partie $b_1b_2\ldots b_m$ se répète à l'infini est dit périodique. Si $n = 0$, il est périodique pur et si $n \geq 1$, il est périodique mixte (on dit aussi éventuellement périodique).

Exemple 1.10   Le nombre $1/7$ admet le développement $0{,}142\ 857\ 142\ 857\ldots$, lequel est un développement périodique pur où $n = 0$ et $m = 6$ tandis que le nombre $33/100$ admet les deux développements périodiques mixtes $0{,}330\ 00\ldots$ et $0{,}329\ 99\ldots$ où $n = 2$ et $m = 1$.

Théorème 1.11   *Le nombre réel x admet un développement décimal périodique si et seulement si x est un nombre rationnel.*

DÉMONSTRATION   Soit

$$x = n_0{,}a_1 a_2 \ldots a_n b_1 b_2 \ldots b_m b_1 b_2 \ldots b_m b_1 \ldots$$

On a

$$10^n x = n_0 a_1 a_2 \ldots a_n{,}b_1 b_2 \ldots b_m b_1 b_2 \ldots b_m b_1 \ldots$$
$$10^{n+m} x = n_0 a_1 a_2 \ldots a_n b_1 b_2 \ldots b_m{,}b_1 b_2 \ldots b_m b_1 \ldots$$

D'où

$$(10^{n+m} - 10^n)x = n_0 a_1 a_2 \ldots a_n b_1 b_2 \ldots b_m - n_0 a_1 a_2 \ldots a_n = N_0.$$

Donc $x = N_0/10^n(10^m - 1)$ est un nombre rationnel.

Réciproquement, soit $x = p/q = n_0{,}k_1 k_2 k_3 \ldots$ Si les k_i sont éventuellement tous égaux à 9, alors x admet un développement décimal périodique. Sinon,

$$0 \leq \frac{p}{q} - n_0 = 0{,}k_1 k_2 \ldots < 1$$

et $0 \leq p - n_0 q = q \cdot \{0{,}k_1 k_2 \ldots\} < q$. On a aussi

$$0 \leq 10\frac{p}{q} - 10 n_0 = k_1{,}k_2 k_3 \ldots < 10.$$

D'où $0 \leq 10p - 10 n_0 q - q k_1 = q \cdot \{0{,}k_2 k_3 \ldots\} < q$. En continuant ce procédé, on trouve que les nombres

$$q \cdot \{0{,}k_1 k_2 \ldots\}, \quad q \cdot \{0{,}k_2 k_3 \ldots\}, \quad q \cdot \{0{,}k_3 k_4 \ldots\}$$

sont tous des entiers pris dans $\{0, 1, 2, \ldots, q - 1\}$. Ils ne peuvent, bien sûr, être tous distincts. Soit $1 \leq i < j$ tels que $q \cdot \{0{,}k_i k_{i+1} \ldots k_j \ldots\} = q \cdot \{0{,}k_j k_{j+1} \ldots\}$, on conclut que

$$k_j = k_i, k_{j+1} = k_{i+1}, \ldots, k_{2j-i} = k_j = k_i, \ k_{2j-i+1} = k_{i+1}, \ldots$$

Le développement de p/q est donc de la forme

$$\frac{p}{q} = n_0, k_1 k_2 \ldots k_{i-1} k_i k_{i+1} \ldots k_{j-1} k_i k_{i+1} \ldots k_{j-1} k_i \ldots,$$

soit un développement décimal périodique avec $n = i - 1 \geq 0$ et $m = j - i \geq 1$.   ∎

Terminons cette section en construisant un ensemble E de nombres rationnels borné supérieurement, tel que sa plus petite borne supérieure ne soit pas un nombre rationnel. Soit $E = \{x \in \mathbb{Q} \mid x^2 < 2\}$. Puisque E est un sous-ensemble non vide de $\mathbb{R}$ ayant une borne supérieure, alors la plus petite borne supérieure de cet ensemble existe. Posons $y = \sup E$, et montrons que y n'est pas un nombre rationnel (il est immédiat que $1,4 < y < 2$). Supposons que y est un nombre rationnel tel que $y^2 < 2$. Alors $y \in E$ et en posant $h = (2 - y^2)/(2y + 2)$, on obtient $0 < h < 2$. Considérons $z = y + h$, alors $z > y$ et

$$z^2 = (y + h)^2 = y^2 + (2y + h)h = y^2 + (2y + h)\left(\frac{2 - y^2}{2y + 2}\right)$$
$$< y^2 + (2y + 2)\left(\frac{2 - y^2}{2y + 2}\right) = 2,$$

c'est-à-dire que $z \in E$. On a donc un élément de E qui est plus grand que la plus petite borne supérieure de E. Cette contradiction permet d'écrire $y^2 \geq 2$. Supposons que y est un nombre rationnel tel que $y^2 > 2$. Posons $k = (y^2 - 2)/(2y + 2)$, alors on a $0 < k < y$. Considérons $w = y - k$, alors $w < y$ et

$$w^2 = (y - k)^2 = y^2 - (2y - k)\left(\frac{y^2 - 2}{2y + 2}\right)$$
$$> y^2 - (2y + 2)\left(\frac{y^2 - 2}{2y + 2}\right) = 2.$$

Puisque $w^2 > 2$ et $w > 0$, alors $x < w$, $\forall x \in E$, et par conséquent w est une borne supérieure de E qui est plus petite que la plus petite borne supérieure de E. Cette contradiction permet de conclure que $y = \sqrt{2} \notin \mathbb{Q}$. On ne peut donc, dans l'axiome de complétude, remplacer le système des nombres réels par le système des nombres rationnels. Voilà pourquoi on utilise plutôt le système des nombres réels, un prolongement des nombres rationnels qui satisfait à l'axiome de complétude.

1.2.1 Exercices

1. Est-ce que l'ensemble vide est borné supérieurement? inférieurement? Possède-t-il une plus petite borne supérieure? une plus grande borne inférieure?

2. Trouver la plus petite borne supérieure et la plus grande borne inférieure, si elles existent, des ensembles suivants.

a) $\{2, 5, 7, 11, 13, 17\}$, b) $\{\sin \frac{n\pi}{2} \mid n = 1, 2, 3, \ldots\}$,

c) $\left\{ 1 + \dfrac{1}{n\pi} \;\middle|\; n = 1, 2, 3, \ldots \right\}$, d) $\left\{ 2 + \dfrac{(-1)^n}{n} \;\middle|\; n = 1, 2, 3, \ldots \right\}$,

e) $\{x \in \mathbb{R} \mid 3 < x < \pi\}$, f) $\{x \in \mathbb{R} \mid x^2 > 0\}$,

g) $\{x \in \mathbb{R} \mid x^2 < 3\}$, h) $\left\{ \dfrac{n+3}{2n+7} \;\middle|\; n = 1, 2, 3, \ldots \right\}$,

i) $\left\{ \dfrac{3n+17}{37n+8} \;\middle|\; n = 1, 2, 3, \ldots \right\}$, j) $\left\{ \dfrac{2n+5}{n^2} \;\middle|\; n = 1, 2, 3, \ldots \right\}$.

3. Les ensembles définis dans l'exercice précédent sont-ils bornés?

4. Prouver que si $b^0 = \sup E$, alors b^0 est unique.

5. Montrer que le nombre $3\sqrt{3} + \sqrt{5}$ est un nombre irrationnel.

6. Les nombres

a) $\sqrt[3]{2 + \sqrt{3}}$, b) $\sqrt[3]{26 + 15\sqrt{3}} + \sqrt[3]{26 - 15\sqrt{3}}$

sont-ils rationnels? Justifier sa réponse.

7. Trouver les racines rationnelles des polynômes

a) $4x^4 - 11x^2 + 9x - 2$, b) $2x^3 - x^2 + 1$.

8. Trouver le développement décimal des nombres rationnels suivants.

a) $17/125$, b) $14/19$, c) $1/999$, d) $355/113$.

1.3 Valeur absolue

Définition 1.12 Soit $x \in \mathbb{R}$. La valeur absolue de x, notée $|x|$, est définie par

$$|x| = \begin{cases} x & \text{si } x \geq 0, \\ -x & \text{si } x < 0. \end{cases}$$

Donc pour tout $x \in \mathbb{R}$, $|-x| = |x|$.

Théorème 1.13 *Pour tout $x \in \mathbb{R}$, $-|x| \leq x \leq |x|$.*

DÉMONSTRATION   Il suffit de considérer les trois cas suivants.

1. Si $x = 0$, $0 \leq 0 \leq 0$.

2. Si $x > 0$, $|x| = x$. Puisque $-x < x$, $-|x| < x = |x|$.

3. Si $x < 0$, $|x| = -x$, c'est-à-dire que $x = -|x|$. Puisque $x < -x$, $-|x| = x < -x = |x|$. ∎

On a $x \leq |x|$ et $-x \leq |x|$ avec l'égalité au moins une fois; on peut aussi dire que $|x|$ est le maximum entre x et $-x$.

Les trois propriétés fondamentales de la valeur absolue de nombres réels sont :

$$|x| \geq 0 \quad \text{et} \quad |x| = 0 \iff x = 0, \tag{1.1}$$

$$|x \cdot y| = |x| \cdot |y|, \tag{1.2}$$

$$|x + y| \leq |x| + |y|. \tag{1.3}$$

Théorème 1.14 *Pour tout $x \in \mathbb{R}$, $|x| \geq 0$. De plus, $|x| = 0 \iff x = 0$.*

DÉMONSTRATION   Si $x \geq 0$, alors $|x| = x \geq 0$. Si $x < 0$, alors $|x| = -x > 0$. Cela démontre la première partie de ce théorème.

Pour la seconde partie, il est immédiat que $x = 0$ entraîne que $|x| = 0$. On démontre l'implication inverse comme suit. Si $x \neq 0$, alors soit $x > 0$ et alors $|x| = x > 0$, soit $x < 0$ et alors $|x| = -x > 0$. Donc $x \neq 0$ entraîne $|x| \neq 0$ ou encore $|x| = 0$ implique $x = 0$. ∎

De la définition de la valeur absolue et du théorème 1.14, on tire

$$|x| = b \iff \begin{cases} b \geq 0 \\ \text{et} \\ x = b \text{ ou } -x = b. \end{cases} \tag{1.4}$$

De plus, le théorème 1.13 permet d'établir l'équivalence suivante :

$$\begin{aligned} |x| < b &\iff -x < b \text{ et } x < b \\ &\iff x > -b \text{ et } x < b \\ &\iff -b < x < b. \end{aligned} \tag{1.5}$$

Enfin les équivalences (1.4) et (1.5) donnent le corollaire suivant.

Corollaire 1.15 *Si $b \geq 0$, alors $|x| \leq b \iff -b \leq x \leq b$.*

Remarque Puisque $|x| = x$ ou $|x| = -x$, on montre facilement que si $b > 0$, alors $|x| \geq b \iff x \geq b$ ou $x \leq -b$.

Théorème 1.16 *Pour tout x et $y \in \mathbb{R}$, $|x \cdot y| = |x| \cdot |y|$.*

DÉMONSTRATION   Il suffit de considérer les quatre cas suivants :

1. Si $x \geq 0$ et $y \geq 0$, alors $|x| = x$, $|y| = y$ et $|xy| = xy = |x||y|$.

2. Si $x \geq 0$ et $y < 0$, alors $|x| = x$, $|y| = -y$ et $|xy| = -xy = x(-y) = |x||y|$.

3. Si $x < 0$ et $y \geq 0$, il suffit alors de permuter x et y dans la démonstration du deuxième cas.

4. Si $x < 0$ et $y < 0$, alors $|x| = -x$, $|y| = -y$ et $|xy| = xy = (-x)(-y) = |x||y|$. ∎

Théorème 1.17 (inégalité du triangle) *Pour tout x et $y \in \mathbb{R}$, $|x+y| \leq |x|+|y|$.*

DÉMONSTRATION   On a $-|x| \leq x \leq |x|$ et $-|y| \leq y \leq |y|$. En additionnant ces deux inégalités, on obtient

$$-(|x| + |y|) \leq x + y \leq |x| + |y|$$

et le corollaire 1.15 termine la démonstration.   ∎

Exemple 1.18   Pour $|x| \leq 1$, montrons que

$$|x^4 - 36x + 47| \geq 10.$$

SOLUTION   L'inégalité du triangle donne

$$\begin{aligned}
47 &= |x^4 - 36x + 47 + 36x - x^4| \\
&\leq |x^4 - 36x + 47| + |36x - x^4| \\
&\leq |x^4 - 36x + 47| + |36x| + |x^4| \\
&\leq |x^4 - 36x + 47| + 37, \text{ puisque } |x| \leq 1.
\end{aligned}$$

D'où la conclusion.

Corollaire 1.19 *Pour tout x et $y \in \mathbb{R}$, $||x| - |y|| \leq |x + y|$.*

DÉMONSTRATION De $x = x + y - y$, il vient $|x| \leq |x + y| + |y|$. D'où

$$|x| - |y| \leq |x + y|. \tag{1.6}$$

De même,

$$|y| - |x| \leq |x + y|. \tag{1.7}$$

Les inégalités (1.6) et (1.7) et le corollaire 1.15 terminent la démonstration. ∎

Exemple 1.20 Pour $|x + a| \leq \frac{1}{2}|a|$, montrons que

$$\frac{1}{2}|a| \leq |x| \leq \frac{3}{2}|a|.$$

SOLUTION D'après le corollaire 1.19,

$$||x| - |a|| \leq |x + a| \leq \frac{1}{2}|a|.$$

Le corollaire 1.15 permet de conclure que

$$-\frac{1}{2}|a| \leq |x| - |a| \leq \frac{1}{2}|a|.$$

D'où la conclusion.

1.3.1 Exercices

1. Trouver les nombres réels x qui vérifient les relations ci-dessous. Interpréter géométriquement.

a) $|x - 4| = 1$,   b) $|x - 1| = |x + 3|$,

c) $|x - 2| < 1$,   d) $|1 - x| \geq 1$,

e) $|2x - 6| < 15$,   f) $|x - 4| > 0$,

g) $|x^2 - 5x + 6| = 0$,   h) $|x^2 + 2x| < 3x$.

2. Soit x un nombre réel. Déterminer les nombres réels x tels que $\dfrac{2x + 7}{3x + 1}$ diffère de $\dfrac{2}{3}$ de moins de 0,001.

3. Montrer que

   a) $|x| = |-x|$,   b) $|x - y| \le |x| + |y|$,

   c) $||x| - |y|| \le |x - y|$,   d) $|x^{-1}| = |x|^{-1}$ si $x \ne 0$.

4. Montrer que $|x|^2 = x^2$. (Puisque $\sqrt{x}$ est le nombre b non négatif tel que $b^2 = x$, il vient de cet exercice que $|x| = \sqrt{x^2}$.)

5. Montrer que $|x| = \max\{x, -x\}$. Rappel : si $a \ge b$, $\max\{a, b\} = a$.

6. Soit a et $b \in \mathbb{R}$. Montrer que

$$\max\{a, b\} = \frac{a + b + |a - b|}{2} \quad \text{et} \quad \min\{a, b\} = \frac{a + b - |a - b|}{2}.$$

1.4 Induction mathématique

Admettons que $\mathbb{N} = \{1, 2, 3, \ldots\}$, l'ensemble des entiers positifs, possède la propriété suivante (appelée *principe du bon ordre*) :

«Tout sous-ensemble non vide d'entiers positifs possède un plus petit élément.»

Le plus petit entier de l'ensemble des nombres premiers, par exemple, est 2. Une définition appropriée des entiers positifs permettrait d'établir le principe du bon ordre. Le principe du bon ordre permet de démontrer le théorème 1.21 suivant.

Théorème 1.21 *Tout ensemble E d'entiers positifs qui possède les propriétés*

a) $1 \in E$,

b) *si $m \in E$, alors $m + 1 \in E$*

est l'ensemble de tous les entiers positifs, c'est-à-dire que $E = \mathbb{N}$.

DÉMONSTRATION   Soit $S = \mathbb{N} \setminus E$, l'ensemble des entiers positifs qui ne sont pas dans E. Nous voulons démontrer que $S = \emptyset$. Supposons $S \ne \emptyset$, alors d'après le principe du bon ordre, S a un plus petit élément, disons b. Puisque $1 \in E$, alors $b \ne 1$ et $b - 1$ est un entier positif. Puisque $b - 1 < b$, alors $b - 1 \notin S$ et par conséquent $b - 1 \in E$. Mais d'après b), $b = (b - 1) + 1 \in E$. Cela contredit le fait que $b \in S$ et donc l'hypothèse S non vide ne tient pas. ∎

Théorème 1.22 (principe d'induction mathématique) *Soit $P(n)$ une proposition définie pour chaque entier positif n. Si $P(1)$ est vraie et si $P(m+1)$ est vraie lorsque $P(m)$ est vraie $\forall m \in \mathbb{N}$, alors $P(n)$ est vraie pour tout entier positif n.*

DÉMONSTRATION   Soit $E = \{n \mid n \in \mathbb{N}$ et $P(n)$ est vraie$\}$. Cet ensemble vérifie les hypothèses du théorème précédent, d'où $E = \mathbb{N}$, c'est-à-dire que $P(n)$ est vraie pour tout entier positif n.   ∎

Le principe d'induction est un outil mathématique très utilisé pour démontrer les théorèmes faisant intervenir un entier naturel n. Voici quelques exemples de telles démonstrations, dites par *récurrence*.

Exemple 1.23 (inégalité de Bernoulli) Pour tout nombre réel $x \geq -1$ et pour tout entier positif n,

$$(1+x)^n \geq 1 + nx.$$

SOLUTION   Soit $P(n)$ la proposition $(1+x)^n \geq 1 + nx, \forall x \geq -1$ et $\forall n \in \mathbb{N}$. $P(1)$ est vraie puisque $(1+x)^1 = 1+x$. Supposons que $P(m)$ est vraie et vérifions que $P(m+1)$ l'est aussi. Il vient successivement

$$\begin{aligned}
(1+x)^{m+1} &= (1+x)(1+x)^m \\
&\geq (1+x)(1+mx) \qquad \text{puisque } x \geq -1 \\
&= 1 + x + mx + mx^2 \\
&\geq 1 + (m+1)x.
\end{aligned}$$

Puisque $P(m+1)$ est vraie lorsque $P(m)$ est vraie, on conclut que $P(n)$ est vraie pour tout entier positif n.

Exemple 1.24 Montrons que la formule $1 + 2 + 3 + \cdots + n = \dfrac{n(n+1)}{2}$ est vraie pour tout $n \in \mathbb{N}$.

SOLUTION   Soit $P(n)$ la proposition $1 + 2 + 3 + \cdots + n = \dfrac{n(n+1)}{2}$. Il est immédiat que $P(1)$ est vraie. Supposons que $P(m)$ est vraie et vérifions que $P(m+1)$ l'est aussi. Il vient

$$\begin{aligned}
1 + 2 + 3 + \cdots + (m+1) &= \frac{m(m+1)}{2} + (m+1) \\
&= \frac{(m+1)(m+2)}{2}.
\end{aligned}$$

Exemple 1.25 (binôme de Newton)   Soit a et $b \in \mathbb{R}$, et $n \in \mathbb{N}$. Démontrons que

$$(a+b)^n = \sum_{k=0}^{n} \binom{n}{k} a^{n-k} b^k,$$

où $\binom{n}{k} = \dfrac{n!}{k!(n-k)!}$ et $0! = 1$.

SOLUTION   Il est immédiat que l'égalité ci-dessus est vraie pour $n = 1$. Supposons qu'elle est vraie pour $n = m$ et démontrons qu'elle l'est aussi pour $n = m + 1$. On a successivement

$$(a+b)^{m+1} = (a+b)(a+b)^m = (a+b) \sum_{k=0}^{m} \binom{m}{k} a^{m-k} b^k$$

$$= \sum_{k=0}^{m} \binom{m}{k} a^{m+1-k} b^k + \sum_{k=0}^{m} \binom{m}{k} a^{m-k} b^{k+1}$$

$$= \sum_{k=0}^{m} \binom{m}{k} a^{m+1-k} b^k + \sum_{k=1}^{m+1} \binom{m}{k-1} a^{m+1-k} b^k$$

$$= a^{m+1} + \sum_{k=1}^{m} \left[\binom{m}{k} + \binom{m}{k-1} \right] a^{m+1-k} b^k + b^{m+1}.$$

L'utilisation de l'identité $\binom{m}{k} + \binom{m}{k-1} = \binom{m+1}{k}$ termine la démonstration. Remarquons que pour $a = b = 1$, on obtient l'identité

$$2^n = \sum_{k=0}^{n} \binom{n}{k},$$

pour tout $n \in \mathbb{N}$.

1.4.1 Exercices

1. Démontrer que

a) $1 + 3 + 5 + \cdots + (2n-1) = n^2$, pour tout $n \in \mathbb{N}$,

b) $1^2 + 2^2 + 3^2 + \cdots + n^2 = \dfrac{n(n+1)(2n+1)}{6}$, pour tout $n \in \mathbb{N}$,

c) $1 + a + a^2 + \cdots + a^n = \dfrac{a^{n+1} - 1}{a - 1}$, pour tout $n \in \mathbb{N}$ et pour tout $a \in \mathbb{R}$, $a \neq 1$.

2. a) Pour tout $n \in \mathbb{N}$ et pour tout $k \in \mathbb{N}$ satisfaisant à $1 \leq k \leq n$, montrer que

$$\binom{n}{k-1} + \binom{n}{k} = \binom{n+1}{k}.$$

b) En utilisant le résultat de la partie a) et l'induction mathématique, montrer que $\binom{n}{k}$ est un entier.

3. Trouver une formule simple pour les sommes suivantes.

a) $1 \cdot 2 + 2 \cdot 3 + 3 \cdot 4 + \cdots + n(n+1)$,

b) $\dfrac{1}{1 \cdot 4} + \dfrac{1}{4 \cdot 7} + \dfrac{1}{7 \cdot 10} + \dfrac{1}{10 \cdot 13} + \cdots + \dfrac{1}{(3n-2)(3n+1)}$.

4. Montrer que $n^3 + 5n$ est divisible par 6 pour tout $\forall n \in \mathbb{N}$.

5. Montrer que

a) $x - y$ est un facteur de $x^n - y^n$, pour tout $n \in \mathbb{N}$,

b) $x + y$ est un facteur de $x^{2n-1} + y^{2n-1}$, pour tout $n \in \mathbb{N}$,

c) $x^2 - y^2$ est un facteur de $x^{2n} - y^{2n}$, pour tout $n \in \mathbb{N}$.

6. Démontrer que

a) $2^{n-1} \leq n! \leq n^{n-1}$, pour tout $n \in \mathbb{N}$,

b) $2^n < n! < n^n$, pour tout $n \in \mathbb{N}$, $n \geq 4$.

7. Montrer que $\sum_{k=1}^{2n} (-1)^k (2k+1)$ est proportionnelle à n et trouver la constante de proportionnalité.

8. Soit $k(n) = \left(1 - \dfrac{1}{2^2}\right)\left(1 - \dfrac{1}{3^2}\right) \cdots \left(1 - \dfrac{1}{(n+1)^2}\right)$. Trouver une formule simple pour $k(n)$ et démontrer par induction qu'elle est vraie.

9. En utilisant le binôme de Newton,

a) trouver le coefficient de x^{15} dans le développement de $(x^2 - 3x)^{11}$,

b) trouver une valeur approximative de $(1,002)^{34}$.

1.5 Conséquences de l'axiome de complétude

Cette section contient un nombre important de propriétés du système des nombres réels qui sont des conséquences de l'axiome de complétude.

Théorème 1.26 *Tout sous-ensemble non vide de $\mathbb{R}$ qui a une borne inférieure possède une plus grande borne inférieure.*

DÉMONSTRATION Soit $E \subseteq \mathbb{R}$, $E \neq \varnothing$, un ensemble borné inférieurement, c'est-à-dire qu'il existe un élément b tel que $b \leq x, \forall x \in E$. Alors $-x \leq -b, \forall x \in E$, c'est-à-dire que $-b$ est une borne supérieure de $-E = \{-x \mid x \in E\}$. D'après l'axiome de complétude, ce dernier ensemble possède une plus petite borne supérieure, disons b^0, c'est-à-dire que $b^0 = \sup(-E)$. Dans ce cas, $-x \leq b^0, \forall x \in E$ soit $-b^0 \leq x, \forall x \in E$, et alors $-b^0$ est une borne inférieure de E. Montrons que $-b^0$ est la plus grande borne inférieure de E. Soit c une borne inférieure quelconque de E, c'est-à-dire que $c \leq x$, $\forall x \in E$, alors $-c$ est une borne supérieure de $-E$, d'où $b^0 \leq -c$ soit $c \leq -b^0$ ce qui termine la démonstration. ∎

Le théorème ci-dessous stipule qu'aucun nombre réel ne borne supérieurement l'ensemble des entiers.

Théorème 1.27 (propriété archimédienne) *Le système des nombres réels est un corps archimédien, c'est-à-dire que si x et y sont des nombres réels et si $x > 0$, alors il existe un entier positif n tel que $nx > y$.*

DÉMONSTRATION Si $y \leq 0$, il suffit de prendre $n = 1$. Si $y > 0$, supposons que $nx \leq y$, $\forall n \in \mathbb{N}$. Dans ce cas, y est une borne supérieure de

$$E = \{nx \mid n \in \mathbb{N}\},$$

et l'axiome de complétude stipule l'existence d'une plus petite borne supérieure de E, disons $b^0 = \sup E$. Or $b^0 - x < b^0$, donc il existe un élément $nx \in E$ tel que $nx > b^0 - x$, c'est-à-dire que $(n+1)x > b^0$. Or $(n+1)x \in E$, d'où une contradiction. ∎

En faisant $x = 1$ dans la propriété archimédienne, on constate qu'aucun nombre réel y ne borne supérieurement $\mathbb{N}$.

La valeur de la plus petite borne supérieure ou de la plus grande borne inférieure d'un ensemble n'est pas toujours facile à déterminer. Les trois exemples suivants le prouvent.

Exemple 1.28 Soit $E = \left\{ \left(1 + \dfrac{1}{n}\right)^n \; \middle| \; n \in \mathbb{N} \right\}$. Cherchons la valeur de sup E et inf E.

SOLUTION   L'ensemble E est borné inférieurement par 1 et de plus, puisque $\forall n \in \mathbb{N}$, $\left(1 + \dfrac{1}{n}\right)^n \geq 2$, on a inf $E = 2$. Montrons que l'ensemble E est borné supérieurement. D'après le binôme de Newton,

$$\left(1 + \frac{1}{n}\right)^n = 1 + n\left(\frac{1}{n}\right) + \cdots + \frac{n(n-1)\cdots(n-k+1)}{k!}\left(\frac{1}{n}\right)^k$$
$$+ \cdots + \frac{n!}{n!}\left(\frac{1}{n}\right)^n$$
$$= 1 + 1 + \frac{1}{2!}\left(1 - \frac{1}{n}\right) + \frac{1}{3!}\left(1 - \frac{1}{n}\right)\left(1 - \frac{2}{n}\right)$$
$$+ \cdots + \frac{1}{n!}\left(1 - \frac{1}{n}\right)\left(1 - \frac{2}{n}\right)\cdots\left(1 - \frac{n-1}{n}\right).$$

Or $\left(1 - \dfrac{1}{n}\right)\left(1 - \dfrac{2}{n}\right)\cdots\left(1 - \dfrac{j}{n}\right) < 1$ pour $j = 1, 2, 3, \ldots, (n-1)$, donc

$$\left(1 + \frac{1}{n}\right)^n < 1 + 1 + \frac{1}{2!} + \cdots + \frac{1}{n!} \quad \text{pour } n \geq 2.$$

Or $n! \geq 2^{n-1}$, d'où l'inégalité

$$\left(1 + \frac{1}{n}\right)^n < 1 + 1 + \frac{1}{2} + \cdots + \left(\frac{1}{2}\right)^{n-1} = 1 + \frac{1 - (\frac{1}{2})^n}{1 - \frac{1}{2}} < 1 + 2 = 3.$$

L'ensemble E étant borné supérieurement, sup E existe (axiome de complétude). La détermination de la valeur de sup E est un problème trop difficile pour l'instant. Nous verrons que sup $E = e = 2{,}718\ 281\ 828\ 459\ 045\ldots$

Exemple 1.29 Soit $E = \left\{ x \; \middle| \; x = \dfrac{3n + 4}{n}, n \in \mathbb{N} \right\}$. Montrons que sup $E = 7$ et que inf $E = 3$.

SOLUTION   On remarque que $7 \geq \dfrac{3n + 4}{n}$ pour $n \geq 1$, d'où sup $E = 7$. Pour montrer que inf $E = 3$, le problème est un peu plus difficile. On a $3 < (3n + 4)/n$, $\forall n \in \mathbb{N}$. D'où, d'après le théorème 1.26, inf E existe. Posons $b_0 = $ inf E. Il suffit de montrer que $b_0 = 3$. Visiblement, b_0 ne peut être inférieur à 3. Supposons que $b_0 > 3$, alors $b_0 - 3 > 0$. D'après la propriété archimédienne, il existe un entier m tel que $m(b_0 - 3) > 4$ ou encore $(3m + 4)/m < b_0$. Cette inégalité donne la contradiction voulue et par conséquent $b_0 = 3$.

Exemple 1.30 Soit $E = \{x \in \mathbb{R} \mid x^2 < 4\}$. Montrons que sup $E = 2$.

SOLUTION   Visiblement, l'ensemble E est non vide et borné supérieurement. Conformément à l'axiome de complétude, posons $b^0 = \sup E$. Si $b^0 > 2$, alors $M = 2 + \dfrac{b^0 - 2}{2}$ est une borne supérieure de E qui est inférieure à b^0, une contradiction. Si $b^0 < 2$, alors il existe un élément $x = 2 + \dfrac{b^0 - 2}{2} \in E$ tel que $x > b^0$, ce qui donne une contradiction. La seule possibilité est $b^0 = 2$.

Théorème 1.31 *Soit $x \in \mathbb{R}$. Il existe un et un seul entier n tel que*

$$n \le x < n + 1.$$

Cet entier n est noté $\lfloor x \rfloor$ et s'appelle la partie entière de x.

DÉMONSTRATION   D'après la propriété archimédienne, il existe un entier N tel que $N > |x|$, soit $-N < x < N$. Si x est un entier, alors il suffit de poser $x = n$. Si x n'est pas un entier, alors x doit être situé entre deux entiers consécutifs de l'ensemble fini $\{-N, -N+1, \ldots, 0, 1, 2, \ldots, N\}$. Démontrons l'unicité. Soit m et n deux entiers tels que $m \ne n$ et satisfaisant aux inégalités $m \le x < m + 1$, $n \le x < n + 1$. Supposons que $n < m$, alors $n < m \le x < n + 1$, mais cela est impossible, car il n'existe pas d'entiers entre n et $n + 1$. On obtient aussi une contradiction pour $m < n$. ∎

Théorème 1.32 (densité des nombres rationnels)   *Soit a et b deux nombres réels tels que $a < b$. Il existe un nombre rationnel r tel que $a < r < b$.*

DÉMONSTRATION   Puisque $\mathbb{R}$ est archimédien, il existe un entier positif n tel que $n > \dfrac{1}{b-a}$, soit $b - a > \dfrac{1}{n}$. Puisque na est un nombre réel, il existe un entier m tel que

$$m - 1 \le na < m$$

d'où
$$na < m \leq na + 1$$
soit
$$a < \frac{m}{n} \leq a + \frac{1}{n} < b.$$

Il suffit de poser $r = m/n$ pour finir la démonstration.   ∎

Ce théorème prouve qu'il y a des nombres rationnels aussi près qu'on veut d'un nombre réel donné. Plus précisément, pour tout $\varepsilon > 0$ (ε est un nombre positif arbitraire), il existe un nombre rationnel r tel que $b - \varepsilon < r < b$.

Théorème 1.33 (densité des nombres irrationnels)   *Soit a et b deux nombres réels tels que $a < b$. Il existe un nombre irrationnel c tel que $a < c < b$.*

DÉMONSTRATION   Puisque $a < b$, alors $a - \sqrt{2} < b - \sqrt{2}$ et, d'après le théorème 1.32, il existe un nombre rationnel r tel que
$$a - \sqrt{2} < r < b - \sqrt{2}$$
soit
$$a < r + \sqrt{2} < b.$$

Il suffit de poser $c = r + \sqrt{2}$ pour finir la démonstration.   ∎

Corollaire 1.34   *Si a et $b \in \mathbb{R}$, $a < b$, alors*

a) *il existe une infinité de nombres rationnels entre a et b,*

b) *il existe une infinité de nombres irrationnels entre a et b.*

DÉMONSTRATION   Démontrons qu'il existe une infinité de nombres irrationnels entre a et b. Supposons que l'intervalle (a, b) contient seulement un nombre fini de nombres irrationnels $\alpha_1, \alpha_2, \ldots, \alpha_n$. Soit x un nombre rationnel de (a, b) et considérons l'ensemble fini
$$\{|x - \alpha_1|, |x - \alpha_2|, \ldots, |x - \alpha_n|\}.$$
Il contient un plus petit élément : $|x - \alpha_j|$. Alors l'intervalle
$$\left(x - \frac{|x - \alpha_j|}{2}, x + \frac{|x - \alpha_j|}{2} \right)$$
ne contient aucun nombre irrationnel, une contradiction. On utilise un procédé semblable pour démontrer qu'il existe une infinité de nombres rationnels entre a et b.   ∎

1.5.1   Exercices

1. a) Soit r un nombre réel positif. Montrer qu'il existe un entier positif n tel que
$$0 < \frac{1}{n} < r.$$
   b) Trouver la plus petite borne supérieure et la plus grande borne inférieure de $\left\{ \frac{1}{n} \,\middle|\, n \in \mathbb{N} \right\}$.

2. a) Soit b_0 un nombre réel plus grand que 3/2. Montrer qu'il existe un entier positif n tel que $\frac{3}{2} < \frac{3n+4}{2n} < b_0$.
   b) Trouver la plus petite borne supérieure et la plus grande borne inférieure de $\left\{ \frac{3n+4}{2n} \,\middle|\, n \in \mathbb{N} \right\}$.

3. Soit a un nombre réel positif. Montrer qu'il existe un entier positif n tel que
$$\frac{1}{n} < a < n.$$

4. Soit x un nombre réel satisfaisant à l'inégalité $0 \le x < 1/n$ pour chaque $n \in \mathbb{N}$. Montrer que $x = 0$.

5. Trouver la plus petite borne supérieure et la plus grande borne inférieure, si elles existent, des ensembles suivants. Justifier sa réponse.

   a) $\left\{ \frac{4n}{5n+3} \,\middle|\, n \in \mathbb{N} \right\}$,   b) $\left\{ \frac{5n+1}{2n} \,\middle|\, n \in \mathbb{N} \right\}$,

   c) $\left\{ \frac{(-1)^n 2n}{n+1} \,\middle|\, n \in \mathbb{N} \right\}$,   d) $\{ x \in \mathbb{Q} \mid x^2 < 5 \}$,

   e) $\{ x \in \mathbb{R} \mid x^3 > 27 \}$,   f) $\{ x \in \mathbb{Q} \mid x^2 - 4x < 5 \}$.

6. Soit E un ensemble borné. Montrer qu'il existe un nombre réel positif b tel que $-b \le x \le b$, $\forall x \in E$.

Exercices sur le chapitre 1

1. Dans certaines conditions, montrer que
$$\sqrt{x + \sqrt{x^2 - a^2}} + \sqrt{x - \sqrt{x^2 - a^2}} = \sqrt{2x + 2|a|}.$$

2. Pour tout $n \in \mathbb{N}$, montrer que

   a) $|\sin nx| \le n |\sin x|$, $\forall x \in \mathbb{R}$,

b) $2 \sin x \sum_{k=1}^{n} \cos(2k-1)x = \sin 2nx$, $\forall x \in \mathbb{R}$.

3. Posons $S_n^{(0)} = n$ et d'une façon générale, pour $m \geq 1$,

$$S_n^{(m)} = S_1^{(m-1)} + S_2^{(m-1)} + \cdots + S_n^{(m-1)}.$$

Montrer que $S_n^{(m)} = \begin{pmatrix} n+m \\ m+1 \end{pmatrix}$.

En particulier, montrer que

$$1 \cdot 2 + 2 \cdot 3 + \cdots + n(n+1) = \frac{n(n+1)(n+2)}{3}.$$

4. Soit $x_1, x_2, \ldots, x_n$ des nombres réels. Montrer que

$$|x_1 + x_2 + \cdots + x_n| \leq |x_1| + |x_2| + \cdots + |x_n|.$$

5. a) Soit $a_1, a_2, \ldots, a_n$ des nombres réels. Démontrer que

$$a_1 + (1+a_1)a_2 + \cdots + (1+a_1)(1+a_2)\ldots(1+a_{n-1})a_n$$
$$= (1+a_1)(1+a_2)\ldots(1+a_n) - 1.$$

b) En utilisant le résultat obtenu en a), déduire que

$$1 \cdot 1! + 2 \cdot 2! + \cdots + n \cdot n! = (n+1)! - 1.$$

6. Soit $a_1, a_2, \ldots, a_n$ et $b_1, b_2, \ldots, b_n$ des nombres réels. Démontrer l'inégalité suivante (dite de *Cauchy-Schwarz*)

$$\left(\sum_{i=1}^{n} a_i b_i \right)^2 \leq \left(\sum_{i=1}^{n} a_i^2 \right) \left(\sum_{i=1}^{n} b_i^2 \right).$$

7. En utilisant l'identité $k^3 - (k-1)^3 = 3k^2 - 3k + 1$, trouver une expression simple pour $1^2 + 2^2 + \cdots + n^2$. Par un procédé analogue, trouver une expression simple pour $1^3 + 2^3 + \cdots + n^3$.

8. Posons $(x)_0 = 1$ et pour n un entier positif,

$$(x)_n = x(x-1)\ldots(x-n+1).$$

Montrer que

$$(x+y)_n = \sum_{k=0}^{n} \begin{pmatrix} n \\ k \end{pmatrix} (x)_k (y)_{n-k}.$$

9. a) Montrer que

$$\frac{\sqrt{n+1}}{2n+1} < \frac{1 \cdot 3 \ldots (2n-1)}{2 \cdot 4 \ldots 2n} < \frac{1}{\sqrt{2n+1}}.$$

b) En utilisant l'égalité $\sqrt{n+1} - \sqrt{n} = 1/(\sqrt{n+1} + \sqrt{n})$, montrer que

$$2\sqrt{n+1} - 2\sqrt{n} < \frac{1}{\sqrt{n}} < 2\sqrt{n} - 2\sqrt{n-1},$$

et déduire que, pour $n \geq 2$, on a :

$$2\sqrt{n} - 2 < 1 + \frac{1}{\sqrt{2}} + \frac{1}{\sqrt{3}} + \cdots + \frac{1}{\sqrt{n}} < 2\sqrt{n} - 1.$$

10. Soit $E \subset \mathbb{R}$ un ensemble contenant un nombre fini d'éléments. Démontrer que $\sup E \in E$ et $\inf E \in E$.

11. Les nombres de Fibonacci F_n sont définis par

$$F_0 = F_1 = 1, \quad F_{n+2} = F_{n+1} + F_n, \quad n \geq 0.$$

À l'aide du principe d'induction mathématique, démontrer les formules

a) $F_0 + F_1 + \cdots + F_n = F_{n+2} - 1$, b) $F_{n+1}^2 - F_{n+2}F_n = (-1)^{n+1}$,

c) $F_0^2 + F_1^2 + \cdots + F_n^2 = F_n F_{n+1}$, d) $F_n^2 + F_{n+1}^2 = F_{2n+2}$.

12. Soit Q la matrice 2 par 2 définie par

$$Q = \begin{pmatrix} 0 & 1 \\ 1 & 1 \end{pmatrix}.$$

a) Montrer que pour tout $n \geq 2$, on a

$$Q^n = \begin{pmatrix} F_{n-2} & F_{n-1} \\ F_{n-1} & F_n \end{pmatrix}.$$

b) À l'aide du déterminant, déduire la formule obtenue en 11 b). Montrer la formule

$$F_{n+m+1} = F_{n-1}F_m + F_n F_{m+1}$$

plus générale que la formule du problème 11 d).

13. Montrer que

   a) si $b^0 = \sup E$, $a < b^0$, alors $\exists x \in E$ tel que $a < x \leq b^0$,

   b) si $b_0 = \inf E$, $a > b_0$, alors $\exists x \in E$ tel que $b_0 \leq x < a$.

14. Soit E un sous-ensemble non vide de nombres réels, borné supérieurement et soit b^* un nombre réel caractérisé par

   a) b^* est une borne supérieure de E,

   b) $\forall \varepsilon > 0$, il existe au moins un élément $x \in E$ tel que $x > b^* - \varepsilon$.

   Montrer que $b^* = \sup E$.

   Établir un résultat semblable pour la plus grande borne inférieure d'un ensemble.

15. Pour E un ensemble non vide de nombres réels, posons

$$-E = \{-x \mid x \in E\}.$$

   Si E est borné, montrer que

   a) $-\sup E = \inf(-E)$,   (b) $-\inf E = \sup(-E)$.

16. Soit A et B deux ensembles non vides de nombres réels. Si $A \subset B$ et B est borné, montrer que

$$\inf B \leq \inf A \leq \sup A \leq \sup B.$$

17. Soit $b^0 \in \mathbb{R}$ et

$$E = \{x \mid x \text{ est un nombre irrationnel tel que } x < b^0\}.$$

   Montrer que $b^0 = \sup E$.

18. Soit E un ensemble non vide d'entiers borné supérieurement. Démontrer que $\sup E \in E$.

19. Soit A un ensemble non vide de nombres réels qui est borné supérieurement et $r \in \mathbb{R}$. Montrer que

   a) $\sup\{rx \mid x \in A\} = r \sup A$, si $r > 0$,

   b) $\sup\{r + x \mid x \in A\} = r + \sup A$, $\forall r \in \mathbb{R}$.

20. Soit a et $b \in \mathbb{R}$, $a < b$. Montrer qu'il existe une infinité de nombres rationnels entre a et b.

21. Soit x, y et $z \in \mathbb{R}$ satisfaisant à $x \leq y \leq x + \dfrac{z}{n}$, $\forall n \geq 1$. Montrer que $x = y$.

22. Soit a et b des nombres réels positifs. Montrer que

$$2 \left(\frac{1}{a} + \frac{1}{b} \right)^{-1} \leq \sqrt{ab} \leq \frac{a+b}{2}.$$

23. Montrer que le développement décimal $0, x_1 x_2 \dots$ dans lequel

$$x_n = \begin{cases} 1 & \text{si } n = k^2,\ k = 1, 2, \dots, \\ 0 & \text{autrement} \end{cases}$$

représente un nombre irrationnel.

24. Montrer que le nombre réel $x = 0, x_1 x_2 x_3 \dots$ dans lequel

$$x_i = \begin{cases} 1 & \text{si } i \text{ est un nombre premier,} \\ 0 & \text{autrement} \end{cases}$$

est un nombre irrationnel. (Suggestion : $n+i, n+i+m, n+i+2m, \dots$ ne peuvent être tous premiers.)

25. Trouver toutes les racines réelles du polynôme

$$2x^5 - 5x^4 - 11x^3 + 23x^2 + 9x - 18.$$

26. a) Soit a et $b \in \mathbb{N}$. Montrer que $\log_a b$ est rationnel $\iff$ il existe des nombres $r \in \mathbb{N}$ et $s \in \mathbb{N}$ tels que $a^r = b^s$.

    b) Trouver deux nombres irrationnels x et y tels que x^y soit rationnel.

27. À l'aide du segment de programme ci-dessous, trouver toutes les solutions entières de $4x - 9y = 1$ lorsque $|x| \leq 15$ et $|y| \leq 12$.

```
begin
for X := -15 to 15 do
    for Y := -12 to 12 do
    if 4 * X - 9 * Y = 1 then
writeln('(', X, ',',Y , ')')
end.
```

Chapitre 2

Quelques concepts topologiques

2.1 Introduction

Dans ce chapitre, nous étudierons certaines propriétés de base qui joueront un rôle important pour les notions de limite et de continuité d'une fonction. Nous présenterons, par exemple, les ensembles ouverts, une généralisation des intervalles ouverts dans $\mathbb{R}$, et les ensembles fermés qui généralisent les intervalles fermés dans $\mathbb{R}$. Les notions étudiées dans ce chapitre sont l'amorce de la topologie, une branche des mathématiques.

2.2 Intervalles

Un intervalle I est un ensemble de nombres réels tel que pour chaque x et $y \in I$, tout nombre réel entre x et y appartient aussi à I. Si I est un intervalle borné, c'est-à-dire que l'intervalle I est un ensemble borné, alors $\inf I$ et $\sup I$ existent (axiome de complétude). Notons-les respectivement a et b. Si a et b n'appartiennent pas à I, c'est-à-dire que $a < x < b$ pour tout $x \in I$, alors l'intervalle borné est dit ouvert et on le note (a, b). Si a et b sont inclus dans I, c'est-à-dire que $a \leq x \leq b$ pour tout $x \in I$, alors l'intervalle borné est dit fermé et le note $[a, b]$. Un intervalle borné peut être ni ouvert ni fermé. C'est le cas si seulement un des nombres a ou b est inclus dans l'ensemble. Si $a \leq x < b$, on note l'intervalle $[a, b)$; si $a < x \leq b$, on note l'intervalle $(a, b]$. Pour tout nombre réel a, les ensembles $\{x \mid x < a\}$, $\{x \mid x \leq a\}$, $\{x \mid x > a\}$ et $\{x \mid x \geq a\}$ sont appelés intervalles non bornés. Ceux qui ne contiennent pas a sont dits ouverts et ceux qui le contiennent sont dits fermés. En résumé,

Définition 2.1   Si $a < b$, alors

$$(a,b) = \{x \in \mathbb{R} \mid a < x < b\}, \qquad [a,b) = \{x \in \mathbb{R} \mid a \leq x < b\},$$
$$(a,b] = \{x \in \mathbb{R} \mid a < x \leq b\}, \qquad [a,b] = \{x \in \mathbb{R} \mid a \leq x \leq b\},$$
$$(a,\infty) = \{x \in \mathbb{R} \mid a < x\}, \qquad [a,\infty) = \{x \in \mathbb{R} \mid a \leq x\},$$
$$(-\infty,a) = \{x \in \mathbb{R} \mid a > x\}, \qquad (-\infty,a] = \{x \in \mathbb{R} \mid a \geq x\}.$$

Remarques

1. Certains auteurs désignent l'intervalle $[a,b)$ par $[a,b[$, (a,b) par $]a,b[$, etc.

2. L'ensemble $\mathbb{R}$ est lui-même un intervalle non borné qu'on peut noter $(-\infty,\infty)$.

2.3   Voisinage et ensemble ouvert

Dans la définition de voisinage et dans d'autres utilisations, les lettres grecques ε et δ représentent des variables dans l'intervalle $(0,\infty)$.

Définition 2.2   On dit que $V(a,\delta)$ est le voisinage de a de rayon δ si

$$V(a,\delta) = \{x \in \mathbb{R} \mid |x - a| < \delta\}.$$

Le voisinage $V'(a,\delta) = V(a,\delta) \setminus \{a\}$ est appelé le voisinage troué de a de rayon δ.

Or $|x - a| < \delta$ entraîne $a - \delta < x < a + \delta$, donc

$$V(a,\delta) = (a - \delta, a + \delta).$$

Définition 2.3   Un point a est un point intérieur de $E \iff \exists\, \delta$ tel que $V(a,\delta) \subset E$.

On appelle l'ensemble des points intérieurs de E l'intérieur de E et on le note $int(E)$. Puisque, par définition,

$$int(E) = \{x \mid x \text{ est un point intérieur de } E\},$$

alors $int(E) \subset E$ et un point intérieur d'un ensemble est toujours élément de cet ensemble.

Exemple 2.4

1. Montrons que chaque élément de $(1,5)$ est un point intérieur de $(1,5)$.

SOLUTION   Soit $x \in (1,5)$. Posons $\delta = \min\{5-x, x-1\}$. On a $V(x, \delta) \subset (1,5)$. En effet, si $z \in V(x, \delta)$,

$$|z-x| < \delta \Rightarrow \begin{cases} |z-x| < 5-x \\ |z-x| < x-1 \end{cases} \Rightarrow \begin{cases} z-x \le |z-x| < 5-x \\ x-z \le |z-x| < x-1 \end{cases}$$

$$\Rightarrow \begin{cases} z-x < 5-x \\ x-z < x-1 \end{cases} \Rightarrow 1 < z < 5.$$

2. Montrons que $\mathbb{Q}$, le corps des nombres rationnels, n'a pas de points intérieurs, c'est-à-dire que $int(\mathbb{Q}) = \varnothing$.

SOLUTION   Tout intervalle de $\mathbb{R}$ contient des points rationnels et des points irrationnels. Il n'existe donc pas de nombre δ tel que $V(x, \delta) \subset \mathbb{Q}$. Pour la même raison, l'ensemble $\{1/n \mid n \in \mathbb{N}\}$ n'a pas de points intérieurs.

3. On a $int\left([0,1] \cup [1,2]\right) = (0,2)$ et $int\left([0,1]\right) \cup int\left([1,2]\right) = (0,2) \setminus \{1\}$.

Définition 2.5   Un ensemble E est dit ouvert $\iff$ chaque élément de E est un point intérieur.

Remarque   D'après la définition, E est ouvert $\iff E = int(E)$.

Exemple 2.6

1. L'intervalle borné (a,b) est un ensemble ouvert. En effet, $a < x < b$ et $\delta = \min\{x-a, b-x\}$ entraînent $V(x, \delta) \subset (a,b)$. Tout point de (a,b) est donc un point intérieur.

2. L'intervalle borné $[a,b]$ n'est pas un ensemble ouvert. En effet, tout voisinage de a ou b contient des points n'appartenant pas à l'intervalle $[a,b]$. Les points a et b ne sont donc pas des points intérieurs. De même, les intervalles $(a,b]$, $[a,b)$, $[a, \infty)$ et $(-\infty, a]$ ne sont pas des ensembles ouverts.

3. Les ensembles (a, ∞), $(-\infty, a)$ et $V(a, \delta)$ sont ouverts.

4. $\mathbb{R}$ est un ensemble ouvert. En effet, tout nombre réel est un point intérieur de $\mathbb{R}$ puisque tout voisinage est un sous-ensemble de $\mathbb{R}$.

5. On a $int(\varnothing) = \varnothing$, donc $\varnothing$ est un ensemble ouvert.

Théorème 2.7   *Si A et B sont des ensembles ouverts, alors $A \cup B$ et $A \cap B$ sont aussi des ensembles ouverts.*

DÉMONSTRATION   Démontrons que $A \cup B$ est un ensemble ouvert. Soit $x \in A \cup B$. Donc $x \in A$ ou $x \in B$. Si $x \in A$, alors $\exists \delta$ tel que $V(x, \delta) \subset A \subset A \cup B$. De même, si $x \in B$, on trouve qu'il existe un nombre δ tel que $V(x, \delta) \subset A \cup B$. Donc $A \cup B$ est un ensemble ouvert.

Démontrons que $A \cap B$ est un ensemble ouvert. Soit $x \in A \cap B$. Donc $x \in A$ et $x \in B$. Les ensembles A et B sont ouverts. Donc

$$\exists \delta_1 \quad \text{tel que } V(x, \delta_1) \subset A, \quad \exists \delta_2 \quad \text{tel que } V(x, \delta_2) \subset B.$$

Soit $\delta = \min\{\delta_1, \delta_2\}$. Alors $V(x, \delta) \subset A \cap B$ et $A \cap B$ est un ensemble ouvert. ∎

Théorème 2.8

1. Si O_i, $i = 1, 2, \ldots$, est ouvert, alors $\bigcup_{i=1}^{\infty} O_i$ est ouvert.

2. Si O_i, $i = 1, 2, \ldots, n$, est ouvert, alors $\bigcap_{i=1}^{n} O_i$ est ouvert.

DÉMONSTRATION

1. Soit $H = \bigcup_{i=1}^{\infty} O_i$ et $x \in H$. Il faut démontrer que x est un point intérieur de H, c'est-à-dire qu'il existe δ tel que $V(x, \delta) \subset H$. Puisque $x \in H$, il existe un indice i_0 tel que $x \in O_{i_0}$; mais O_{i_0} est un ensemble ouvert, alors $\exists \delta$ tel que $V(x, \delta) \subset O_{i_0} \subset H$. Cela démontre que H est un ensemble ouvert.

2. Se démontre par induction.   ∎

Remarque   L'intersection d'un nombre infini d'ensembles ouverts n'est pas nécessairement un ensemble ouvert. Considérons, en effet, les ensembles O_n, $n \geq 1$, tels que

$$O_n = \left(0, 2 + \frac{1}{n}\right).$$

Les ensembles O_n sont ouverts pour chaque entier positif n. On a

$$\bigcap_{n=1}^{\infty} O_n = (0, 2].$$

En effet, si $x \in (0, 2]$, alors $x \in (0, 2 + \frac{1}{n})$, $\forall n \in \mathbb{N}$, d'où $x \in \bigcap_{n=1}^{\infty} (0, 2 + \frac{1}{n})$. Inversement, si $x > 2$, alors $x - 2 > 0$ et il existe un entier $n_x \in \mathbb{N}$ tel que $x - 2 > \frac{1}{n_x}$, c'est-à-dire que $x \notin (0, 2 + \frac{1}{n_x})$.

2.3.1 Exercices

1. Représenter sur la droite réelle

 a) les voisinages suivants :

 i) $V(2, 1)$,   *ii)* $V'(2, 1)$,

 iii) $V(2, 1) \cap V(4, \frac{1}{2})$,   *iv)* $V(2, 1) \cap V(3, \frac{1}{2})$;

 b) les valeurs de $z \in \mathbb{R}$ telles que

 i) $z \in V(3, 1)$,   *ii)* $z \in V'(1, \frac{1}{4})$,

 iii) $z \in V(2, 1) \cap V(3, 1)$,   *iv)* $z \in V(1, 1) \cup V(4, 1)$.

2. Trouver l'ensemble des points intérieurs des ensembles suivants.

 a) $[1, 2)$,   b) $(1, 3] \cup [2, 4)$,

 c) $\{x \in \mathbb{R} \mid x \in [2, 3] \text{ ou } x = 4\}$,   d) $(1, 3] \cap (2, 4)$,

 e) $\{x \in \mathbb{R} \mid x \in [2, 3] \text{ et } x \text{ est rationnel}\}$,

 f) $\{x \in \mathbb{R} \mid x \in [2, 3] \text{ ou } x \text{ est rationnel}\}$.

3. Les ensembles de l'exercice précédent sont-ils ouverts?

4. Dire si les ensembles suivants sont ouverts.

 a) $\{1, 2, 3, 4\}$,   b) $\mathbb{N}$,

 c) $\mathbb{Z}$,   d) $\mathbb{Q}$,

 e) $\{x \in \mathbb{R} \mid x^2 = -1\}$,   f) $\{x \in \mathbb{R} \mid |x - 2| = |x + 4|\}$,

 g) $\{x \in \mathbb{R} \mid |x + 3| < 7\}$,   h) $\{x \in \mathbb{Q} \mid |x - 2| < 4\}$,

 i) $\{x \in \mathbb{N} \mid |x - 2| < 5\}$,   j) $\{x \in \mathbb{R} \mid x^2 > 0\}$,

 k) $\{x \in \mathbb{R} \mid |x + 1| < 3\} \cap (0, 3]$,   l) $\{x \in \mathbb{R} \mid |x + 1| \leq 4\} \cup (-4, 7)$.

5. Trouver des ensembles A et B non ouverts tels que $A \cap B$ est ouvert. Même question pour $A \cup B$.

6. Montrer que $\bigcap_{n=1}^{\infty} \left(-\frac{1}{n}, \frac{1}{n} \right) = \{0\}$.

7. La définition 2.5 est-elle équivalente à « E est un ensemble ouvert $\iff$ il contient tous ses points intérieurs. »?

2.4   Point d'accumulation et ensemble fermé

Définition 2.9   Un point a est un point d'accumulation d'un ensemble E si tout voisinage de a contient un point de E autre que a, c'est-à-dire $\forall \delta > 0$, $V'(a, \delta) \cap E \neq \varnothing$.

Remarques

1. Un point d'accumulation d'un ensemble E n'appartient pas obligatoirement à E (voir l'exemple 2.10).

2. Si a est un point d'accumulation de E, on dit que E a a comme point d'accumulation. L'ensemble des points d'accumulation d'un ensemble E est appelé *ensemble dérivé* et est noté E'.

Exemple 2.10

1. Le point $\frac{1}{2}$ est un point d'accumulation de l'intervalle $(0, 1)$. Tout voisinage du point $\frac{1}{2}$ contient, en effet, un point de $(0, 1)$ différent de $\frac{1}{2}$. De même, 0 et 1 sont des points d'accumulation de $(0, 1)$.

2. L'ensemble $\mathbb{Z} = \{\ldots, -1, 0, 1, 2, \ldots\}$ n'a pas de point d'accumulation. Il suffit pour s'en convaincre de prendre un voisinage de rayon $\frac{1}{4}$, par exemple.

3. L'ensemble vide n'a pas de point d'accumulation.

Théorème 2.11   *Le point a est un point d'accumulation de E $\iff \forall \delta, V(a, \delta) \cap E$ possède une infinité d'éléments, c'est-à-dire que tout voisinage de a contient une infinité d'éléments de E.*

DÉMONSTRATION

$\Leftarrow$) Si pour chaque δ, le voisinage $V(a, \delta)$ contient une infinité d'éléments de E, alors $V'(a, \delta) \cap E \neq \varnothing$ et donc a est un point d'accumulation de E.

$\Rightarrow$) Démontrons cette implication par contradiction. Autrement dit, supposons qu'il existe un nombre δ tel que $V(a, \delta) \cap E$ soit un ensemble fini. Alors $V'(a, \delta) \cap E$ est lui aussi fini. Soit $a_1, a_2, \ldots, a_n$ les éléments de $V'(a, \delta) \cap E$ (si $V'(a, \delta) \cap E = \varnothing$, a n'est pas un point d'accumulation et la démonstration est terminée) et considérons l'ensemble fini constitué des nombres positifs

$$|a - a_1|, |a - a_2|, \ldots, |a - a_n|.$$

Soit $\delta_1 = \min\{|a - a_i| \mid i = 1, 2, \ldots, n\}$. Puisqu'un ensemble fini possède toujours un plus petit élément, alors δ_1 existe et $\delta_1 > 0$, d'où $V(a, \delta_1) \cap E = \{a\}$ ou bien $V'(a, \delta_1) \cap E = \varnothing$. Cette dernière égalité permet de conclure que a n'est pas un point d'accumulation de E. ∎

Exemple 2.12 L'ensemble $E = \{2/n \mid n \in \mathbb{N}\}$ admet 0 comme point d'accumulation; ce point n'appartient pas à E.

La notion de point d'accumulation ne s'applique qu'à des ensembles ayant une infinité d'éléments. Mais un ensemble possédant une infinité d'éléments ne possède pas nécessairement un point d'accumulation. L'ensemble des entiers est un tel ensemble. Nous verrons dans la section suivante qu'il faut une deuxième condition pour qu'un ensemble infini possède au moins un point d'accumulation.

Définition 2.13 Un ensemble E est fermé $\Longleftrightarrow$ il contient tous ses points d'accumulation, c'est-à-dire si $E' \subset E$.

Exemple 2.14

1. L'intervalle $[a, b]$ est un ensemble fermé.

2. L'ensemble $\mathbb{R}$ est fermé puisque tout point d'accumulation de $\mathbb{R}$ est élément de $\mathbb{R}$.

3. L'ensemble $\mathbb{Z}$ est fermé puisque n'ayant pas de point d'accumulation, il les contient tous.

4. L'ensemble $\varnothing$ est fermé puisqu'il n'a pas de point d'accumulation.

5. L'ensemble $\mathbb{Q}$ n'est pas fermé puisqu'il ne contient pas son point d'accumulation $\sqrt{2}$.

6. L'ensemble $\{1/n \mid n \in \mathbb{N}\}$ n'est pas fermé.

Théorème 2.15 *Soit E un ensemble non vide de nombres réels, fermé et borné supérieurement, alors* $\sup E \in E$.

DÉMONSTRATION D'après l'axiome de complétude, $\sup E$ existe puisque E est non vide et borné supérieurement. Soit $b^0 = \sup E$, il suffit alors de montrer que $b^0 \in E$. Si b^0 est un point d'accumulation de E, alors $b^0 \in E$, puisque E est fermé. Si b^0 n'est pas un point d'accumulation de E, alors $\exists\,\delta$ tel que $V'(b^0, \delta) \cap E = \varnothing$. Mais $b^0 = \sup E$, alors $\exists\, x \in E$ tel que $b^0 - \delta < x \leq b^0$. Or $V'(b^0, \delta) \cap E = \varnothing$, d'où $x = b^0$, c'est-à-dire que $b^0 \in E$. ∎

Établissons maintenant une relation intéressante entre les ensembles ouverts et les ensembles fermés.

Théorème 2.16 *Soit $E \subset \mathbb{R}$, alors E est ouvert $\iff E^c$ est fermé (où $E^c = \mathbb{R} \setminus E$ est le complément de E dans $\mathbb{R}$).*

DÉMONSTRATION

$\Rightarrow$) Supposons que E est ouvert et démontrons que E^c contient tous ses points d'accumulation. Supposons que x est un point d'accumulation de E^c tel que $x \notin E^c$. Alors $x \in E$ et, puisque E est ouvert, $\exists\,\delta$ tel que $V(x, \delta) \subset E$. D'où $V(x, \delta) \cap E^c = \varnothing$, c'est-à-dire que x n'est pas un point d'accumulation de E^c.

$\Leftarrow$) Supposons que E^c est fermé, alors $\forall x \in E$, $x \notin E^c$ et x n'est pas un point d'accumulation de E^c. Il existe donc un δ tel que $V(x, \delta) \cap E^c = \varnothing$ ou $V(x, \delta) \subset E$. Cette dernière inclusion signifie que E est ouvert. ∎

Remarque Un ensemble non ouvert n'est pas obligatoirement fermé. L'ensemble $\mathbb{Q}$, par exemple, n'est ni ouvert ni fermé.

Corollaire 2.17

1. *Si A et B sont fermés, $A \cup B$ et $A \cap B$ sont fermés.*

2. *La réunion et l'intersection d'un nombre fini de fermés sont des fermés.*

3. *L'intersection infinie d'ensembles fermés est fermée.*

DÉMONSTRATION

1. D'après les lois de De Morgan,

$$A^c \cap B^c = (A \cup B)^c \quad \text{et} \quad A^c \cup B^c = (A \cap B)^c.$$

Donc si A et B sont fermés, A^c et B^c sont ouverts. Les relations ci-dessus et le théorème 2.7 terminent la démonstration.

2. C'est immédiat puisque

$$\bigcup_{i=1}^{n} A_i^c = \left(\bigcap_{i=1}^{n} A_i \right)^c \quad \text{et} \quad \bigcap_{i=1}^{n} A_i^c = \left(\bigcup_{i=1}^{n} A_i \right)^c.$$

3. Soit $\{A_i \mid i \in \mathbb{N}\}$ une famille d'ensembles fermés de $\mathbb{R}$ et $A = \bigcap_{i \in \mathbb{N}} A_i$. Alors $A^c = \bigcup_{i \in \mathbb{N}} A_i^c$ est la réunion d'ensembles ouverts. D'où A^c est un ensemble ouvert et par conséquent A est fermé. ∎

Remarque La réunion d'un nombre infini d'ensembles fermés n'est pas obligatoirement fermée. Considérons en effet les ensembles

$$F_n = \left[\frac{1}{n}, 1 \right], n \in \mathbb{N}.$$

L'ensemble F_n correspondant à chaque entier positif n est fermé et

$$\bigcup_{n=1}^{\infty} \left[\frac{1}{n}, 1 \right] = (0, 1]$$

n'est pas fermé.

2.4.1 Exercices

1. Trouver l'ensemble des points d'accumulation des ensembles suivants.

a) $\{1, 2, 3, 4\}$, b) $\mathbb{N}$,

c) $[a, \infty)$, d) $(-\infty, a]$,

e) $\{2/n \mid n \in \mathbb{N}\}$, f) $\{x \in \mathbb{Q} \mid 1 < x < 2\}$,

g) $\left\{ 1 + \frac{1}{n} \mid n \in \mathbb{N} \right\}$, h) $\left\{ \frac{(-1)^n}{n} + \sin \frac{n\pi}{2} \mid n \in \mathbb{N} \right\}$,

i) $\left\{ (-1)^n \frac{n+1}{n} \mid n \in \mathbb{N} \right\}$, j) $\{x \in \mathbb{R} \mid x \in [1, 2] \cup \{3\}\}$,

k) $\{4 + \frac{1}{n} \mid n \in \mathbb{N}\}$, l) $[0, 1] \cup \{3\}$.

2. Les ensembles de l'exercice précédent sont-ils fermés?

3. Dire si les ensembles suivants sont fermés. Justifier sa réponse.

a) $\{x \in \mathbb{R} \mid x = 0 \text{ ou } x = 1/n, n \in \mathbb{N}\}$,

   b) $\{x \in \mathbb{R} \mid x = 1/n, n \in \mathbb{N}\}$,

   c) $\{x \in \mathbb{R} \mid |x + 2| = |x - 3|\}$,

   d) $\{x \in \mathbb{R} \mid |x - 2| \leq 7\}$,

   e) $\{x \in \mathbb{R} \mid \sqrt{x^2 - 4x + 4} \leq 3\}$,

   f) $\{x \in \mathbb{Q} \mid \sqrt{x^2 - 6x + 9} \leq 10\} \cup \{101\}$.

4. Construire un ensemble borné de nombres réels ayant exactement trois (resp. une infinité de) points d'accumulation.

5. Considérons l'ensemble

$$E = \{x \in \mathbb{R} \mid x = 1 \text{ ou } x = 1 + \frac{2}{n}, n \in \mathbb{N}\}.$$

   a) Trouver $\sup E$ et $\inf E$.

   b) Trouver le(s) point(s) d'accumulation de E.

   c) L'ensemble E est-il fermé?

   Mêmes questions pour

$$E = \left\{x \in \mathbb{R} \mid x = 3 + \left(\frac{-1}{10}\right)^n, n \in \mathbb{N}\right\}.$$

6. Montrer que

   a) tout nombre réel est un point d'accumulation de $\mathbb{Q}$,

   b) tout nombre réel est un point d'accumulation de $\mathbb{R} \setminus \mathbb{Q}$.

2.5   Adhérence et frontière d'un ensemble

Nous avons montré dans la section 2.4 que seuls les ensembles ayant une infinité d'éléments peuvent avoir des points d'accumulation. Dans cette section, nous verrons une notion plus générale que celle de point d'accumulation : celle de *point adhérent à un ensemble*.

Définition 2.18   Un point a est dit adhérent à un ensemble E si tout voisinage de a contient un point de E, c'est-à-dire si $\forall \delta, V(a, \delta) \cap E \neq \varnothing$.

Remarque Il résulte immédiatement de cette définition que tout élément de E est adhérent à E. Mais il ne faut pas en conclure que tout élément adhérent à E appartient obligatoirement à E. Il suffit pour s'en convaincre de considérer

$$E = \left\{ 1, \frac{1}{2}, \frac{1}{3}, \ldots, \frac{1}{n}, \ldots \right\}.$$

Le point adhérent 0 de E n'appartient pas en effet à E. De façon générale, un point adhérent qui n'est pas un point d'accumulation (un tel point est appelé *point isolé*) appartient obligatoirement à l'ensemble.

Exemple 2.19 Les points adhérents à $(0, 1]$ sont tous les nombres réels de $[0, 1]$. L'ensemble $\varnothing$ n'a pas de point adhérent.

Définition 2.20 L'ensemble des points adhérents à un ensemble E est appelé adhérence (on dit aussi fermeture) de E et est noté $\overline{E}$. Donc,

$$\overline{E} = \{x \in \mathbb{R} \mid \forall \delta, V(x, \delta) \cap E \neq \varnothing\}.$$

Théorème 2.21 *Soit $E \subset \mathbb{R}$, alors*

$$\overline{E} = E \cup \{x \mid x \text{ est un point d'accumulation de } E\} = E \cup E'.$$

DÉMONSTRATION $E \subset \overline{E}$ et $E' \subset \overline{E}$ ou $E \cup E' \subset \overline{E}$ puisque tout élément de E est adhérent à E et que tout point d'accumulation de E est un point adhérent à E.

De plus, les points adhérents à un ensemble E sont des points de E ou des points d'accumulation de E, c'est-à-dire que $\overline{E} \subset E \cup E'$. ∎

Théorème 2.22 *Soit $E \subset \mathbb{R}$, alors $\left(\overline{E}\right)^c = int(E^c)$.*

DÉMONSTRATION Soit $x \in \left(\overline{E}\right)^c$. Il existe un voisinage $V(x, \delta)$ tel que $V(x, \delta) \cap E = \varnothing$. Donc $V(x, \delta) \subset E^c$. D'où $x \in int(E^c)$ et $\left(\overline{E}\right)^c \subset int(E^c)$.

Inversement, soit $x \in int(E^c)$. Alors il existe un voisinage $V(x, \delta) \subset E^c$. Donc $V(x, \delta) \cap E = \varnothing$ ou x n'est pas un point adhérent à E, c'est-à-dire que $x \notin \overline{E}$. Donc $x \in \left(\overline{E}\right)^c$ et $int(E^c) \subset \left(\overline{E}\right)^c$. ∎

Corollaire 2.23 *Soit $E \subset \mathbb{R}$, alors $\overline{E}$ est fermé.*

DÉMONSTRATION Puisque $int(E^c)$ est ouvert alors, d'après le théorème précédent, $\left(\overline{E}\right)^c$ l'est aussi et alors $\overline{E}$ est fermé. ∎

Définition 2.24 On appelle frontière de l'ensemble $E \subset \mathbb{R}$ l'ensemble

$$Fr(E) = \overline{E} - int(E),$$

c'est-à-dire l'ensemble des points appartenant à l'adhérence de E mais pas à son intérieur.

Remarque D'après le théorème **??**,

$$\left(\overline{E^c}\right)^c = int(E) \quad \text{et} \quad Fr(E) = \overline{E} - \left(\overline{E^c}\right)^c = \overline{E} \cap \overline{E^c}.$$

Exemple 2.25 Soit $E = [a, b]$, alors $Fr(E) = \{a, b\}$.

2.5.1 Exercices

1. Soit $E \subset \mathbb{R}$ l'ensemble tel que

$$E = \{1/n \mid n \geq 2\} \cup [3, 4] \cup (\mathbb{Q} \cap [1, 2]).$$

Trouver

a) E', b) $\overline{E}$, c) $int(E)$, d) $Fr(E)$.

2. Soit $E = \{1/n \mid n \geq 1\} \cup (2, 3) \cup (3, 4) \cup \{9/2\} \cup [5, 6] \cup (\mathbb{Q} \cap [7, 8])$.

Trouver

a) E^c, b) $int(E)$, c) $\overline{E}$, d) $int(E^c)$,

e) $\overline{E^c}$, f) $\overline{int(E)}$, g) $int(\overline{E})$, h) $int\left(\overline{int(E)}\right)$,

i) $int\left((int(E))^c\right)$, j) $\overline{int(E^c)}$, k) $\overline{int(\overline{E})}$, l) $\overline{\left(int(E)\right)}^c$.

2.6 Théorème de Bolzano-Weierstrass

Nous démontrerons ce théorème par une méthode de raisonnement assez usuelle (appelée *procédé de bissection*), c'est-à-dire par divisions successives de l'intervalle $[a, b]$ en deux, quatre, ..., 2^n intervalles égaux.

Théorème 2.26 (de Bolzano-Weierstrass)   *Tout ensemble borné et infini possède au moins un point d'accumulation.*

DÉMONSTRATION   Soit E un tel ensemble. Puisqu'il est borné, il est contenu dans un intervalle fermé et borné $[a, b]$, $a < b$. Construisons une suite d'intervalles $[a_n, b_n]$ qui remplit les conditions

a) $b_n - a_n = \dfrac{b - a}{2^n}$,

b) $a = a_0 \leq a_1 \leq \ldots \leq a_n < b_n \leq b_{n-1} \leq \ldots \leq b_1 \leq b_0 = b$,

c) $[a_n, b_n]$ contient une infinité d'éléments de E.

Construisons la suite d'intervalles $[a_n, b_n]$ par induction. D'abord $[a_0, b_0] = [a, b]$ et les trois propriétés sont vérifiées. Pour construire $[a_{n+1}, b_{n+1}]$ à partir de $[a_n, b_n]$, utilisons le procédé de bissection. Il vient

$$[a_n, b_n] = [a_n, \tfrac{1}{2}(a_n + b_n)] \cup [\tfrac{1}{2}(a_n + b_n), b_n].$$

Puisque l'intervalle $[a_n, b_n]$ contient une infinité d'éléments de E, alors $[\tfrac{1}{2}(a_n + b_n), b_n]$ ou $[a_n, \tfrac{1}{2}(a_n + b_n)]$ contient une infinité d'éléments de E. Il suffit de prendre $[a_{n+1}, b_{n+1}] = [a_n, \tfrac{1}{2}(a_n + b_n)]$ ou $[a_{n+1}, b_{n+1}] = [\tfrac{1}{2}(a_n + b_n), b_n]$ suivant le cas. Il est facile de vérifier que dans les deux cas $[a_{n+1}, b_{n+1}]$ remplit les conditions a), b) et c). Soit $A = \{a_n \mid n = 0, 1, 2, \ldots\}$. Cet ensemble étant, évidemment, borné supérieurement par b_0, sup A existe d'après l'axiome de complétude. Soit $\alpha = \sup A$. Montrons que $\alpha \in [a_n, b_n]$, pour $n = 0, 1, 2, \ldots$ Il vient $a_n \leq \alpha$, $(n = 0, 1, 2, \ldots)$. Il suffit donc de montrer que $\alpha \leq b_n$, pour $n = 0, 1, 2, \ldots$ Pour cela, montrons que b_k, pour $k = 0, 1, \ldots$, est une borne supérieure de A. Pour $a_m \in A$, on a $a_m \leq a_{m+k} < b_{m+k} \leq b_k$, d'où $a_m < b_k$, $(m = 0, 1, \ldots)$ ou $\alpha \leq b_k$, $(k = 0, 1, \ldots)$. Par conséquent, $\alpha \in [a_n, b_n]$, pour $n = 0, 1, \ldots$ Pour terminer la démonstration, il suffit de montrer que α est un point d'accumulation de E. Montrons donc que tout voisinage $V(\alpha, \varepsilon)$ de α contient une infinité de points de E. Puisque $\alpha - \varepsilon$ n'est pas une borne supérieure de A, il existe un entier n tel que $\alpha - \varepsilon < a_n \leq \alpha$; mais chaque intervalle $[a_k, b_k]$, pour $k = 0, 1, \ldots$, contient une infinité d'éléments de E. Il faut donc démontrer l'existence d'un entier m tel que $\alpha - \varepsilon < a_m < b_m < \alpha + \varepsilon$, c'est-à-dire que $[a_m, b_m] \subset (\alpha - \varepsilon, \alpha + \varepsilon)$. Or pour $m \geq n$, on a $\alpha - \varepsilon < a_n \leq a_m \leq \alpha$ et $0 < b_m - a_m = \dfrac{b - a}{2^m} \leq \dfrac{b - a}{m}$, $m = 1, 2, \ldots$ L'ensemble $\mathbb{R}$ étant archimédien, il existe un entier m tel que $m > \dfrac{b - a}{\varepsilon}$. D'où $0 < b_m - a_m < \varepsilon$. Le voisinage $(\alpha - \varepsilon, \alpha + \varepsilon)$ contient donc une infinité d'éléments de E. Conclusion : α est un point d'accumulation de E. ∎

Remarques

1. Les conditions «borné et infini» sont essentielles. Par exemple, l'ensemble non borné $\{1, 2, 3, \ldots\}$ possède une infinité d'éléments mais pas de point d'accumulation. L'ensemble $\{1, \frac{1}{2}, \frac{1}{4}, 2, 2, 2, \ldots\}$ est borné mais ne possède pas de point d'accumulation.

2. Le théorème de Bolzano-Weierstrass ne dit pas qu'il n'existe qu'un seul point d'accumulation : il se pourrait qu'il en existe plusieurs. C'est ainsi que l'ensemble $\{1, 2, \frac{1}{2}, \frac{3}{2}, \ldots, \frac{1}{n}, \frac{n+1}{n}, \ldots\}$ possède deux points d'accumulation, à savoir le point 0 et le point 1.

2.6.1 Exercices

1. Dire si les ensembles suivants vérifient le théorème de Bolzano-Weierstrass. Trouver le(s) point(s) d'accumulation dans $\mathbb{R}$ de ces ensembles s'il(s) existe(nt).

a) $\left\{ 2 + \dfrac{1}{n} \mid n \in \mathbb{N} \right\}$,

b) $\left\{ \dfrac{n^2 + 3n + 5}{n^2 + 2} \,\middle|\, n \in \mathbb{N} \right\}$,

c) $\left\{ 1 + \dfrac{1}{2} + \dfrac{1}{2^2} + \cdots + \dfrac{1}{2^n} \,\middle|\, n \in \mathbb{N} \right\}$,

d) $\left\{ \dfrac{3}{2} + \dfrac{1}{4} + \dfrac{1}{4^2} + \cdots + \dfrac{1}{4^n} \,\middle|\, n \in \mathbb{N} \right\}$,

e) $\left\{ 1, 2, \dfrac{1}{2}, 2, \dfrac{1}{4}, 2, \dfrac{1}{8}, 2, \ldots, 2, \dfrac{1}{2^n}, \ldots \right\}$,

f) $\left\{ 1, 2, \dfrac{1}{2}, 3, \dfrac{1}{4}, 4, \dfrac{1}{8}, \ldots, n+1, \dfrac{1}{2^n}, \ldots \right\}$.

2. Dire si les ensembles suivants possèdent au moins un point d'accumulation. Justifier sa réponse.

a) $\{ \sin n \mid n \in \mathbb{N} \}$,   b) $\{ e^{-n} \mid n \in \mathbb{N} \}$,   c) $\{ 2^{\cos n} \mid n \in \mathbb{N} \}$.

2.7 Théorème d'Heine-Borel

La compacité est une des plus importantes propriétés des ensembles bornés et fermés.

Définition 2.27 Soit $E \subset \mathbb{R}$. Une famille $\mathcal{O}$ d'intervalles ouverts est un recouvrement de E $\iff$ tout élément x de E appartient à un des intervalles de la famille $\mathcal{O}$, c'est-à-dire si l'ensemble E est inclus dans la réunion des intervalles de la famille $\mathcal{O}$.

Exemple 2.28

1. Soit $\mathcal{O}$ la famille de tous les intervalles ouverts de longueur $\frac{1}{2}$. Montrons que cette famille est un recouvrement de $[0, 3]$.

SOLUTION On a $\mathcal{O} = \{(a, a + \frac{1}{2}) \mid a \in \mathbb{R}\}$. Soit $x \in [0, 3]$, alors $x \in (x - \frac{1}{4}, x + \frac{1}{4})$ de $\mathcal{O}$. Donc, $\mathcal{O}$ est un recouvrement de $[0, 3]$.

2. Soit $\mathcal{O} = \{(2^{-n}, 3 \cdot 2^{-n}) \mid n \in \mathbb{N}\}$. Montrons que $\mathcal{O}$ n'est pas un recouvrement de $[0, 1]$.

SOLUTION Quel que soit $n \in \mathbb{N}$, $0 \notin (2^{-n}, 3 \cdot 2^{-n})$. Cependant, $\mathcal{O}$ est un recouvrement de $(0, 1]$.

Définition 2.29 Soit $E \subset \mathbb{R}$. On dit que $\mathcal{O}$ est un recouvrement fini de E si $\mathcal{O}$ est un recouvrement de E et $\mathcal{O}$ est une famille finie.

Exemple 2.30 L'ensemble $\mathcal{O} = \{(-1, 1), (0, 2), (1, 3), (2, 4)\}$ est un recouvrement fini de $[0, 3]$. L'ensemble $\mathcal{O} = \{(0, 1), (1, 2), (2, 3)\}$ n'est pas un recouvrement fini de $(0, 3)$.

Démontrons maintenant le théorème d'Heine-Borel.

Théorème 2.31 (d'Heine-Borel) *De tout recouvrement d'un sous-ensemble borné et fermé E de $\mathbb{R}$ par une famille d'intervalles ouverts, on peut extraire un recouvrement fini de E.*

DÉMONSTRATION Soit E un sous-ensemble borné, fermé de $\mathbb{R}$ et $\mathcal{O}$ une famille d'intervalles ouverts dont la réunion contient E, c'est-à-dire que tout élément x de E appartient à au moins un des intervalles ouverts de la famille $\mathcal{O}$. Pour démontrer ce théorème, prouvons que la supposition « E ne peut être recouvert par un nombre fini d'intervalles ouverts de la famille $\mathcal{O}$ » conduit à une contradiction. Puisque E est borné, il est contenu dans un intervalle de la forme $[a, b]$. Comme pour le théorème de Bolzano-Weierstrass, construisons une suite d'intervalles $[a_n, b_n]$ qui remplit les conditions

a) $b_n - a_n = \dfrac{b - a}{2^n}$,

b) $a = a_0 \leq a_1 \leq \ldots \leq a_n < b_n \leq b_{n-1} \leq \ldots \leq b_1 \leq b_0 = b$,

c) $[a_n, b_n] \cap E$ n'est pas recouvrable par un nombre fini d'intervalles ouverts de $\mathcal{O}$.

Comme lors de la démonstration du théorème de Bolzano-Weierstrass, on a, en posant $\alpha = \sup\{a_n \mid n = 0, 1, \ldots\}$, $\alpha \in [a_n, b_n]$, $\forall n \geq 0$. De plus, $\forall \varepsilon > 0$ et pour n suffisamment grand $(n > (b-a)/\varepsilon)$ on a $[a_n, b_n] \subset V(\alpha, \varepsilon)$. Mais $[a_n, b_n]$ contient un sous-ensemble de E non recouvrable par un nombre fini d'intervalles ouverts de $\mathcal{O}$. Donc $[a_n, b_n]$ contient une infinité d'éléments de E. Autrement dit, $V(\alpha, \varepsilon)$, $\forall \varepsilon > 0$, contient une infinité d'éléments de E, c'est-à-dire que α est un point d'accumulation de E. Or E est fermé, donc $\alpha \in E$. Mais $\alpha \in E$ entraîne qu'il existe un intervalle $\mathcal{O}_i$ de la famille $\mathcal{O}$ tel que $\alpha \in \mathcal{O}_i$ et, d'après la définition d'ensemble ouvert, il existe un voisinage $V(\alpha, \varepsilon_1)$ tel que $V(\alpha, \varepsilon_1) \subset \mathcal{O}_i$. Pour n suffisamment grand, on a $[a_n, b_n] \subset V(\alpha, \varepsilon_1)$, d'où $[a_n, b_n] \subset \mathcal{O}_i$. Or, d'après l'hypothèse, $[a_n, b_n]$ contient un sous-ensemble de E non recouvrable par un nombre fini d'intervalles de $\mathcal{O}$, une contradiction. ∎

Remarque   Si l'ensemble E est borné et non fermé, la conclusion du théorème n'est pas obligatoirement vraie. L'ensemble $E = (0, 1)$, par exemple, est recouvert par

$$\mathcal{O} = \{I \mid I = (\tfrac{x}{2}, \tfrac{3x}{2}), x \in (0, 1)\},$$

mais on ne peut extraire un recouvrement fini de ce recouvrement. Montrons d'abord que la famille $\mathcal{O}$ est un recouvrement de E. Soit $z \in (0, 1)$. Alors $z \in (\tfrac{z}{2}, \tfrac{3z}{2})$ et donc

$$(0, 1) \subset \bigcup_{I \in \mathcal{O}} I.$$

Mais on ne peut pas recouvrir l'intervalle $(0,1)$ par un nombre fini d'intervalles de $\mathcal{O}$. En effet, si

$$(0, 1) \subset I_1 \cup I_2 \cup \ldots \cup I_n,$$

où $I_j = (\tfrac{x_j}{2}, \tfrac{3x_j}{2})$, pour $j = 1, 2, \ldots, n$, on a

$$\frac{a}{4} \in (0, 1) \quad \text{et} \quad \frac{a}{4} \notin I_1 \cup I_2 \cup \ldots \cup I_n,$$

où $a = \min\{x_1, x_2, \ldots, x_n\}$.

Définition 2.32   Un ensemble E de nombres réels est dit *compact* si de tout recouvrement de E par une famille d'intervalles ouverts on peut extraire un recouvrement fini de E. Autrement dit, si $E \subset \cup_i \mathcal{O}_i$, $\mathcal{O}_i$ étant des intervalles ouverts, alors on peut choisir un nombre fini de ces intervalles ouverts, disons $\mathcal{O}_{i_1}, \ldots, \mathcal{O}_{i_n}$, tels que $E \subset \cup_{j=1}^n \mathcal{O}_{i_j}$.

Exemple 2.33

1. L'intervalle $(0, 1)$ n'est pas compact.

2. La famille $\mathcal{O} = \{(-n, n) \mid n \in \mathbb{N}\}$ est un recouvrement de $\mathbb{R}$. Mais on ne peut pas trouver dans $\mathcal{O}$ un recouvrement fini de $\mathbb{R}$, c'est-à-dire que $\mathbb{R}$ n'est pas compact.

D'après le théorème d'Heine-Borel, tout ensemble fermé et borné de $\mathbb{R}$ est compact. Réciproquement, montrons que tout ensemble compact de $\mathbb{R}$ est fermé et borné. Soit E un ensemble compact de $\mathbb{R}$ ayant une infinité d'éléments (si E est un ensemble ayant un nombre fini d'éléments, il est évidemment borné et fermé). Puisque $\mathbb{R}$ est archimédien, pour tout $x \in E$ il existe un entier n tel que $n > |x|$. Par conséquent, la famille $\{(-n, n)\}$ d'intervalles ouverts est un recouvrement de E. L'ensemble E étant compact, une famille finie de ces intervalles suffit pour le recouvrir : E est donc inclus dans le plus grand des intervalles de cette famille et donc borné. Il suffit maintenant de montrer que E est fermé. Soit a un point d'accumulation de E tel que $a \notin E$. Pour chaque $n \in \mathbb{N}$, posons

$$O_n = \left(-\infty, a - \frac{1}{n}\right) \quad \text{et} \quad O'_n = \left(a + \frac{1}{n}, \infty\right),$$

alors

$$O'_n \cup O_n = \mathbb{R} \setminus \left[a - \frac{1}{n}, a + \frac{1}{n}\right].$$

Comme

$$\left(\bigcup_{n=1}^{\infty} O_n\right) \bigcup \left(\bigcup_{n=1}^{\infty} O'_n\right) = \mathbb{R} \setminus \{a\},$$

alors $\{O_n, O'_n\}$ est un recouvrement de E par des intervalles ouverts. L'ensemble E étant compact, une famille finie de ces intervalles, disons $O_{n_1}, O_{n_2}, \ldots, O_{n_r}, O'_{m_1}, O'_{m_2}, \ldots,$ O'_{m_s} suffit pour recouvrir E et alors

$$E \subset \left(\bigcup_{i=1}^{r} O_{n_i}\right) \bigcup \left(\bigcup_{j=1}^{s} O'_{m_j}\right) = \mathbb{R} \setminus \left[a - \frac{1}{n_0}, a + \frac{1}{m_0}\right]$$

où $n_0 = \max\{n_1, n_2, \ldots, n_r\}$ et $m_0 = \max\{m_1, m_2, \ldots, m_s\}$. Donc

$$E \cap \left(a - \frac{1}{n_0}, a + \frac{1}{m_0}\right) = \varnothing,$$

et a n'est pas un point d'accumulation de E. Cela contredit l'hypothèse. D'où le théorème 2.34.

Théorème 2.34 *Soit $E \subset \mathbb{R}$, alors E est compact $\iff E$ est fermé et borné.*

2.7.1   Exercices

1. Dire si les ensembles suivants sont compacts.

a) $\{1, 2, 3\}$,

b) $\{x \in \mathbb{R} \mid |x + 1| \leq 2\}$,

c) $[a, b)$,

d) $\left\{ \dfrac{1}{n} \mid n \in \mathbb{N} \right\} \cup \{0\}$,

e) $\left\{ 2 + \dfrac{1}{n} \mid n \in \mathbb{N} \right\}$,

f) $\{\pi^{-n} \mid n \in \mathbb{N}\} \cup \{0, 1\}$,

g) $\left\{ m + \dfrac{1}{n} \mid m, n \in \mathbb{N} \right\}$,

h) $\left\{ m + \dfrac{1}{2^n} \mid m = 0, 1, 2 \text{ et } n \in \mathbb{N} \right\}$.

2. Montrer que tout sous-ensemble fini de $\mathbb{R}$ est compact.

3. Soit $E = \{1/n \mid n = 1, 2, \ldots\}$. Montrer que la famille d'intervalles ouverts

$$O_n = \left(\frac{1}{n} - \frac{1}{10}, \frac{1}{n} + \frac{1}{10} \right)$$

est un recouvrement de E. Peut-on recouvrir E par un nombre fini d'intervalles ouverts de la famille $\{O_n\}$?

4. Soit $O_n = \{(n - \frac{1}{n}, n + \frac{1}{n}), n \in \mathbb{N}\}$. Montrer que cette famille $\{O_n\}$ recouvre $\mathbb{N}$. Peut-on recouvrir $\mathbb{N}$ par un nombre fini d'intervalles ouverts de la famille $\{O_n\}$?

5. Soit $\mathcal{O} = \{I \mid I = (x - \frac{1}{10}, x + \frac{1}{10}), x \in [0, 1)\}$. Montrer que

$$[0, 1) \subset \bigcup_{I \in \mathcal{O}} I.$$

Peut-on extraire un recouvrement fini de ce recouvrement ?

Exercices sur le chapitre 2

1. Soit x et y deux nombres réels distincts. Montrer qu'il existe un δ tel que les voisinages $V(x, \delta)$ et $V(y, \delta)$ soient disjoints, c'est-à-dire que $V(x, \delta) \cap V(y, \delta) = \varnothing$.

2. Soit $x \in V(a, \delta_1) \cap V(b, \delta_2)$. Montrer qu'il existe au moins un nombre δ tel que $V(x, \delta) \subset V(a, \delta_1) \cap V(b, \delta_2)$.

3. Montrer que

a) l'intérieur d'un ensemble E est la réunion de tous les ensembles ouverts contenus dans E,

b) $int(E)$ est un ensemble ouvert,

c) $int(E)$ est le plus grand ensemble ouvert contenu dans E.

4. Soit $A \subset B$. Montrer que $int(A) \subset int(B)$.

5. Montrer que $int(A \cap B) = int(A) \cap int(B)$. La relation $int(A \cup B) = int(A) \cup int(B)$ est-elle vraie?

6. Soit E un ensemble non vide de nombres réels, fermé et borné inférieurement. Montrer que inf $E \in E$.

7. Déterminer l'ensemble des points d'accumulation de

   a) $\left\{ \dfrac{1}{3^n} + \dfrac{1}{4^m} \ \middle| \ n, m = 1, 2, \ldots \right\}$,   b) $\left\{ \dfrac{1}{n} + \dfrac{1}{m} \ \middle| \ n, m = 1, 2, \ldots \right\}$.

8. Soit E un ensemble arbitraire de nombres réels. Montrer que E', l'ensemble des points d'accumulation de E, est fermé.

9. Trouver un ensemble non vide E de nombres réels tel que $E' = E$.

10. Soit E un ensemble compact de $\mathbb{R}$ et F un ensemble fermé contenu dans E. Montrer que F est un ensemble compact de $\mathbb{R}$.

11. Soit $A_1, A_2, \ldots, A_n$ des ensembles compacts de $\mathbb{R}$. Montrer que $\bigcup_{i=1}^n A_i$ et $\bigcap_{i=1}^n A_i$ sont aussi des ensembles compacts de $\mathbb{R}$.

12. Soit $E \subset \mathbb{R}$. Posons $E_x = \{x + y \mid y \in E\}$. L'ensemble E_x est appelé le *translaté* de l'ensemble E par x. Montrer que

   a) E est ouvert $\iff$ E_x est ouvert,

   b) E est compact $\iff$ E_x est compact.

13. Soit $E \subset \mathbb{R}$. Montrer que E est fermé $\iff$ $E = \overline{E}$.

14. Soit A et B des sous-ensembles de $\mathbb{R}$. Montrer les propriétés

   a) si $A \subset B$, alors $\overline{A} \subset \overline{B}$,

   b) $\overline{A \cup B} = \overline{A} \cup \overline{B}$,

   c) $\overline{A \cap B} \subset \overline{A} \cap \overline{B}$.

15. Soit A un sous-ensemble non vide de $\mathbb{R}$. Par définition,

$$d(x, A) = \inf\{|x - a| \mid x \in A\}$$

est la distance de x à A.

a) Montrer que $x \in \overline{A} \iff d(x, A) = 0$.

b) Soit A fermé et $d(x, A) = 0$. Montrer que $x \in A$.

Chapitre 3

Suites numériques

3.1 Introduction

Une bonne compréhension des suites est indispensable à l'étude de l'analyse réelle, constituée, en grande partie, de problèmes de convergence et de continuité. La limite est donc à la base de l'analyse, mais ce n'est qu'au XIXe siècle qu'elle a été précisée et formulée rigoureusement par le mathématicien français A.L. Cauchy (1789–1857).

Avant d'aborder l'étude des suites, attardons-nous sur quelques problèmes de raisonnements intuitifs fautifs.

Problème 1 D'après la figure 3.1, π égale 2.

Problème 2 (paradoxe de Zénon) Achille est à 100 m d'une tortue qu'il poursuit. Il court 10 fois plus vite qu'elle. Lorsqu'il arrivera au point de départ de la tortue, elle sera donc 10 m plus loin, puis elle sera 1 m, 10 cm, 1 cm, ..., plus loin. Il ne la rattrapera jamais.

Figure 3.1 $\pi = 2$.

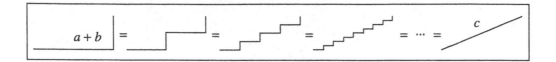

Figure 3.2   Pythagore s'est fourvoyé.

Problème 3   Le théorème de Pythagore est faux! D'après la figure 3.2, l'hypothénuse c d'un triangle rectangle de côtés a et b de l'angle droit est $a + b$ et non $\sqrt{a^2 + b^2}$.

Problème 4   Soit $S = 1 + (-1) + 1 + (-1) + \cdots$. Il s'ensuit que

$$S = \{1 + (-1)\} + \{1 + (-1)\} + \cdots = 0,$$
$$S = 1 - \{1 + (-1) + 1 + (-1) + \cdots\} = 1 - S; \text{ d'où } S = 1/2,$$
$$S = 1 + \{(-1) + 1\} + \{(-1) + 1\} + \cdots = 1 + 0 + 0 + \cdots = 1.$$

D'où $0 = 1/2 = 1$.

Problème 5   Soit $S = 1 + 2 + 4 + 8 + \cdots$. Alors

$$S = 1 + 2(1 + 2 + 4 + 8 + \cdots) = 1 + 2S \text{ ou } S = -1;$$

cette somme de termes positifs est donc négative.

Ces exemples montrent qu'il faut manipuler les suites infinies de nombres et étudier leur comportement intelligemment. Que signifie l'expression : «Les nombres de cette suite tendent vers un nombre limite»? Ce chapitre répond à cette question.

3.2   Limite d'une suite et suite bornée

Définition 3.1   Une suite de nombres réels est une fonction de domaine $\mathbb{N}$ et de champ (ou image) un sous-ensemble de $\mathbb{R}$.

Soit f une fonction telle que $f(n) = x_n$ pour chaque entier positif n. L'écriture $f = \{x_n\}$ désigne cette suite. Le terme x_n est appelé n-ième terme de la suite. Il est parfois utile de représenter une suite par la formule de son n-ième terme. L'écriture

$\{2n\}$, par exemple, représente la suite dont le n-ième terme est $2n$. En général, si x_n désigne le n-ième terme d'une suite, $\{x_n\}$ désigne la suite correspondante. Nous utiliserons aussi la notation $\{x_1, x_2, \ldots\}$ pour désigner la suite $\{x_n\}$.

Exemple 3.2 Voici quelques suites.

1. $\left\{ \dfrac{1}{2n} \right\} = \left\{ \dfrac{1}{2}, \dfrac{1}{4}, \dfrac{1}{6}, \ldots \right\}$.

2. $\left\{ \dfrac{1 + (-1)^n}{n} \right\} = \{0, 1, 0, 1/2, \ldots\}$.

3. $\{(-1)^n\} = \{-1, 1, -1, 1, \ldots\}$.

4. $\{F_n\}$ où $F_1 = 1$, $F_2 = 1$ et $F_{n+1} = F_n + F_{n-1}$, $n \geq 2$. Cette suite est la suite de Fibonacci.

Remarque Il importe de distinguer une suite, qui est une fonction, de son champ, qui est l'ensemble de ses valeurs, c'est-à-dire $\{x_n \mid n \in \mathbb{N}\} \subset \mathbb{R}$. Le champ de la suite $\{(-1)^n\}$, par exemple, est $\{-1, 1\}$.

Considérons la suite $\{x_n\}$ dont le n-ième terme est $1/2n$. Lorsque n augmente, x_n tend vers 0. En effet, puisque $\mathbb{R}$ est archimédien, il existe un entier N tel que $N > 1/2\varepsilon$, $\varepsilon > 0$. Donc pour tout entier $n > N$, $n > 1/2\varepsilon$ ou $1/2n < \varepsilon$, c'est-à-dire que pour tout $n > N$, $|x_n - 0| = |x_n| < \varepsilon$ et donc que $-\varepsilon < x_n < \varepsilon$. L'intervalle $(-\varepsilon, \varepsilon)$ contient donc x_n à partir de $n > N$, c'est-à-dire que $(-\varepsilon, \varepsilon)$ contient tous les termes de la suite sauf au plus un nombre fini de termes. On dit alors que $\{x_n\}$ admet 0 comme limite.

Définition 3.3 On dit que la suite $\{x_n\}$ converge (ou tend) vers la limite x si, quel que soit le nombre réel $\varepsilon > 0$, il existe un nombre N tel que l'inégalité $n > N$ entraîne $|x_n - x| < \varepsilon$, c'est-à-dire que, en notation abrégée,

$$\forall \varepsilon > 0, \exists N \text{ tel que } n > N \Rightarrow |x_n - x| < \varepsilon.$$

Si la limite x existe, on dit que la suite converge ou qu'elle est convergente. Une suite qui ne converge pas diverge ou est divergente.

Notation

$$\lim_{n \to \infty} x_n = x \quad \text{ou} \quad x_n \to x.$$

Cette notation signifie qu'étant donné $\varepsilon > 0$, l'inégalité $x - \varepsilon < x_n < x + \varepsilon$ est vraie excepté pour au plus un nombre fini d'indices. Par conséquent, pour une suite $\{x_n\}$ donnée, la suppression ou la modification d'un nombre fini de termes ne modifie pas sa propriété d'être convergente ou de ne pas l'être.

Remarques

1. Dans la définition 3.3, on peut remplacer le nombre N par n'importe quel autre nombre plus grand. Le nombre N n'est donc pas déterminé de manière unique. Chez certains auteurs, N est un entier positif. Cela embellit la définition de convergence, mais complique parfois le choix de N. En effet, si on veut que N soit un entier naturel dans l'exemple 3.4(2) qui suit, on ne peut écrire $N = 17/\varepsilon$, mais il faut prendre pour N un entier naturel plus grand que $17/\varepsilon$.

2. Étant donné ε quelconque (même très petit), il faut trouver un nombre N dépendant de ε (que l'on notera $N(\varepsilon)$) tel que

$$\forall n > N(\varepsilon) \text{ on ait } |x_n - x| < \varepsilon.$$

3. La traduction mathématique de la propriété «La suite $\{x_n\}$ converge vers x» est

$$\forall \varepsilon > 0, \exists N(\varepsilon) \text{ tel que } n > N(\varepsilon) \Rightarrow |x_n - x| < \varepsilon.$$

Celle de la propriété «La suite $\{x_n\}$ converge» est

$$\exists\, x \in \mathbb{R}, \forall \varepsilon > 0, \exists N(\varepsilon) \text{ tel que } n > N(\varepsilon) \Rightarrow |x_n - x| < \varepsilon.$$

4. La définition de la convergence d'une suite ne peut servir de critère de convergence que si on devine la limite de la suite. On détermine parfois la limite d'une suite à l'aide d'un ordinateur. Pour prouver la convergence d'une suite $\{x_n\}$, il faut donc supposer vers quel nombre réel elle converge, puis prouver cette supposition. La détermination de la limite supposée est souvent difficile; la preuve de la convergence peut être par contre assez facile.

5. Sans perte de généralité, dans la définition 3.3 on peut supposer que ε est de la forme 10^{-k}. La suite $\{x_n\}$ converge vers x si pour tout $\varepsilon = 10^{-k} = 0,\underbrace{0\ldots0}_{k-1}1$ il existe un nombre N tel que pour tout $n > N$, $x - \varepsilon < x_n < x + \varepsilon$. Grosso modo, pour que x_n ne diffère de x que par des décimales à partir de la k-ième, il suffit de prendre des indices n assez grands.

Exemple 3.4

1. Soit la suite $\{x_n\}$ définie par $x_n = (-1)^n/n$. On voit intuitivement que $\{x_n\}$ tend vers 0. Si cela est vrai, alors pour tout $\varepsilon > 0$, il existe un nombre $N(\varepsilon)$ tel que pour $n > N(\varepsilon)$, $|x_n - 0| = |(-1)^n/n| = 1/n < \varepsilon$. Par exemple,

$$n > 1 \text{ entraîne } |(-1)^n/n - 0| < 1,$$
$$n > 10 \text{ entraîne } |(-1)^n/n - 0| < 0{,}1,$$
$$n > 4000 \text{ entraîne } |(-1)^n/n - 0| < 0{,}000\,25.$$

D'une façon générale, il suffit de prendre $N(\varepsilon) = 1/\varepsilon$.

2. Montrons que $\displaystyle\lim_{n\to\infty} \frac{3n + 17}{n} = 3$.

Solution Pour tout $\varepsilon > 0$, il faut trouver un nombre $N(\varepsilon)$ tel que pour tout $n > N(\varepsilon)$, $\left|\dfrac{3n + 17}{n} - 3\right| < \varepsilon$. Mais

$$\left|\frac{3n + 17}{n} - 3\right| = \frac{17}{n} < \varepsilon \text{ dès que } n > \frac{17}{\varepsilon} = N(\varepsilon).$$

3. Montrons que la suite $\{(-1)^n\}$ diverge.

Solution Supposons qu'il existe un nombre réel x tel que $\displaystyle\lim_{n\to\infty}(-1)^n = x$. Soit $\varepsilon = 1$. D'après la définition de la limite, il existe un nombre N tel que pour tout $n > N$, $|(-1)^n - x| < 1$.

Si n est un entier impair plus grand que N, $|(-1)^n - x| < 1$ ou $-2 < x < 0$. Si n est un entier pair plus grand que N, $|(-1)^n - x| < 1$ ou $0 < x < 2$. Cette absurdité démontre l'impossibilité de l'hypothèse $\displaystyle\lim_{n\to\infty}(-1)^n = x$.

Remarque La propriété de divergence d'une suite $\{x_n\}$ peut s'écrire symboliquement

$$\forall x, \exists\, \varepsilon > 0, \forall N, \exists\, n \text{ tel que } n > N \text{ et } |x_n - x| \geq \varepsilon$$

ou littéralement «Pour tout nombre réel x, on peut trouver un nombre $\varepsilon > 0$ tel qu'une infinité de termes de la suite soient hors de $(x - \varepsilon, x + \varepsilon)$.»

Théorème 3.5 (unicité) *Si* $\lim\limits_{n \to \infty} x_n = x$ *et* $\lim\limits_{n \to \infty} x_n = y$, *alors* $x = y$.

DÉMONSTRATION   Par hypothèse,

$$\forall \varepsilon > 0, \exists N_1(\varepsilon) \text{ tel que } n > N_1(\varepsilon) \Rightarrow |x_n - x| < \varepsilon,$$

$$\forall \varepsilon > 0, \exists N_2(\varepsilon) \text{ tel que } n > N_2(\varepsilon) \Rightarrow |x_n - y| < \varepsilon.$$

D'où pour $n > \max\{N_1(\varepsilon/2), N_2(\varepsilon/2)\}$,

$$|x - y| = |x - x_n + x_n - y| \leq |x_n - x| + |x_n - y| < \frac{\varepsilon}{2} + \frac{\varepsilon}{2} = \varepsilon,$$

c'est-à-dire que $x = y$ puisque ε est arbitraire.   ■

Définition 3.6   Une suite $\{x_n\}$ est bornée supérieurement s'il existe un nombre M tel que $x_n \leq M$ pour tout entier positif n. Une suite $\{x_n\}$ est bornée inférieurement s'il existe un nombre m tel que $x_n \geq m$ pour tout entier positif n. Une suite $\{x_n\}$ est bornée s'il existe un nombre b tel que $|x_n| \leq b$, $\forall n \in \mathbb{N}$. Autrement, la suite est dite non bornée.

Une suite $\{x_n\}$ est bornée si et seulement si l'ensemble $\{x_n \mid n \in \mathbb{N}\}$ est borné.

Exemple 3.7   Les suites $\{1/2n\}$ et $\{\sin n\}$ sont bornées tandis que les suites $\{n\}$ et $\{n^2\}$ sont non bornées.

Théorème 3.8   *Toute suite convergente est bornée.*

DÉMONSTRATION   Soit $\{x_n\}$ une suite convergeant vers x. Il existe donc un entier positif N tel que pour tout $n > N$, $|x_n - x| < 1$. Puisque $|x_n| - |x| \leq |x_n - x| < 1$, $|x_n| < |x| + 1$ dès que $n > N$. En prenant $M = \max\{|x_1|, |x_2|, \ldots, |x_N|, |x| + 1\}$, $|x_n| \leq M$ pour tout entier n, ce qui démontre le théorème.   ■

Remarque   La réciproque de ce théorème est fausse. En effet, la suite $\{x_n\}$ définie par $x_n = (-1)^n$ est bornée par 1, mais ne converge pas.

3.2.1 Exercices

1. Une suite $\{x_n\}$ est définie récursivement par $x_1 = a$, $x_{n+1} = x_n + d$, $n \geq 1$. Trouver une formule explicite de x_n.

2. Une suite $\{x_n\}$ est définie par $x_{n+1} = b + ax_n$, $n \geq 1$, $a, b \in \mathbb{R}$. Montrer que

$$x_{n+1} = \begin{cases} a^n x_1 + b\dfrac{1 - a^n}{1 - a} & \text{si } a \neq 1, \\[2mm] x_1 + bn & \text{si } a = 1. \end{cases}$$

3. Trouver un intervalle qui contient tous les termes sauf les 20 premiers, sauf les 1000 premiers de la suite $\{x_n\}$ définie par

   a) $x_n = 4 + \dfrac{(-1)^n}{n}$,

   b) $x_n = 20 + \dfrac{(-1)^n}{2n}$,

   c) $x_n = n + 2$,

   d) $x_n = n^2$.

4. Trouver un nombre N tel que pour tout n, $n > N$ entraîne que :

   a) $\left| \dfrac{5n + 8}{2n + 3} - \dfrac{5}{2} \right| < 0{,}001$,

   b) $\left| \dfrac{2n}{2n + 3} - 1 \right| < \dfrac{1}{327}$,

   c) $\left| \dfrac{n^2 - 2}{3n^2 + 4} - \dfrac{1}{3} \right| < \dfrac{1}{826}$,

   d) $\left| \dfrac{3n^2 + 2n + 10}{7n^2 - 5n + 21} - \dfrac{3}{7} \right| < 0{,}001$,

   e) $\left| \dfrac{a}{n} \right| < 0{,}001$, $a \in \mathbb{R}$,

   f) $\left| \dfrac{6n^2 + 3n + 7}{5n^2 + 4n} - \dfrac{6}{5} \right| < 0{,}001$.

5. Trouver la limite des suites ci-dessous.

   a) $\left\{ 3 + \dfrac{(-1)^n}{2n} \right\}$,

   b) $\left\{ \dfrac{n^2}{n^2 + 4} \right\}$,

   c) $\left\{ \dfrac{3n^7 + 2n}{n^7 - 39n^4} \right\}$,

   d) $\left\{ \dfrac{1}{n^2} + \dfrac{2}{n^2} + \cdots + \dfrac{n - 1}{n^2} \right\}$.

6. Dire si les suites suivantes sont bornées.

   a) $\{n(-1)^n\}$,

   b) $\{5^{1 + (-1)^n}\}$,

   c) $\left\{ \left(n + \dfrac{1}{n} \right)^2 \right\}$,

   d) $\left\{ \dfrac{3n^2 + 7}{6n^2 + 5} \right\}$,

   e) $\left\{ \dfrac{(-3)^n}{2^n} + 4 \right\}$,

   f) $\{(n + 1)^2 - (n^2 + 2n)\}$.

7. Montrer que

a) la suite $\{x_n\}$ définie par $x_n = \dfrac{1 \cdot 3 \cdot 5 \cdots (2n-1)}{2 \cdot 4 \cdot 6 \cdots 2n}$, pour $n \geq 1$, est bornée,

b) la suite $\{x_n\}$ définie par $x_n = 1 + \dfrac{1}{2!} + \dfrac{1}{3!} + \cdots + \dfrac{1}{n!}$, pour $n \geq 1$, est bornée.

8. En utilisant la formulation ε–$N(\varepsilon)$, montrer que

a) $\displaystyle\lim_{n\to\infty} \frac{3n+1}{n} = 3$,

b) $\displaystyle\lim_{n\to\infty} \frac{n}{2n+3} = \frac{1}{2}$,

c) $\displaystyle\lim_{n\to\infty} \frac{2n^2+3}{n^2+1} = 2$,

d) $\displaystyle\lim_{n\to\infty} \frac{\sqrt{n}}{n+2} = 0$.

3.3   Opérations sur les limites

Théorème 3.9   *Si* $\displaystyle\lim_{n\to\infty} x_n = x$ *et* $\displaystyle\lim_{n\to\infty} y_n = y$,

1. $\displaystyle\lim_{n\to\infty} (x_n \pm y_n) = x \pm y$,

2. $\displaystyle\lim_{n\to\infty} kx_n = kx,\ k \in \mathbb{R}$,

3. $\displaystyle\lim_{n\to\infty} x_n y_n = xy$.

DÉMONSTRATION   Par hypothèse,

$$\forall \varepsilon > 0, \exists N_1(\varepsilon) \text{ tel que } n > N_1(\varepsilon) \Rightarrow |x_n - x| < \varepsilon,$$

$$\forall \varepsilon > 0, \exists N_2(\varepsilon) \text{ tel que } n > N_2(\varepsilon) \Rightarrow |y_n - y| < \varepsilon.$$

1. Démontrons que $\forall \varepsilon > 0,\ \exists N(\varepsilon)$ tel que $n > N(\varepsilon) \Rightarrow |(x_n \pm y_n) - (x \pm y)| < \varepsilon$.
   Soit $N(\varepsilon) = \max\{N_1(\tfrac{1}{2}\varepsilon), N_2(\tfrac{1}{2}\varepsilon)\}$. Pour tout $n > N(\varepsilon)$,

$$|(x_n \pm y_n) - (x \pm y)| \leq |x_n - x| + |y_n - y| < \frac{\varepsilon}{2} + \frac{\varepsilon}{2} = \varepsilon.$$

2. Démontrons que $\forall \varepsilon > 0,\ \exists N(\varepsilon)$ tel que pour tout $n > N(\varepsilon) \Rightarrow |kx_n - kx| < \varepsilon$.
   Soit $N(\varepsilon) = N_1\left(\dfrac{\varepsilon}{|k|+1}\right)$. Pour tout $n > N(\varepsilon)$,

$$|kx_n - kx| = |k||x_n - x| \leq \frac{|k|\varepsilon}{|k|+1} < \varepsilon.$$

3. Démontrons que $\forall \varepsilon > 0, \exists N(\varepsilon)$ tel que $n > N(\varepsilon) \Rightarrow |x_n y_n - xy| < \varepsilon$.

On a

$$|x_n y_n - xy| = |x_n y_n - x_n y + x_n y - xy| \le |x_n||y_n - y| + |y||x_n - x|.$$

D'après le théorème 3.8, on peut prendre $M = \max\{|x_n|, |y|\} + 1$. D'où

$$|x_n y_n - xy| \le M|y_n - y| + M|x_n - x|.$$

Soit $N(\varepsilon) = \max\left\{ N_1\left(\dfrac{\varepsilon}{2M}\right), N_2\left(\dfrac{\varepsilon}{2M}\right) \right\}$. Pour $n > N(\varepsilon)$,

$$|x_n y_n - xy| < M\left(\frac{\varepsilon}{2M} + \frac{\varepsilon}{2M}\right) = \varepsilon.$$

Cela termine la démonstration du théorème. ∎

Remarque Si la suite $\{x_n\}$ converge et la suite $\{y_n\}$ diverge, alors la suite $\{x_n + y_n\}$ diverge. En effet, si $\{x_n + y_n\}$ convergeait, $\{x_n + y_n\} - \{x_n\} = \{y_n\}$ convergerait, contrairement à l'hypothèse. Si $\{x_n\}$ et $\{y_n\}$ divergent, $\{x_n + y_n\}$ peut converger. En effet, soit $\{x_n\}$ et $\{y_n\}$ telles que $x_n = (-1)^n$ et $y_n = (-1)^{n+1}$, $x_n + y_n = 0$ et par conséquent $\{x_n + y_n\}$ converge.

Lemme 3.10 *Si* $\lim\limits_{n \to \infty} x_n = x \neq 0$, *il existe un nombre* N *et un nombre* $\beta > 0$ *tels que pour tout* $n > N$, $|x_n| > \beta$.

Démonstration Par hypothèse, $\forall \varepsilon, \exists N(\varepsilon)$ tel que $n > N(\varepsilon) \Rightarrow |x_n - x| < \varepsilon$. Si $\varepsilon = |x|/2$,

$$\exists N\left(\frac{|x|}{2}\right) \text{ tel que pour tout } n > N\left(\frac{|x|}{2}\right), |x| - |x_n| \le |x_n - x| < \frac{|x|}{2}$$

ou $|x_n| > \dfrac{|x|}{2}$. Il suffit de prendre $N = N(|x|/2)$ et $\beta = |x|/2$. ∎

Théorème 3.11 *Si* $\lim\limits_{n \to \infty} x_n = x$ *et* $\lim\limits_{n \to \infty} y_n = y$, $y \neq 0$, $\lim\limits_{n \to \infty} \dfrac{x_n}{y_n} = \dfrac{x}{y}$.

DÉMONSTRATION Par hypothèse, d'après la définition 3.3 et le lemme 3.10,

$$\forall \varepsilon > 0, \exists N_1(\varepsilon) \text{ tel que pour } n > N_1(\varepsilon) \Rightarrow |x_n - x| < \varepsilon,$$

$$\forall \varepsilon > 0, \exists N_2(\varepsilon) \text{ tel que pour } n > N_2(\varepsilon) \Rightarrow |y_n - y| < \varepsilon$$

et

$$\exists \beta > 0 \text{ et un nombre } N \text{ tel que pour } n > N \Rightarrow |y_n| > \beta.$$

Or,

$$\left| \frac{x_n}{y_n} - \frac{x}{y} \right| \leq \frac{|y||x_n - x| + |x||y_n - y|}{|y_n||y|}$$

$$< \frac{|x_n - x|}{\beta} + \frac{|x||y_n - y|}{|y|\beta}.$$

Il suffit donc de prendre $N(\varepsilon) = \max \{N, N_1(\beta\varepsilon/2), N_2(|y|\beta\varepsilon/2(|x| + 1))\}$ pour terminer la démonstration. ∎

Exemple 3.12 Montrons que

$$\lim_{n \to \infty} \frac{3n + 2}{n - 1} = 3.$$

SOLUTION On ne peut pas utiliser le théorème 3.11, puisque les limites du numérateur et du dénominateur n'existent pas. Or puisque

$$\frac{3n + 2}{n - 1} = \frac{3 + 2/n}{1 - 1/n},$$

$\lim_{n \to \infty} (3 + 2/n) = 3$ et $\lim_{n \to \infty} (1 - 1/n) = 1$. D'où la valeur 3.

Théorème 3.13 (des gendarmes) *Soit* $\lim_{n \to \infty} x_n = \lim_{n \to \infty} z_n = x$. *Si* $x_n \leq y_n \leq z_n$ *pour tout entier positif* n, *alors* $\lim_{n \to \infty} y_n = x$.

DÉMONSTRATION Par hypothèse,

$$\forall \varepsilon > 0, \exists N_1(\varepsilon) \text{ tel que pour } n > N_1(\varepsilon), |x_n - x| < \varepsilon,$$

$$\forall \varepsilon > 0, \exists N_2(\varepsilon) \text{ tel que pour } n > N_2(\varepsilon), |z_n - x| < \varepsilon.$$

Prenons $N = \max\{N_1(\varepsilon), N_2(\varepsilon)\}$. Pour $n > N$,

$$x - \varepsilon < x_n \leq y_n \leq z_n < x + \varepsilon,$$

ou

$$|y_n - x| < \varepsilon \text{ dès que } n > N.$$

D'où $\lim_{n \to \infty} y_n = x$. ∎

Remarque Le théorème 3.13 reste vrai si l'inégalité $x_n \leq y_n \leq z_n$ n'est vraie qu'à partir d'un certain entier N.

Exemple 3.14 Montrons que $\lim_{n \to \infty} \sqrt[n]{n} = 1$.

SOLUTION Puisque $n^{1/n} > 1$ pour $n > 1$, on peut écrire $n^{1/n} = 1 + x_n$, où $x_n > 0$. D'après le binôme de Newton, pour $n > 1$,

$$n = (1 + x_n)^n = 1 + nx_n + \frac{n(n-1)}{2}x_n^2 + \cdots + x_n^n$$
$$\geq 1 + \frac{n(n-1)}{2}x_n^2.$$

D'où l'inégalité

$$0 < x_n \leq \sqrt{\frac{2}{n}},$$

et d'après le théorème précédent, $\lim_{n \to \infty} x_n = 0$ ou $\lim_{n \to \infty} n^{1/n} = 1$.

Considérons la suite $\{1/2n\}$. Comme cette suite converge vers 0, tout voisinage de 0 contient tous ses termes sauf au plus un nombre fini. Tous les termes étant distincts, tout voisinage de 0 contient une infinité de termes sauf au plus un nombre fini de $\{1/2n \mid n \in \mathbb{N}\}$, c'est-à-dire que 0 est un point d'accumulation de $\{1/2n \mid n \in \mathbb{N}\}$. La limite d'une suite convergente n'est cependant pas toujours un point d'accumulation du champ de la suite. En effet, la suite $\{x_n\}$ définie par $x_n = 2$, pour tout $n \in \mathbb{N}$, converge vers 2, mais son champ, le singleton $\{2\}$, n'admet pas 2 comme point d'accumulation.

Théorème 3.15 (caractérisation des points d'accumulation) *Un point x_0 est un point d'accumulation d'un ensemble $E \subset \mathbb{R}$ si et seulement si il existe une suite $\{x_n\}$ d'éléments de E, $x_n \neq x_0$, $\forall n \in \mathbb{N}$, telle que $\lim_{n \to \infty} x_n = x_0$.*

Démonstration

$\Rightarrow$) Soit x_0 un point d'accumulation de E. Pour chaque entier positif n, prenons un élément $x_n \in E$ tel que $0 < |x_n - x_0| < 1/n$ (puisque l'ensemble $(x_0 - \frac{1}{n}, x_0 + \frac{1}{n})$ est un voisinage de x_0 contenant un point de E différent de x_0). Alors pour tout $\varepsilon > 0$, il existe un nombre $N(\varepsilon)$, (en fait $N(\varepsilon) = 1/\varepsilon$), tel que pour tout $n > N(\varepsilon)$, $0 < |x_n - x_0| < 1/n < \varepsilon$, c'est-à-dire que la suite $\{x_n\}$ converge vers x_0.

$\Leftarrow$) Supposons qu'il existe une suite $\{x_n\}$ d'éléments de E, chacun étant distinct de x_0, qui converge vers x_0. Puisque tout voisinage de x_0 contient tous les termes de la suite sauf au plus un nombre fini, alors tout voisinage de x_0 doit contenir au moins un élément de E qui est distinct de x_0, c'est-à-dire que x_0 est un point d'accumulation de E. ∎

Une caractérisation est simplement une définition équivalente. Nous avons établi une caractérisation du point d'accumulation qui sert de définition dans certains livres.

Exemple 3.16 Le nombre 3 est un point d'accumulation de

$$\left\{ \frac{3n + 1}{n} \;\middle|\; n \in \mathbb{N} \right\}$$

puisque $\lim_{n \to \infty} (3n + 1)/n = 3$ et que $(3n + 1)/n \neq 3$, $\forall n \in \mathbb{N}$.

Remarque   Soulignons notre usage strict des termes « limite » et « convergence ». Une limite est toujours pour nous un nombre réel. Ainsi $+\infty$ (ni $-\infty$) n'est pas une limite. On convient cependant d'écrire $x_n \to \pm\infty$, mais c'est seulement une notation.

On dit qu'une suite $\{x_n\}$ tend vers $+\infty$ (resp. $-\infty$) si, pour tout nombre $M > 0$, $\exists N$ tel que pour tout $n > N$, $x_n > M$ (resp. $x_n < -M$). On écrit $\lim_{n \to \infty} x_n = +\infty$ (resp. $\lim_{n \to \infty} x_n = -\infty$). Lorsque $\lim_{n \to \infty} |x_n| = +\infty$, on écrit $\lim_{n \to \infty} x_n = \infty$ (le symbole ∞ sans signe).

Exemple 3.17 Soit a un nombre réel positif. Montrons que

$$\lim_{n \to \infty} n^a = +\infty.$$

Solution   Soit $M > 0$. Il faut trouver un nombre N tel que pour tout $n > N$, $n^a > M$, c'est-à-dire $n > M^{1/a}$. Le choix $N = M^{1/a}$ permet de montrer l'égalité.

Exemple 3.18   Soit a un nombre réel. Montrons que

$$\lim_{n \to \infty} a^n = \begin{cases} +\infty & \text{si } a > 1, \\ 0 & \text{si } |a| < 1, \\ 1 & \text{si } a = 1, \\ \text{n'existe pas} & \text{si } a \leq -1. \end{cases}$$

SOLUTION   Si $a > 1$, posons $a = 1 + h$, $h > 0$. D'après l'inégalité de Bernoulli,

$$a^n = (1 + h)^n > 1 + nh.$$

D'où $a^n > M$ pourvu que $n > (M - 1)/h$, $\forall M > 0$.
Si $|a| < 1$, posons $|a| = 1/(1 + h)$, $h > 0$, d'où

$$|a^n - 0| = |a^n| = \frac{1}{(1 + h)^n} < \frac{1}{1 + nh} < \frac{1}{nh} < \varepsilon$$

dès que $n > N = 1/(\varepsilon h)$.
Si $a = 1$, alors $a^n = 1$ pour tout $n \in \mathbb{N}$. D'où $\lim\limits_{n \to \infty} a^n = 1$.
Si $a \leq -1$, alors pour tout n pair, $a^n \geq 1$ et pour n impair, $a^n \leq -1$. D'où $\lim\limits_{n \to \infty} a^n \neq$
$\pm\infty$. Supposons que $\lim\limits_{n \to \infty} a^n = A$. Donc $\exists N$ tel que pour tout $n > N$, $|a^n - A| < 1$.
Si n est pair, A doit être un nombre positif puisque $1 \leq a^n < 1 + A$. Si n est impair,
A doit être négatif. Donc $\lim\limits_{n \to \infty} a^n$ n'existe pas.

Théorème 3.19

1. *Si* $\lim\limits_{n \to \infty} x_n = +\infty$ *et* $\lim\limits_{n \to \infty} y_n = +\infty$, *alors* $\lim\limits_{n \to \infty} (x_n + y_n) = +\infty$.

2. *Si* $\lim\limits_{n \to \infty} x_n = -\infty$ *et* $\lim\limits_{n \to \infty} y_n = -\infty$, *alors* $\lim\limits_{n \to \infty} (x_n + y_n) = -\infty$.

3. *Si* $\lim\limits_{n \to \infty} x_n = +\infty$ *et* $\lim\limits_{n \to \infty} y_n = +\infty$, *alors* $\lim\limits_{n \to \infty} (x_n y_n) = +\infty$.

4. *Si* $\lim\limits_{n \to \infty} x_n = -\infty$ *et* $\lim\limits_{n \to \infty} y_n = -\infty$, *alors* $\lim\limits_{n \to \infty} (x_n y_n) = +\infty$.

5. *Si* $\lim\limits_{n \to \infty} x_n = -\infty$ *et* $\lim\limits_{n \to \infty} y_n = +\infty$, *alors* $\lim\limits_{n \to \infty} (x_n y_n) = -\infty$.

6. $\lim\limits_{n \to \infty} |x_n| = +\infty \iff \lim\limits_{n \to \infty} \dfrac{1}{x_n} = 0$.

7. *Si* $\lim\limits_{n \to \infty} x_n = x > 0$ *et* $\lim\limits_{n \to \infty} y_n = +\infty$, *alors* $\lim\limits_{n \to \infty} (x_n y_n) = +\infty$.

8. *Si* $\lim\limits_{n\to\infty} x_n = x < 0$ *et* $\lim\limits_{n\to\infty} y_n = +\infty$, *alors* $\lim\limits_{n\to\infty} (x_n y_n) = -\infty$.

DÉMONSTRATION   Démontrons les énoncés 1, 5, 6 et 7 et laissons les autres en exercices.

1. Il suffit de démontrer que pour tout nombre $M > 0$, il existe un nombre N tel que pour tout $n > N$, $x_n + y_n > M$. Pour tout $M > 0$, $\exists N_1$ tel que pour $n > N_1$, $x_n > M/2$, et $\exists N_2$ tel que pour $n > N_2$, $y_n > M/2$. Prenons $N = \max\{N_1, N_2\}$. Alors pour $n > N$, $x_n + y_n > M/2 + M/2 = M$, ce qui démontre 1.

5. Par hypothèse $\forall M > 0$, $\exists N_1$ tel que pour $n > N_1$, $y_n > M$ et $\exists N_2$ tel que pour $n > N_2$, $x_n < -M$. Prenons $N = \max\{N_1, N_2\}$. Pour $n > N$,

$$x_n y_n < -M y_n < -M^2.$$

6. Supposons que $|x_n| \to +\infty$. Pour tout $\varepsilon > 0$, $\exists N$ tel que pour $n > N$, $|x_n| > 1/\varepsilon$ ou $|1/|x_n|| < \varepsilon$. On démontre l'autre implication par un raisonnement semblable.

7. Puisque $\lim\limits_{n\to\infty} x_n = x > 0$, $\exists N_2$ et $\exists \beta > 0$ tels que pour $n > N_2$, $x_n > \beta$. De plus, pour tout $M > 0$, $\exists N_1$ tel que pour $n > N_1$, $y_n > M/\beta$. Prenons $N = \max\{N_1, N_2\}$. Il vient

$$x_n y_n > \frac{M}{\beta}\beta = M \text{ lorsque } n > N.$$

Cela termine la démonstration. ∎

Remarque   Le théorème 3.19 ne renseigne pas sur les cas suivants.

$$\lim_{n\to\infty} x_n = +\infty, \quad \lim_{n\to\infty} y_n = -\infty \text{ pour } \lim_{n\to\infty}(x_n + y_n),$$
$$\lim_{n\to\infty} x_n = 0, \quad \lim_{n\to\infty} y_n = \pm\infty \text{ pour } \lim_{n\to\infty}(x_n y_n),$$
$$\lim_{n\to\infty} x_n = \pm\infty, \quad \lim_{n\to\infty} y_n = \pm\infty \text{ pour } \lim_{n\to\infty}(x_n / y_n).$$

On appelle ces cas exceptionnels des «formes indéterminées». En voici quelques exemples.

a) $x_n = n^2$ et $y_n = -n$, $\lim\limits_{n\to\infty}(x_n + y_n) = +\infty$.

b) $x_n = \sqrt{2n+1}$ et $y_n = -\sqrt{2n}$,

$$\lim_{n\to\infty}(x_n + y_n) = \lim_{n\to\infty} \frac{1}{\sqrt{2n+1} + \sqrt{2n}} = 0.$$

c) $x_n = n^2$ et $y_n = 1/n$, $\lim\limits_{n \to \infty} x_n y_n = +\infty$.

d) $x_n = 3n$ et $y_n = 1/(2n+1)$, $\lim\limits_{n \to \infty} x_n y_n = \lim\limits_{n \to \infty} \dfrac{3}{2 + 1/n} = \dfrac{3}{2}$.

Plus généralement, si

$$P(n) = a_r n^r + a_{r-1} n^{r-1} + \cdots + a_1 n + a_0, \quad a_r \neq 0$$

et

$$Q(n) = b_s n^s + b_{s-1} n^{s-1} + \cdots + b_1 n + b_0, \quad b_s \neq 0,$$

$$\lim\limits_{n \to \infty} \frac{P(n)}{Q(n)} = \begin{cases} a_r/b_s & \text{si } r = s, \\ +\infty & \text{si } r > s \text{ et } a_r b_s > 0, \\ -\infty & \text{si } r > s \text{ et } a_r b_s < 0, \\ 0 & \text{si } r < s. \end{cases}$$

Exemple 3.20   Soit $\{x_n\}$ la suite définie par

$$x_n = \frac{1}{n^2 + 2n + 1} + \frac{1}{n^2 + 2n + 2} + \cdots + \frac{1}{n^2 + 3n}, \quad n \geq 1.$$

Montrons que

$$\lim\limits_{n \to \infty} x_n = 0.$$

SOLUTION   La somme définissant x_n contient n termes, donc

$$\frac{n}{n^2 + 3n} \leq x_n \leq \frac{n}{n^2 + 2n + 1}.$$

Le théorème 3.13 termine la démonstration.

Théorème 3.21   *Soit $\{x_n\}$ une suite telle que $x_n \neq 0$, $\forall n \in \mathbb{N}$. Supposons que*

$$\lim\limits_{n \to \infty} \left| \frac{x_{n+1}}{x_n} \right| = L \in \mathbb{R}.$$

a) *Si $L < 1$,* $\lim\limits_{n \to \infty} x_n = 0$.

b) *Si $L > 1$,* $\lim\limits_{n \to \infty} |x_n| = +\infty$.

DÉMONSTRATION

a) Soit r un nombre réel tel que $L < r < 1$. Posons $\varepsilon = r - L > 0$. Donc $\exists N$ tel que pour $n > N$,

$$\left|\frac{x_{n+1}}{x_n}\right| - L \le \left|\left|\frac{x_{n+1}}{x_n}\right| - L\right| < \varepsilon.$$

Pour $n > N$,

$$\left|\frac{x_{n+1}}{x_n}\right| < \varepsilon + L = r$$

ou

$$|x_{n+1}| < r|x_n|.$$

Pour $k \ge 1$,

$$|x_{n+k}| < r|x_{n+k-1}| < r^2|x_{n+k-2}| < \ldots < r^k|x_n|,$$

soit

$$-r^k|x_n| < x_{n+k} < r^k|x_n|.$$

On a $r \in (0,1)$. Donc $\lim_{k \to \infty} r^k = 0$. D'après le théorème 3.13, $\lim_{k \to \infty} x_{n+k} = 0$. Donc

$$\lim_{n \to \infty} x_n = 0.$$

b) Posons $y_n = 1/x_n$. Il vient

$$\lim_{n \to \infty}\left|\frac{y_{n+1}}{y_n}\right| = \lim_{n \to \infty}\left|\frac{x_n}{x_{n+1}}\right| < 1.$$

D'après a), $\lim_{n \to \infty} y_n = 0$.
Le théorème 3.19 termine la démonstration. ∎

3.3.1 Exercices

1. Trouver

   a) $\displaystyle\lim_{n \to \infty} \frac{2^{3n}}{3^{2n}},$ b) $\displaystyle\lim_{n \to \infty} \frac{\pi^{2n}}{10^n},$ c) $\displaystyle\lim_{n \to \infty} \left(\frac{e^\pi}{\pi^e}\right)^n.$

2. Trouver la limite de la suite dont le n-ième terme est respectivement

   a) $\sqrt{n+3} - \sqrt{n},$ b) $\sqrt{n}(\sqrt{n+3} - \sqrt{n}),$

c) $\dfrac{n^3 - 1}{(n-1)(n^2 + n + 1)}$,

d) $\left(1 + \dfrac{2}{n}\right)^{500}$,

e) $\dfrac{3n^2 + 7\sqrt{n} + 3}{7n^2 + 2}$,

f) $\left(\dfrac{3n^3 + 45n^2 + 12}{12n^3 + 15n + 17}\right)^8$,

g) $\dfrac{\sqrt{n+2} + \sqrt{n}}{\sqrt{n+12}}$,

h) $\dfrac{\sqrt{n+7} - \sqrt{n+5}}{\sqrt{n+2} - \sqrt{n}}$,

i) $\sqrt{n + \sqrt{n}} - \sqrt{n}$,

j) $\left(\sqrt{n + \sqrt{n}} - \sqrt{n}\right)^5$,

k) $\sqrt{n^2 + n} - n$,

l) $\dfrac{1}{n}\sqrt{n^2 + 1}$,

m) $n^2\left(\sqrt{1 + n^4} - n^2\right)$,

n) $\sqrt[n]{1 + n + n^2}$.

3. Supposer que la suite $\{x_n y_n\}$ converge. Est-ce que les suites $\{x_n\}$ et $\{y_n\}$ convergent obligatoirement? Est-ce que $\lim\limits_{n\to\infty} x_n y_n = \lim\limits_{n\to\infty} x_n \lim\limits_{n\to\infty} y_n$ obligatoirement?

4. Donner un exemple d'une suite $\{x_n\}$ non bornée telle que $\lim\limits_{n\to\infty} x_n/\sqrt{n} = 0$.

5. À l'aide du théorème 3.13, montrer que

a) si $a > 0$, $\lim\limits_{n\to\infty} \sqrt[n]{a} = 1$,

b) si $0 < y \le x$, $\lim\limits_{n\to\infty} (x^n + y^n)^{1/n} = x$.

6. a) Soit $a > 1$ un nombre réel. Montrer que

$$\lim_{n\to\infty} \frac{a^n}{n} = +\infty, \qquad \lim_{n\to\infty} \frac{n^r}{a^n} = 0, r \in \mathbb{R}.$$

b) Pour tout nombre réel a, montrer que $\lim\limits_{n\to\infty} \dfrac{a^n}{n!} = 0$.

7. Montrer par induction que $\lim\limits_{n\to\infty} (x_n)^m = \left(\lim\limits_{n\to\infty} x_n\right)^m$, pour tout $m \in \mathbb{N}$. En déduire que $\lim\limits_{n\to\infty} \sqrt[m]{x_n} = \sqrt[m]{\lim\limits_{n\to\infty} x_n}$, pour tout $m \in \mathbb{N}$ (pour m entier pair, supposer que $x_n \ge 0$, pour $n \ge 1$).

8. a) Pour tout $n \in \mathbb{N}$, montrer que $\dfrac{1}{n!} \le \dfrac{n!}{n^n} \le \dfrac{1}{2^{n-1}}$. En déduire que

i) $\lim\limits_{n\to\infty} \dfrac{n!}{n^n} = 0$,

ii) $\lim\limits_{n\to\infty} \sqrt[n]{n!} = +\infty$.

b) Montrer que $\lim\limits_{n\to\infty} \sqrt[n]{n + \sqrt{n}} = 1$.

3.4   Sous-suites et suites monotones

Définition 3.22   Soit $\{x_n\}$ une suite et $\{n_k\}$ une suite quelconque d'entiers positifs telle que $1 \leq n_1 < n_2 < \ldots$ On appelle la suite $\{x_{n_k}\}$ une sous-suite de la suite $\{x_n\}$.

Remarque   Pour tout $k \in \mathbb{N}$, $n_k \geq k$.

Exemple 3.23   Les suites $\{1/k^2\}$, $\{1/2k\}$ et $\{1/3^k\}$ sont des sous-suites de $\{1/n\}$ obtenues en posant $n_k = k^2$, $n_k = 2k$ et $n_k = 3^k$ respectivement. Toutes ces sous-suites convergent vers 0. On sait que la suite $\{(-1)^n\}$ diverge et que les sous-suites $\{(-1)^{2k}\}$ et $\{(-1)^{2k+1}\}$ convergent. Notons que la suite $\{1, 1/2, 1/8, 1/4, 1/16, \ldots\}$ n'est pas une sous-suite de $\{1/n\}$.

Théorème 3.24   *Soit $\{x_n\}$ une suite convergente. Toute sous-suite de $\{x_n\}$ converge et a la même limite que la suite $\{x_n\}$.*

DÉMONSTRATION   Supposons que $\lim_{n \to \infty} x_n = x$. Démontrons que $\lim_{k \to \infty} x_{n_k} = x$. On sait que pour tout $\varepsilon > 0$ il existe un nombre $N(\varepsilon)$ tel que $|x_n - x| < \varepsilon$ dès que $n > N(\varepsilon)$. Les éléments x_{n_k} de la sous-suite $\{x_{n_k}\}$ appartenant tous à $\{x_n | n \in \mathbb{N}\}$, $|x_{n_k} - x| < \varepsilon$ pour tout $n_k > N(\varepsilon)$. Mais $n_k \geq k$. D'où pour $k > N(\varepsilon)$, $|x_{n_k} - x| < \varepsilon$, ce qui termine la démonstration. ∎

Corollaire 3.25   *Si une suite $\{x_n\}$ possède deux sous-suites qui convergent vers différentes valeurs, la suite $\{x_n\}$ diverge.*

Théorème 3.26   *Toute suite bornée possède une sous-suite convergente.*

DÉMONSTRATION   Soit $\{x_n\}$ une suite bornée. Pour démontrer ce résultat, nous examinons deux cas.

1er cas   Si le champ de la suite $\{x_n\}$ est un ensemble fini, un des termes de la suite, x_i disons, apparaît une infinité de fois. La suite constante $\{x_i\}$ est donc une sous-suite convergente de $\{x_n\}$.

2e cas   Supposons que le champ de la suite possède une infinité d'éléments. La suite $\{x_n\}$ est bornée. Donc, d'après le théorème de Bolzano-Weierstrass, cet ensemble infini possède un point d'accumulation. Notons-le a. Construisons une sous-suite

$\{x_{n_k}\}$ de telle façon que l'élément x_{n_1} de $\{x_n\}$ appartienne à $V(a, 1)$. Considérons le voisinage $V(a, \frac{1}{2})$. Le point d'accumulation a de $\{x_n \mid n \geq 1\}$ est aussi un point d'accumulation de $\{x_n \mid n > n_1\}$. Il existe donc un élément x_{n_2} de $\{x_n \mid n > n_1\}$ tel que $x_{n_2} \in V(a, \frac{1}{2})$, $n_2 > n_1$. Soit le voisinage $V(a, \frac{1}{3})$. Le point d'accumulation a de $\{x_n \mid n > n_1\}$ est aussi un point d'accumulation de $\{x_n \mid n > n_2\}$. Il existe donc un élément x_{n_3} de $\{x_n \mid n > n_2\}$ tel que $x_{n_3} \in V(a, \frac{1}{3})$, $n_3 > n_2$. La poursuite de ce procédé donne une sous-suite $\{x_{n_k}\}$ de $\{x_n\}$ telle que $|x_{n_k} - a| < 1/k$, c'est-à-dire que $\{x_{n_k}\}$ converge vers a. ∎

Remarque La suite $\{x_n\}$ définie par $x_n = \sin n$ est bornée, en valeur absolue, par 1 et possède donc une sous-suite convergente. Cette suite possède plusieurs sous-suites convergentes, mais le théorème 3.26 ne dit pas comment en extraire une explicitement.

Définition 3.27 Une suite $\{x_n\}$ est dite croissante (resp. décroissante) si $x_n \leq x_{n+1}$, $\forall n \in \mathbb{N}$ (resp. $x_n \geq x_{n+1}$, $\forall n \in \mathbb{N}$). Si pour tout entier positif n, $x_n < x_{n+1}$, la suite $\{x_n\}$ est dite strictement croissante. Si pour tout entier positif n, $x_n > x_{n+1}$, la suite $\{x_n\}$ est dite strictement décroissante. Une suite qui a une de ces propriétés est dite monotone.

Remarque En pratique, on détermine la monotonie d'une suite en examinant le signe de $x_{n+1} - x_n$ ou en comparant x_{n+1}/x_n à 1.

Théorème 3.28 *Toute suite monotone bornée possède une limite.*

DÉMONSTRATION   Soit $\{x_n\}$ une suite croissante bornée supérieurement. D'après l'axiome de complétude $\sup\{x_n \mid n \in \mathbb{N}\}$ existe. Notons-le x. Il suffit de montrer que $\lim_{n \to \infty} x_n = x = \sup\{x_n \mid n \in \mathbb{N}\}$. Étant donné $\varepsilon > 0$, $\exists N$ tel que $x - \varepsilon < x_N \leq x$. Or $\{x_n\}$ est une suite croissante. Donc pour tout $n > N$, $x - \varepsilon < x_N \leq x_n \leq x$. Cette inégalité montre que $\lim_{n \to \infty} x_n = x$. On utilise un procédé analogue pour les suites décroissantes. ∎

Remarque Ce théorème s'applique aussi à une suite monotone seulement à partir d'un certain indice N.

Exemple 3.29

1. Soit $0 < a < 1$. Montrons que $\lim_{n \to \infty} a^n = 0$.

SOLUTION   Nous avons déjà montré cela à l'aide du binôme de Newton. Montrons-le de nouveau à l'aide du théorème 3.28. On a

$$a^{n+1} - a^n = a^n(a - 1) < 0 \text{ et } a^n > 0, \forall n \in \mathbb{N}.$$

La suite $\{a^n\}$ est donc décroissante et bornée inférieurement. Le théorème 3.28 prouve l'existence d'un x tel que $\lim_{n\to\infty} x_n = x$. Il suffit de montrer que $x = 0$. Puisque $\{a^{n+1}\}$ est une sous-suite de $\{a^n\}$ qui converge vers x, $\{a^{n+1}\}$ converge aussi vers x. Or $a^{n+1} = aa^n$, donc la sous-suite $\{a^{n+1}\}$ converge vers ax. D'après l'unicité de la limite, $ax = x$ ou $x(1 - a) = 0$. Donc $x = 0$ puisque $1 - a \neq 0$.

2. Soit $\{x_n\}$ la suite définie par $x_1 = \sqrt{3}$ et $x_n = \sqrt{3x_{n-1}}$, $n \geq 2$. Montrons que cette suite converge et trouvons sa limite.

SOLUTION   Cette suite est croissante et bornée supérieurement par 3. En effet, $x_1 = \sqrt{3} < 3$, et $x_1 = \sqrt{3} < \sqrt{3\sqrt{3}} = x_2$. Supposons cela vrai pour n, c'est-à-dire que $x_n \leq 3$ et $x_n \leq x_{n+1}$. Montrons que c'est aussi vrai pour $n + 1$. Il vient

$$x_{n+1} = \sqrt{3x_n} \leq \sqrt{9} \text{ et } x_{n+1} = \sqrt{x_{n+1}^2} \leq \sqrt{3x_{n+1}} = x_{n+2}.$$

Le théorème 3.28 permet d'écrire $\lim_{n\to\infty} x_n = x$. D'où

$$\lim_{n\to\infty} x_n = \lim_{n\to\infty} \sqrt{3x_{n-1}} = \sqrt{\lim_{n\to\infty} 3x_{n-1}} = \sqrt{3 \lim_{n\to\infty} x_{n-1}},$$

c'est-à-dire que $x = \sqrt{3x}$. Par élévation au carré et simplification, on obtient les seules valeurs possibles : 0 et 3. La suite $\{x_n\}$ étant croissante et x_1 égalant $\sqrt{3}$, $\lim_{n\to\infty} x_n = x = 3$.

3. Au chapitre 1, nous avons montré que la suite définie par

$$x_n = \left(1 + \frac{1}{n}\right)^n, \ n \geq 1$$

vérifie l'inégalité $2 \leq x_n \leq 3$, pour tout $n \in \mathbb{N}$. Montrons que cette suite est croissante.

SOLUTION On a

$$\frac{x_{n+1}}{x_n} = \frac{(1 + 1/(n+1))^{n+1}}{(1 + 1/n)^n} = \left(1 - \frac{1}{(n+1)^2}\right)^n \frac{n+2}{n+1}.$$

L'inégalité de Bernoulli permet d'écrire

$$\left(1 - \frac{1}{(n+1)^2}\right)^n \geq 1 - \frac{n}{(n+1)^2}.$$

D'où

$$\frac{x_{n+1}}{x_n} \geq \frac{n^2 + n + 1}{n^2 + 2n + 1} \cdot \frac{n+2}{n+1} = \frac{n^3 + 3n^2 + 3n + 2}{n^3 + 3n^2 + 3n + 1} > 1.$$

La suite $\{x_n\}$ est donc croissante. Le théorème 3.28 permet donc de conclure que $\lim_{n\to\infty} x_n$ existe. On note cette limite $e = 2,718\,28\ldots$ On a donc

$$\lim_{n\to\infty} \left(1 + \frac{1}{n}\right)^n = e.$$

4. Soit a un nombre réel positif. Introduisons une suite de nombres réels qui converge vers $\sqrt{a}$. Soit $x_1 > 0$ et $x_n = \frac{1}{2}\left(x_{n-1} + \frac{a}{x_{n-1}}\right)$, $n \geq 2$. Montrons que $\lim_{n\to\infty} x_n = \sqrt{a}$.

SOLUTION Montrons que $x_n^2 \geq a$ pour $n \geq 2$. En effet, pour $n \geq 2$,

$$x_n^2 - a = \frac{1}{4}\left(x_{n-1} + \frac{a}{x_{n-1}}\right)^2 - a$$

$$= \frac{1}{4}\left(x_{n-1} - \frac{a}{x_{n-1}}\right)^2 \geq 0.$$

Il est immédiat que $x_n > 0$ pour $n = 1, 2, \ldots$ D'où $x_n \geq \sqrt{a}$. Pour démontrer que la suite est décroissante, considérons

$$x_n - x_{n-1} = \frac{1}{2}\left(x_{n-1} + \frac{a}{x_{n-1}}\right) - x_{n-1}$$

$$= -\frac{1}{2}\left(x_{n-1} - \frac{a}{x_{n-1}}\right) = -\frac{x_{n-1}^2 - a}{2x_{n-1}} \leq 0.$$

Donc $\{x_n\}$ est une suite décroissante bornée inférieurement par $\sqrt{a}$ (si nous omettons le terme x_1). Le théorème 3.28 permet de poser $\lim_{n\to\infty} x_n = x$ où $x \geq \sqrt{a}$. Puisque $x \neq 0$, le théorème 3.11 donne $\lim_{n\to\infty} x_n = \frac{1}{2}(x + ax^{-1})$. L'unicité de la limite donne $x = \frac{1}{2}(x + ax^{-1})$ ou $x^2 = a$, c'est-à-dire que $\lim_{n\to\infty} x_n = \sqrt{a}$.

Concluons la solution de cet exemple par la remarque que $\{x_n\}$ converge très rapidement vers $\sqrt{a}$. On le constate en comparant $|x_n - \sqrt{a}|$ et $|x_{n+1} - \sqrt{a}|$. Il vient

$$x_{n+1} - \sqrt{a} = \frac{1}{2}\left(x_n + \frac{a}{x_n}\right) - \sqrt{a} = \frac{(x_n - \sqrt{a})^2}{2x_n}$$
$$< \frac{(x_n - \sqrt{a})^2}{2\sqrt{a}}.$$

En négligeant le terme $2\sqrt{a}$, on peut espérer voir l'erreur diminuer selon la suite $0,1$, $0,01$, $0,000\,1$, $0,000\,000\,01$, $\ldots$; $x_1 = 2$ donne

$$x_2 = \frac{1}{2}(2 + 1,5) = 1,75 \quad \text{et} \quad x_3 = \frac{1}{2}(1,75 + 3/1,75) = 1,732\ldots$$

comme valeur approximative de $\sqrt{3}$.

Terminons cette section par le théorème 3.30 qui ramène l'étude des ensembles compacts à celle des suites.

Théorème 3.30 *Un ensemble $E \subset \mathbb{R}$ est compact $\iff$ toute suite $\{x_n\}$ d'éléments de E contient une sous-suite qui converge vers un élément de E.*

DÉMONSTRATION

$\Rightarrow$) Supposons que E soit compact et soit $\{x_n\}$ une suite arbitraire d'éléments de E. L'ensemble E étant borné, $\{x_n\}$ contient une sous-suite convergente $\{x_{n_k}\}$. Mais E étant fermé, la limite de cette sous-suite est élément de E.

$\Leftarrow$) Supposons que E n'est pas compact. Alors E n'est pas fermé ou n'est pas borné ou les deux. Si E n'est pas borné, il existe une suite $\{x_n\}$ de points de E telle que $|x_n| > n$ pour $n \in \mathbb{N}$ et par conséquent il n'existe pas de sous-suite de $\{x_n\}$ convergeant vers un élément de E. Si E n'est pas fermé, il existe une suite $\{x_n\}$ d'éléments de E qui converge vers $x_0 \notin E$, $x_n \neq x_0$, $\forall n \in \mathbb{N}$. Toute sous-suite de $\{x_n\}$ doit donc converger vers $x_0 \notin E$. Dans les deux cas, il existe une suite $\{x_n\}$ d'éléments de E dont aucune sous-suite ne converge vers un élément de E. ∎

Exemple 3.31   L'intervalle $(0, 1)$ n'est pas un ensemble compact puisque la suite $\{1/2n\}$ d'éléments de $(0, 1)$ converge vers $0 \notin (0, 1)$.

3.4.1 Exercices

1. Montrer que les suites

   a) $\{\sin \frac{1}{2} n\pi\}$,   b) $\{\cos \frac{1}{2} n\pi\}$,   c) $\{\sin \frac{1}{3} n\pi\}$ et   d) $\{\cos \frac{1}{3} n\pi\}$

   ne convergent pas.

2. Soit les suites $\{x_n\}$ définies respectivement par

   a) $x_n = \dfrac{1 + (-1)^n}{n}$,   b) $x_n = \begin{cases} 3^{-n/2}, & n \text{ entier pair,} \\ 1 - 3^{-(n-1)/2}, & n \text{ entier impair.} \end{cases}$

   i) Est-ce qu'il existe des sous-suites de $\{x_n\}$ qui convergent?

   ii) Quels sont les points d'accumulation du champ de la suite $\{x_n\}$?

   iii) Ces suites convergent-elles?

3. Montrer que

   a) $\displaystyle \lim_{n \to \infty} \left(1 + \frac{1}{2n}\right)^n = \sqrt{e}$,   b) $\displaystyle \lim_{n \to \infty} \left(1 + \frac{3}{n}\right)^n = e^3$,

   c) $\displaystyle \lim_{n \to \infty} \left(1 - \frac{2}{n}\right)^n = e^{-2}$,   d) $\displaystyle \lim_{n \to \infty} \left(1 + \frac{2}{n}\right)^n = e^2$,

   e) $\displaystyle \lim_{n \to \infty} \left(1 + \frac{1}{n}\right)^{\sqrt{n}} = 1$,   f) $\displaystyle \lim_{n \to \infty} \left(1 + \frac{1}{n+1}\right)^n = e$.

4. a) Soit $\{x_n\}$ la suite définie par $x_1 = 1$ et $x_{n+1} = \dfrac{2x_n + 3}{6}$, $n \geq 1$.

   i) Montrer par induction que $x_n > 3/4$, pour tout $n \in \mathbb{N}$.

   ii) Montrer que cette suite est décroissante.

   iii) Trouver $\displaystyle \lim_{n \to \infty} x_n$.

   b) Soit $\{x_n\}$ et $\{y_n\}$ deux suites de nombres réels définies par

   $$x_n = 1 - \frac{1}{2} + \frac{1}{3} - \cdots + \frac{1}{2n-1} - \frac{1}{2n},$$

   $$y_n = x_n + \frac{1}{2n+1}.$$

   i) Montrer que $\{x_n\}$ est une suite croissante et que $\{y_n\}$ est une suite décroissante.

   ii) Montrer que $\displaystyle \lim_{n \to \infty} x_n = \lim_{n \to \infty} y_n$.

5. Soit $\{x_n\}$ la suite définie par $x_1 = 1$ et $x_{n+1} = \frac{1}{4}(3x_n + 2)$ pour $n \geq 1$.

a) Montrer que $x_n < 2$ pour tout $n \in \mathbb{N}$.

b) Montrer que $x_n < x_{n+1}$ pour tout $n \in \mathbb{N}$.

c) Montrer que $\lim_{n \to \infty} x_n = 2$.

d) La suite $\{y_n\}$ définie par $y_1 = 1$ et $y_{n+1} = \frac{1}{4}(5y_n + 2)$ pour $n \geq 1$ converge-t-elle?

6. Soit $\{x_n\}$ la suite définie par

$$x_n = \frac{1 \cdot 3 \cdot 5 \cdots (2n-1)}{2 \cdot 4 \cdot 6 \cdots 2n}.$$

a) Montrer que cette suite est décroissante et bornée inférieurement par 0.

b) Soit

$$y_n = \frac{2 \cdot 4 \cdot 6 \cdots 2n}{3 \cdot 5 \cdot 7 \cdots (2n+1)}.$$

Montrer que

$$x_n^2 < x_n y_n = \frac{1}{2n+1}.$$

Déduire que $\lim_{n \to \infty} x_n = 0$.

7. Soit $\{x_n\}$ la suite définie par $x_1 = 2$ et $x_{n+1} = 2x_n^2$ pour $n \geq 1$.

a) Montrer que si $\lim_{n \to \infty} x_n = x$ existe, $x = 0$ ou $x = 1/2$.

b) Est-ce que cette limite existe? Justifier sa réponse.

8. Dire si les suites $\{x_n\}$ définies ci-dessous convergent ou divergent. Dans le cas de convergence, trouver la limite.

a) $x_1 = 1$ et $x_n = 3 + \sqrt{x_{n-1}}$, $n \geq 2$,

b) $x_1 = 1$, $x_2 = 1$ et $x_n = x_{n-1} + x_{n-2}$, $n \geq 3$,

c) $x_1 = 1$ et $x_n = \sqrt{2 + x_{n-1}}$, $n \geq 2$,

d) $x_1 = 2$ et $x_n = 2 + \sqrt{x_{n-1}}$, $n \geq 2$,

e) $x_1 = 1$ et $x_{n+1} = x_n + \dfrac{1 + 3x_n}{1 + 7x_n}$, $n \geq 1$,

f) $x_1 = 1/\sqrt{2}$, $x_2 = \sqrt{2}$ et $x_{n+1} = x_n + \dfrac{1}{x_n - x_{n-1}}$, $n \geq 2$.

9. Étudier :

   a) la suite $\{x_n\}$ définie par $x_1 = b$ et $x_{n+1} = ax_n$, $n \geq 1$, où a est un nombre réel tel que $|a| < 1$,

   b) la suite $\{x_n\}$ définie par $x_1 = 4$ et $x_{n+1} = 0, 1x_n + 4, 5$, $n \geq 1$.

10. À l'aide de l'exemple 3.29 (4), pousser le calcul de $\sqrt{7}$ jusqu'à la cinquième décimale.

3.5 Suites de Cauchy

La définition 3.3 suppose qu'on connaît déjà le nombre x vers lequel la suite est censée converger. Il faudrait avoir un critère de convergence qui n'utilise que les termes de la suite et non la limite. Tel est l'objet de cette section.

Définition 3.32   Une suite $\{x_n\}$ est appelée suite de Cauchy si $\forall \varepsilon > 0$, $\exists N(\varepsilon)$ tel que $\forall n > N(\varepsilon)$ et $\forall k > 0$, $|x_{n+k} - x_n| < \varepsilon$ (ou pour tout couple d'entiers $n, m > N(\varepsilon)$, $|x_m - x_n| < \varepsilon$).

Exemple 3.33

1. Montrons que $\{1/n\}$ est une suite de Cauchy.

   SOLUTION   Pour tout $k > 0$,

   $$|x_{n+k} - x_n| = \left| \frac{1}{n+k} - \frac{1}{n} \right| \leq \frac{1}{n+k} + \frac{1}{n} < \frac{2}{n} < \varepsilon$$

   dès que $n > 2/\varepsilon = N(\varepsilon)$.

2. Montrons que la suite $\{x_n\}$ définie par

   $$x_n = 1 + \frac{1}{1!} + \frac{1}{2!} + \cdots + \frac{1}{n!}$$

   est une suite de Cauchy.

   SOLUTION   Pour tout $k > 0$,

   $$|x_{n+k} - x_n| = \frac{1}{(n+1)!} + \frac{1}{(n+2)!} + \cdots + \frac{1}{(n+k)!}$$

$$= \frac{1}{(n+1)!} \left[1 + \frac{1}{n+2} + \cdots + \frac{1}{(n+2)(n+3)\ldots(n+k)} \right]$$

$$\leq \frac{1}{(n+1)!} \left[1 + \frac{1}{2} + \frac{1}{2^2} + \cdots + \frac{1}{2^{k-1}} \right]$$

(car tous les termes $n+2$, $n+3$, ..., $n+k$ sont supérieurs à 2). Donc

$$|x_{n+k} - x_n| < \frac{2}{(n+1)!},$$

et $\{x_n\}$ est une suite de Cauchy.

3. Donnons un exemple qui montre l'importance de la condition «pour tout $k > 0$» de la définition d'une suite de Cauchy.

SOLUTION   Considérons la suite $\{x_n\} = \{\sqrt{n}\}$. Il vient

$$|x_{n+k} - x_n| = \sqrt{n+k} - \sqrt{n} = \frac{k}{\sqrt{n+k} + \sqrt{n}} < \frac{k}{2\sqrt{n}}.$$

Étant donnés des nombres positifs ε et k, il existe un nombre $N(\varepsilon)$ tel que $\frac{k}{2\sqrt{n}} < \varepsilon$ pour tout $n > N(\varepsilon)$. Donc $|x_{n+k} - x_n| < \varepsilon$ pour tout $n > N(\varepsilon)$. Nous n'avons pas démontré que $\{x_n\}$ est une suite de Cauchy. Pour obtenir la conclusion $|x_{n+k} - x_n| < \varepsilon$, nous avons supposé que k était un entier fixe (mais arbitraire), tandis que la condition pour qu'une suite soit de Cauchy est «pour tout $k > 0$». Il n'existe pas de nombre N tel que $k/2\sqrt{n} < \varepsilon$ pour tout $n > N$ et pour tout $k > 0$.

Exemple 3.34   Montrons que la suite $\{x_n\}$ définie par

$$x_n = 1 + \frac{1}{2} + \frac{1}{3} + \cdots + \frac{1}{n}$$

n'est pas une suite de Cauchy.

SOLUTION   Posons $k = n$ dans la définition d'une suite de Cauchy. On a

$$x_{2n} - x_n = \frac{1}{n+1} + \cdots + \frac{1}{2n} > \underbrace{\frac{1}{2n} + \cdots + \frac{1}{2n}}_{n \text{ termes}} = \frac{1}{2}.$$

D'où $x_{2n} - x_n$ ne converge pas vers 0. Donc $x_{n+k} - x_n$ ne tend pas vers 0 chaque fois que $n+k$ et n tendent vers l'infini. La suite $\{x_n\}$ n'est donc pas de Cauchy.

Voici quelques propriétés des suites de Cauchy.

Théorème 3.35 *Toute suite de Cauchy est bornée.*

DÉMONSTRATION   Soit $\{x_n\}$ une suite de Cauchy. Il existe un entier positif N tel que pour tout $n > N$ et pour tout $k > 0$, $|x_{n+k} - x_n| < 1$. Pour $n = N + 1$ et pour tout $k > 0$,

$$|x_{N+1+k} - x_{N+1}| < 1.$$

Par conséquent,

$$|x_{N+1+k}| < |x_{N+1}| + 1 \text{ pour tout } k > 0.$$

Prenons

$$M = \max\{|x_1|, |x_2|, \ldots, |x_{N+1}|, |x_{N+1}| + 1\}.$$

Il vient

$$|x_n| \le M \text{ pour tout } n \in \mathbb{N}.$$

Cela termine la démonstration du théorème. ∎

Théorème 3.36 (critère de Cauchy)   *Une suite est convergente $\Longleftrightarrow$ elle est de Cauchy.*

DÉMONSTRATION

$\Rightarrow$) Supposons que la suite $\{x_n\}$ converge vers x, c'est-à-dire que $\forall \varepsilon > 0$, $\exists N_1(\varepsilon)$ tel que pour tout $n > N_1(\varepsilon)$, $|x_n - x| < \varepsilon$. Si k est n'importe quel entier positif et si $n > N_1(\varepsilon)$, $n + k > N_1(\varepsilon)$ et donc $|x_{n+k} - x| < \varepsilon$. Mais

$$|x_{n+k} - x_n| \le |x_{n+k} - x| + |x_n - x|.$$

D'où $|x_{n+k} - x_n| < \varepsilon$, pour tout $n > N_1(\varepsilon/2)$ et pour tout $k > 0$.

$\Leftarrow$) Puisque toute suite de Cauchy est bornée et que toute suite bornée possède une sous-suite convergente, il existe une sous-suite $\{x_{n_i}\}$ de $\{x_n\}$ qui converge vers x. Donc $\forall \varepsilon > 0$, $\exists N_1(\varepsilon)$ tel que pour $n_i > N_1(\varepsilon)$, $|x_{n_i} - x| < \varepsilon$. Or $\{x_n\}$ est une suite de Cauchy, donc $\exists N_2(\varepsilon)$ tel que $|x_{n+k} - x_n| < \varepsilon$ pour tout $n > N_2(\varepsilon)$ et pour tout $k > 0$. Soit $N(\varepsilon) = \max\{N_1(\varepsilon/2), N_2(\varepsilon/2)\}$ et m un élément de la suite $\{n_i\}$ possédant la propriété $m > N(\varepsilon)$. Il vient

$$|x_m - x| < \varepsilon/2 \qquad \text{et} \qquad |x_{m+k} - x_m| < \varepsilon/2.$$

La combinaison de ces deux inégalités donne $|x_{m+k} - x| < \varepsilon$ pour tout $k > 0$ ou $|x_n - x| < \varepsilon$ pour tout $n > m > N(\varepsilon)$.

Cela termine la démonstration du théorème.   ∎

On a donc une condition nécessaire et suffisante de convergence pour les suites dans $\mathbb{R}$. La condition suffisante, pas toujours très maniable, permet toutefois de montrer qu'une suite converge sans devoir trouver la valeur de la limite.

Remarque   On utilise rarement le critère de Cauchy pour montrer la convergence d'une suite parce qu'il est difficile de montrer que $x_{n+k} - x_n$ tend vers 0 quelles que soient les façons de $n + k$ et n de tendre vers l'infini. Mais ce critère est très pratique pour montrer la divergence d'une suite. Il suffit de montrer que $x_{n+k} - x_n$ ne tend pas vers 0 dans un seul cas où $n + k$ et n tendent simultanément vers l'infini.

Exemple 3.37   Étudions la convergence de la suite $\{x_n\}$ définie par

$$x_1 = 1, x_2 = \frac{3}{2} \text{ et } x_n = \frac{x_{n-1} + x_{n-2}}{2}, \ n \geq 3.$$

SOLUTION   Les premiers termes de la suite sont $1, 3/2, 5/4, 11/8, 21/16, \ldots$ On montre facilement par induction que

$$x_{n+1} - x_n = \frac{(-1)^{n+1}}{2^n}, n \geq 1.$$

Montrons que $\{x_n\}$ est une suite de Cauchy. Pour tout $k > 0$,

$$|x_{n+k} - x_n| \leq |x_{n+k} - x_{n+k-1}| + |x_{n+k-1} - x_{n+k-2}| + \cdots + |x_{n+1} - x_n|$$

$$= \frac{1}{2^{n+k-1}} + \frac{1}{2^{n+k-2}} + \cdots + \frac{1}{2^n}$$

$$= \frac{1}{2^n}\left(\frac{1}{2^{k-1}} + \ldots + 1\right) < \frac{1}{2^{n-1}}.$$

Puisque $1/2^{n-1}$ tend vers 0, $\{x_n\}$ est une suite de Cauchy et par conséquent la suite $\{x_n\}$ converge vers un nombre réel. Cherchons la limite. On a $x_{n+1} - x_n = (-1)^{n+1}/2^n$, d'où

$$x_3 = 1 + \frac{1}{2} - \frac{1}{2^2},$$

$$x_4 = 1 + \frac{1}{2} - \frac{1}{2^2} + \frac{1}{2^3},$$

$$x_5 = 1 + \frac{1}{2} - \frac{1}{2^2} + \frac{1}{2^3} - \frac{1}{2^4}.$$

D'une façon générale,

$$x_{n+2} = 1 + \frac{1}{2} - \frac{1}{2^2} + \frac{1}{2^3} - \ldots + \frac{(-1)^n}{2^{n+1}}$$

$$= 1 + \frac{1}{3}\left(1 - \left(\frac{-1}{2}\right)^{n+1}\right)$$

$$= \frac{4}{3} - \frac{1}{3}\left(\frac{-1}{2}\right)^{n+1}$$

et donc $\lim\limits_{n\to\infty} x_n = 4/3$.

3.5.1 Exercices

1. À l'aide de la définition de suite de Cauchy, montrer que

   a) $\{(n+2)/n\}$ est une suite de Cauchy,

   b) $\{(-1)^n\}$ n'est pas une suite de Cauchy.

2. Trouver la limite de la suite définie par

   a) $x_1 = 1$, $x_2 = 1/3$ et $x_n = \dfrac{x_{n-1} + 2x_{n-2}}{3}$, $n \geq 3$,

   b) $x_1 = a$, $x_2 = b$ et $x_n = \dfrac{x_{n-1} + x_{n-2}}{2}$, $n \geq 3$.

3.6 Limite supérieure et limite inférieure

Définition 3.38 Un nombre réel x est appelé valeur d'adhérence d'une suite $\{x_n\}$ s'il existe une sous-suite de $\{x_n\}$ qui converge vers x.

Cette définition laisse entendre qu'il existe des suites sans valeurs d'adhérence (certaines suites non bornées comme $\{n\}$, par exemple). Toute suite bornée possède cependant au moins une valeur d'adhérence (puisque toute suite bornée possède une sous-suite convergente).

Théorème 3.39 *Soit $\{x_n\}$ une suite bornée et*

$$A = \{x \mid \text{il existe une sous-suite} \{x_{n_k}\} \text{ de } \{x_n\} \text{ qui converge vers } x\}.$$

L'ensemble A est non vide, borné et fermé.

DÉMONSTRATION   Puisque $\{x_n\}$ est une suite bornée, il est immédiat que l'ensemble A est non vide et borné. Soit x_0 un point d'accumulation de A. Pour prouver que A est fermé, il suffit de montrer que $x_0 \in A$. Pour chaque entier $k \geq 1$, $V(x_0, 1/k)$ contient une infinité d'éléments de A. On peut donc choisir un élément $a_k \in A$ tel que $|a_k - x_0| < 1/k$ pour tout $k \geq 1$. Mais $a_1 \in A$. Il existe donc une sous-suite de $\{x_n\}$ qui converge vers a_1, c'est-à-dire qu'il existe une infinité d'indices n de la suite $\{x_n\}$ pour lesquels $x_n \in V(a_1, 1)$. Soit x_{n_1} un de ces éléments. Puisque $a_2 \in A$, il existe une sous-suite de $\{x_n\}$ qui converge vers a_2 et $V(a_2, 1/2)$ contient des éléments pour une infinité d'indices. Soit x_{n_2} un de ces éléments avec la propriété $n_1 < n_2$. En continuant ainsi ce procédé, on trouve que, pour chaque entier k, il existe un élément x_{n_k} de $\{x_n\}$ tel que $n_{k-1} < n_k$ et $|x_{n_k} - a_k| < 1/k$. Les nombres x_{n_k} définissent une sous-suite de $\{x_n\}$ telle que $|x_{n_k} - x_0| < 2/k$. Donc $\{x_{n_k}\}$ converge vers x_0 et par conséquent $x_0 \in A$.   ∎

Remarque   Le théorème précédent donne $\sup A \in A$ et $\inf A \in A$. Il existe donc une sous-suite de $\{x_n\}$ qui converge vers $\inf A$ et une sous-suite de $\{x_n\}$ qui converge vers $\sup A$.

Définition 3.40   On appelle limite supérieure (resp. limite inférieure) d'une suite bornée $\{x_n\}$ la plus petite borne supérieure (resp. la plus grande borne inférieure) de l'ensemble des valeurs d'adhérence de la suite.

Notation

$$\limsup_{n \to \infty} x_n = \overline{\lim}_{n \to \infty} x_n = \text{ limite supérieure,}$$
$$\liminf_{n \to \infty} x_n = \underline{\lim}_{n \to \infty} x_n = \text{ limite inférieure.}$$

Si une suite $\{x_n\}$ n'est pas bornée supérieurement, on dit que $+\infty$ est une valeur d'adhérence que l'on note $\limsup_{n \to \infty} x_n$; de même, si une suite $\{x_n\}$ n'est pas bornée inférieurement, $-\infty$ est une valeur d'adhérence que l'on note $\liminf_{n \to \infty} x_n$.

Remarquons que si $+\infty$ est une valeur d'adhérence de $\{x_n\}$, on peut construire une sous-suite $\{x_{n_k}\}$ qui tend vers $+\infty$. En effet, soit x_{n_1} un élément de $\{x_n\}$ qui appartient à $(1, \infty)$ et x_{n_2}, $n_1 < n_2$ un élément de la suite $\{x_n\}$ qui appartient à $(2, \infty)$. La continuation de ce procédé, donne une sous-suite $\{x_{n_k}\}$ de $\{x_n\}$ telle que $x_{n_k} \in (k, \infty)$. La sous-suite $\{x_{n_k}\}$ diverge donc vers $+\infty$. Si $-\infty$ est une valeur d'adhérence, un procédé semblable donne une sous-suite $\{x_{n_k}\}$ de $\{x_n\}$ qui tend vers $-\infty$.

Exemple 3.41 Soit $\{x_n\}$ la suite définie par $x_n = (-1)^n$. Trouvons la valeur de $\limsup\limits_{n\to\infty} x_n$ et celle de $\liminf\limits_{n\to\infty} x_n$.

SOLUTION Puisque 1 et -1 sont les seules valeurs d'adhérence de cette suite, on a $\limsup\limits_{n\to\infty} x_n = 1$ et $\liminf\limits_{n\to\infty} x_n = -1$.

3.6.1 Exercices

1. Soit
$$\{x_n\} = \{2, 3, 0, 2, 3, 0, 2, 3, 0, \ldots\}$$
$$\{y_n\} = \{3, 0, 2, 3, 0, 2, 3, 0, 2, \ldots\}.$$

deux suites dont les termes se répètent par période de 3.

Trouver

a) $\limsup\limits_{n\to\infty} x_n + \limsup\limits_{n\to\infty} y_n$,   b) $\limsup\limits_{n\to\infty}(x_n + y_n)$,

c) $\limsup\limits_{n\to\infty} x_n + \liminf\limits_{n\to\infty} y_n$,   d) $\limsup\limits_{n\to\infty}(x_n y_n)$,

e) $\liminf\limits_{n\to\infty} x_n + \limsup\limits_{n\to\infty} y_n$,   f) $\liminf\limits_{n\to\infty}(x_n + y_n)$,

g) $\liminf\limits_{n\to\infty} x_n + \liminf\limits_{n\to\infty} y_n$,   h) $\liminf\limits_{n\to\infty}(x_n y_n)$.

2. Trouver la limite supérieure et la limite inférieure des suites

a) $\left\{\dfrac{(-1)^n}{2n}\right\}$,   b) $\left\{(-1)^n \dfrac{n+2}{n+3}\right\}$,   c) $\left\{\dfrac{3n+4}{7n+5}\right\}$,

d) $\{5 + (-1)^n\}$,   e) $\{(2n)^{1+(-1)^n}\}$,   f) $\left\{\cos^2 \dfrac{n\pi}{2}\right\}$,

g) $\left\{(-1)^n \left(1 + \dfrac{1}{n}\right)^n\right\}$,   h) $\left\{\dfrac{1}{n} + \cos \dfrac{n\pi}{2}\right\}$,   i) $\left\{1 + \sin \dfrac{n\pi}{2}\right\}$.

3. Donner un exemple d'une suite $\{x_n\}$ telle que
$$\limsup\limits_{n\to\infty} x_n = 6 \text{ et } \liminf\limits_{n\to\infty} x_n = 3.$$

4. Donner un exemple de suites bornées $\{x_n\}$ et $\{y_n\}$ telles que

a) $\limsup\limits_{n\to\infty}(x_n \cdot y_n) \neq \limsup\limits_{n\to\infty} x_n \cdot \limsup\limits_{n\to\infty} y_n$,

b) $\liminf\limits_{n\to\infty}(x_n \cdot y_n) \neq \liminf\limits_{n\to\infty} x_n \cdot \liminf\limits_{n\to\infty} y_n$,

c) $\limsup\limits_{n\to\infty}(x_n + y_n) \neq \limsup\limits_{n\to\infty} x_n + \limsup\limits_{n\to\infty} y_n$.

Exercices sur le chapitre 3

1. Trouver un exemple de

   a) deux suites divergentes dont le produit est une suite convergente,

   b) deux suites convergentes dont le quotient est une suite divergente,

   c) suite $\{x_n\}$ telle que $\lim\limits_{n\to\infty} x_n = 0$ et $\{nx_n\}$ est une suite non bornée.

2. Considérer la suite $\{x_n\}$ définie par

$$x_1 = 0, x_2 = 1, \text{ et pour } n \geq 2, 2x_{n+1} + x_{n-1} = 3x_n.$$

   Est-ce que cette suite converge? Si oui, trouver sa limite.

3. Calculer

$$\lim_{n\to\infty} \frac{1}{n!} \sum_{k=0}^{n} k!.$$

4. Si $\lim\limits_{n\to\infty} x_n = x$ et $\lim\limits_{n\to\infty} y_n = y$, montrer que

   a) $\lim\limits_{n\to\infty} \max\{x_n, y_n\} = \max\{x, y\}$,

   b) $\lim\limits_{n\to\infty} \min\{x_n, y_n\} = \min\{x, y\}$.

5. a) Soit x un nombre rationnel. Montrer qu'il existe une suite $\{x_n\}$ de nombres irrationnels telle que $\{x_n\}$ converge vers x.

   b) Montrer que si une suite $\{x_n\}$ converge vers x, la suite $\{|x_n|\}$ converge vers $|x|$, c'est-à-dire que $\lim\limits_{n\to\infty} |x_n| = |\lim\limits_{n\to\infty} x_n|$. Si $\{|x_n|\}$ converge vers $|x|$, peut-on conclure que $\{x_n\}$ converge vers x?

6. Soit $\{x_n\}$ une suite telle que $x_n \neq 0$, $\forall n \in \mathbb{N}$ et $\lim\limits_{n\to\infty} x_n = x \neq 0$. Montrer que $\inf\{|x_n| \mid n \in \mathbb{N}\} > 0$.

7. a) Si $\lim\limits_{n\to\infty} x_n = x \in \mathbb{R}$ et $\lim\limits_{n\to\infty} y_n = +\infty$, montrer que $\lim\limits_{n\to\infty} (x_n + y_n) = +\infty$.

   b) Montrer que $\lim\limits_{n\to\infty} \dfrac{\sin n}{n} = 0$.

   c) Si $\{x_n\}$ est une suite qui converge vers 0 et $\{y_n\}$ une suite bornée, montrer que la suite $\{x_n y_n\}$ converge vers 0.

8. Soit $x \in \mathbb{R}$ et $\{x_n\}$ la suite définie par

$$x_n = (1 + x)(1 + x^2)(1 + x^4)\dots(1 + x^{2^n}).$$

   Trouver $\lim\limits_{n\to\infty} x_n$.

9. a) Soit $\{x_n\}$ une suite telle que $x_n \geq 0, \forall n \in \mathbb{N}$. Supposer que $\lim_{n\to\infty} x_n = 0$ et montrer que $\lim_{n\to\infty} \sqrt{x_n} = 0$.

b) Soit $\{x_n\}$ une suite telle que $\lim_{n\to\infty} x_n < r$. Montrer qu'il existe un nombre N tel que $n > N \Rightarrow x_n < r$.

c) Soit $k \geq 0$. Montrer que

$$\lim_{n\to\infty} x_n = x \iff \lim_{n\to\infty} x_{n+k} = x.$$

10. a) Supposer que $\lim_{n\to\infty} x_n = x \in \mathbb{R}$.

   i) Si $x_n \leq M, \forall n \geq 1$, montrer que $x \leq M$.

   ii) Si $x_n \geq M, \forall n \geq 1$, montrer que $x \geq M$.

   iii) Si $x_n < M, \forall n \geq 1$, est-ce que $x < M$?

b) Soit $\{x_n\}$ et $\{y_n\}$ deux suites convergentes. Si $x_n \geq y_n, n \geq 1$, montrer que $\lim_{n\to\infty} x_n \geq \lim_{n\to\infty} y_n$. Donner un exemple de suites $\{x_n\}$ et $\{y_n\}$ telles que $x_n > y_n$, $\forall n \geq 1$ et $\lim_{n\to\infty} x_n = \lim_{n\to\infty} y_n$.

11. a) Soit $\{x_n\}$ et $\{y_n\}$ deux suites, et $\{z_n\}$ la suite définie par $z_{2n} = y_n$ et $z_{2n-1} = x_n$. Montrer que $\{z_n\}$ converge $\iff$ $\{x_n\}$ et $\{y_n\}$ convergent et $\lim_{n\to\infty} x_n = \lim_{n\to\infty} y_n$.

b) Soit $\{x_n\}$ une suite de nombres réels. Si $\{x_{2n}\}$ converge vers a et $\{x_{2n+1}\}$ converge vers b, montrer que toute sous-suite convergente $\{x_{n_k}\}$ de $\{x_n\}$ converge vers a ou b.

c) Soit $\{x_n\}$ et $\{y_n\}$ deux suites telles que $\lim_{n\to\infty} x_n = \lim_{n\to\infty} y_n = L$. Considérer la suite $\{z_n\}$ définie par $z_{3m} = x_n$, $z_{3m+1} = L$ et $z_{3m+2} = y_n$. Montrer que la suite $\{z_n\}$ converge vers L.

12. Soit $\{x_n\}$ et $\{y_n\}$ deux suites définies par

$$x_n = 1 + \frac{1}{1!} + \cdots + \frac{1}{n!} \quad \text{et} \quad y_n = x_n + \frac{1}{n!}.$$

a) Montrer que $\{y_n\}$ est une suite décroissante et bornée.

b) Montrer que $\lim_{n\to\infty} y_n = \lim_{n\to\infty} x_n$.

13. a) Soit a un nombre réel tel que $0 < a < 1$ et $\{x_n\}$ une suite qui satisfait à $|x_{n+1} - x_n| < a^n, \forall n \geq 1$. Montrer que $\{x_n\}$ est de Cauchy. Peut-on en dire autant lorsque $|x_{n+1} - x_n| < 1/n$, pour tout $n \geq 1$?

b) Supposer que $\{x_n\}$ est une suite telle que pour tout $k \geq 0$, $\lim_{n \to \infty} (x_{n+k} - x_n) = 0$. Est-ce que $\{x_n\}$ est obligatoirement de Cauchy? Justifier sa réponse.

c) Supposer que $\{x_n\}$ est une suite de Cauchy à valeurs dans l'ensemble $\{(10^{-10})n \mid n \in \mathbb{N}\}$. Montrer que $\{x_n\}$ converge.

14. Soit $a > 0$, $b > \max\{1, a\}$ et $\{x_n\}$ la suite définie par

$$x_n = \frac{a}{b} + \frac{a^2 + a}{b^2} + \cdots + \frac{a^n + a^{n-1} + \cdots + a}{b^n}, n \geq 1.$$

a) Montrer que $\lim_{n \to \infty} x_n = \dfrac{ab}{(b-1)(b-a)}$.

   (Suggestion : Considérer $x_n - (a/b)x_n$.)

b) En déduire

$$\lim_{n \to \infty} \sum_{k=1}^{n} \frac{k}{2^k}.$$

15. Soit $\{x_n\}$ une suite et $x > 0$. Montrer que

$$\lim_{n \to \infty} x_n = x \iff \lim_{n \to \infty} \frac{x_n - x}{x_n + x} = 0.$$

En déduire la limite de la suite $\{x_n\}$ définie par

a) $x_1 = 2$ et $x_{n+1} = \dfrac{16 + 3x_n}{3 + x_n}$,   b) $x_1 = 2$ et $x_{n+1} = \dfrac{8 + 3x_n}{3 + 2x_n}$.

16. Soit $\{x_n\}$ la suite définie par

$$x_{2n-1} = 1/5^{n-1}, \qquad x_{2n} = x_{2n-1}/3.$$

Trouver $\limsup_{n \to \infty} x_{n+1}/x_n$ et $\liminf_{n \to \infty} x_{n+1}/x_n$.

17. Soit $x_1, y_1 \in \mathbb{R}$ tels que $x_1 > y_1 > 0$ et $\{x_n\}$, $\{y_n\}$ les deux suites définies pour $n \geq 1$ par

$$x_{n+1} = \frac{x_n + y_n}{2}, \qquad y_{n+1} = \sqrt{x_n y_n}.$$

a) Montrer que la suite $\{y_n\}$ est croissante et bornée supérieurement par x_1.

b) Montrer que la suite $\{x_n\}$ est décroissante et bornée inférieurement par y_1.

c) Montrer que $0 < x_{n+1} - y_{n+1} < (x_1 - y_1)/2^n$. En déduire que $\lim_{n \to \infty} x_n = \lim_{n \to \infty} y_n$.

c) Montrer que $0 < x_{n+1} - y_{n+1} < (x_1 - y_1)/2^n$. En déduire que $\lim\limits_{n \to \infty} x_n = \lim\limits_{n \to \infty} y_n$.

18. Soit $\{x_n\}$ la suite définie par

$$x_1 = 1 \text{ et } x_{n+1} = 1 + \frac{1}{x_n}, \quad n \geq 1.$$

Montrer que $\lim\limits_{n \to \infty} x_n = \frac{1}{2}(1 + \sqrt{5})$.

19. Soit $\{x_n\}$ la suite d'entiers dans $\{0, 1, \ldots, m-1\}$ définie par

$$n \equiv x_n \quad (\text{mod } m) \quad (\text{le reste de la division de } n \text{ par } m).$$

Trouver $\limsup\limits_{n \to \infty} x_n$ et $\liminf\limits_{n \to \infty} x_n$.

20. a) Soit $\{x_n\}$ une suite telle que $\lim\limits_{n \to \infty} x_n = x$. Montrer que

$$\lim_{n \to \infty} \frac{1}{n} \sum_{k=1}^{n} x_k = x.$$

(Suggestion : Poser $x_n = y_n + x$ et considérer

$$\frac{y_1 + y_2 + \ldots + y_n}{n} = \frac{y_1 + y_2 + \ldots y_N}{n} + \frac{y_{N+1} + y_{N+2} + \ldots + y_n}{n}.$$

Choisir ensuite N de sorte que pour $n > N$, $|y_n| < \varepsilon/2$.)

b) Soit $\{x_n\}$ et $\{y_n\}$ deux suites convergeant respectivement vers x et y. Montrer que la suite $\{z_n\}$ définie par

$$z_n = \frac{x_1 y_n + x_2 y_{n-1} + \ldots + x_n y_1}{n}$$

converge vers xy.

21. Soit $\{x_n\}$ une suite de nombres réels telle que $x_n > 0$ pour tout $n \geq 1$.

a) Montrer que $\lim\limits_{n \to \infty} x_n = x$ implique

$$\lim_{n \to \infty} \sqrt[n]{x_1 \cdot x_2 \cdots x_n} = x.$$

b) Montrer que $\lim\limits_{n \to \infty} x_{n+1}/x_n = 1$ implique $\lim\limits_{n \to \infty} \sqrt[n]{x_n} = 1$.

22. Pour quel a la suite $\{x_n\}$, définie par $x_n = \sqrt[n]{a^n + 2^n}$, converge-t-elle? Dans le cas de convergence, trouver la limite.

23. Soit $\{x_n\}$ une suite définie par $x_1 = a$ et $x_{n+1} = \frac{1}{2}x_n^2$. Trouver les a qui la font converger et trouver ces limites.

24. Utiliser le programme ci-dessous pour trouver une valeur approximative de $\lim\limits_{n \to \infty} x_n$, sachant que $x_1 = 1$ et $x_n = \sqrt[4]{3 - x_{n-1}}$, pour $n \geq 2$.

Program Racinequatrième;

Uses Transcend;   (∗ Pour Apple Pascal ∗)

```
    var N :Integer;
    function RQ(X :Real) : Real;
       begin RQ := Exp(Ln(X)/4) end;
    function X(N : Integer) : Real;
        begin
        if N=0 then X :=0
        else X := RQ(3-X(N-1))
        end;
    begin
    repeat
        Write('Introduire N : '); Readln(N);
        Writeln('X(', N, ')= ', X(N))
    until Eof
    end.
```

Chapitre 4

Limite et continuité

4.1 Introduction

Quiconque a suivi les premiers cours de calcul différentiel et intégral sait évaluer la limite de fonctions élémentaires. Mais cela ne suffit pas pour bien comprendre la théorie de l'analyse. Une bonne compréhension des idées et des propriétés de la notion de limite est nécessaire pour assimiler les concepts de continuité, de différentiation et d'intégration.

4.2 Rappel sur la notion de fonction

Une fonction réelle f d'une variable réelle se définit par :

a) son ensemble de définition, noté D_f, tel que $D_f = \{x \in \mathbb{R} \mid f(x)$ existe et est un nombre réel$\}$ et appelé domaine de f ;

b) l'opération ou la règle qui associe, assigne ou fait correspondre à chaque $x \in D_f$ exactement une valeur, notée $f(x)$ et appelée image de x par f.

Notation

$$f: D_f \to \mathbb{R}$$
$$x \mapsto f(x)$$

Remarques

1. Cette définition utilise des termes non définis dont associe, assigne, fait correspondre. Il faut leur attribuer leur signification courante. Disons simplement qu'on peut définir «correctement» la notion de fonction à partir de celle de relation binaire (voir l'annexe A).

2. On rencontre très fréquemment des expressions du type : «*Considérons la fonction* $f(x) = \cos x$». Dans ce cas simple tout le monde comprend de quoi il s'agit. Mais il y a un abus de notation : on confond l'image $f(x)$ et la fonction elle-même. Il faudrait dire en toute rigueur : «*Considérons la fonction de* $\mathbb{R}$ *dans* $\mathbb{R}$ *qui à tout nombre réel* x *associe le nombre réel* $\cos x$ *ou* $x \mapsto \cos x$, $\forall x \in \mathbb{R}$». On tolère de tels abus de notation lorsqu'ils permettent une économie d'écriture (c'est le cas pour certaines formules) et n'entraînent aucune confusion.

4.3   Limite d'une fonction

Intuitivement, «La limite de f au point x_0 est L» équivaut à « $f(x)$ s'approche de plus en plus de L lorsque x s'approche de plus en plus de x_0». Voici la définition précise de la limite d'une fonction en un point.

Définition 4.1   Soit x_0 un point d'accumulation de D_f. On dit que f a pour limite L au point x_0 (ou encore tend vers L lorsque x tend vers x_0) si, quel que soit le nombre réel $\varepsilon > 0$, il existe un nombre réel $\delta > 0$ tel que pour tout x appartenant à $D_f \cap V'(x_0, \delta)$, $f(x) \in V(L, \varepsilon)$.

Notation

$$\lim_{x \to x_0} f(x) = L \text{ ou } f(x) \xrightarrow[x \to x_0]{} L.$$

En abrégé,

$$f \text{ a pour limite } L \text{ au point } x_0 \iff \forall \varepsilon > 0, \exists \delta > 0 \text{ tel que}$$

$$\forall x, x \in D_f \cap V'(x_0, \delta) \Rightarrow f(x) \in V(L, \varepsilon). \tag{4.1}$$

L'énoncé (4.1) équivaut aux énoncés

a) $\forall x, x \in D_f$ et $0 < |x - x_0| < \delta \Rightarrow |f(x) - L| < \varepsilon$,

b) $f[D_f \cap V'(x_0, \delta)] \subset V(L, \varepsilon)$.

Examinons soigneusement cette définition. Il importe d'observer que cette définition n'exige pas que x_0 appartienne à D_f. Si $x_0 \in D_f$, alors $f(x_0)$ existe, mais on peut avoir $f(x_0) \neq L$, c'est-à-dire qu'il ne faut pas confondre $f(x_0)$, si cette valeur existe, avec $\lim_{x \to x_0} f(x)$, si elle existe. Si x_0 n'est pas un point d'accumulation de D_f (dans ce cas, on dit que x_0 est un point isolé de D_f), alors $\lim_{x \to x_0} f(x) = L$ pour tout nombre réel L. En effet, si x_0 n'est pas un point d'accumulation de D_f, alors l'énoncé (4.1) est vrai pour tout nombre réel L, puisque $x \in D_f \cap V'(x_0, \delta) = \varnothing$.

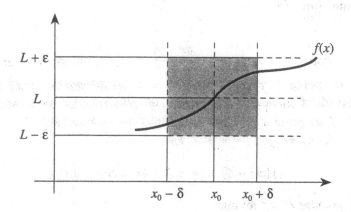

Figure 4.1   Notion de limite.

Pour satisfaire à la définition 4.1, il faut (figure 4.1) trouver un nombre $\delta > 0$ (qui en général dépend de ε, d'où l'usage parfois de la notation $\delta(\varepsilon)$) tel que si $x \in V'(x_0, \delta)$ et $x \in D_f$, $f(x) \in V(L, \varepsilon)$. Le symbole $\delta(\varepsilon)$ indique que pour une valeur ε fixée, on cherche à déterminer un nombre δ en fonction de ε tel que $|f(x) - L| < \varepsilon$ si $0 < |x - x_0| < \delta(\varepsilon)$. Graphiquement (figure 4.1), cela revient à tracer une bande de largeur 2ε, parallèle à l'axe des x, symétrique par rapport à la droite $y = L$, puis à démontrer qu'on peut associer à cette bande un voisinage troué de x_0 tel que les points du graphe de la fonction f pour $x \in V'(x_0, \delta)$ se trouvent dans la bande tracée, c'est-à-dire que, quel que soit ε, on peut toujours lui associer un voisinage troué de x_0 tel que $f(x)$ appartienne à $(L - \varepsilon, L + \varepsilon)$ lorsque x est dans ce voisinage.

Remarque Si D_f n'est pas borné supérieurement, on écrit $\lim\limits_{x \to \infty} f(x) = L \iff \forall \varepsilon > 0$, $\exists N$ tel que pour tout $x > N$ et $x \in D_f \Rightarrow |f(x) - L| < \varepsilon$. Cette définition inclut la définition de la limite d'une suite, c'est le cas $D_f = \mathbb{N}$. Si D_f n'est pas borné inférieurement, on a une définition correspondante pour $\lim\limits_{x \to -\infty} f(x) = L$.

Exemple 4.2

1. Soit $f \colon \mathbb{R} \to \mathbb{R}$ la fonction définie par

$$f(x) = \begin{cases} \dfrac{x^2 - 4}{x - 2} & \text{si } x \neq 2, \\[2mm] 10 & \text{si } x = 2. \end{cases}$$

Montrons que $\lim_{x \to 2} f(x) = 4$.

SOLUTION   Pour $x \neq 2$, $f(x) = \dfrac{x^2 - 4}{x - 2} = x + 2$ et alors le graphe de f est une droite de pente 1, excepté pour $x = 2$. Intuitivement, $f(x)$ s'approche de plus en plus de 4 lorsque x s'approche de plus en plus de 2. Montrons que la limite L de f au point $x = 2$ est 4. Il faut donc montrer que $\forall \varepsilon > 0$, $\exists \delta$ tel que $x \in D_f \cap V'(2, \delta) \Rightarrow |f(x) - 4| < \varepsilon$. Or

$$|f(x) - 4| = |x + 2 - 4| = |x - 2| < \varepsilon.$$

Il suffit de prendre $\delta = \varepsilon$ tel que

$$\forall x, x \in D_f \text{ et } 0 < |x - x_0| < \delta \Rightarrow |f(x) - L| < \varepsilon.$$

2. Soit $f : \mathbb{R} \to \mathbb{R}$ la fonction définie par $f(x) = x^2$. Montrons que $\lim_{x \to x_0} x^2 = x_0^2$, c'est-à-dire que pour $\varepsilon > 0$ donné il faut trouver un nombre positif δ tel que si $0 < |x - x_0| < \delta$, $|x^2 - x_0^2| < \varepsilon$.

1re SOLUTION   On a

$$|x^2 - x_0^2| = |x - x_0||x + x_0| \leq (|x| + |x_0|)(|x - x_0|).$$

Supposons que $|x - x_0| \leq 1$. Donc $|x| \leq |x_0| + 1$ et ainsi

$$|x^2 - x_0^2| \leq (2|x_0| + 1)(|x - x_0|) < \varepsilon$$

pour $|x - x_0| < \varepsilon/(2|x_0| + 1)$. Il suffit de prendre $\delta = \min\left\{ 1, \dfrac{\varepsilon}{2|x_0| + 1} \right\}$.

2^{e} SOLUTION   Exprimons $|x^2 - x_0^2|$ en fonction de $|x - x_0|$. On a

$$|x^2 - x_0^2| = |(x - x_0)^2 + 2x_0(x - x_0)|$$
$$\leq |x - x_0|^2 + 2|x_0||x - x_0| < \varepsilon$$

si $|x - x_0|^2 + 2|x_0||x - x_0| + x_0^2 < x_0^2 + \varepsilon$ ou

$$|x - x_0| + x_0 < \sqrt{x_0^2 + \varepsilon}.$$

Il suffit de prendre $\delta = \sqrt{x_0^2 + \varepsilon} - x_0$.

3. Soit $f: [0, 1] \to \mathbb{R}$ la fonction définie par

$$f(x) = \begin{cases} 0 & \text{si } x \text{ est un nombre rationnel,} \\ 1 & \text{si } x \text{ est un nombre irrationnel.} \end{cases}$$

Montrons que pour tout $x_0 \in [0, 1]$, $\lim\limits_{x \to x_0} f(x)$ n'existe pas.

SOLUTION Remarquons que tout voisinage de $x_0 \in [0, 1]$ contient des rationnels et des irrationnels. Donc, dans tout voisinage de x_0, f prend la valeur 0 et la valeur 1. La prévision de la limite de cette fonction au point x_0 est donc difficile. Supposons que $\lim\limits_{x \to x_0} f(x) = L$, c'est-à-dire que pour tout $\varepsilon > 0$ il existe un δ tel que pour tout $x \in [0, 1]$, $0 < |x - x_0| < \delta$ entraîne $|f(x) - L| < \varepsilon$. Soit $\varepsilon = 1/4$, $r \in [0, 1]$ un nombre rationnel et $m \in [0, 1]$ un nombre irrationnel tels que $0 < |r - x_0| < \delta$ et $0 < |m - x_0| < \delta$. Il vient

$$|f(r) - L| = |0 - L| < 1/4$$

et

$$|f(m) - L| = |1 - L| < 1/4.$$

Ces deux inégalités ne peuvent survenir simultanément et donc f n'a pas de limite au point $x_0 \in [0, 1]$.

Remarque La propriété « f possède une limite au point x_0 » s'écrit mathématiquement

$$\exists L \in \mathbb{R}, \forall \varepsilon > 0, \exists \delta > 0, \forall x, \left[x \in D_f \cap V'(x_0, \delta) \Rightarrow |f(x) - L| < \varepsilon \right].$$

La négation de cette propriété, à savoir « f ne possède pas de limite au point x_0 », s'écrit mathématiquement

$$\forall L \in \mathbb{R}, \exists \varepsilon > 0, \forall \delta > 0, \exists x, \left[x \in D_f \cap V'(x_0, \delta) \text{ et } |f(x) - L| \geq \varepsilon \right].$$

Pour démontrer qu'une fonction f ne possède pas de limite au point x_0, il faut montrer qu'aucun nombre réel L n'a la propriété décrite dans la définition 4.1, une tâche parfois difficile.

Théorème 4.3 *Si la limite d'une fonction f existe en un point d'accumulation, elle est unique.*

DÉMONSTRATION   Supposons que f possède les limites L_1 et L_2 au point x_0. Alors $\forall \varepsilon > 0$,

$$\exists \delta_1 > 0 \text{ tel que } \forall \ x \in D_f \cap V'(x_0, \delta_1), \ |f(x) - L_1| < \varepsilon,$$

$$\exists \delta_2 > 0 \text{ tel que } \forall \ x \in D_f \cap V'(x_0, \delta_2), \ |f(x) - L_2| < \varepsilon.$$

Soit $\delta = \min\{\delta_1, \delta_2\}$. Puisque x_0 est un point d'accumulation de D_f, $V'(x_0, \delta)$ contient au moins un point $x_1 \in D_f$. D'où

$$|L_1 - L_2| \leq |f(x_1) - L_1| + |f(x_1) - L_2| < 2\varepsilon,$$

pour $x_1 \in D_f \cap V'(x_0, \delta)$. Donc $L_1 = L_2$. $\blacksquare$

Il existe une relation très importante entre la notion de limite d'une suite et celle de limite d'une fonction. Le théorème 4.4 décrit ce lien.

Théorème 4.4   *Soit $f : D_f \to \mathbb{R}$ et x_0 un point d'accumulation de D_f. On a $\lim\limits_{x \to x_0} f(x) = L \iff$ pour toute suite $\{x_n\}$ qui converge vers x_0 avec $x_n \in D_f$, $x_n \neq x_0$ pour tout $n \in \mathbb{N}$, la suite $\{f(x_n)\}$ converge vers L.*

DÉMONSTRATION

$\Rightarrow$) Soit $\varepsilon > 0$, alors $\exists \delta$ tel que pour tout $x \in D_f \cap V'(x_0, \delta)$, $|f(x) - L| < \varepsilon$. Puisque $\{x_n\}$ converge vers x_0, $\exists N$ tel que $n > N \Rightarrow x_n \in D_f \cap V'(x_0, \delta)$. Donc $|f(x_n) - L| < \varepsilon$ pourvu que $n > N$, c'est-à-dire que la suite $\{f(x_n)\}$ converge vers L.

$\Leftarrow$) Il faut montrer que $\lim\limits_{x \to x_0} f(x) = L$. Supposons le contraire, à savoir que L n'est pas la limite de f au point x_0. Donc en se reportant à la définition 4.1, $\exists \varepsilon > 0$ tel que $\forall \delta > 0$, $\exists x \in D_f$ tel que $0 < |x - x_0| < \delta$ et $|f(x) - L| \geq \varepsilon$. Prenons $\delta = 1/n$. Pour chaque entier n on peut donc trouver un élément x_n tel que $0 < |x_n - x_0| < 1/n$ et $|f(x_n) - L| \geq \varepsilon$. On a une suite $\{x_n\}$, telle que $x_n \in D_f$, $x_n \neq x_0$, qui converge vers x_0. Or $\{f(x_n)\}$ ne converge pas vers L. Donc L est la limite de f au point x_0. $\blacksquare$

Remarque   Ce résultat théoriquement intéressant ne permet pas en pratique de prouver l'existence d'une limite, car il est impossible de prouver par un calcul numérique que $\{f(x_n)\}$ converge pour une infinité de suites $\{x_n\}$.

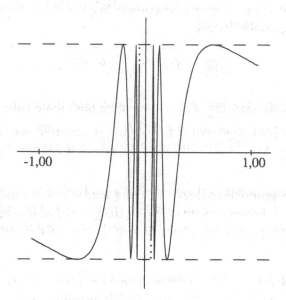

Figure 4.2 $f(x) = \sin(1/x)$.

Le théorème 4.4 sert aussi à montrer que la limite d'une fonction donnée $f(x)$ n'existe pas lorsque $x \to x_0$. Pour cela, il suffit de trouver

a) une seule suite $\{x_n\}$ convergeant vers x_0 telle que la suite correspondante $\{f(x_n)\}$ ne converge pas,

ou

b) deux suites $\{x_n\}$ et $\{y_n\}$ convergeant vers x_0 telles que les suites correspondantes $\{f(x_n)\}$ et $\{f(y_n)\}$ convergent vers des valeurs différentes.

Exemple 4.5 Soit $f: \mathbb{R} \setminus \{0\} \to \mathbb{R}$ la fonction définie par $f(x) = \sin(1/x)$ (figure 4.2). Montrons que $\lim_{x \to 0} f(x)$ n'existe pas.

SOLUTION Considérons $\{x_n\}$ et $\{y_n\}$ deux suites définies par $x_n = 1/2\pi n$ et $y_n = 1/(2n + \frac{1}{2})\pi$, $n = 1, 2, \ldots$ Ces suites convergent vers 0, un point d'accumulation de $\mathbb{R} \setminus \{0\}$. Mais les suites $\{f(x_n)\}$ et $\{f(y_n)\}$ ont respectivement pour limites 0 et 1. Donc f n'a pas de limite lorsque x tend vers 0.

Exemple 4.6 Soit $f: D_f \to \mathbb{R}$ une fonction telle que $f(x) \geq 0$ pour tout $x \in D_f$. Si f a une limite en x_0, montrons que

$$\lim_{x \to x_0} \sqrt{f(x)} = \sqrt{\lim_{x \to x_0} f(x)}.$$

SOLUTION Supposons que $\lim_{x \to x_0} f(x) = L$. Donc pour toute suite $\{x_n\}$ qui converge vers x_0, $x_n \in D_f \setminus \{x_0\}$, pour tout $n \geq 1$, $\{f(x_n)\}$ converge vers L. D'où, d'après un résultat sur les suites, $\{\sqrt{f(x_n)}\}$ converge vers $\sqrt{L}$, ce qui donne l'égalité à démontrer.

Remarque On a une propriété analogue lorsque x tend vers $+\infty$ (resp. $-\infty$). La fonction f admet pour limite L lorsque x tend vers $+\infty$ (resp. $-\infty$), si et seulement si pour toute suite $\{x_n\}$ tendant vers $+\infty$ (resp. $-\infty$), la suite $\{f(x_n)\}$ a pour limite L.

Exemple 4.7 Soit $f: \mathbb{R} \to \mathbb{R}$ la fonction définie par $f(x) = [x]$ (figure 4.3). Montrons que f possède une limite en $x_0 \iff x_0$ n'est pas un entier.

SOLUTION Supposons que x_0 n'est pas un entier. Prenons

$$\delta = \min\{x_0 - [x_0], [x_0] + 1 - x_0\}.$$

On a $\delta > 0$. Donc $\forall x \in \mathbb{R}$ tel que $0 < |x - x_0| < \delta$, $[x] = [x_0]$ et par conséquent $|f(x) - f(x_0)| = 0 < \varepsilon$, pour tout $\varepsilon > 0$. Donc f a une limite au nombre non entier x_0.

Supposons que x_0 est un entier. Considérons la suite $\{x_0 + \frac{(-1)^n}{n}\}$. Si n est un entier impair, alors pour $n > 1$, $x_0 + \frac{(-1)^n}{n} < x_0$, et $f\left(x_0 + \frac{(-1)^n}{n}\right) = x_0 - 1$. Si n est un entier pair, $x_0 + \frac{(-1)^n}{n} > x_0$, et $f(x_0 + \frac{(-1)^n}{n}) = x_0$. Donc la suite $\{f(x_0 + \frac{(-1)^n}{n})\}$ ne converge pas et par conséquent f ne possède pas de limite au nombre entier x_0.

Définition 4.8 Une fonction f est bornée s'il existe $M > 0$ tel que $|f(x)| \leq M$, $\forall x \in D_f$. Une fonction f est localement bornée en un point $x_0 \in D_f$ s'il existe des nombres $\delta > 0$ et $M > 0$ tels que $|f(x)| \leq M$, $\forall x \in D_f \cap V(x_0, \delta)$.

Exemple 4.9 La fonction $f: \mathbb{R} \to \mathbb{R}$ définie par $f(x) = \sin x$ est bornée. La fonction $f: \mathbb{R} \to \mathbb{R}$ définie par $f(x) = x$ n'est pas bornée mais est localement bornée en tout point.

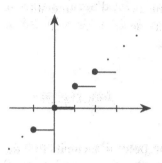

Figure 4.3   La partie entière de x.

Théorème 4.10   *Si f possède une limite L au point x_0, x_0 étant un point d'accumulation de D_f, elle est localement bornée au point x_0.*

DÉMONSTRATION   Par hypothèse,

$$\forall \varepsilon > 0, \exists \delta\,(\varepsilon) > 0 \text{ tel que } x \in D_f \cap V'(x_0, \delta(\varepsilon)) \Rightarrow |f(x) - L| < \varepsilon.$$

En particulier, si $\varepsilon = 1$,

$$\exists \delta(1) \text{ tel que } x \in D_f \cap V'(x_0, \delta(1)) \Rightarrow |f(x) - L| < 1$$

ou

$$|f(x)| < |L| + 1, \forall x \in D_f \cap V'(x_0, \delta(1)).$$

Prenons

$$M = \begin{cases} \max\{|L| + 1, |f(x_0)|\} & \text{si } x_0 \in D_f, \\ |L| + 1 & \text{si } x_0 \notin D_f. \end{cases}$$

Donc

$$|f(x)| \leq M, \quad \forall x \in D_f \cap V(x_0, \delta(1)).$$

Cela termine la démonstration.   ∎

Dans un langage moins formel, le théorème 4.10 signifie que toute fonction f possédant une limite en x_0 est bornée près de x_0. En particulier, la fonction f définie par $f(x) = 1/x$ ne possède pas de limite en 0 puisqu'elle n'est pas bornée dans tout voisinage de 0.

Définition 4.11   Soit x_0 un point d'accumulation de $D_f \cap (x_0, \infty)$. La fonction f possède une limite L à droite de x_0 si $\forall \varepsilon > 0$, $\exists \delta > 0$ tel que pour tout $x \in D_f \cap (x_0, x_0 + \delta)$, $|f(x) - L| < \varepsilon$.

Notation

$$\lim_{x \to x_0^+} f(x) = L.$$

Définition 4.12   Soit x_0 un point d'accumulation de $D_f \cap (-\infty, x_0)$. La fonction f possède une limite L à gauche de x_0 si $\forall \varepsilon > 0$, $\exists \delta > 0$ tel que pour tout $x \in D_f \cap (x_0 - \delta, x_0)$, $|f(x) - L| < \varepsilon$.

Notation

$$\lim_{x \to x_0^-} f(x) = L.$$

Exemple 4.13   Soit n un entier quelconque. On a

$$\lim_{x \to n^+} [x] = n \quad \text{et} \quad \lim_{x \to n^-} [x] = n - 1,$$

et par conséquent

$$\lim_{x \to n^+} [x] \neq \lim_{x \to n^-} [x].$$

Théorème 4.14   *Soit x_0 un point d'accumulation de $D_f \cap (-\infty, x_0)$ et de $D_f \cap (x_0, \infty)$. On a $\lim_{x \to x_0} f(x) = L \iff \lim_{x \to x_0^+} f(x)$ et $\lim_{x \to x_0^-} f(x)$ existent et $\lim_{x \to x_0^+} f(x) = \lim_{x \to x_0^-} f(x) = L$.*

DÉMONSTRATION

$\Rightarrow$) Pour tout $\varepsilon > 0$,

$$\exists \delta \text{ tel que pour } x \in D_f \text{ et } 0 < |x - x_0| < \delta, |f(x) - L| < \varepsilon.$$

Puisque $x_0 \in D_f \cap (x_0 - \delta, x_0 + \delta)$ et que x_0 est un point d'accumulation de $D_f \cap (-\infty, x_0)$, $\exists x_1 \in D_f \cap (x_0 - \delta, x_0)$ tel que $|f(x_1) - L| < \varepsilon$. Mais x_1 est un point arbitraire de l'intervalle $(x_0 - \delta, x_0)$ et donc $\lim_{x \to x_0^-} f(x) = L$. On démontre de même que $\lim_{x \to x_0^+} f(x) = L$.

$\Leftarrow$) Par hypothèse, pour tout $\varepsilon > 0$,

$$\exists\, \delta_1,\ \text{tel que } x \in D_f \cap (x_0 - \delta_1, x_0) \Rightarrow |f(x) - L| < \varepsilon,$$

$$\exists\, \delta_2,\ \text{tel que } x \in D_f \cap (x_0, x_0 + \delta_2) \Rightarrow |f(x) - L| < \varepsilon,$$

Soit $\delta = \min\{\delta_1, \delta_2\}$. Donc pour tout $x \in D_f \cap V'(x_0, \delta)$, $|f(x) - L| < \varepsilon$, c'est-à-dire que $\lim\limits_{x \to x_0} f(x) = L$. ∎

Ce théorème sert surtout pour montrer que la limite d'une fonction f n'existe pas lorsque $x \to x_0$. Il suffit pour cela de montrer que

$$\lim\limits_{x \to x_0^+} f(x) \neq \lim\limits_{x \to x_0^-} f(x).$$

4.3.1   Exercices

1. Soit $f : \mathbb{R} \to \mathbb{R}$ la fonction définie par $f(x) = x^2 - 2x + 1$. Trouver les x tels que $f(x^2) = f^2(x)$.

2. Trouver le domaine de définition des fonctions f définies par

a) $f(x) = \dfrac{x + 9}{\sqrt{x + 5}}$,

b) $f(x) = \dfrac{x^2 - 4x + 2}{x^2 - 7x + 12}$,

c) $f(x) = \sqrt{\dfrac{x - 5}{x + 6}}$,

d) $f(x) = \dfrac{x}{\sqrt{4 + x^2} - 2}$,

e) $f(x) = \dfrac{x}{\sqrt{x + 7} - 6}$,

f) $f(x) = \sqrt{(x - 2)(x + 3)}$.

3. Tracer le graphe des fonctions définies par

a) $f(x) = |x|/x$, $x \neq 0$,

b) $f(x) = |x - 3| + |x - 4|$.

4. Déterminer un nombre δ dans chaque cas suivant :

a) $\left| \dfrac{3x - 1}{x + 2} - \dfrac{2}{3} \right| < 0{,}001$ dès que $0 < |x - 1| < \delta$,

b) $\left| \dfrac{x - 1}{1 + 4x} + 1 \right| < 0{,}001$ dès que $0 < |x| < \delta$,

c) $|5x^2 - 3x - 2| < \varepsilon$ dès que $0 < |x - 1| < \delta$.

5. Évaluer

a) $\lim_{x \to 0} \dfrac{\sqrt{2+x} - \sqrt{2}}{x}$,

b) $\lim_{x \to 2} \dfrac{x^5 - 2^5}{x^2 - 2^2}$,

c) $\lim_{x \to 1} \dfrac{\sqrt[3]{x} - 1}{x - 1}$,

d) $\lim_{x \to 2} \dfrac{x^n - 2^n}{x - 2}$,

e) $\lim_{x \to 0} \dfrac{\sqrt[7]{1+x} - 1}{x}$,

f) $\lim_{x \to 0} \dfrac{\sqrt[4]{1+x^2} - 1}{x}$.

6. a) Soit $f : \mathbb{R} \setminus \{3\} \to \mathbb{R}$ la fonction définie par $f(x) = \dfrac{2x^2 - 5x - 3}{x - 3}$. Montrer que $\lim_{x \to 3} f(x) = 7$.

b) Soit $f : (0, 1) \to \mathbb{R}$ la fonction définie par $f(x) = \cos(1/x)$. Est-ce que f possède une limite en 0? Justifier sa réponse.

7. Soit $f(x) = \dfrac{\sqrt{3x^2 + 11x + 7} + \sqrt{3x^2 - 11x + 7}}{x + \sqrt{x^2 + 7}}$. Trouver $\lim_{x \to \infty} f(x)$ et $\lim_{x \to -\infty} f(x)$.

8. Démontrer que

a) $\lim_{x \to x_0} (ax + b) = ax_0 + b$,

b) $\lim_{x \to 0} x \sin(1/x) = 0$.

9. Pour quels x la fonction définie par

$$y = f(x) = \sqrt{x + 3\sqrt{x - \dfrac{9}{4}}} + \sqrt{x - 3\sqrt{x - \dfrac{9}{4}}}$$

est-elle définie? Calculer $\lim \dfrac{y - 3}{x - \dfrac{9}{2}}$ lorsque $x \to (9/2)^+$ et lorsque $x \to (9/2)^-$.

10. Soit b et c des nombres réels positifs tels que $c = 2\sqrt{b}$ et

$$y = f(x) = \sqrt{x + c\sqrt{x - b}} + \sqrt{x - c\sqrt{x - b}}.$$

Trouver le domaine de définition de la fonction. Calculer la limite de $\dfrac{y - 2\sqrt{b}}{x - 2b}$ lorsque $x \to (2b)^+$ et lorsque $x \to (2b)^-$.

11. a) Soit $f : \mathbb{R} \setminus \{0\} \to \mathbb{R}$ la fonction définie par $f(x) = \dfrac{\lfloor x \rfloor - x}{x}$. Trouver $\lim f(x)$ lorsque $x \to 0^+$ et lorsque $x \to 0^-$.

b) Soit $f : \mathbb{R} \setminus \{2\} \to \mathbb{R}$ la fonction définie par $f(x) = \left(\dfrac{1}{x - 2}\right)^{\lfloor x - 2 \rfloor}$. Trouver $\lim f(x)$ lorsque $x \to 2^+$ et lorsque $x \to 2^-$.

4.4 Opérations sur les limites

Théorème 4.15 *Soit $f, g \colon D \to \mathbb{R}$ deux fonctions de domaine commun D qui possèdent une limite en x_0, un point d'accumulation de D. On a*

1. *$f + g$ a une limite en x_0 et $\displaystyle\lim_{x \to x_0} (f(x) + g(x)) = \lim_{x \to x_0} f(x) + \lim_{x \to x_0} g(x)$.*

2. *fg a une limite en x_0 et $\displaystyle\lim_{x \to x_0} (f(x)g(x)) = \left(\lim_{x \to x_0} f(x) \right) \left(\lim_{x \to x_0} g(x) \right)$.*

3. *f/g a une limite en x_0 et $\displaystyle\lim_{x \to x_0} \frac{f(x)}{g(x)} = \frac{\lim\limits_{x \to x_0} f(x)}{\lim\limits_{x \to x_0} g(x)}$, si $g(x) \neq 0$ pour tout $x \in D$ et $\displaystyle\lim_{x \to x_0} g(x) \neq 0$.*

DÉMONSTRATION

1. Soit $\{x_n\}$ une suite de points de D qui converge vers x_0, $x_n \neq x_0$, $\forall n \in \mathbb{N}$. Il suffit de démontrer que la suite $\{f(x_n) + g(x_n)\}$ converge vers $\lim\limits_{x \to x_0} f(x) +$ $\lim\limits_{x \to x_0} g(x)$. Par hypothèse, f et g ont une limite en x_0. Donc $\{f(x_n)\}$ et $\{g(x_n)\}$ convergent respectivement vers $\lim\limits_{x \to x_0} f(x)$ et $\lim\limits_{x \to x_0} g(x)$. D'après le théorème 3.9, la suite $\{f(x_n) + g(x_n)\}$ converge vers $\lim\limits_{x \to x_0} f(x) + \lim\limits_{x \to x_0} g(x)$. Cela termine la démonstration de la première partie.

2. Il suffit de démontrer que la suite $\{f(x_n)g(x_n)\}$ converge vers $\lim\limits_{x \to x_0} f(x) \cdot \lim\limits_{x \to x_0} g(x)$ où $\{x_n\}$ est une suite de points de D qui converge vers x_0 avec $x_n \neq x_0$ pour tout n. Par hypothèse, $\{f(x_n)\}$ et $\{g(x_n)\}$ convergent respectivement vers $\lim\limits_{x \to x_0} f(x)$ et $\lim\limits_{x \to x_0} g(x)$. Le théorème 3.9 termine la démonstration.

3. Soit $\{x_n\}$ une suite de points de D distincts de x_0 qui converge vers x_0. Par hypothèse, $\{f(x_n)\}$ converge vers $\lim\limits_{x \to x_0} f(x)$ et $\{g(x_n)\}$ converge vers $\lim\limits_{x \to x_0} g(x)$. Mais $g(x) \neq 0$ pour tout $x \in D$. Donc $g(x_n) \neq 0$ pour tout n et puisque $\lim\limits_{x \to x_0} g(x) \neq 0$, la suite $\{f(x_n)/g(x_n)\}$ converge vers $\lim\limits_{x \to x_0} f(x)/ \lim\limits_{x \to x_0} g(x)$. ∎

On peut aussi démontrer le théorème précédent en utilisant seulement la définition de la limite d'une fonction en un point x_0.

Théorème 4.16 (des gendarmes) *Soit f, g, h trois fonctions de domaine commun D telles que pour un $\delta > 0$ et tout $x \in D \cap V'(x_0, \delta)$, $f(x) \leq g(x) \leq h(x)$. Si $\lim\limits_{x \to x_0} f(x) = \lim\limits_{x \to x_0} h(x) = L$, alors $\lim\limits_{x \to x_0} g(x) = L$.*

DÉMONSTRATION Soit $\varepsilon > 0$. Par hypothèse,

$$\exists \delta > 0 \text{ tel que } x \in D \cap V'(x_0, \delta) \Rightarrow f(x) \leq g(x) \leq h(x),$$

$$\exists \delta_1 > 0 \text{ tel que } x \in D \cap V'(x_0, \delta_1) \Rightarrow |f(x) - L| < \varepsilon,$$

$$\exists \delta_2 > 0 \text{ tel que } x \in D \cap V'(x_0, \delta_2) \Rightarrow |h(x) - L| < \varepsilon.$$

Prenons $\delta_3 = \min\{\delta, \delta_1, \delta_2\}$. Donc pour tout $x \in D \cap V'(x_0, \delta_3)$,

$$L - \varepsilon < f(x) \leq g(x) \leq h(x) < L + \varepsilon,$$

ou $|g(x) - L| < \varepsilon$. ∎

Exemple 4.17

1. Soit $f : \mathbb{R} \setminus \{0\} \to \mathbb{R}$ la fonction définie par $f(x) = x \sin(1/x)$ (figure 4.4). Montrons que $\lim\limits_{x \to 0} f(x) = 0$.

SOLUTION Nous avons montré que $\sin(1/x)$ ne possède pas de limite en 0. Nous ne pouvons donc pas utiliser le théorème 4.15 pour étudier la limite du produit $x \sin(1/x)$ au point 0. Or $\sin(1/x)$ est une fonction bornée par 1. D'où

$$|f(x)| = |x \sin(1/x)| \leq |x|;$$

la limite de la fonction au point 0 est donc 0.

2. Soit $p(x) = a_n x^n + a_{n-1} x^{n-1} + \cdots + a_1 x + a_0$ un polynôme de degré n. Montrons que $\lim\limits_{x \to x_0} p(x) = p(x_0)$.

SOLUTION On a $\lim\limits_{x \to x_0} x = x_0$ et $\lim\limits_{x \to x_0} k = k$, $\forall k \in \mathbb{R}$. Donc par induction et par le théorème 4.15, $\lim\limits_{x \to x_0} k x^n = k x_0^n$, $\forall n \in \mathbb{N}$, $\forall k \in \mathbb{R}$. D'où l'égalité à montrer.

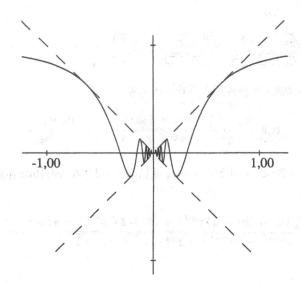

Figure 4.4 $f(x) = x \sin(1/x)$.

4.4.1 Exercices

1. Évaluer

a) $\lim_{x \to 3} (x+3)(x^2-1)$,

b) $\lim_{x \to 2} \dfrac{x^2-8}{x-3}$.

2. Soit x_0 un point d'accumulation du domaine commun D des fonctions f et g.

a) Donner un exemple de fonctions f et g qui n'ont pas de limite au point x_0, mais telles que $f + g$ possède une limite au point x_0.

b) Donner un exemple de fonctions f et g qui n'ont pas de limite au point x_0, mais telles que fg possède une limite au point x_0.

c) Si $\lim\limits_{x \to x_0} f(x)$ et $\lim\limits_{x \to x_0} (f(x) + g(x))$ existent, montrer que $\lim\limits_{x \to x_0} g(x)$ existe.

3. Vérifier

a) $\lim\limits_{x \to 1} \dfrac{\sqrt{x^2-1} + \sqrt{x} - 1}{\sqrt{x-1}} = \sqrt{2}$,

b) $\lim\limits_{x \to 0} \dfrac{5x^4 + 8x^2 + 7x}{5x^2 + 9x} = \dfrac{7}{9}$,

c) $\lim\limits_{x \to 6} \dfrac{2 - \sqrt{10-x}}{4 - \sqrt{10+x}} = -2$,

d) $\displaystyle\lim_{x \to a} \frac{x^n - a^n}{x - a} = na^{n-1}$,

e) $\displaystyle\lim_{x \to 2} \frac{(2 - \sqrt{6 - x})(3 - \sqrt{7 + x})}{(\sqrt{8} - \sqrt{6 + x})(\sqrt{5} - \sqrt{7 - x})} = \frac{\sqrt{10}}{3}$.

4. Soit m et n des entiers positifs. Vérifier que

$$\lim_{x \to 1} \frac{mx^{m+1} - (m + 1)x^m + 1}{x^{n+1} - x^n - x + 1} = \frac{m(m + 1)}{2n}.$$

5. Sachant que $1^2 + 2^2 + \cdots + n^2 = n(n + 1)(2n + 1)/6$, vérifier que pour des entiers positifs m et n,

$$\lim_{x \to 1} \frac{n^2 x^{n+3} - (2n^2 + 2n - 1)x^{n+2} + (n + 1)^2 x^{n+1} - x(x + 1)}{x^{m+2} - 2x^{m+1} + x^m - x^2 + 2x - 1} =$$

$$\frac{n(n + 1)(2n + 1)}{6m}.$$

6. À l'aide de la définition de la limite, montrer que

a) $\displaystyle\lim_{x \to a} f(x) = L \iff \lim_{h \to 0} f(a + h) = L$,

b) $\displaystyle\lim_{x \to a} f(x) = 0 \iff \lim_{x \to a} |f(x)| = 0$.

7. a) Si $\displaystyle\lim_{x \to x_0} f(x) = L$, montrer que $\displaystyle\lim_{x \to x_0} |f(x)| = |L|$. La réciproque est-elle vraie?

b) Soit $p(x)$ et $q(x)$ deux polynômes. Considérer la fonction f définie par $f(x) = p(x)/q(x)$ pour tout $x \in \mathbb{R}$ tel que $q(x) \neq 0$. Montrer que $\displaystyle\lim_{x \to x_0} f(x) = f(x_0)$.

8. Soit $f, g \colon D \to \mathbb{R}$ deux fonctions ayant D comme domaine commun et x_0 un point d'accumulation de D. Supposer que f est bornée dans un voisinage de x_0 et que g possède la limite 0 à x_0. Montrer que fg a une limite à x_0 et $\displaystyle\lim_{x \to x_0} f(x)g(x) = 0$.

4.5 Continuité

La plus ancienne tentative de définition d'une fonction continue fut peut-être la suivante : «*Une fonction est continue si on peut tracer son graphe sans lever le crayon du papier*». Or, même le graphe le plus précis de certaines fonctions continues ne les représente pas suffisamment bien. Les défauts de cette définition étaient trop évidents pour qu'on cherche à la modifier.

Dans un premier temps, il est plus profitable de considérer la continuité comme une propriété du comportement d'une fonction dans un voisinage d'un point plutôt propriété du comportement d'une fonction sur tout son domaine de définition. D'où la description intuitive de la continuité : « *Une fonction f est continue en un point x_0 de son domaine de définition si $f(x)$ est aussi proche que l'on veut de $f(x_0)$ pourvu que x soit proche de x_0* ».

Dans la discussion de la limite d'une fonction, on a vu que la valeur de f à x_0 n'influait pas sur l'existence de la limite de la fonction au point x_0. Cependant, pour la continuité d'une fonction au point x_0, *le nombre x_0 doit appartenir au domaine de définition de la fonction et c'est donc un non-sens de parler d'une fonction continue (et même discontinue) en un point n'appartenant pas au domaine de la fonction.*

Définition 4.18 Une fonction f est continue au point $x_0 \in D_f$ si $\forall \varepsilon > 0$ il existe un nombre $\delta > 0$ tel que pour tout $x \in D_f \cap V(x_0, \delta)$, $f(x) \in V(f(x_0), \varepsilon)$. Une fonction f qui n'est pas continue au point $x_0 \in D_f$ est discontinue en ce point.

Remarques

1. En général, δ dépend de ε et de x_0, d'où sa notation $\delta(\varepsilon, x_0)$, parfois.

2. Si f est continue pour tout $x \in D_f$, on dit que f est continue sur D_f. Une fonction non continue est discontinue.

3. On peut exprimer la discontinuité de f au point $x_0 \in D_f$ par $\exists \varepsilon > 0$ tel que $\forall \delta > 0$, $\exists x \in D_f$ vérifiant

$$|x - x_0| < \delta \text{ et } |f(x) - f(x_0)| \geq \varepsilon.$$

Nous avons signalé auparavant que pour la continuité de f au point x_0, le point x_0 doit appartenir à D_f, mais qu'il n'est pas nécessaire que x_0 soit un point d'accumulation de D_f. En effet, si $x_0 \in D_f$ n'est pas un point d'accumulation du domaine de f, c'est-à-dire que x_0 est un point isolé, il existe un nombre δ tel que $D_f \cap V(x_0, \delta) = \{x_0\}$. Pour tout $\varepsilon > 0$, on a donc $f(x) \in V(f(x_0), \varepsilon)$. En d'autres mots, f est continue en tous les points isolés de son domaine. Par exemple, toute fonction $f \colon \mathbb{N} \to \mathbb{R}$ est continue.

Exemple 4.19

1. Soit $f \colon \mathbb{R} \to \mathbb{R}$ la fonction définie par $f(x) = x$. Montrons que cette fonction est continue sur $\mathbb{R}$.

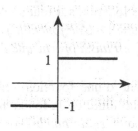

Figure 4.5

SOLUTION   Soit x_0 un nombre réel. Montrons que f est continue en x_0. Soit $\varepsilon > 0$. Il faut donc trouver un nombre δ tel que $|x - x_0| < \delta \Rightarrow |f(x) - f(x_0)| = |x - x_0| < \varepsilon$. Il suffit de prendre $\delta = \varepsilon$.

2. Soit $f: \mathbb{R} \to \mathbb{R}$ la fonction définie (voir l'exemple 4.17 (1)) par

$$f(x) = \begin{cases} x \sin(1/x) & \text{si } x \neq 0, \\ 0 & \text{si } x = 0. \end{cases}$$

Montrons que f est continue en 0.

SOLUTION   Soit $\varepsilon > 0$. Il faut trouver un nombre δ tel que pour tout $x \in \mathbb{R} \cap V(0, \delta)$, $|f(x) - f(0)| = |x \sin(1/x)| \leq |x| < \varepsilon$. Il suffit de prendre $\delta = \varepsilon$.

3. Soit $f: \mathbb{R} \setminus \{0\} \to \mathbb{R}$ la fonction définie par $f(x) = |x|/x$ (figure 4.5). Montrons que f est continue sur $\mathbb{R} \setminus \{0\}$.

SOLUTION   Montrons que f est continue en $x_0 > 0$ (le cas $x_0 < 0$ se traite de la même façon). Soit $\varepsilon > 0$. Il faut donc trouver un nombre δ tel que pour tout $x \in \mathbb{R} \setminus \{0\}$ et $x \in V(x_0, \delta)$, $|f(x) - f(x_0)| < \varepsilon$. En prenant $\delta = x_0 > 0$, on voit que f est continue en x_0.

Il est tentant de considérer le point 0 comme un point de discontinuité de la fonction f mais, comme nous l'avons mentionné, la continuité ou la discontinuité d'une fonction se produit seulement à un point du domaine de la fonction et ici $0 \notin D_f$.

4. Soit $f \colon \mathbb{R} \setminus \{0\} \to \mathbb{R}$ la fonction définie par $f(x) = 1/x$. Montrons que f est continue sur $\mathbb{R} \setminus \{0\}$.

SOLUTION Montrons cela pour $x_0 > 0$. Pour $\varepsilon > 0$, il faut trouver un nombre δ tel que pour $x \in \mathbb{R} \setminus \{0\}$ et $|x - x_0| < \delta$, $|f(x) - f(x_0)| < \varepsilon$. Si $|x - x_0| < \delta = \varepsilon x_0^2 / (1 + \varepsilon x_0)$,

$$\frac{-\varepsilon x_0^2}{1 + \varepsilon x_0} < x - x_0 < \frac{\varepsilon x_0^2}{1 + \varepsilon x_0} < \frac{\varepsilon x_0^2}{1 - \varepsilon x_0}$$

et donc

$$0 < \frac{x_0}{1 + \varepsilon x_0} < x < \frac{x_0}{1 - \varepsilon x_0}.$$

Dans ce cas,

$$|f(x) - f(x_0)| = \frac{|x - x_0|}{x x_0} < \frac{\varepsilon x_0^2}{(1 + \varepsilon x_0) x x_0} < \frac{\varepsilon x_0^2}{1 + \varepsilon x_0} \frac{1 + \varepsilon x_0}{x_0^2} = \varepsilon$$

et la fonction f est continue pour $x_0 > 0$.

Le théorème suivant traite du lien entre la continuité et l'existence de la limite d'une fonction en un point.

Théorème 4.20 *Soit x_0 un point d'accumulation de D_f, $x_0 \in D_f$. Les énoncés suivants s'équivalent.*

a) *f est continue au point x_0.*

b) *f possède une limite au point x_0 et $\lim\limits_{x \to x_0} f(x) = f(x_0)$.*

c) *Pour toute suite $\{x_n\}$ qui converge vers x_0 avec $x_n \in D_f$ pour chaque n, la suite $\{f(x_n)\}$ converge vers $f(x_0)$.*

DÉMONSTRATION

a) $\Rightarrow$ c) Supposons que f est continue au point x_0 et soit $\{x_n\}$ une suite qui converge vers x_0, $x_n \in D_f$. Soit $\varepsilon > 0$. Il existe un $\delta > 0$ tel que $x \in D_f$ et $|x - x_0| < \delta$ entraîne que $|f(x) - f(x_0)| < \varepsilon$. Puisque la suite $\{x_n\}$ converge vers x_0, $\exists N$ tel que pour tout $n > N$, $|x_n - x_0| < \delta$ et $x_n \in D_f$. Donc $\forall n > N$, $|f(x_n) - f(x_0)| < \varepsilon$, c'est-à-dire que la suite $\{f(x_n)\}$ converge vers $f(x_0)$.

c) $\Rightarrow$ b) Supposons que l'énoncé c) est vrai. En particulier, si $\{x_n\}$ converge vers x_0 avec $x_n \neq x_0$ et $x_n \in D_f$ pour tout $n \in \mathbb{N}$, la suite $\{f(x_n)\}$ converge vers $f(x_0)$. D'après le théorème 4.4, f possède une limite en x_0 et $\lim\limits_{x \to x_0} f(x) = f(x_0)$.

b) $\Rightarrow$ a) On a $\lim\limits_{x \to x_0} f(x) = f(x_0)$. Donc $\forall \varepsilon > 0, \exists \delta > 0$ tel que pour tout $x \in D_f \cap V'(x_0, \delta)$, $|f(x) - f(x_0)| < \varepsilon$. Pour démontrer que f est continue au point x_0, il faut éliminer la restriction $0 < |x - x_0|$. Or $|x - x_0| = 0$ lorsque $x = x_0$. Donc $|f(x) - f(x_0)| = 0 < \varepsilon$. La fonction f est donc continue en x_0. ∎

Remarque Si f est continue au point $x_0 \in [a, b]$, il faut distinguer trois cas.

1er cas $x_0 \in (a, b)$. La fonction f est continue au point x_0 si et seulement si $\lim\limits_{x \to x_0} f(x) = f(x_0)$.

2e cas $x_0 = a$. La fonction f est continue au point x_0 si et seulement si $\lim\limits_{x \to x_0^+} f(x) = f(x_0)$.

3e cas $x_0 = b$. La fonction f est continue au point x_0 si et seulement si $\lim\limits_{x \to x_0^-} f(x) = f(x_0)$.

Terminons cette section par l'étude de quelques exemples de fonctions discontinues.

Exemple 4.21

1. Soit $f \colon \mathbb{R} \to \mathbb{R}$ la fonction définie par

$$f(x) = \begin{cases} x & \text{si } x \neq 2, \\ 1 & \text{si } x = 2. \end{cases}$$

Elle est discontinue en $x = 2$, puisque $\lim\limits_{x \to 2} f(x) = 2 \neq f(2)$.

2. Soit $f \colon \mathbb{R} \to \mathbb{R}$ la fonction définie par $f(x) = [x]$. Elle est continue au point $x_0 \iff x_0$ n'est pas un entier (voir l'exemple 4.7).

3. Soit $f \colon [0, 1] \to \mathbb{R}$ la fonction définie par

$$f(x) = \begin{cases} 0 & \text{si } x \text{ est rationnel}, \\ 1 & \text{si } x \text{ est irrationnel}. \end{cases}$$

SOLUTION   Puisque pour tout $x_0 \in [0, 1]$ $\lim\limits_{x \to x_0} f(x)$ n'existe pas, cette fonction est discontinue en tout point $x_0 \in [0, 1]$.

4. Soit $f \colon [0, 1] \to \mathbb{R}$ la fonction définie par

$$f(x) = \begin{cases} 0 & \text{si } x \text{ est irrationnel,} \\ 1/q & \text{si } x = p/q, \ p \text{ et } q \text{ relativement premiers, } p > 0, q > 0, \\ 1 & \text{si } x = 0. \end{cases}$$

Montrons que f est continue aux nombres irrationnels et discontinue aux nombres rationnels. Notons que cette fonction est due au mathématicien allemand P.G.L. Dirichlet (1805–1859).

SOLUTION   Avant de résoudre cet exemple difficile, observons les faits suivants. Soit $x_0 \in [0, 1]$. Examinons le comportement de f près de x_0. Puisqu'il existe des nombres irrationnels dans tout voisinage de x_0, il est clair que f prend la valeur 0 dans tout voisinage de x_0. Par conséquent, si f possède une limite en x_0, cette limite doit être 0. Il reste à décider s'il est raisonnable de penser que f possède la limite 0 en x_0.

Soit x_0 un nombre rationnel de $[0, 1]$. Il existe une suite $\{x_n\}$ de nombres irrationnels telle que $\{x_n\}$ converge vers x_0; mais $f(x_n) = 0$, $\forall n \in \mathbb{N}$. Donc la suite $\{f(x_n)\}$ ne converge par vers $f(x_0) \neq 0$, c'est-à-dire que f n'est pas continue aux nombres rationnels de $[0,1]$. Soit x_0 un nombre irrationnel de $[0, 1]$ et $\varepsilon > 0$. Soit q_0 un entier positif tel que $1/q_0 < \varepsilon$ et

$$E = \{ x \in [0, 1] \mid x = p/q, p > 0, q > 0 \text{ et } q \leq q_0 \}.$$

L'ensemble E possède un nombre fini d'éléments. Notons-les $r_1, r_2, \ldots, r_n$. Soit

$$\delta = \min\{ |x_0 - r_i| \mid i = 1, 2, \ldots, n \}.$$

Donc $\delta > 0$. Si $x \in [0, 1]$ et $|x - x_0| < \delta$, x est irrationnel et donc $f(x) = 0$, ou $x = p/q$, p et q étant relativement premiers et $q > q_0$, et donc $f(x) = 1/q$. Dans les deux cas,

$$|f(x) - f(x_0)| = |f(x)| < \frac{1}{q_0} < \varepsilon.$$

La fonction f est donc continue aux nombres irrationnels de $[0,1]$.

4.5.1 Exercices

1. Montrer que la fonction f définie par

   a) $f(x) = |x|$ est continue sur $\mathbb{R}$,

   b) $f(x) = x^2$ est continue sur $\mathbb{R}$,

   c) $f(x) = \sqrt{x}$ est continue sur $[0, \infty)$,

   d) $f(x) = 1/x^2$ est continue sur $(0, \infty)$,

   e) $f(x) = 1/(x - 2)$ est continue sur $(-\infty, 2) \cup (2, \infty)$.

2. Soit $f : \mathbb{R} \to \mathbb{R}$ la fonction définie par

$$f(x) = \begin{cases} \cos(1/x) & \text{si } x \neq 0, \\ 0 & \text{si } x = 0. \end{cases}$$

   Montrer que f est discontinue en 0.

3. Montrer que pour tout $n \in \mathbb{N}$, la fonction $f : \mathbb{R} \to \mathbb{R}$ définie par

$$f(x) = \begin{cases} x^n \sin(1/x) & \text{si } x \neq 0, \\ 0 & \text{si } x = 0, \end{cases}$$

   est continue en $x_0 = 0$. En va-t-il de même pour la fonction $f : \mathbb{R} \to \mathbb{R}$ définie par

$$f(x) = \begin{cases} x^n \cos(1/x) & \text{si } x \neq 0, \\ 0 & \text{si } x = 0 ? \end{cases}$$

4. Montrer que la fonction $f : \mathbb{R} \to \mathbb{R}$ définie par

$$f(x) = \begin{cases} x^2 & \text{si } x \text{ est rationnel} \\ 0 & \text{si } x \text{ est irrationnel} \end{cases}$$

   est continue uniquement en $x_0 = 0$.

5. Soit $f : \mathbb{R} \to \mathbb{R}$ la fonction définie par

$$f(x) = \begin{cases} x & \text{si } x \text{ est un nombre rationnel,} \\ 1 - x & \text{si } x \text{ est un nombre irrationnel.} \end{cases}$$

   Montrer que f est continue uniquement au point $x = 1/2$.

4.6 Opérations sur les fonctions continues

Théorème 4.22 *Soit $f, g: D \to \mathbb{R}$ deux fonctions continues en $x_0 \in D$. On a*

a) $f + g$ *est continue en x_0,*

b) fg *est continue en x_0,*

c) f/g *est continue en x_0 si $g(x_0) \neq 0$.*

DÉMONSTRATION

a) Soit $\{x_n\}$ une suite de points de D qui converge vers x_0. D'après le théorème 4.20, $\{f(x_n)\}$ converge vers $f(x_0)$ et $\{g(x_n)\}$ converge vers $g(x_0)$. Donc la suite $\{f(x_n) + g(x_n)\}$ converge vers $f(x_0) + g(x_0)$, c'est-à-dire que $f + g$ est continue en x_0.

b) Démontrons cette propriété par les limites. Si x_0 n'est pas un point d'accumulation de D, fg est continue en x_0. Supposons maintenant que x_0 est un point d'accumulation de D. D'après le théorème 4.20, f et g possèdent une limite en x_0, $\lim\limits_{x \to x_0} f(x) = f(x_0)$ et $\lim\limits_{x \to x_0} g(x) = g(x_0)$. D'après le théorème 4.15, fg a une limite en x_0 et

$$\lim_{x \to x_0} (f(x)g(x)) = (\lim_{x \to x_0} f(x))(\lim_{x \to x_0} g(x)) = f(x_0)g(x_0).$$

Le théorème 4.20 permet de conclure que fg est continue en x_0.

c) Si x_0 n'est pas un point d'accumulation de D, f/g est définie en x_0 et continue en ce point. Supposons maintenant que x_0 est un point d'accumulation de D. Puisque f est continue en x_0, le théorème 4.20 permet d'écrire $\lim\limits_{x \to x_0} f(x) = f(x_0)$. De même, $\lim\limits_{x \to x_0} g(x) = g(x_0) \neq 0$. Le théorème 4.15 termine la démonstration. ∎

Exemple 4.23

1. Puisque $\lim\limits_{x \to x_0} x^n = x_0^n$, $n \in \mathbb{N}$, tout polynôme est continu. Si P et Q sont des polynômes, P/Q est continue en n'importe quel point x tel que $Q(x) \neq 0$.

2. Soit $f: \mathbb{R} \to \mathbb{R}$ la fonction définie par $f(x) = \sin x$. Montrons que f est continue sur $\mathbb{R}$.

SOLUTION   Montrons cela à l'aide de l'identité

$$\sin x - \sin x_0 = 2 \sin \frac{x - x_0}{2} \cos \frac{x + x_0}{2}$$

et de l'inégalité (montrée dans le prochain chapitre) $|\sin y| \leq |y|$. D'où

$$|\sin x - \sin x_0| \leq 2 \left| \sin \frac{x - x_0}{2} \right| \leq |x - x_0|.$$

Prenons $\delta = \varepsilon$. Il vient $|x - x_0| < \delta \Rightarrow |\sin x - \sin x_0| < \varepsilon$, c'est-à-dire que la fonction sin est continue sur $\mathbb{R}$.

3. Soit $f \colon \mathbb{R} \to \mathbb{R}$ la fonction définie par $f(x) = \cos x$. Montrons que f est continue sur $\mathbb{R}$.

SOLUTION   Pour tout $x \in \mathbb{R}$, $\cos x = \sin(\frac{\pi}{2} - x)$ et par conséquent

$$|\cos x - \cos x_0| = |\sin(\tfrac{\pi}{2} - x) - \sin(\tfrac{\pi}{2} - x_0)|$$

$$\leq 2 \left| \sin \tfrac{1}{2}(x - x_0) \right| \leq |x - x_0|.$$

D'où

$$|\cos x - \cos x_0| < \varepsilon \quad \text{dès que} \quad |x - x_0| < \delta = \varepsilon,$$

c'est-à-dire que la fonction cos est continue sur $\mathbb{R}$.

On en déduit que les fonctions $\tan x$, $\sec x$, $\cot x$ et $\csc x$ sont continues sur leur domaine de définition.

Dans l'exemple précédent, la continuité de la fonction cos découle de la continuité de la fonction sin et de

$$\cos x = \sin(\tfrac{\pi}{2} - x). \tag{4.2}$$

Posons $h(x) = \cos x$, $g(x) = \sin x$ et $f(x) = \frac{\pi}{2} - x$. L'équation (4.2) devient $h = g \circ f$. Plus généralement, démontrons que la composée de deux fonctions continues est continue. Rappelons que si $f \colon A \to B$ et $g \colon C \to D$ sont telles que $f(A) \subset C$ alors la fonction composée de g par f, notée $g \circ f$, est la fonction (dont le domaine de définition est A) telle que $(g \circ f)(a) = g(f(a))$. D'où la fonction $g \circ f$ a pour domaine

$$D_{g \circ f} = \{x \in D_f \mid f(x) \in D_g\}).$$

Théorème 4.24 *Soit $f: A \to B$ et $g: C \to D$ telles que $f(A) \subset C$. Si f est continue en $x_0 \in A$ et g continue en $f(x_0)$, alors $g \circ f$ est continue en x_0.*

DÉMONSTRATION   Soit $\varepsilon > 0$. Puisque g est continue en $f(x_0)$,

$$\exists \delta_1 > 0 \text{ tel que si } |y - f(x_0)| < \delta_1 \text{ et } y \in C, |g(y) - g(f(x_0))| < \varepsilon.$$

Puisque f est continue en x_0,

$$\exists \delta_2 > 0 \text{ tel que si } |x - x_0| < \delta_2 \text{ et } x \in A, |f(x) - f(x_0)| < \delta_1.$$

Puisque $x \in A$ et $x_0 \in A$, $f(x) \in C$ et $f(x_0) \in C$. D'où pour $x \in A$ et $|x - x_0| < \delta_2$, $|f(x) - f(x_0)| < \delta_1$. Donc

$$|g(f(x)) - g(f(x_0))| < \varepsilon$$

c'est-à-dire que $g \circ f$ est continue en x_0.   ∎

Remarque   Lorsque x_0 est un point d'accumulation de $D_{g \circ f}$, le théorème 4.24 donne

$$\lim_{x \to x_0} g(f(x)) = g(f(x_0)) = g\left(\lim_{x \to x_0} f(x)\right).$$

Exemple 4.25

1. Les fonctions $\sin(x^3 + 6x + 7)$ et $\cos(\sin x)$ sont continues sur $\mathbb{R}$.

2. Donnons un exemple de fonctions discontinues dont la composée est continue.

SOLUTION   Soit

$$f(x) = \begin{cases} -1 & \text{si } x < -2, \\ 1 & \text{si } x \geq -2. \end{cases}$$

Cette fonction $f: \mathbb{R} \to \mathbb{R}$ est discontinue en $x = -2$, mais $f(f(x)) = 1$ pour tout x. Donc $f \circ f$ est continue sur $\mathbb{R}$. Notons que la fonction f (voir l'exemple 4.21) définie par

$$f(x) = \begin{cases} 0 & \text{si } x \in \mathbb{Q}, \\ 1 & \text{si } x \notin \mathbb{Q}, \end{cases}$$

qui est *discontinue partout*, est telle que $f(f(x)) = 0$, pour tout x. Donc $f \circ f$ est continue sur $\mathbb{R}$.

4.6.1   Exercices

1. a) Soit $f: \mathbb{R} \to \mathbb{R}$ la fonction définie par

$$f(x) = \begin{cases} \dfrac{x^2 + x - 6}{x - 2} & \text{si } x \neq 2, \\[3mm] f(2) & \text{si } x = 2. \end{cases}$$

Définir $f(2)$ pour que f soit continue.

b) Soit $f: \mathbb{R} \to \mathbb{R}$ la fonction définie par

$$f(x) = \begin{cases} \dfrac{(x - 1)(x - 4)}{x - 1} & \text{si } x \neq 1, \\[3mm] 3 & \text{si } x = 1. \end{cases}$$

Montrer que f est continue sur $\mathbb{R} \setminus \{1\}$ et discontinue en $x = 1$.

2. Soit $f: \mathbb{R} \to \mathbb{R}$ la fonction définie par

a) $f(x) = x + \lfloor x \rfloor$,
b) $f(x) = x \lfloor x \rfloor$,
c) $f(x) = \lfloor \sin x \rfloor$,
d) $f(x) = \lfloor \cos x \rfloor$.

Trouver le(s) point(s) de discontinuité de ces fonctions.

3. Soit $f: \mathbb{R} \setminus \{0\} \to \mathbb{R}$ la fonction définie par $f(x) = \lfloor 1/x \rfloor$. Trouver le(s) point(s) de discontinuité de f.

4. Soit $f: D \to \mathbb{R}$ la fonction définie par

a) $f(x) = \dfrac{1}{\sin x - \cos x}$,
b) $f(x) = \dfrac{1}{1 + \tan x}$.

i) Trouver le domaine de ces fonctions.

ii) Ces fonctions sont-elles continues sur leur domaine respectif?

5. Montrer que, pour tout $n \in \mathbb{N}$, les fonctions

a) $f(x) = \sin^n(ax + b)$,
b) $f(x) = \cos^n(ax^2 + bx + c)$

sont continues sur $\mathbb{R}$.

6. a) Soit f une fonction continue en x_0. Montrer par induction que la fonction f^n est elle aussi continue en x_0 pour tout $n \in \mathbb{N}$.

b) Soit f une fonction continue en x_0. Est-ce que la fonction $f^{1/n}$, $n \in \mathbb{N}$ est elle aussi continue en x_0?

7. Soit f une fonction continue en x_0. Montrer que la fonction $|f|$ est elle aussi continue en x_0. L'inverse est-il vrai?

8. Soit $f, g: D \to \mathbb{R}$ deux fonctions.

   a) Montrer que $\max\{f, g\} = \frac{1}{2}((f+g)+|f-g|)$ et $\min\{f, g\} = \frac{1}{2}((f+g)-|f-g|)$.

   b) Si f et g sont continues en x_0, montrer que $\max\{f, g\}$ et $\min\{f, g\}$ sont deux fonctions continues en x_0 elles aussi.

4.7 Propriétés des fonctions continues

Dans cette section, nous exposerons quelques propriétés remarquables des fonctions continues sur des ensembles compacts.

Théorème 4.26 *Soit D un ensemble compact et $f: D \to \mathbb{R}$ une fonction continue. L'ensemble $f(D)$ est compact.*

DÉMONSTRATION   Soit $\{y_n\}$ une suite de points de $f(D)$. Pour chaque entier $n \in \mathbb{N}$, $\exists x_n \in D$ tel que $f(x_n) = y_n$. Mais comme D est compact, il existe une sous-suite $\{x_{n_k}\}$ de la suite $\{x_n\}$ qui converge vers $x \in D$ (d'après le théorème 3.30). Mais f est continue sur D, alors $\lim\limits_{k \to \infty} f(x_{n_k}) = f(x)$. Donc la sous-suite $\{f(x_{n_k})\} = \{y_{n_k}\}$ de $\{y_n\}$ converge vers $f(x) \in f(D)$. Toute suite $\{y_n\}$ possède donc une sous-suite $\{y_{n_k}\}$ qui converge vers un point de $f(D)$. L'ensemble $f(D)$ est donc compact. ∎

Corollaire 4.27 *Soit D un ensemble compact et $f: D \to \mathbb{R}$ une fonction continue. La fonction f est bornée sur D.*

Théorème 4.28 *Soit D un ensemble compact et $f: D \to \mathbb{R}$ une fonction continue. Il existe deux nombres réels a et b dans D tels que*

$$f(a) = \sup_{x \in D} f(x) \quad et \quad f(b) = \inf_{x \in D} f(x).$$

DÉMONSTRATION   Puisque D est un ensemble compact, l'image $f(D)$ est elle aussi un ensemble compact. Posons

$$M = \sup\{f(x) \mid x \in D\} \quad et \quad m = \inf\{f(x) \mid x \in D\}.$$

Pour tout $x \in D$, $m \leq f(x) \leq M$. Or $f(D)$ est un ensemble fermé. D'après le théorème 2.15, il existe un élément $a \in D$ tel que $f(a) = M$ et un élément $b \in D$ tel que $f(b) = m$. ∎

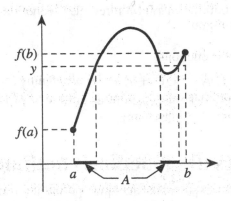

Figure 4.6

Exemple 4.29   La fonction $f \colon (0,2) \to \mathbb{R}$ définie par $f(x) = 2x$ est continue et bornée, mais n'atteint ni son supremum ni son infimum.

Le théorème 4.30 ci-dessous, dû à Bolzano, stipule qu'une fonction continue sur $[a,b]$ prend toutes les valeurs entre $f(a)$ et $f(b)$.

Théorème 4.30 (des valeurs intermédiaires)   *Soit f une fonction continue sur $[a,b]$ telle que $f(a) \neq f(b)$ et y un nombre arbitraire compris entre $f(a)$ et $f(b)$. Il existe un élément $c \in (a,b)$ tel que $f(c) = y$.*

DÉMONSTRATION   Supposons que $f(a) < y < f(b)$ (la preuve est essentiellement la même si $f(b) < y < f(a)$). Considérons (figure 4.6) l'ensemble

$$A = \{x \mid x \in [a,b] \text{ et } f(x) < y\}.$$

Cet ensemble est non vide et borné supérieurement par b. D'après l'axiome de complétude, $\sup A$ existe, disons $c = \sup A$. Puisque $a \in A$ et que b est une borne supérieure de A, $c \in [a,b]$. Pour chaque $n \in \mathbb{N}$, $c - \frac{1}{n}$ n'est pas une borne supérieure de A et donc il existe $x_n \in A$ tel que $c - \frac{1}{n} < x_n \leq c$. Donc $\lim\limits_{n \to \infty} x_n = c$ et, puisque $f(x_n) < y$ pour tout n,

$$f(c) = \lim_{n \to \infty} f(x_n) \leq y. \tag{4.3}$$

Considérons maintenant $y_n = \min\{b, c + \frac{1}{n}\}$. Puisque $c \leq y_n \leq c + \frac{1}{n}$, $\lim\limits_{n \to \infty} y_n = c$. Puisque y_n appartient à l'intervalle $[a,b]$ et non à l'ensemble A, $f(y_n) \geq y$ pour tout

n et

$$f(c) = \lim_{n \to \infty} f(y_n) \geq y. \tag{4.4}$$

(4.3) et (4.4) donnent $f(c) = y$, ce qui démontre le théorème. ∎

Remarque Les théorèmes 4.26, 4.28 et 4.30 sont des cas particuliers de théorèmes analogues dans les espaces métriques (voir l'annexe C).

Corollaire 4.31 *Soit $f : [a, b] \to \mathbb{R}$ une fonction continue telle que $f(a) \neq f(b)$. L'image $f([a, b])$ est un intervalle.*

DÉMONSTRATION D'après le théorème 4.28, il existe des points $u, v \in [a, b]$ tels que $f(u) \leq f(x) \leq f(v)$ pour tout $x \in [a, b]$. Puisque $f(a) \neq f(b)$, $f(u) < f(v)$ et d'après l'inégalité précédente,

$$f([a, b]) \subset [f(u), f(v)].$$

Soit y un nombre arbitraire entre $f(u)$ et $f(v)$. D'après le théorème des valeurs intermédiaires, il existe un $x_0 \in [a, b]$ tel que $f(x_0) = y$, c'est-à-dire que

$$[f(u), f(v)] \subset f([a, b]).$$

D'où $f([a, b]) = [f(u), f(v)]$, ce qui démontre le corollaire. ∎

Exemple 4.32 Soit $f(x) = x^3 - 2x^2 + 1$. Montrons que $f(x) = 0$ possède une racine réelle dans $[-1, 0]$.

SOLUTION Il est immédiat que f est continue sur $[-1, 0]$. Puisque $f(-1) = -2$, $f(0) = 1$ et que $f(-1) < 0 < f(0)$, d'après le théorème des valeurs intermédiaires il existe un élément $c \in (-1, 0)$ tel que $f(c) = 0$.

Exemple 4.33 Soit a un nombre réel positif et $n \in \mathbb{N}$. Montrons qu'il existe un nombre positif x_0 tel que $x_0^n = a$.

SOLUTION La fonction $f(x) = x^n - a$ est continue sur $[0, a + 1]$ et puisque $f(0) < 0 < f(a + 1)$, il existe un élément $c \in (0, a + 1)$ tel que $f(c) = c^n - a = 0$.

4.7.1   Exercices

1. Donner un exemple de fonction continue dont l'image d'un ensemble ouvert (resp. fermé) n'est pas un ensemble ouvert (resp. fermé).

2. Soit $f(x) = x^{20} - 9x^{10} - 13x^6 + 4x^5 - 2125$. La fonction f est continue sur $[-1000, 500]$. Trouver un nombre M tel que pour tout $x \in [-1000, 500]$, $|f(x)| \leq M$.

3. Trouver un nombre M tel que $|f(x)| \leq M$ sur l'intervalle indiqué.

   a) $f(x) = x^{12} - x^7 + 6x^4 - 1$, $-10 \leq x \leq 100$,

   b) $f(x) = 3\sin^4 x - 2\cos^4 x + 36\sin(x/2)\cos x$, $0 \leq x \leq 2\pi$,

   c) $f(x) = \dfrac{x^2 - 3\sin 2x + 3}{1 + x^2}$, $-1 \leq x \leq 4$,

   d) $f(x) = \dfrac{x^3 + x^2 + x - 360}{1 + \cos^2 x}$, $-400 \leq x \leq 100$.

4. a) Soit $f \colon [a, b] \to \mathbb{R}$ une fonction continue telle que $f(a)f(b) < 0$. Montrer qu'il existe un nombre réel $c \in (a, b)$ tel que $f(c) = 0$.

   b) Soit $f \colon [0, 1] \to [0, 1]$ une fonction continue. Montrer qu'il existe un point $x_0 \in [0, 1]$ tel que $f(x_0) = x_0$.

   c) Montrer qu'il existe un nombre réel $x \in (\pi/6, \pi/3)$ tel que $\cos x = \tan x$.

   d) Soit $0 < m < 2/\pi$. Montrer qu'il existe un $x \in (\pi/2, \pi)$ tel que $mx = \sin x$.

   e) Pour tout nombre réel $m > 0$, montrer qu'il existe un $x \in (0, \pi/2)$ tel que $mx = \cos x$.

5. a) Montrer qu'il existe un nombre $x_0 \in (0, \pi/2)$ tel que $x_0 = \cos x_0$.

   b) Déterminer par bissection un intervalle de largeur $\pi/16$, contenu dans $[0, \pi/2]$, qui contient au moins un nombre x_0 tel que $x_0 = \cos x_0$.

6. Soit $f(x) = x^6 - 6x$. Déterminer un intervalle de largeur $1/16$, contenu dans $[1, 2]$, qui contient au moins un nombre c tel que $f(c) = 1$.

4.8   Continuité uniforme

Intuitivement, une fonction f est continue en un point déterminé x_0 de son domaine de définition si $f(x)$ est aussi proche qu'on veut de $f(x_0)$ dès que x est suffisamment proche de x_0. Il est parfois intéressant de considérer les fonctions f qui vérifient la condition suivante :

Les images $f(x)$ et $f(y)$ sont aussi proches l'une de l'autre qu'on veut, pourvu que x et y soient suffisamment proches l'un de l'autre (quelle que soit la position des points x et y dans le domaine de définition de f).

Précisons cette condition.

Définition 4.34 Une fonction f est uniformément continue sur un ensemble $E \subset \mathbb{R}$ si $\forall \varepsilon > 0, \exists \delta(\varepsilon) > 0$ tel que $\forall x \in E, \forall y \in E, |x - y| < \delta(\varepsilon) \Rightarrow |f(x) - f(y)| < \varepsilon$.

Remarques

1. La continuité uniforme diffère essentiellement de la continuité, car sa définition admet la variation simultanée des points x et y, alors que celle de la continuité exige qu'un de ces points soit fixe.

2. Le nombre δ associé à ε ne dépend pas de x, alors que dans le cas de la continuité il peut en dépendre.

3. Une fonction uniformément continue est évidemment continue.

4. La nuance entre continuité et continuité uniforme (de f sur E) est subtile, car elle n'est que l'inversion de deux quantificateurs : pour la continuité on a $\forall \varepsilon \, \forall x \, \exists \delta$ $\forall y \ldots$ et pour la continuité uniforme $\forall \varepsilon \, \exists \delta \, \forall x \, \forall y \ldots$

Exemple 4.35

1. Soit $f : \mathbb{R} \to \mathbb{R}$ la fonction définie par $f(x) = x$. Montrons que cette fonction est uniformément continue sur $\mathbb{R}$.

   SOLUTION   Soit $\varepsilon > 0$. Il faut trouver un nombre $\delta(\varepsilon)$ tel que pour tout $x, y \in \mathbb{R}$ vérifiant $|x - y| < \delta(\varepsilon)$, $|f(x) - f(y)| < \varepsilon$. Dans ce cas, il suffit de choisir $\delta = \varepsilon$.

2. Les fonctions $\sin x$ et $\cos x$ sont uniformément continues sur $\mathbb{R}$ (voir l'exemple 4.23 (2) (3)).

3. Montrons que la fonction $f(x) = x^2$ est uniformément continue sur $[1, 3]$.

   SOLUTION   Soit $\varepsilon > 0$ un nombre donné. Il faut trouver un nombre $\delta(\varepsilon)$ tel que pour tout $x, y \in [1, 3]$ satisfaisant à $|x - y| < \delta(\varepsilon)$, $|x^2 - y^2| < \varepsilon$. Or

$$|x^2 - y^2| = |x - y||x + y| < 6|x - y| < \varepsilon.$$

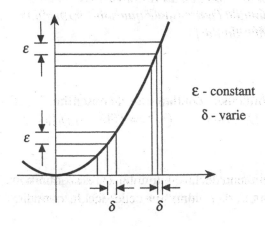

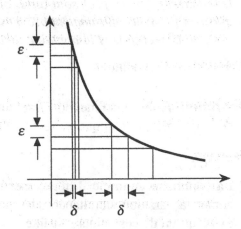

ε - constant

δ - varie

Figure 4.7 $f(x) = x^2$.   Figure 4.8 $f(x) = 1/x$.

Il suffit donc de choisir $\delta(\varepsilon) = \varepsilon/6$ pour montrer que la fonction f est uniformément continue sur $[1, 3]$.

Remarque   Pour montrer qu'une fonction f n'est pas uniformément continue sur son domaine D, nous utilisons l'énoncé suivant (la négation de la définition 4.34)

$$\exists \varepsilon > 0, \forall \delta > 0, \exists x \in D, \exists y \in D \text{ tels que } |x - y| < \delta \text{ et } |f(x) - f(y)| \geq \varepsilon.$$

Exemple 4.36

1. Montrons que la fonction $f(x) = x^2$ n'est pas uniformément continue sur $\mathbb{R}$ (figure 4.7).

SOLUTION   Soit $\varepsilon > 0$ un nombre donné. Puisque f est continue sur $\mathbb{R}$, pour chaque $x \in \mathbb{R}$ il existe un nombre $\delta(\varepsilon, x)$ tel que si $y \in \mathbb{R}$ et $|x-y| < \delta(\varepsilon, x)$, $|x+y||x-y| < \varepsilon$. Cependant, le choix du nombre $\delta(\varepsilon, x)$ dépend du choix particulier de $x \in \mathbb{R}$. Lorsque x devient grand, $\delta(\varepsilon, x)$ devient petit. Cette fonction est donc apparemment non uniformément continue (figure 4.7). Montrons cela rigoureusement comme suit.

Soit $x = \varepsilon/\delta$, $y = x + \delta/2$. Il vient $|x - y| < \delta$ et

$$|f(x) - f(y)| = |x + y||x - y| = \frac{\delta}{2}(2x + \frac{\delta}{2}) > x\delta = \varepsilon,$$

c'est-à-dire que $\forall \varepsilon > 0, \forall \delta > 0, \exists x, y \in \mathbb{R}$ tels que $|x - y| < \delta$ et $|f(x) - f(y)| \geq \varepsilon$. Cela termine la démonstration, d'après la remarque ci-dessus.

2. Montrons que la fonction $f(x) = 1/x$ est uniformément continue sur $[1, 4]$ et non sur $(0, 4]$ (figure 4.8).

SOLUTION Puisque $|f(x) - f(y)| = |x - y|/xy$ et que $xy \geq 1, |f(x) - f(y)| \leq |x - y|$. D'où en prenant $\delta(\varepsilon) = \varepsilon$, la fonction $f(x) = 1/x$ est uniformément continue sur $[1, 4]$.

Montrons la deuxième partie comme suit. Soit $\varepsilon > 0$ un nombre donné. Puisque la fonction $f(x) = 1/x$ est continue sur $(0,4]$, pour chaque $x \in (0, 4]$ il existe un nombre $\delta(\varepsilon, x) > 0$ tel que si $y \in (0, 4]$ et $|y - x| < \delta(\varepsilon, x), |1/x - 1/y| < \varepsilon$. Lorsque x devient petit, $\delta(\varepsilon, x)$ devient aussi petit (figure 4.3) et cette fonction est donc apparemment non uniformément continue. Montrons cela rigoureusement comme suit.

Soit $x = \delta/8\varepsilon, y = x + \delta/2$, alors $|x - y| < \delta$ et

$$|f(x) - f(y)| = \frac{\delta/2}{\delta y/8\varepsilon} = \frac{\varepsilon}{y/4} \geq \varepsilon.$$

D'où la conclusion avancée.

Le théorème 4.37 donne une condition suffisante pour qu'une fonction continue soit uniformément continue.

Théorème 4.37 *Soit $f: D \to \mathbb{R}$ et D un ensemble compact. Toute fonction f continue sur D est uniformément continue.*

DÉMONSTRATION Supposons que f n'est pas uniformément continue sur D. Donc $\exists \varepsilon > 0$ tel que pour chaque entier n, $\exists x_n \in D$, $\exists y_n \in D$ avec $|x_n - y_n| < 1/n$ et $|f(x_n) - f(y_n)| \geq \varepsilon$. L'ensemble D est compact. D'après le théorème 3.30, $\{x_n\}$ possède une sous-suite $\{x_{n_k}\}$ qui converge vers $x_0 \in D$. L'inégalité $|x_{n_k} - y_{n_k}| < 1/n_k$ vraie pour chaque entier k assure que la suite $\{y_{n_k}\}$ converge aussi vers x_0. La continuité de f sur D entraîne que $\{f(x_{n_k})\}$ et $\{f(y_{n_k})\}$ convergent vers $f(x_0)$. Mais d'après la condition $|f(x_{n_k}) - f(y_{n_k})| \geq \varepsilon$ pour chaque entier positif k, $\lim_{k \to \infty} f(x_{n_k}) \neq \lim_{k \to \infty} f(y_{n_k})$. C'est une contradiction. ∎

Terminons cette section par un théorème qui donne une condition nécessaire et non une condition suffisante pour la continuité uniforme.

Théorème 4.38   *Soit $f: D \to \mathbb{R}$, x_0 un point d'accumulation de D et f une fonction uniformément continue sur D. Alors $\lim\limits_{x \to x_0} f(x)$ existe.*

DÉMONSTRATION   Soit $\{x_n\}$ une suite d'éléments de $D \setminus \{x_0\}$ qui converge vers x_0. Puisque toute suite de Cauchy converge, il suffit de montrer que $\{f(x_n)\}$ est une suite de Cauchy. Or f est uniformément continue sur D, donc $\forall \varepsilon > 0$, $\exists \delta(\varepsilon)$ tel que pour tout $x \in D$, pour tout $y \in D$ vérifiant $|x - y| < \delta(\varepsilon)$, $|f(x) - f(y)| < \varepsilon$. Mais $\{x_n\}$ est une suite de Cauchy, donc $\exists N$ tel que $\forall n > N$ et $\forall k > 0$, $|x_{n+k} - x_n| < \delta(\varepsilon)$. Donc $|f(x_{n+k}) - f(x_n)| < \varepsilon$, c'est-à-dire que $\{f(x_n)\}$ est une suite de Cauchy.   ■

Exemple 4.39   Soit $f: (0, \pi/2) \to \mathbb{R}$ une fonction définie par $f(x) = \tan x$. Montrons que cette fonction n'est pas uniformément continue sur $(1, \pi/2)$.

SOLUTION   Puisque $\lim\limits_{x \to \frac{\pi}{2}} \tan x$ n'existe pas, le théorème 4.38 donne la conclusion escomptée. Remarquons que f est un quotient de fonctions uniformément continues.

Remarque   La fonction $f: \mathbb{R} \to \mathbb{R}$ définie par $f(x) = x^2$ n'est pas uniformément continue sur $\mathbb{R}$ et pourtant elle possède une limite en tous les points d'accumulation de son domaine.

4.8.1   Exercices

1. Montrer que les fonctions $f(x) = 2x + 5$, $f(x) = |x|$, $f(x) = \sin x$ et $f(x) = \cos x$ sont uniformément continues sur $\mathbb{R}$.

2. a) Montrer que la fonction $f: (a, 1) \to \mathbb{R}$, $0 < a < 1$, définie par $f(x) = 1/x$, est uniformément continue sur $(a, 1)$.

   b) Montrer que la fonction $f(x) = \dfrac{1}{1 + x^2}$ est uniformément continue sur $(0, \infty)$.

3. Soit $f: (0, 2] \to \mathbb{R}$ la fonction définie par

$$f(x) = \frac{x^2 + x \cos^2 x + 9}{x}.$$

a) Montrer que f est continue sur $(0, 2]$.

b) Montrer que f est uniformément continue sur $[a, 2]$, $0 < a < 2$.

c) Montrer que f n'est pas uniformément continue sur $(0, 2]$.

4. Soit $f: (0, 1) \to \mathbb{R}$ la fonction définie par $f(x) = \sin(1/x)$. Montrer que f n'est pas uniformément continue sur $(0, 1)$. Est-ce que $\cos(2/x)$ est uniformément continue sur $(0,2)$?

4.9 Fonction réciproque

Rappelons quelques définitions. Soit A, B deux ensembles. Une fonction $f: A \to B$ est dite :

i) injective si $\forall x$, $\forall y$, $f(x) = f(y) \Rightarrow x = y$ (ou $x \neq y \Rightarrow f(x) \neq f(y)$);

ii) surjective si pour chaque $y \in B$, il existe au moins un élément $x \in A$ tel que $f(x) = y$, c'est-à-dire que $f(A) = B$;

iii) bijective si elle est injective et surjective.

Soit $f: A \to A$ la fonction définie par $f(x) = x$, cette fonction est appelée *fonction identité* sur A et notée I_A. Si $f: A \to B$ et $g: B \to A$ sont telles que la composée $f \circ g$ est la fonction identité sur B, et que $g \circ f$ est la fonction identité sur A, on dit que la fonction g est la fonction *réciproque* (ou *inverse*) de f. On note f^{-1} cette fonction réciproque de f.

Une fonction $f: A \to B$ possède une fonction réciproque $\Longleftrightarrow$ f est bijective. En effet, supposons que f possède une fonction réciproque, c'est-à-dire qu'il existe une fonction $f^{-1}: B \to A$ telle que $f^{-1} \circ f = I_A$ et $f \circ f^{-1} = I_B$. La fonction f est donc injective car si $f(x) = f(y)$,

$$x = (f^{-1} \circ f)(x) = f^{-1}(f(x)) = f^{-1}(f(y)) = (f^{-1} \circ f)(y) = y.$$

De même, f est surjective car si $b \in B$,

$$b = (f \circ f^{-1})(b) = f(f^{-1}(b)) \in f(A).$$

Réciproquement, supposons que f est bijective. Donc tout élément $y \in B$ est l'image d'un seul élément $x \in A$. Soit g la fonction de $B \to A$ définie par $g(y) = x$. Il vient donc

i) $(g \circ f)(x) = g\left(f(x)\right) = g(y) = x$ pour tout $x \in A$, d'où $g \circ f = I_A$, *ii)* $(f \circ g)(y) = f(g(y)) = f(x) = y$ pour tout $y \in B$, d'où $f \circ g = I_B$.

Donc f possède une fonction réciproque.

Exemple 4.40   Soit $f : \mathbb{R} \to \mathbb{R}$ la fonction définie par $f(x) = 2x + 7$. Évidemment f est bijective. Cherchons la fonction réciproque.

SOLUTION   Il vient $f^{-1}(2x + 7) = x$. Posons $y = 2x + 7$. D'où $f^{-1}(y) = (y - 7)/2$.

Définition 4.41   Une fonction f est croissante (resp. strictement croissante) si $x, y \in D$ et $x > y \Rightarrow f(x) \geq f(y)$ (resp. $f(x) > f(y)$). Une fonction f est décroissante (resp. strictement décroissante) si $x, y \in D$ et $x > y \Rightarrow f(x) \leq f(y)$ (resp. $f(x) < f(y)$). Une fonction qui a une de ces propriétés est monotone (resp. strictement monotone).

Théorème 4.42   *Soit $f : (a, b) \to f((a, b))$ une fonction strictement croissante (resp. strictement décroissante). On a*

a) *f est injective, d'où f^{-1} existe,*

b) *f^{-1} est strictement croissante (resp. strictement décroissante),*

c) *si f est continue, f^{-1} est continue.*

DÉMONSTRATION

a) Supposons que $x \neq y$. Si $x < y$ (resp. $y < x$), $f(x) < f(y)$ (resp. $f(y) < f(x)$). Donc $f(x) \neq f(y)$, c'est-à-dire que f est injective. Puisque f est injective et surjective, f^{-1} existe.

b) Soit $y, y_1 \in f((a, b))$ tels que $y < y_1$. Il existe donc des éléments x et x_1 dans (a, b) tels que $f(x) = y$ et $f(x_1) = y_1$. Il faut avoir $x < x_1$. Autrement, $x \geq x_1$ implique $y = f(x) \geq f(x_1) = y_1$, ce qui est contraire à l'hypothèse. Il faut donc avoir
$$f^{-1}(y) = x < x_1 = f^{-1}(y_1)$$
c'est-à-dire que f^{-1} est strictement croissante sur $f((a, b))$.

c) Soit $x_0 = f^{-1}(y_0) \in (a, b)$. Donc $\exists \varepsilon > 0$ tel que $(x_0 - \varepsilon, x_0 + \varepsilon) \subset (a, b)$ et puisque f est strictement croissante, $f((x_0 - \varepsilon, x_0 + \varepsilon)) = (f(x_0 - \varepsilon), f(x_0 + \varepsilon))$, d'après le corollaire 4.31. Choisissons $\delta > 0$ tel que
$$(f(x_0) - \delta, f(x_0) + \delta) \subset (f(x_0 - \varepsilon), f(x_0 + \varepsilon)).$$

Pour chaque $y \in (f(x_0) - \delta, f(x_0) + \delta)$,

$$f^{-1}(y) \in (x_0 - \varepsilon, x_0 + \varepsilon)$$

c'est-à-dire que $|f^{-1}(y) - x_0| = |f^{-1}(y) - f^{-1}(y_0)| < \varepsilon$. Donc f^{-1} est continue. ∎

Remarque Ce théorème serait encore vrai si on remplaçait (a, b) par un intervalle de la forme $[a, b]$, $(a, b]$, $[a, b)$, $(-\infty, b)$, $(-\infty, b]$, (a, ∞), $[a, \infty)$ ou $(-\infty, \infty)$.

Exemple 4.43 Soit $n \in \mathbb{N}$ et $f\colon [0, \infty) \to [0, \infty)$ la fonction définie par $f(x) = x^n$. Cette fonction est continue, strictement croissante et $f(0) = 0$. De plus, f n'est pas bornée puisque si $x \geq 1$, $f(x) = x^n \geq x$. D'après le théorème précédent, f possède une fonction réciproque continue. Cette fonction réciproque s'appelle fonction racine n-ième et sa valeur en un point $y \in [0, \infty)$ se note $\sqrt[n]{y}$. Donc, par définition, le nombre $\sqrt[n]{y}$ est l'unique solution positive de l'équation $x^n = y$, dans laquelle y est un nombre positif donné.

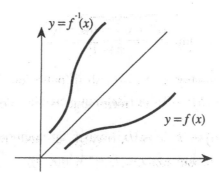

Figure 4.9 Graphes de f et f^{-1}.

Remarquons que le graphe d'une fonction f est le graphe de la fonction f^{-1} à condition de considérer l'axe des y comme l'axe des abscisses et l'axe des x comme l'axe des ordonnées (figure 4.9). Si f et f^{-1} sont deux fonctions réciproques alors les graphes des fonctions $y = f(x)$ et $y = f^{-1}(x)$ sont symétriques par rapport à la droite $y = x$. En effet, (x, y) est sur le graphe de $f^{-1} \iff y = f^{-1}(x)$ ou $x = f(y)$, et le point (y, x) est sur le graphe de $f \iff x = f(y)$. Donc (x, y) est sur le graphe de $f^{-1} \iff (y, x)$ est sur le graphe de f. Or les points (x, y) et (y, x) sont symétriques par rapport à la droite $y = x$, d'où les graphes de f et f^{-1}, représentés dans le même plan, sont symétriques par rapport à la droite $y = x$.

4.9.1   Exercices

1. Pour $n \in \mathbb{N}$, soit $f:[(n-\frac{1}{2})\pi, (n+\frac{1}{2})\pi] \to [-1,1]$, la fonction définie par $f(x) = \sin x$.

   a) Montrer que f est strictement croissante si n est pair et strictement décroissante si n est impair. En déduire que la fonction f^{-1} existe.

   b) Lorsque $n = 0$, la fonction réciproque $f^{-1}(x)$ est notée $\arcsin x$. Tracer le graphe de $\arcsin x$.

2. Soit $f:(-\pi/2, \pi/2) \to \mathbb{R}$ la fonction définie par $f(x) = \tan x$. Montrer que f^{-1} existe et tracer son graphe.

Exercices sur le chapitre 4

1. Trouver le domaine de la fonction

$$f(x) = \sqrt{3 - \sqrt{5 - 4x}}$$

et la valeur de

$$\lim_{x \to 1} \frac{\sqrt{3 - \sqrt{5 - 4x}} - \sqrt{2}}{x - 1}.$$

2. Soit $f:(a,b) \to \mathbb{R}$ une fonction et $x_0 \in (a,b)$. Montrer que si $\lim_{h \to 0} f(x_0 + h) = 0$, $\lim_{h \to 0}\{f(x_0 + h) - f(x_0 - h)\} = 0$. La réciproque est-elle vraie?

3. Montrer que si $\lim_{x \to x_0} f(x) = L$, $L \neq 0$, il existe un nombre $\beta > 0$ et un nombre $\delta > 0$ tels que $|f(x)| > \beta$ pour tout $x \in D_f \cap V'(x_0, \delta)$.

4. a) Montrer que la fonction $f:\mathbb{R} \to \mathbb{R}$ définie par

$$f(x) = \begin{cases} 2x + 1 & \text{si } x \notin \mathbb{Q}, \\ 4 - x & \text{si } x \in \mathbb{Q}, \end{cases}$$

   est continue uniquement au point $x = 1$.

   b) Soit $f:[a,b] \to \mathbb{R}$, a et b étant des nombres rationnels, la fonction définie par

$$f(x) = \begin{cases} x & \text{si } x \text{ est un nombre rationnel}, \\ a + b - x & \text{si } x \text{ est un nombre irrationnel}. \end{cases}$$

   Quels sont les points où f est continue?

5. a) Soit $f: D \to \mathbb{R}$ une fonction continue et $x_0 \in D$ tel que $f(x_0) > 0$. Montrer qu'il existe un voisinage $V(x_0, \delta)$ et un nombre $\varepsilon > 0$ tels que $f(x) > \varepsilon$ pour tout $x \in D \cap V(x_0, \delta)$. De même, pour $f(x_0) < 0$, montrer qu'il existe un voisinage $V(x_0, \delta)$ et un nombre $\varepsilon > 0$ tels que $f(x) < -\varepsilon$ pour tout $x \in D \cap V(x_0, \delta)$.

   b) Soit $f: \mathbb{R} \to \mathbb{R}$ une fonction continue sur $\mathbb{R}$ telle que $f(r) = 0$ pour tout nombre rationnel r. Montrer que $f(x) = 0$ pour tout nombre réel x.

   c) Soit f et g deux fonctions continues sur $\mathbb{R}$ telles que $f(x) = g(x)$ pour tout nombre rationnel. Montrer que $f(x) = g(x)$ pour tout nombre réel x.

6. Soit $f: \mathbb{R} \to \mathbb{R}$ une fonction continue. Montrer que si $f(x+y) = f(x) + f(y)$ pour tout $x, y \in \mathbb{R}$, il existe un nombre réel a tel que $f(x) = ax$.

7. Soit f une fonction bornée sur A. Montrer que

   a) $\sup\limits_{x \in A} k f(x) = k \sup\limits_{x \in A} f(x)$ et $\inf\limits_{x \in A} k f(x) = k \inf\limits_{x \in A} f(x)$, si $k > 0$,

   b) $\sup\limits_{x \in A} k f(x) = k \inf\limits_{x \in A} f(x)$ et $\inf\limits_{x \in A} k f(x) = k \sup\limits_{x \in A} f(x)$, si $k < 0$.

8. a) Soit $f: [0, 2\pi] \to \mathbb{R}$ une fonction continue telle que $f(0) = f(2\pi)$. Montrer qu'il existe un nombre $c \in [0, 2\pi]$ tel que $f(c) = f(c + \pi)$.

   b) Montrer que tout polynôme de degré impair à coefficients réels possède au moins une racine réelle.

9. En ordonnant les énoncés ci-dessous, démontrer la proposition : «*Soit f une fonction continue sur $[0, \infty)$. Si f est uniformément continue sur $[a, \infty)$, où $a > 0$ est un nombre réel arbitraire, f est uniformément continue sur $[0, \infty)$.*»

   a) $\delta = \min\{1, \delta_1, \delta_2\}$ et donc pour tout $x, y \in [0, \infty)$, $|x-y| < \delta \Rightarrow |f(x) - f(y)| < \varepsilon$.

   b) f est uniformément continue sur $[0, a+1]$.

   c) f est continue sur $[0, a+1]$.

   d) $\exists \delta_1$ tel que $\forall x, y \in [a, \infty)$, $|x - y| < \delta_1 \Rightarrow |f(x) - f(y)| < \varepsilon$.

   e) f est uniformément continue sur $[a, \infty)$.

   f) $\exists \delta_2$ tel que $\forall x, y \in [0, a+1]$, $|x - y| < \delta_2 \Rightarrow |f(x) - f(y)| < \varepsilon$.

10. Montrer que $f(x) = \sqrt{x}$ est uniformément continue sur $[1, \infty)$. Déduire du problème précédent que cette fonction est uniformément continue sur $[0, \infty)$.

11. Soit $f, g: D \to \mathbb{R}$ deux fonctions uniformément continues. Montrer que $f + g$ est uniformément continue.

12. Donner un exemple de fonctions f et g uniformément continues telles que fg n'est pas uniformément continue.

13. Soit $f, g: D \to \mathbb{R}$ deux fonctions bornées uniformément continues. Montrer que fg est uniformément continue.

14. Soit $f: A \to B$ et $g: B \to C$ deux fonctions uniformément continues. Montrer que $g \circ f$ est uniformément continue.

15. Une fonction $f: \mathbb{R} \to \mathbb{R}$ est *périodique* s'il existe un nombre réel $T \neq 0$ tel que $f(x + T) = f(x)$, $\forall x \in \mathbb{R}$. Montrer que si $f: \mathbb{R} \to \mathbb{R}$ est une fonction continue et périodique, f est uniformément continue.

16. Soit $f: \mathcal{D} \to \mathbb{R}$. S'il existe une constante $K > 0$ telle que

$$|f(x) - f(y)| \leq K|x - y|$$

pour tout $x, y \in \mathcal{D}$, on dit que f satisfait à une *condition de Lipschitz*. Montrer que toute fonction f satisfaisant à une condition de Lipschitz est uniformément continue.

17. Soit $\{x_n\}$ une suite et $f: \mathbb{R} \to \mathbb{R}$ une fonction telle que $f(n) = x_n$, $\forall n \in \mathbb{N}$. Montrer que si $\lim\limits_{n \to \infty} x_n$ et $\lim\limits_{x \to \infty} f(x)$ existent,

$$\lim_{n \to \infty} x_n = \lim_{x \to \infty} f(x).$$

18. Soit $f: [0, 1] \to \mathbb{R}$ une fonction continue telle que $f(0) = f(1)$. Montrer qu'il existe des nombres a et b dans $[0, 1]$ tels que $|a - b| = \frac{1}{2}$ et que $f(a) = f(b)$.

19. Soit $x_1 \in (0, \pi/2]$ et soit $x_{n+1} = \sin x_n$, $n \geq 1$. Donc

$$0 < x_2 = \sin x_1 \leq 1,$$
$$0 < x_3 = \sin x_2 < 1.$$

En supposant $0 < x_n < 1$, $0 < x_{n+1} = \sin x_n < 1$. De plus, pour $x > 0$, $\sin x < x$ d'où $x_n < x_{n-1}$. La suite $\{x_n\}$ est donc décroissante et bornée inférieurement par 0, et par conséquent $\lim\limits_{n \to \infty} x_n = x \geq 0$. Puisque sin est une fonction continue, $x = \sin x$ et $x = 0$, c'est-à-dire que $\lim\limits_{n \to \infty} x_n = 0$.

La bissection ci-dessous pour les fonctions strictement croissantes permet de trouver x tel que $x = f(x)$.

```
procedure Bis(A, B : Real; var C, D : Real);
   var    M : Real;
   begin
    if F(B)-F(A) <1E-5 then
      begin   C := A; D := B end
   else
      begin
      M := (A+B)/2;
      if F(M)>= 0 then Bis(A,M,C,D)
      else Bis(M,B,C,D)
      end
   end;
```

Par bissection, trouver $x \in (0, \pi/2)$ tel que $3x = \cos x$.

Chapitre 5

Dérivation

5.1 Introduction

L'idée centrale du calcul différentiel est la notion de dérivée. En l'étudiant, vous approfondirez votre connaissance des fonctions. La compréhension de la notion de dérivée passe par celle de son lien avec le problème pratique de l'approximation de fonctions, que nous verrons donc. Nous supposerons que le lecteur sait dériver les fonctions élémentaires. L'annexe B rappelle la formule de dérivation des principales fonctions usuelles.

5.2 Fonctions différentiables ou dérivables

«Approximer linéairement», au voisinage d'un point $x_0 \in (a, b)$, une fonction f définie sur $[a, b]$, c'est trouver un nombre d tel que la fonction g définie par

$$g(x) = f(x_0) + d(x - x_0), \quad x \neq x_0,$$

soit une bonne approximation de f au voisinage de x_0. Considérons la fonction définie par

$$h(x) = f(x) - g(x).$$

On veut donc que $h(x)$ soit très petit lorsque x approche x_0. En fait, on veut trouver un nombre d tel que $\lim_{x \to x_0} h(x) = 0$ et $\lim_{x \to x_0} \dfrac{h(x)}{x - x_0} = 0$.

Supposons qu'un tel nombre d existe. On a

$$h(x) = f(x) - f(x_0) - d(x - x_0)$$

ou

$$\frac{h(x)}{x - x_0} = \frac{f(x) - f(x_0)}{x - x_0} - d$$

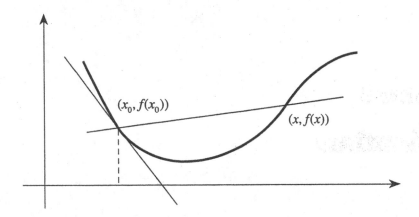

Figure 5.1

et

$$\lim_{x \to x_0} \frac{h(x)}{x - x_0} = 0 \iff \lim_{x \to x_0} \frac{f(x) - f(x_0)}{x - x_0} = d.$$

Définition 5.1   Soit $f: D_f \to \mathbb{R}$ une fonction et x_0 un point d'accumulation de D_f tel que $x_0 \in D_f$. On dit que f est différentiable (ou dérivable) au point x_0 si $\lim\limits_{x \to x_0} \dfrac{f(x) - f(x_0)}{x - x_0}$ existe (nombre réel). Cette limite, si elle existe, est appelée la dérivée de f en x_0 et est notée $f'(x_0)$ ou $\left.\dfrac{d}{dx} f(x)\right|_{x = x_0}$. Si f est différentiable (ou dérivable) en chaque point de D_f, on dit que f est différentiable (ou dérivable) sur D_f.

Donnons une interprétation géométrique de la dérivée de f au point x_0 (voir la figure 5.1). Considérons le graphe de f. Le nombre $\dfrac{f(x) - f(x_0)}{x - x_0}$ est la pente de la droite passant par les points $(x_0, f(x_0))$ et $(x, f(x))$. Si f a une dérivée en x_0, on dit que la limite de la pente de la sécante est la pente de la tangente. La dérivée de f en x_0 égale donc la pente de la courbe $y = f(x)$ au point x_0. La droite d'équation $y = f(x_0) + f'(x_0)(x - x_0)$ est tangente au graphe de f en x_0, et est appelée *tangente* au graphe de f en x_0. La tangente est, dans un voisinage de x_0, une approximation linéaire de la courbe de la fonction f.

Exemple 5.2   Soit $f \colon \mathbb{R} \to \mathbb{R}$ une fonction définie par

$$f(x) = \begin{cases} 1/x & \text{si } x \neq 0, \\ 0 & \text{si } x = 0. \end{cases}$$

Montrons que f est différentiable sur $\mathbb{R} \setminus \{0\}$.

SOLUTION   Si $x_0 \neq 0$,

$$\lim_{x \to x_0} \frac{f(x) - f(x_0)}{x - x_0} = \lim_{x \to x_0} \frac{1/x - 1/x_0}{x - x_0} = -\frac{1}{x_0^2}.$$

Si $x_0 = 0$,

$$\lim_{x \to 0} \frac{f(x) - f(0)}{x - 0} = \lim_{x \to 0} \frac{1/x}{x} = +\infty.$$

Puisque cette limite n'existe pas, f n'est pas différentiable en 0. Donc la fonction f est différentiable sur $\mathbb{R} \setminus \{0\}$ et $f'(x_0) = -\dfrac{1}{x_0^2}$, $x_0 \neq 0$.

Exemple 5.3   Trouvons une valeur approximative de $\sin(31°)$.

SOLUTION   Dans un voisinage de $x_0 \in \mathbb{R}$, $\sin x_0 + (x - x_0) \cos x_0$ approxime linéairement $\sin x$, c'est-à-dire que

$$\sin x \approx \sin x_0 + (x - x_0) \cos x_0.$$

En $x_0 = \pi/6 = 30°$,

$$\sin x \approx \frac{1}{2} + \frac{\sqrt{3}}{2}\left(x - \frac{\pi}{6}\right) \text{ pour } x \in V(\pi/6, \varepsilon).$$

Donc

$$\sin 31° \approx \frac{1}{2} + \frac{\sqrt{3}}{2}\left(31 \cdot \frac{\pi}{180} - \frac{\pi}{6}\right) \approx 0{,}515.$$

Remarque   Le théorème 4.4 permet d'énoncer le résultat suivant :

Soit $f \colon D_f \to \mathbb{R}$ et x_0 un point d'accumulation de D_f. La fonction f est différentiable au point $x_0 \iff$ pour toute suite $\{x_n\}$ de points de $D_f \setminus \{x_0\}$ qui converge vers x_0, la suite $\left\{ \dfrac{f(x_n) - f(x_0)}{x_n - x_0} \right\}$ converge vers $f'(x_0)$.

Exemple 5.4   Soit $f: \mathbb{R} \to \mathbb{R}$ la fonction définie par

$$f(x) = \begin{cases} x^2 & \text{si } x \text{ est un nombre rationnel,} \\ -x^2 & \text{si } x \text{ est un nombre irrationnel.} \end{cases}$$

Montrons que f est différentiable seulement au point 0.

SOLUTION   Soit $x_0 \in \mathbb{Q} \setminus \{0\}$ et $\{x_n\}$ une suite de nombres irrationnels telle que $\lim_{n \to \infty} x_n = x_0$. On a

$$h(x_n, x_0) \stackrel{\text{déf}}{=} \frac{f(x_n) - f(x_0)}{x_n - x_0} = \frac{-x_n^2 - x_0^2}{x_n - x_0}.$$

Puisque $\lim_{n \to \infty} h(x_n, x_0)$ n'existe pas, la fonction f n'est pas différentiable au point x_0.

Soit x_0 un nombre irrationnel et $\{x_n\}$ une suite de nombres rationnels telle que $\lim_{n \to \infty} x_n = x_0$. On a

$$h(x_n, x_0) = \frac{x_n^2 + x_0^2}{x_n - x_0}.$$

La $\lim_{n \to \infty} h(x_n, x_0)$ n'existe pas. Par conséquent, la fonction f n'est pas différentiable au point x_0. Finalement, soit $x_0 = 0$ et x un nombre réel quelconque. On a

$$\left| \frac{f(x) - f(0)}{x - 0} \right| = \left| \frac{f(x)}{x} \right| \leq \left| \frac{x^2}{x} \right| = |x|$$

et puisque $\lim_{x \to 0} x = 0$, on obtient

$$\lim_{x \to 0} \frac{f(x) - f(0)}{x - 0} = 0.$$

La fonction f est donc différentiable au point 0 et $f'(0) = 0$.

Le théorème 5.5 ci-dessous donne une condition nécessaire de différentiabilité d'une fonction.

Théorème 5.5   *Soit $f: D_f \to \mathbb{R}$ une fonction et $x_0 \in D_f$ un point d'accumulation de D_f. Si f est différentiable au point x_0, elle est continue au point x_0.*

DÉMONSTRATION Par hypothèse, $f'(x_0)$ existe et

$$f'(x_0) = \lim_{x \to x_0} \frac{f(x) - f(x_0)}{x - x_0}.$$

Pour $x \neq x_0$, on a

$$f(x) - f(x_0) = \frac{f(x) - f(x_0)}{x - x_0}(x - x_0)$$

et

$$\lim_{x \to x_0} (f(x) - f(x_0)) = \lim_{x \to x_0} \frac{f(x) - f(x_0)}{x - x_0} \lim_{x \to x_0} (x - x_0)$$
$$= f'(x_0) \cdot 0 = 0.$$

Donc $\lim_{x \to x_0} f(x) = f(x_0)$, c'est-à-dire que f est continue au point x_0. ∎

Exemple 5.6 Soit $f : \mathbb{R} \to \mathbb{R}$ la fonction définie par $f(x) = [x]$. Puisque cette fonction n'est pas continue aux entiers, $f(x) = [x]$ n'est pas différentiable en x_0 lorsque x_0 est un entier. Soit $x_0 \in \mathbb{R} \setminus \mathbb{Z}$. On a

$$\lim_{x \to x_0} \frac{f(x) - f(x_0)}{x - x_0} = \lim_{x \to x_0} \frac{[x] - [x_0]}{x - x_0} = 0.$$

D'où $f'(x_0) = 0, \forall x_0 \notin \mathbb{Z}$.

Exemple 5.7 Soit $f : \mathbb{R} \to \mathbb{R}$ la fonction définie par $f(x) = |x|$. Cette fonction est continue sur $\mathbb{R}$ mais n'est pas différentiable en 0. En effet,

$$\lim_{x \to 0} \frac{f(x) - f(0)}{x - 0} = \lim_{x \to 0} \frac{|x|}{x}$$

et puisque $\lim_{x \to 0} |x|/x$ n'existe pas, la fonction n'est pas différentiable en 0.

5.2.1 Exercices

1. Trouver l'équation de la tangente de

   a) $f(x) = \sqrt{x - 3}$ en $x = 7$,   b) $f(x) = \sqrt{1 + 4x}$ en $x = 0$.

2. À l'aide de la tangente au graphe de $f(x) = \sqrt{4 + \sin x}$ au point $x = 0$, trouver une valeur approximative de $f(0, 016)$.

3. À l'aide de la définition de la dérivée, trouver

   a) $f'(x_0)$ si $f(x) = x[x]$,

   b) $f'(x_0)$ si $f(x) = [x]/x$,

   c) $f'(x_0)$ si $f(x) = x|x|$.

4. Trouver la dérivée de $f(x) = [x]x^{-2}$ et l'équation de la tangente au graphe passant par le point $(3/2, 4/9)$.

5. Soit f la fonction définie sur [0,1] par

$$f(x) = \begin{cases} x & \text{si } x \in [0, 1/2), \\ 1 - x & \text{si } x \in [1/2, 1]. \end{cases}$$

   Montrer que f n'est pas différentiable en $x = 1/2$.

6. a) Soit $f: \mathbb{R} \to \mathbb{R}$ la fonction définie par

$$f(x) = \begin{cases} x^2 & \text{si } x \in (-\infty, 2), \\ -4(x - 3) & \text{si } x \in [2, \infty). \end{cases}$$

   Montrer que f n'est pas différentiable en $x = 2$.

   b) Soit $f: \mathbb{R} \to \mathbb{R}$ la fonction définie par

$$f(x) = \begin{cases} x^2 & \text{si } x \in \mathbb{Q}, \\ 0 & \text{autrement.} \end{cases}$$

   Montrer que f est continue seulement en 0, et qu'en ce point elle est différentiable.

7. Soit $f: \mathbb{R} \to \mathbb{R}$ la fonction définie par

$$f(x) = \begin{cases} \frac{-x^2}{2} + 2x - 1 & \text{si } x \in (-\infty, 2], \\ e^{x-2} & \text{si } x \in (2, \infty). \end{cases}$$

   a) Étudier la continuité de f en $x_0 = 2$.

   b) f est-elle dérivable en $x_0 = 2$?

   c) Calculer $f'(x)$.

8. a) Montrer que la fonction $f: \mathbb{R} \to \mathbb{R}$ définie par

$$f(x) = \begin{cases} x & \text{si } x \text{ est un nombre rationnel,} \\ 0 & \text{si } x \text{ est un nombre irrationnel,} \end{cases}$$

est continue seulement au point $x = 0$ et montrer que $f'(0)$ n'existe pas.

b) Soit $f: \mathbb{R} \to \mathbb{R}$ la fonction définie par

$$f(x) = \begin{cases} \sin x & \text{si } x \text{ est un nombre rationnel,} \\ x^2 + \sin x & \text{si } x \text{ est un nombre irrationnel.} \end{cases}$$

Montrer que f est différentiable au point $x = 0$ et calculer $f'(0)$.

9. Soit $f: \mathbb{R} \to \mathbb{R}$ la fonction définie par

$$f(x) = \begin{cases} x \sin(1/x) & \text{si } x \neq 0, \\ 0 & \text{si } x = 0. \end{cases}$$

Montrer que f n'est pas différentiable en $x = 0$.

5.3   Opérations sur les fonctions différentiables

Le but de cette section est de montrer que les opérations algébriques sur les fonctions préservent la différentiabilité.

Théorème 5.8   *Soit $f, g: D \to \mathbb{R}$ deux fonctions différentiables en x_0. On a*

a) *$f + g$ est différentiable en x_0 et $(f + g)'(x_0) = f'(x_0) + g'(x_0)$;*

b) *fg est différentiable en x_0 et $(fg)'(x_0) = f'(x_0)g(x_0) + f(x_0)g'(x_0)$;*

c) *si $g(x_0) \neq 0$, f/g (le domaine est l'ensemble de tous les x tels que $g(x) \neq 0$) est différentiable en x_0 et*

$$\left(\frac{f}{g}\right)'(x_0) = \frac{f'(x_0)g(x_0) - f(x_0)g'(x_0)}{(g(x_0))^2}.$$

DÉMONSTRATION

a) Soit $\{x_n\}$ une suite de $D \setminus \{x_0\}$ qui converge vers x_0. Puisque f et g sont différentiables en x_0, les suites

$$\left\{ \frac{f(x_n) - f(x_0)}{x_n - x_0} \right\} \quad \text{et} \quad \left\{ \frac{g(x_n) - g(x_0)}{x_n - x_0} \right\}$$

convergent respectivement vers $f'(x_0)$ et $g'(x_0)$. Donc la suite

$$\left\{ \frac{(f+g)(x_n) - (f+g)(x_0)}{x_n - x_0} \right\} = \left\{ \frac{f(x_n) - f(x_0)}{x_n - x_0} + \frac{g(x_n) - g(x_0)}{x_n - x_0} \right\}$$

converge vers $f'(x_0) + g'(x_0)$. Donc $f + g$ est différentiable en x_0 et $(f+g)'(x_0) = f'(x_0) + g'(x_0)$.

b) Soit $\{x_n\}$ une suite de $D \setminus \{x_0\}$ qui converge vers x_0. Puisque f est continue à x_0, la suite $\{f(x_n)\}$ converge vers $f(x_0)$. Or

$$\frac{(fg)(x_n) - (fg)(x_0)}{x_n - x_0} = \frac{(fg)(x_n) - f(x_n)g(x_0) + f(x_n)g(x_0) - (fg)(x_0)}{x_n - x_0}$$

$$= f(x_n)\frac{g(x_n) - g(x_0)}{x_n - x_0} + g(x_0)\frac{f(x_n) - f(x_0)}{x_n - x_0}.$$

Donc la suite

$$\left\{ \frac{(fg)(x_n) - (fg)(x_0)}{x_n - x_0} \right\}$$

converge vers $f(x_0)g'(x_0) + g(x_0)f'(x_0)$. Donc fg est différentiable à x_0 et

$$(fg)'(x_0) = f'(x_0)g(x_0) + f(x_0)g'(x_0).$$

c) Démontrons ce résultat à l'aide de la définition 5.1. On a

$$\frac{(f/g)(x) - (f/g)(x_0)}{x - x_0} = \frac{f(x)g(x_0) - (fg)(x_0) + (fg)(x_0) - f(x_0)g(x)}{g(x_0)g(x)(x - x_0)}$$

$$= \frac{g(x_0)\frac{f(x) - f(x_0)}{x - x_0} - f(x_0)\frac{g(x) - g(x_0)}{x - x_0}}{g(x)g(x_0)}.$$

Or f et g sont différentiables en x_0 et $\lim\limits_{x \to x_0} g(x) = g(x_0) \neq 0$. Cela termine donc la démonstration. ∎

Le théorème 5.9 ci-dessous donne des conditions qui assurent la différentiabilité de la composée de deux fonctions.

Théorème 5.9   *Soit* $f: D_f \to \mathbb{R}$ *et* $g: D_g \to \mathbb{R}$ *deux fonctions telles que* $f(D_f) \subset D_g$. *Si* f *est différentiable en* x_0 *et* g *est différentiable en* $f(x_0)$, $g \circ f$ *est différentiable en* x_0 *et*

$$(g \circ f)'(x_0) = g'\big(f(x_0)\big) f'(x_0).$$

DÉMONSTRATION   On serait tenté de démontrer ce théorème en écrivant

$$\frac{(g \circ f)(x) - (g \circ f)(x_0)}{x - x_0} = \frac{g(f(x)) - g(f(x_0))}{f(x) - f(x_0)} \frac{f(x) - f(x_0)}{x - x_0}$$

et de conclure que le deuxième membre possède la limite $g'\big(f(x_0)\big) f'(x_0)$, c'est-à-dire que $g \circ f$ est différentiable en x_0. Mais $x \neq x_0$ n'entraîne pas obligatoirement que $f(x) \neq f(x_0)$. Pour contourner cette difficulté, procédons comme suit.

Pour chaque $y \in D_g$, définissons la fonction h par

$$h(y) = \begin{cases} \dfrac{g(y) - g\big(f(x_0)\big)}{y - f(x_0)} - g'\big(f(x_0)\big) & \text{si } y \neq f(x_0), \\ 0 & \text{si } y = f(x_0). \end{cases}$$

Puisque g est différentiable en $f(x_0)$, la fonction h possède une limite en $f(x_0)$ et $\lim\limits_{y \to f(x_0)} h(y) = h\big(f(x_0)\big)$, c'est-à-dire que h est continue en $f(x_0)$. Or la différentiabilité de f en x_0 entraîne que f est continue en x_0 et par conséquent que $h \circ f$ est continue en x_0 et que $\lim\limits_{x \to x_0} (h \circ f)(x) = 0$. D'après la définition de h,

$$h(y)\big(y - f(x_0)\big) = g(y) - g(f(x_0)) - g'(f(x_0))\big(y - f(x_0)\big)$$

pour tout $y \in D_g$. Posons $y = f(x)$ pour $x \in D_f$. Il vient

$$(h \circ f)(x)\big(f(x) - f(x_0)\big) = g(f(x)) - g(f(x_0)) - g'(f(x_0))\big(f(x) - f(x_0)\big).$$

Pour $x \neq x_0$, cette équation devient

$$\big[(h \circ f)(x) + g'\big(f(x_0)\big)\big] \frac{f(x) - f(x_0)}{x - x_0} = \frac{g\big(f(x)\big) - g\big(f(x_0)\big)}{x - x_0}.$$

Donc

$$\begin{aligned} (g \circ f)'(x_0) &= \lim_{x \to x_0} \frac{g\big(f(x)\big) - g\big(f(x_0)\big)}{x - x_0} \\ &= \lim_{x \to x_0} \big[(h \circ f)(x) + g'\big(f(x_0)\big)\big] \left(\frac{f(x) - f(x_0)}{x - x_0} \right) \\ &= g'\big(f(x_0)\big) f'(x_0), \end{aligned}$$

c'est-à-dire que $g \circ f$ est différentiable en x_0. D'où la formule demandée. ∎

Remarque Le nombre $(g \circ f)'(x_0)$ peut exister sans que les hypothèses du théorème précédent ne soient vérifiées. Par exemple, si $f(x) = |x|$ et $g(x) = x^4$, $f'(0)$ n'existe pas et $g'(f(0)) = g'(0) = 0$ tandis que $(g \circ f)'(0) = 0$.

Exemple 5.10 Calculons la dérivée de la fonction définie par

$$f(x) = \begin{cases} x\cos(1/x) & \text{si } x \neq 0, \\ 0 & \text{si } x = 0. \end{cases}$$

SOLUTION Pour $x \neq 0$, la dérivée se calcule à l'aide des formules et des règles de dérivation. On obtient

$$f'(x) = \cos\frac{1}{x} + \frac{1}{x}\sin\frac{1}{x}.$$

On ne peut pas se servir de cette expression pour $x = 0$. Il faut en ce point calculer la dérivée à l'aide de la définition. On a

$$f'(0) = \lim_{x \to 0} \frac{f(x) - f(0)}{x - 0} = \lim_{x \to 0} \cos\frac{1}{x} \quad \text{qui n'existe pas.}$$

Donc

$$f'(x) = \begin{cases} \cos\frac{1}{x} + \frac{1}{x}\sin\frac{1}{x} & \text{si } x \neq 0, \\ \text{n'existe pas} & \text{si } x = 0. \end{cases}$$

Remarque Visiblement, la fonction $\log(-x)$ est définie pour $x < 0$. Le résultat précédent donne

$$\frac{d}{dx}\log(-x) = \frac{1}{-x}(-1) = \frac{1}{x}, \quad x < 0.$$

Or

$$\frac{d}{dx}\log x = \frac{1}{x}, \quad x > 0.$$

Donc

$$\frac{d}{dx}\log|x| = \frac{1}{x}, \quad x \neq 0.$$

Plus généralement, si une fonction f est non nulle et différentiable sur un intervalle,

$$\frac{d}{dx}\log|f(x)| = \frac{f'(x)}{f(x)}$$

sur cet intervalle.

Soit $f : (a, b) \to f\left((a, b)\right)$ une fonction strictement croissante (resp. strictement décroissante). Si f est différentiable en x et f^{-1} l'est en $f(x)$, le théorème précédent permet d'écrire

$$(f^{-1} \circ f)'(x) = (f^{-1})'\left(f(x)\right) f'(x).$$

Mais $(f^{-1} \circ f)(x) = x$, $\forall x \in (a, b)$. Donc

$$1 = (f^{-1} \circ f)'(x) = (f^{-1})'\left(f(x)\right) f'(x), \quad \forall x \in (a, b).$$

Si $f'(x) \neq 0$, il s'ensuit que

$$(f^{-1})'\left(f(x)\right) = \frac{1}{f'(x)}.$$

Remarquer que le théorème de dérivation des fonctions composées permet de trouver la valeur de la dérivée de la fonction réciproque d'une fonction donnée mais pas d'en établir l'existence.

Théorème 5.11 *Soit $f : (a, b) \to f\left((a, b)\right)$ une fonction strictement croissante (resp. strictement décroissante). Pour chaque $x_0 \in (a, b)$ tel que $f'(x_0) \neq 0$, la fonction $f^{-1}(y)$ est différentiable en $y_0 = f(x_0)$ et*

$$(f^{-1})'(y_0) = \frac{1}{f'(x_0)}.$$

DÉMONSTRATION Puisque f est continue en x_0, la fonction f^{-1} est continue en y_0 d'après le théorème 4.42. D'où

$$y_0 = f(x_0) = \lim_{x \to x_0} f(x) \text{ et } x_0 = f^{-1}(y_0) = \lim_{y \to y_0} f^{-1}(y).$$

Or

$$\frac{f^{-1}(y) - f^{-1}(y_0)}{y - y_0} = \frac{x - x_0}{f(x) - f(x_0)}.$$

Chercher la limite au point y_0 de la fonction G définie par

$$G(y) = \frac{f^{-1}(y) - f^{-1}(y_0)}{y - y_0}$$

revient donc à chercher la limite au point x_0 de la fonction F définie par

$$F(x) = \frac{x - x_0}{f(x) - f(x_0)}.$$

Mais
$$F(x) = \left(\frac{f(x) - f(x_0)}{x - x_0} \right)^{-1} \quad \text{et} \quad \lim_{x \to x_0} \frac{f(x) - f(x_0)}{x - x_0} = f'(x_0).$$

Puisque $f'(x_0) \neq 0$, la fonction F a une limite au point x_0 et par conséquent, la fonction G a une limite au point $y_0 = f(x_0)$. Cette limite égale $1/f'(x_0)$. La fonction f^{-1} est donc différentiable au point $y_0 = f(x_0)$ et sa dérivée est $(f^{-1}(y_0))' = 1/f'(x_0)$. ∎

Exemple 5.12   Soit $f : (0, \infty) \to (0, \infty)$ la fonction définie par $f(x) = x^n$, $n \in \mathbb{N}$. La fonction f est continue, strictement croissante et différentiable. Donc sa fonction réciproque f^{-1}, définie par $f^{-1}(x) = x^{1/n}$, est elle aussi continue, strictement croissante et différentiable. Il vient

$$(f^{-1})'(y_0) = \frac{1}{f'\left(f^{-1}(y_0)\right)} = \frac{1}{n} y_0^{\frac{1}{n}-1}.$$

Soit f une fonction différentiable sur un intervalle I et $f'(x)$ sa *dérivée*. Si $f'(x)$ est une fonction dérivable en un point $x \in I$, sa dérivée en ce point s'appelle la *dérivée seconde* ou la *dérivée d'ordre deux* de $f(x)$ par rapport à x. On la représente par la notation $f''(x)$. On définit de même les dérivées d'ordre $3, 4, \ldots, n$ et on les représente par les notations $f^{(3)}(x), f^{(4)}(x), \ldots, f^{(n)}(x)$. Si $f^{(n)}(x)$ existe pour tout $n \in \mathbb{N}$, on dit que f est *indéfiniment différentiable*.

Soit $f(x)$ un polynôme de degré n, c'est-à-dire que $f(x) = a_0 + a_1 x + \cdots + a_n x^n$. Il vient

$$f'(x) = a_1 + 2a_2 x + \cdots + na_n x^{n-1}$$
$$f''(x) = 2a_2 + 3 \cdot 2a_3 x + \cdots + n(n-1)a_n x^{n-1}$$
$$\vdots \quad \vdots$$
$$f^{(n)}(x) = n! a_n.$$

Les valeurs des dérivées successives au point $x = 0$ (y compris la dérivée 0-ième qui est par convention $f(0)$) sont donc

$$f(0) = a_0, f'(0) = a_1, f''(0) = 2a_2, \ldots, f^{(n)}(0) = n! a_n.$$

Le polynôme $f(x)$ de degré n peut donc s'écrire

$$f(x) = f(0) + \frac{f'(0)}{1!} x + \frac{f''(0)}{2!} x^2 + \cdots + \frac{f^{(n)}(0)}{n!} x^n.$$

L'importante formule de Taylor vue plus loin généralise cette expression. On trouve en général la dérivée d'ordre n d'une fonction de x en dérivant n fois la fonction. On découvre parfois, après quelques dérivations, la loi de formation de la dérivée n-ième. Si $f(x) = \sin x$, par exemple, il vient $f'(x) = \cos x = \sin(x + \frac{\pi}{2}), \ldots, f^{(n)}(x) = \sin(x + n\frac{\pi}{2})$. De même, $(\cos x)^{(n)} = \cos(x + n\frac{\pi}{2})$. Si on peut mettre l'expression considérée sous la forme d'un produit de deux facteurs $f(x)$ et $g(x)$, on calcule sa dérivée n-ième par la formule ci-dessous, due à Leibniz.

Théorème 5.13 (formule de Leibniz) *Si f et g sont n fois différentiables sur $[a, b]$,*

$$\frac{d^n}{dx^n}(f(x)g(x)) = \sum_{k=0}^{n} \binom{n}{k} f^{(k)}(x) g^{(n-k)}(x),$$

où l'on pose $f^{(0)}(x) = f(x)$.

Démonstration Il est immédiat que la proposition est vraie lorsque $n = 1$. Supposons qu'elle est vraie pour n et démontrons qu'elle l'est aussi pour $n + 1$. Il vient

$$
\begin{aligned}
\frac{d^{n+1}}{dx^{n+1}}(f(x)g(x)) &= \frac{d}{dx}\left(\frac{d^n}{dx^n}(f(x)g(x))\right) \\
&= \frac{d}{dx}\left\{\sum_{k=0}^{n}\binom{n}{k}f^{(k)}(x)g^{(n-k)}(x)\right\} \\
&= \sum_{k=0}^{n}\binom{n}{k}\left(f^{(k+1)}(x)g^{(n-k)}(x) + f^{(k)}(x)g^{(n-k+1)}(x)\right) \\
&= \sum_{k=0}^{n}\binom{n}{k}f^{(k+1)}(x)g^{(n-k)}(x) \\
&\qquad\qquad\qquad + \sum_{k=0}^{n}\binom{n}{k}f^{(k)}(x)g^{(n-k+1)}(x) \\
&= f^{(n+1)}(x)g(x) + \sum_{k=1}^{n}\binom{n}{k-1}f^{(k)}(x)g^{(n+1-k)}(x) \\
&\qquad + \sum_{k=1}^{n}\binom{n}{k}f^{(k)}(x)g^{(n+1-k)}(x) + g^{(n+1)}(x)f(x) \\
&= \sum_{k=0}^{n+1}\binom{n+1}{k}f^{(k)}(x)g^{(n+1-k)}(x),
\end{aligned}
$$

puisque $\binom{n}{k-1} + \binom{n}{k} = \binom{n+1}{k}$. La formule est donc vraie pour $n+1$. ∎

Exemple 5.14 Trouvons la dérivée n-ième de xe^x.

SOLUTION D'après la formule de Leibniz,

$$(xe^x)^{(n)} = \sum_{k=0}^{n} \binom{n}{k} x^{(k)} (e^x)^{(n-k)} = xe^x + ne^x.$$

5.3.1 Exercices

1. Calculer $f'(x)$ pour

a) $f(x) = (x^3 + 12x + 4)^{120}$,

b) $f(x) = \left(\dfrac{1+x}{1-x}\right)^{20}$,

c) $f(x) = ((x^2+1)^7 + 3)^{50}$,

d) $f(x) = 1 + \sqrt[3]{1+x^2}$,

e) $f(x) = \sqrt{\dfrac{a^2+x^2}{a^2-x^2}}$,

f) $f(x) = ((2x^2+x)^{20} + \cos^2 x)^{28}$,

g) $f(x) = \log\left|\dfrac{x+\sqrt{x^2+6}}{\sin x + x^2}\right|$,

h) $f(x) = (\sin x + x^2)^{1+\pi}$.

2. Soit

$$f(x) = \sqrt{x + 4\sqrt{x-4}} + \sqrt{x - 4\sqrt{x-4}}.$$

Montrer que $f'(5) = 0$ et que $f'(8)$ n'existe pas.

3. Soit $f: \mathbb{R} \to \mathbb{R}$ la fonction définie par

$$f(x) = \begin{cases} x^2 \sin(1/x) & \text{si } x \neq 0, \\ 0 & \text{si } x = 0. \end{cases}$$

Montrer que f est différentiable sur $\mathbb{R}$ et trouver f'. Trouver les points de $\mathbb{R}$ où f' est a) continue, b) différentiable.

4. Soit $f: \mathbb{R} \to \mathbb{R}$ la fonction définie par

$$f(x) = \begin{cases} x^3 \sin(1/x) & \text{si } x \neq 0, \\ 0 & \text{si } x = 0. \end{cases}$$

Montrer que f est différentiable sur $\mathbb{R}$ et trouver f'. Trouver les points de $\mathbb{R}$ où f' est a) continue, b) différentiable.

5. a) Soit $f(x) = 1/x$, $x > 0$. Montrer que $f^{(n)}(x) = \dfrac{(-1)^n n!}{x^{n+1}}$.

b) Trouver une expression rationnelle pour $f^{(n)}(x)$ et la démontrer pour

$$i) f(x) = \frac{1}{(x-a)^k}; \qquad ii) f(x) = \frac{x^3}{(x-1)(x-2)^2}.$$

c) Soit $f(x) = x^3/(x^2 - 4)$. Montrer que

$$f^{(n)}(0) = \begin{cases} -2n!/2^n & \text{si } n > 1 \text{ et } n \text{ est impair,} \\ 0 & \text{si } n \text{ est pair ou } n = 1. \end{cases}$$

d) Trouver la dérivée n-ième de

$$i) f(x) = x \sin x; \qquad ii) f(x) = \frac{1}{1 - x^2}, \ x \in \mathbb{R} \setminus \{-1, 1\}.$$

5.4 Propriétés des fonctions différentiables

Commençons cette section par un théorème découvert par le mathématicien français Michel Rolle (1652–1719).

Théorème 5.15 (de Rolle) *Soit f une fonction continue sur $[a, b]$ telle que $f(a) = f(b)$. Si $f'(x_0)$ existe pour tout $x_0 \in (a, b)$, il existe un nombre $c \in (a, b)$ tel que $f'(c) = 0$.*

DÉMONSTRATION   Si f est constante sur $[a, b]$, $f'(x_0) = 0$ pour tout $x_0 \in (a, b)$. Supposons que f est non constante. Donc il existe une borne supérieure M et une borne inférieure m (d'après le théorème 4.28). Supposons $M \neq m$ (si $M = m$, f est constante). Dans ce cas, au moins un de ces deux nombres est différent de $f(a) = f(b)$. Supposons que $f(a) \neq M$. D'après le théorème 4.28, il existe un nombre $c \in (a, b)$ tel que $f(c) = M$. Donc $f(c) \geq f(x)$, $\forall x \in [a, b]$. D'où

$$\lim_{h \to 0^+} \frac{f(c+h) - f(c)}{h} \leq 0, \quad \lim_{h \to 0^-} \frac{f(c+h) - f(c)}{h} \geq 0.$$

Or f est différentiable sur (a, b), donc

$$\lim_{h \to 0} \frac{f(c+h) - f(c)}{h} = 0 = f'(c).$$

On utilise un procédé semblable pour $f(a) \neq m$. ∎

Géométriquement, le théorème de Rolle stipule qu'en au moins un point C du graphe de f la tangente est parallèle à l'axe des x.

Il est indispensable de supposer f différentiable en tout point de (a, b). La fonction $f : [-1, 1] \to \mathbb{R}$ définie par $f(x) = |x|$, par exemple, est continue sur $[-1, 1]$ et satisfait à la relation $f(-1) = f(1)$, mais sa dérivée n'est nulle en aucun point de $(-1, 1)$.

On dit qu'un élément $x_0 \in \mathbb{R}$ est *racine* (ou *zéro*) de l'équation $f(x) = 0$ si $f(x_0) = 0$. Lorsque $f(a) = f(b) = 0$, on abrège le théorème de Rolle de la façon suivante : «Entre deux zéros d'une fonction, il existe au moins un zéro de la dérivée.» Mais il ne faut pas oublier les hypothèses nécessaires et appliquer à tort le théorème à une fonction discontinue ou à une fonction sans dérivée en un point de l'intervalle ouvert.

On peut cerner les racines de $f(x) = 0$, impossibles à obtenir systématiquement, en déterminant celles de l'équation $f'(x) = 0$.

Le corollaire 5.16 ci-dessous découle du théorème de Rolle.

Corollaire 5.16 *Soit f une fonction continue sur $[a, b]$ telle que $f(a) = f(b)$. Si $f'(x_0)$ existe pour tout $x_0 \in (a, b)$ et si $x_1, x_2 \in (a, b)$ sont deux zéros consécutifs de $f'(x) = 0$, il y a au plus un nombre $r \in (x_1, x_2)$ tel que $f(r) = 0$.*

Exemple 5.17

1. Montrons qu'il n'existe pas de nombre k tel que l'équation

$$f(x) = 2x^4 - 3x^2 + k = 0$$

ait deux racines distinctes dans $(0, \sqrt{3}/2)$.

SOLUTION   En effet, $f'(x)$ s'annule pour $x = 0, \pm\sqrt{3}/2$. Donc il existe au plus une racine dans l'intervalle $(0, \sqrt{3}/2)$.

2. Montrons que l'équation $f(x) = x^5 + 3x^4 - 3x - 7 = 0$ possède exactement une racine dans l'intervalle $(1, 2)$.

SOLUTION   Il vient $f(1) = -6$, $f(2) = 67$. La fonction f est continue sur $(1, 2)$. Donc, d'après le théorème des valeurs intermédiaires, il existe un nombre $c \in (1, 2)$ tel que $f(c) = 0$. Supposons qu'il existe un nombre $x_0 \neq c$, $x_0 \in (1, 2)$ tel que $f(x_0) = 0$. D'après le théorème de Rolle, il existe un nombre $b \in (1, 2)$ tel que $f'(b) = 0$; mais $b \geq 1$ entraîne $f'(b) > 0$. Donc il n'existe pas de nombre b, et par conséquent c est la seule racine de l'équation $f(x) = 0$ dans $(1, 2)$.

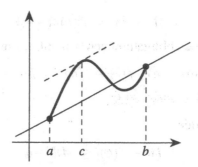

Figure 5.2

Théorème 5.18 (de la moyenne) *Si f est continue sur* $[a, b]$ *et différentiable sur* (a, b), *il existe un nombre* $c \in (a, b)$ *tel que*

$$\frac{f(b) - f(a)}{b - a} = f'(c), \qquad a < c < b.$$

DÉMONSTRATION L'équation de la droite passant par $(a, f(a))$ et $(b, f(b))$ est

$$y = \frac{f(b) - f(a)}{b - a}(x - a) + f(a).$$

Posons

$$F(x) = f(x) - f(a) - (x - a)\frac{f(b) - f(a)}{b - a}.$$

Il vient $F(a) = F(b)$. La fonction F est continue et différentiable sur (a, b). D'après le théorème de Rolle, il existe donc un nombre $c \in (a, b)$ tel que $F'(c) = 0$. Les calculs terminent la démonstration. ∎

Géométriquement, le théorème de la moyenne stipule qu'en au moins un point C du graphe de f la tangente est parallèle à la droite joignant les points $(a, f(a))$ et $(b, f(b))$ (figure 5.2).

Remarques

1. L'intérêt de la formule $\dfrac{f(b) - f(a)}{b - a} = f'(c)$ (appelée aussi *formule des accroissements finis*) ne réside pas dans le calcul de c. Il apparaît plutôt lorsqu'on écrit la

formule sous la forme

$$f(b) - f(a) = f'(c)(b - a).$$

Comme on ne connaît pas obligatoirement le point c, remplaçons cette égalité par

$$m(b - a) \le f(b) - f(a) \le M(b - a),$$

où, pour tout $x \in \mathbb{R}$, $m \le f'(x) \le M$.

On se contente souvent de

$$|f(b) - f(a)| \le M|b - a|,$$

si, pour tout $x \in \mathbb{R}$, $|f'(x)| \le M$.

2. En posant $a = x$ et $b = x + h$, c est de la forme $x + \theta h$ avec $0 < \theta < 1$. La formule du théorème de la moyenne devient

$$f(x + h) = f(x) + hf'(x + \theta h), \quad 0 < \theta < 1.$$

Exemple 5.19

1. Soit $f: \mathbb{R} \to \mathbb{R}$ la fonction définie par $f(x) = \sin x$. Montrons que

$$|\sin x| \le |x|, \forall x \in \mathbb{R}.$$

SOLUTION   La fonction $\sin x$ est continue et différentiable. Donc, d'après le théorème de la moyenne,

$$\left| \frac{\sin x - \sin 0}{x - 0} \right| = \left| \frac{\sin x}{x} \right| = |\cos c| \le 1, \quad \text{où } c \text{ est entre } 0 \text{ et } x.$$

2. Calculons approximativement $\sqrt{24}$.

SOLUTION   Soit $f(x) = \sqrt{x}$, $x \in [24, 25]$. La fonction f est continue sur $[24, 25]$ et différentiable sur $(24, 25)$. D'où

$$\frac{f(25) - f(24)}{25 - 24} = f'(c) = \frac{1}{2\sqrt{c}}, \quad c \in (24, 25),$$

ou

$$\sqrt{24} = 5 - \frac{1}{2\sqrt{c}}, \quad c \in (24, 25),$$

c'est-à-dire que

$$5 - \frac{1}{8} < \sqrt{24} < 5 - \frac{1}{10}.$$

Le théorème de la moyenne révèle des choses importantes sur le comportement de f et f'. On sait, par exemple, que la dérivée d'une fonction constante est nulle. La réciproque, une fonction de dérivée nulle est constante, est-elle vraie? Le théorème 5.20 ci-dessous répond à cette question.

Théorème 5.20 *Soit $f: [a, b] \rightarrow \mathbb{R}$ une fonction continue et différentiable sur (a, b).*

a) *si $f'(x) = 0$, $\forall x \in (a, b)$, f est constante;*

b) *si $f'(x) \geq 0$ (resp. $f'(x) > 0$), $\forall x \in (a, b)$, f est croissante (resp. strictement croissante);*

c) *si $f'(x) \leq 0$ (resp. $f'(x) < 0$), $\forall x \in (a, b)$, f est décroissante (resp. strictement décroissante).*

DÉMONSTRATION

a) Soit $x \in (a, b]$. D'après le théorème de la moyenne, il existe un nombre $c \in (a, x)$ tel que

$$\frac{f(x) - f(a)}{x - a} = f'(c).$$

Donc

$$f(x) = f(a), \quad \forall x \in [a, b].$$

b) Supposons que $x < y$ et $x, y \in [a, b]$. Il existe donc un nombre $c \in (x, y)$ tel que

$$\frac{f(y) - f(x)}{y - x} = f'(c) \geq 0.$$

Donc $f(x) \leq f(y)$.

c) Utiliser un raisonnement semblable à celui de b). ∎

Exemple 5.21 Soit $f(x) = |x|/x$, $x \in \mathbb{R} \setminus \{0\}$. Montrons que $f'(x) = 0$, pour tout $x \in \mathbb{R} \setminus \{0\}$ sans que f ne soit constante.

SOLUTION Cela est immédiat puisque $f(x) = 1$ si $x > 0$ et $f(x) = -1$ si $x < 0$. Cela ne contredit pas le théorème précédent puisque D_f n'est pas un intervalle.

Exemple 5.22 Trouvons toutes les fonctions différentiables $f: (0, \infty) \to \mathbb{R}$ telles que pour tout $x, y \in (0, \infty)$,

$$f(xy) = f(x) + f(y).$$

Résoudre un problème qui a pour inconnue une fonction f, c'est résoudre une *équation fonctionnelle*.

SOLUTION S'il existe une fonction f vérifiant l'équation ci-dessus, il vient en dérivant par rapport à y,

$$x f'(xy) = f'(y), \qquad \forall x > 0.$$

En particulier, pour $y = 1$, on a pour tout $x > 0$

$$f'(x) = \frac{f'(1)}{x} = \frac{a}{x} \quad \text{ou} \quad \frac{d}{dx}(f(x) - a \log x) = 0.$$

Donc $f(x) = a \log x + C$ et puisque cette fonction doit satisfaire à l'équation $f(xy) = f(x) + f(y)$, $C = 0$.

Voici une autre façon particulièrement intéressante de résoudre ce problème. Soit $g(x) = f(e^x)$. La fonction $g: \mathbb{R} \to \mathbb{R}$ est continue et satisfait à l'équation fonctionnelle $g(x + y) = g(x) + g(y)$. En utilisant l'exercice 6 de la page 121, on pose $g(x) = ax$ où $a = g(1)$. Dans ce cas, $f(x) = g(\log x) = a \log x$.

Exemple 5.23 Montrons que pour $x \geq 0$, $x - \dfrac{x^3}{6} \leq \sin x \leq x$.

SOLUTION Il suffit de montrer que $\sin x \geq x - \dfrac{x^3}{6}$. Posons

$$f(x) = x - \frac{x^3}{6} - \sin x, \quad x \geq 0.$$

On a

$$f'(x) = 1 - \frac{x^2}{2} - \cos x \quad \text{et} \quad f''(x) = -x + \sin x.$$

Puisque $f''(x) \leq 0$ pour $x \geq 0$, $f'(x)$ est une fonction décroissante. Puisque $f'(0) = 0$, $f'(x) \leq 0$ et $f(x)$ est décroissante pour $x \geq 0$. Or $f(0) = 0$, d'où $f(x) \leq 0$ pour $x \geq 0$.

Théorème 5.24 (formule de Cauchy) *Soit f et g deux fonctions continues sur $[a, b]$ et différentiables sur (a, b). Si $g'(x) \neq 0$ pour tout $x \in (a, b)$, il existe au moins un point $c \in (a, b)$ tel que*

$$\frac{f(b) - f(a)}{g(b) - g(a)} = \frac{f'(c)}{g'(c)}.$$

DÉMONSTRATION   Remarquons d'abord que

$$g(b) - g(a) = g'(c_1)(b - a) \quad \text{où} \quad c_1 \in (a, b).$$

Puisque $g'(c_1) \neq 0$, $g(b) - g(a) \neq 0$ et on peut diviser par $g(b) - g(a)$. Définissons la fonction h par

$$h(x) = f(x) - f(a) - \left(\frac{f(b) - f(a)}{g(b) - g(a)} \right) (g(x) - g(a))$$

pour chaque $x \in [a, b]$. La fonction h satisfait aux hypothèses du théorème de Rolle. Les calculs terminent la démonstration. ∎

Exemple 5.25   En utilisant la formule de Cauchy, montrons que

$$\lim_{x \to 0} \frac{\sin x}{x} = 1.$$

SOLUTION   Les fonctions $\sin x$ et x vérifient les hypothèses du théorème 5.24. On a

$$\frac{\sin x - \sin 0}{x - 0} = \frac{\cos c}{1} \quad \text{pour } c \in (0, x) \cup (x, 0).$$

D'où

$$\lim_{x \to 0} \frac{\sin x}{x} = \lim_{c \to 0} \cos c = 1.$$

Ce procédé de calcul de $\lim\limits_{x \to 0} \dfrac{\sin x}{x}$ conduira à l'importante règle de L'Hôpital de la section 5.5.

5.4.1   Exercices

1. a) Soit $\dfrac{a_0}{n+1} + \dfrac{a_1}{n} + \cdots + \dfrac{a_{n-1}}{2} + a_n = 0$. Montrer que l'équation

$$a_0 x^n + a_1 x^{n-1} + \cdots + a_{n-1} x + a_n = 0$$

possède au moins une racine entre 0 et 1.

b) Soit

$$f(x) = \begin{cases} 2x & \text{si } x \in [0,1], \\ 4 - 2x & \text{si } x \in [1,2]. \end{cases}$$

Il vient $f(0) = f(2)$. D'après le théorème de Rolle, il existe donc un nombre $c \in (0,2)$ tel que $f'(c) = 0$. En réalité, $f'(w) \neq 0$, $\forall w \in (0,2)$. Expliquer.

2. a) Soit la fonction $f(x) = \log x$, $x \in [1, e]$ (ici log est le logarithme à la base e). Trouver un nombre c satisfaisant au théorème de la moyenne.

b) Considérer la fonction $f(x) = \sin 2x - 3\cos x$ et montrer à l'aide du théorème de la moyenne que l'équation

$$2\cos 2x + 3\sin x = \frac{9 - 3\sqrt{3}}{\pi}$$

possède une solution dans $(\pi/3, \pi/2)$.

3. Montrer que

a) $9 - \frac{1}{16} < \sqrt{80} < 9 - \frac{1}{18}$, $8 - \frac{1}{7} < \sqrt{62} < 8 - \frac{1}{8}$,

b) $\tan x > x$ si $0 < x < \pi/2$,

c) $x/2 < \sin x < x$ si $0 < x < \pi/2$,

d) $\arctan x > \dfrac{4x}{1 + 3\sqrt{1 + x^2}}$ si $x > 0$,

e) $\pi/4 + 0,045 < \arctan 1,1 < \pi/4 + 0,05$,

f) $(1 + h)^r < 1 + rh$ si $h > 0$ et $r \in (0, 1)$,

g) $|\sin x - \sin y| \leq |x - y|$.

4. a) Montrer que $x^3 + ax + b = 0$, $a > 0$, possède exactement une racine $x_0 \in \mathbb{R}$.

b) Montrer qu'il n'existe pas de nombre k tel que $2x^4 - 8x^2 + k = 0$ ait deux racines distinctes dans $(0, \sqrt{2})$.

c) Soit $0 < a < 1$ et b un nombre réel arbitraire. Montrer que $x - a\sin x - b = 0$ possède exactement une racine réelle dans $(-\pi + b, \pi + b)$.

5. Trouver toutes les fonctions différentiables $f : \mathbb{R} \to \mathbb{R}$ qui vérifient l'équation fonctionnelle $f(x + y) = f(x) + f(y)$.

5.5 Règle de L'Hôpital

Soit $f(x)$ et $g(x)$ deux fonctions définies sur un intervalle ouvert I. Dans ce qui suit, a est l'origine ou l'extrémité de I. Pour a origine (resp. extrémité) de l'intervalle I, $\lim\limits_{x \to a}$ signifie $\lim\limits_{x \to a^+}$ (resp. $\lim\limits_{x \to a^-}$). Pour $a = \infty$ (resp. $a = -\infty$) l'intervalle I est non borné et $\lim\limits_{x \to a}$ signifie $\lim\limits_{x \to \infty}$ (resp. $\lim\limits_{x \to -\infty}$).

Dans cette section nous calculerons la limite de $f(x)/g(x)$ lorsque $x \to a$ dans les cas suivants : (1) $\lim\limits_{x \to a} f(x) = \lim\limits_{x \to a} g(x) = 0$, (2) $\lim\limits_{x \to a} f(x) = \lim\limits_{x \to a} g(x) = \pm\infty$. Remarquer que le théorème 4.15 ne considérait pas ces cas. Si la règle 3 du théorème 4.15 était appliquée, il viendrait $\lim\limits_{x \to a} f(x)/g(x) = 0/0$ dans le cas (1) et $\lim\limits_{x \to a} f(x)/g(x) = \pm\infty/\pm\infty$ dans le cas (2). Le calcul de telles limites s'appelle « calcul de la vraie valeur des indéterminations de la forme $0/0$ ou $\pm\infty/\pm\infty$. » On cherche donc la vraie valeur de la fonction $f(x)/g(x)$ pour $x = a$, c'est-à-dire, la limite, si elle existe, de cette fonction lorsque x tend vers a. Chercher la vraie valeur, c'est *lever l'indétermination*. La règle de L'Hôpital traitée ci-dessous permet très souvent de lever l'indétermination.

Théorème 5.26 (règle de L'Hôpital) *Soit deux fonctions f et g continues sur I et telles que*

a) $f(a^+) = \lim\limits_{x \to a} f(x) = 0 = \lim\limits_{x \to a} g(x) = g(a^+)$,

b) *$f'(x)$ et $g'(x)$ existent pour tout $x \in I$,*

c) *$g(x)$ et $g'(x)$ diffèrent de 0 pour tout $x \in I$,*

d) *$L = \lim\limits_{x \to a} f'(x)/g'(x)$ existe, où L est un nombre réel, $+\infty$ ou $-\infty$.*

On en conclut que

$$\lim_{x \to a} \frac{f(x)}{g(x)} \text{ existe et égale } L.$$

DÉMONSTRATION

$\mathbf{1^{er}}$ **cas** a est un nombre réel.

Supposons que a est l'origine de l'intervalle I. D'après la formule de Cauchy, on a pour tout $x \in I$

$$\frac{f(x)}{g(x)} = \frac{f(x) - f(a^+)}{g(x) - g(a^+)} = \frac{f'(c)}{g'(c)} \quad \text{où } c \text{ est entre } a \text{ et } x.$$

Si x tend vers a, c tend aussi vers a et $f'(c)/g'(c)$ tend vers L, ce qu'il fallait démontrer.

2e cas $\quad a = +\infty$.

Posons $x = 1/y$, $y > 0$. Il vient

$$\lim_{x \to +\infty} \frac{f(x)}{g(x)} = \lim_{y \to 0} \frac{f(1/y)}{g(1/y)}.$$

D'après le 1er cas,

$$\lim_{y \to 0} \frac{f(1/y)}{g(1/y)} = \lim_{y \to 0} \frac{-(1/y^2)f'(1/y)}{-(1/y^2)g'(1/y)} = \lim_{y \to 0} \frac{f'(1/y)}{g'(1/y)} = \lim_{x \to +\infty} \frac{f'(x)}{g'(x)}.$$

3e cas $\quad a = -\infty$.

Ce cas se traite comme le 2e cas. ∎

Remarque   Supposons que f et g vérifient les hypothèses du théorème 5.26 sauf peut-être d) où $\lim_{x \to a} f'(x) = \lim_{x \to a} g'(x) = 0$. Si $f''(x)$, $g''(x)$ et $L_1 = \lim_{x \to a} f''(x)/g''(x)$ existent, $\lim_{x \to a} f'(x)/g'(x) = L_1$ d'après le théorème 5.26. L'application de nouveau du théorème 5.26 donne

$$\lim_{x \to a} \frac{f(x)}{g(x)} = \lim_{x \to a} \frac{f'(x)}{g'(x)} = \lim_{x \to a} \frac{f''(x)}{g''(x)}.$$

Exemple 5.27

1. $\lim_{x \to 0} \dfrac{\tan x}{x} = \lim_{x \to 0} \sec^2 x = 1.$

2. $\lim_{x \to 0} \dfrac{\log(1 + x)}{x} = \lim_{x \to 0} \dfrac{1}{1 + x} = 1.$

3. $\lim_{x \to 0} \dfrac{\tan x - x}{x - \sin x} = \lim_{x \to 0} \dfrac{\sec^2 x - 1}{1 - \cos x} = \lim_{x \to 0} \dfrac{2 \sec^2 x \tan x}{\sin x} = 2.$

Remarque   Un changement de variables abrège parfois les calculs. On peut, par exemple, calculer

$$\lim_{x \to 0^+} \frac{\sqrt{x}}{1 - e^{2\sqrt{x}}}$$

directement par la règle de L'Hôpital, mais on simplifie les calculs en posant $u = \sqrt{x}$. On obtient

$$\lim_{x \to 0^+} \frac{\sqrt{x}}{1 - e^{2\sqrt{x}}} = \lim_{u \to 0^+} \frac{u}{1 - e^{2u}} = \lim_{u \to 0^+} \frac{1}{-2e^{2u}} = -\frac{1}{2}.$$

Le théorème 5.28, aussi connu sous le nom de règle de L'Hôpital, a les mêmes hypothèses que le théorème 5.26 sauf la première qui devient $\lim_{x \to a} f(x) = \lim_{x \to a} g(x) = \infty$.

Théorème 5.28 (règle de L'Hôpital) *Soit deux fonctions f et g continues sur I et telles que*

a) $\lim_{x \to a} f(x) = \lim_{x \to a} g(x) = \infty$,

b) $f'(x)$ *et* $g'(x)$ *existent pour tout* $x \in I$,

c) $g(x)$ *et* $g'(x)$ *diffèrent de 0 pour tout* $x \in I$,

d) $L = \lim_{x \to a} \dfrac{f'(x)}{g'(x)}$ *existe, où L est un nombre réel, $+\infty$, ou $-\infty$.*

On en conclut que

$$\lim_{x \to a} \frac{f(x)}{g(x)} \quad \text{existe et égale } L.$$

DÉMONSTRATION

1er cas a est un nombre réel.

Supposons que l'intervalle I est de la forme $(a, a+h)$ (démonstration semblable si I est de la forme $(a-h, a)$). D'après la formule de Cauchy, si $a < x < b < a + h$,

$$\frac{f(x) - f(b)}{g(x) - g(b)} = \frac{f'(c)}{g'(c)} \quad \text{où } a < x < c < b.$$

Considérons les trois cas suivants.

i) L est un nombre réel.

Pour tout $\varepsilon > 0$, il existe un δ tel que pour tout x vérifiant $a < x < a + \delta$,

$$\left| \frac{f'(x)}{g'(x)} - L \right| < \varepsilon.$$

Pour $a < x < b < a + \delta$, on a donc

$$\left| \frac{f(x) - f(b)}{g(x) - g(b)} - L \right| < \varepsilon.$$

Or

$$\left| \frac{f(x)}{g(x)} - L \right| = \left| \frac{f(b)}{g(x)} + \frac{f(x) - f(b)}{g(x) - g(b)} \left(1 - \frac{g(b)}{g(x)} \right) - L \right|$$

$$= \left| \frac{f(b)}{g(x)} - \frac{g(b)}{g(x)} \frac{f(x) - f(b)}{g(x) - g(b)} + \frac{f(x) - f(b)}{g(x) - g(b)} - L \right|$$

$$\le \left| \frac{f(b)}{g(x)} \right| + \left| \frac{g(b)}{g(x)} \right| (|L| + \varepsilon) + \left| \frac{f(x) - f(b)}{g(x) - g(b)} - L \right|.$$

Puisque $\lim g(x) = +\infty$, on peut choisir $a < a + \delta' < a + \delta$ tel que pour $a < x < a + \delta'$,

$$\left| \frac{f(b)}{g(x)} \right| < \varepsilon \quad \text{et} \quad \left| \frac{g(b)}{g(x)} \right| (|L| + \varepsilon) < \varepsilon.$$

Finalement, pour $a < x < a + \delta'$,

$$\left| \frac{f(x)}{g(x)} - L \right| < 3\varepsilon.$$

D'où la conclusion désirée puisque ε est arbitraire.

ii) $L = +\infty$.

Pour tout $M > 0$, on peut choisir b suffisamment près de a pour que $f'(c)/g'(c) > M$. Avec b fixe, choisissons δ suffisamment petit pour que

$$\frac{1 - g(b)/g(x)}{1 - f(b)/f(x)} > 1 - \frac{1}{M} \quad \text{si } a < x < a + \delta.$$

L'équation

$$\frac{f(x)}{g(x)} = \frac{f'(c)}{g'(c)} \cdot \frac{1 - g(b)/g(x)}{1 - f(b)/f(x)}$$

donne donc l'inégalité

$$\frac{f(x)}{g(x)} > M \left(1 - \frac{1}{M} \right) = M - 1 \quad \text{si } a < x < a + \delta.$$

Puisque M est arbitraire, la conclusion est vraie pour $L = +\infty$.

iii) $L = -\infty$.

Ce cas se réduit au cas *ii)* en considérant $-f/g$ au lieu de f/g.

2e cas $a = \pm\infty$.

Le changement de variable $x = 1/y$ ramène ce cas au précédent (avec $a = 0$).   ∎

Remarque La règle de L'Hôpital s'applique aussi si le rapport $f'(x)/g'(x)$ prend la forme indéterminée ∞/∞. D'où la nécessité parfois de plusieurs applications successives du théorème pour trouver la limite cherchée.

Exemple 5.29

a) $\forall n \in \mathbb{N}$, $\lim\limits_{x \to \infty} \dfrac{x^n}{e^x} = \lim\limits_{x \to \infty} \dfrac{nx^{n-1}}{e^x} = \cdots = \lim\limits_{x \to \infty} \dfrac{n!}{e^x} = 0$.

b) $\forall a > 0$, $\lim\limits_{x \to \infty} \dfrac{\log x}{x^a} = \lim\limits_{x \to \infty} \dfrac{1/x}{ax^{a-1}} = \lim\limits_{x \to \infty} \dfrac{1}{ax^a} = 0$.

On utilise la règle de L'Hôpital pour calculer $\lim\limits_{x \to a} f(x)/g(x)$ quand $\lim\limits_{x \to a} f(x) = \lim\limits_{x \to a} g(x) = 0$ ou $\lim\limits_{x \to a} f(x) = \lim\limits_{x \to a} g(x) = \infty$. Nous avons noté ces formes indéterminées $0/0$ et ∞/∞, respectivement. D'autres formes indéterminées apparaissent dans certains problèmes. Les symboles $\infty - \infty$, $0 \cdot \infty$, 0^0, ∞^0, 1^∞ désignent respectivement les limites suivantes :

1. $\lim\limits_{x \to a} (f(x) - g(x))$ où $\lim\limits_{x \to a} f(x) = \lim\limits_{x \to a} g(x) = +\infty$,

2. $\lim\limits_{x \to a} f(x)g(x)$ où $\lim\limits_{x \to a} f(x) = 0$, $\lim\limits_{x \to a} g(x) = \pm\infty$,

3. $\lim\limits_{x \to a} f(x)^{g(x)}$ où $\lim\limits_{x \to a} f(x) = \lim\limits_{x \to a} g(x) = 0$ et $f(x) > 0$, $x \in (a, b)$,

4. $\lim\limits_{x \to a} f(x)^{g(x)}$ où $\lim\limits_{x \to a} f(x) = +\infty$, $\lim\limits_{x \to a} g(x) = 0$ et $f(x) > 0$, $x \in (a, b)$,

5. $\lim\limits_{x \to a} f(x)^{g(x)}$ où $\lim\limits_{x \to a} f(x) = 1$, $\lim\limits_{x \to a} g(x) = \pm\infty$ et $f(x) > 0$, $x \in (a, b)$.

Les manipulations ci-dessous ramènent toutes ces formes indéterminées à la forme $0/0$ ou ∞/∞.

L'identité $f(x) - g(x) = \dfrac{1/g(x) - 1/f(x)}{1/\left(f(x)g(x)\right)}$ transforme $\infty - \infty$ en $0/0$.

L'identité $f(x) \cdot g(x) = f(x)/[1/g(x)]$ transforme $0 \cdot \infty$ en $0/0$.
Pour les autres cas, on prend

$$f(x)^{g(x)} = e^{g(x) \log f(x)}.$$

Remarquons que

$$\lim_{x \to a} \log f(x) = +\infty \iff \lim_{x \to a} f(x) = +\infty.$$
$$\lim_{x \to a} \log f(x) = -\infty \iff \lim_{x \to a} f(x) = 0.$$
$$\lim_{x \to a} \log f(x) = 0 \iff \lim_{x \to a} f(x) = 1.$$

Pour les cas 3), 4) et 5), $\lim\limits_{x \to a} g(x) \log f(x)$ est une forme indéterminée de la forme $0 \cdot \infty$ transformable en $0/0$. Si $\lim\limits_{x \to a} g(x) \log f(x) = L$, $\lim\limits_{x \to a} f(x)^{g(x)} = e^L$ (cela est vrai pour $L = \pm \infty$, puisque par définition $e^{+\infty}$ et $e^{-\infty}$ égalent respectivement $+\infty$ et 0).

Exemple 5.30

1. Calculons $\lim\limits_{x \to 0^+} x^x$.

   SOLUTION C'est une forme indéterminée 0^0. Or $\log x^x = x \log x$ et

   $$\lim_{x \to 0^+} x \log x = \lim_{x \to 0^+} \frac{\log x}{1/x} = \lim_{x \to 0^+} \frac{1/x}{-1/x^2} = -\lim_{x \to 0^+} x = 0.$$

   Donc

   $$\lim_{x \to 0^+} x^x = 1.$$

2. Calculons $\lim\limits_{x \to \infty} \left(1 + \dfrac{a}{x}\right)^x$ où a est un nombre réel.

   SOLUTION Si $a \neq 0$, on a affaire à une forme indéterminée 1^∞. Or

   $$\log \left(1 + \frac{a}{x}\right)^x = x \log \left(1 + \frac{a}{x}\right)$$

   et

   $$\lim_{x \to \infty} x \log \left(1 + \frac{a}{x}\right) = \lim_{x \to \infty} \frac{\log(1 + \frac{a}{x})}{1/x} = \lim_{x \to \infty} \frac{ax}{a + x} = \lim_{x \to \infty} a = a.$$

   D'où

   $$\lim_{x \to \infty} \left(1 + \frac{a}{x}\right)^x = e^a, \quad \forall a \in \mathbb{R}.$$

5.5.1 Exercices

1. Évaluer les limites suivantes.

   a) $\lim\limits_{x \to \infty} x^a e^{-x}$,

   b) $\lim\limits_{x \to 0} \dfrac{e^x - e^{\sin x}}{x - \sin x}$,

   c) $\lim\limits_{x \to 0} (\cos ax)^{b/x^2}$,

   d) $\lim\limits_{x \to 0^+} \left(\dfrac{1}{x}\right)^{\tan x}$,

e) $\lim\limits_{x \to 0} \left(\dfrac{1}{x} - \dfrac{1}{\sin x} \right)$,

f) $\lim\limits_{x \to 0} \dfrac{\sin(\pi \cos x)}{x \sin x}$,

g) $\lim\limits_{x \to 0^+} x^{a/\log x}$,

h) $\lim\limits_{x \to \pi/2} (\sin x)^{\tan x}$,

i) $\lim\limits_{x \to 0} \dfrac{x + \sin x}{x - \sin x}$,

j) $\lim\limits_{x \to \infty} \dfrac{e^x + e^{-x}}{e^x - e^{-x}}$,

k) $\lim\limits_{x \to \infty} \left(\dfrac{\sqrt{x}}{1 + \sqrt{x}} \right)^{\sqrt{x}}$,

l) $\lim\limits_{x \to \infty} \left(\dfrac{2x + 3}{2x + 1} \right)^{x+1}$.

2. Soit $f \colon (0, \infty) \to \mathbb{R}$ la fonction définie par

$$f(x) = \begin{cases} \dfrac{\log(x^3)}{2(x^2 - 1)} & \text{si } x \neq 1, \\ 3/4 & \text{si } x = 1. \end{cases}$$

Montrer que f est continue sur $(0, \infty)$.

5.6 Formule de Taylor

La formule de Taylor, une généralisation du théorème de la valeur moyenne (ou formule des accroissements finis), permet d'approximer convenablement une fonction f par un polynôme.

Théorème 5.31 (formule de Taylor) *Soit f une fonction définie sur $[a, b]$. Si les dérivées $f'(x), f''(x), \ldots, f^{(n)}(x)$ existent partout sur $[a, b]$, alors pour tout $x \in [a, b]$, il existe un nombre $c \in (a, x)$ tel que*

$$f(x) = \sum_{k=0}^{n-1} \frac{f^{(k)}(a)}{k!}(x - a)^k + \frac{f^{(n)}(c)}{n!}(x - a)^n.$$

Cette égalité s'appelle formule de Taylor d'ordre n avec reste de Lagrange.

DÉMONSTRATION   Démontrons la formule de Taylor pour $x = x_0$ où $a < x_0 \leq b$. Considérons les fonctions

$$F(x) = f(x_0) - \sum_{k=0}^{n-1} \frac{f^{(k)}(x)}{k!}(x_0 - x)^k \quad \text{et} \quad G(x) = (x_0 - x)^n / n!.$$

On trouve

$$F'(x) = -\frac{f^{(n)}(x)}{(n-1)!}(x_0 - x)^{n-1} \quad \text{et} \quad G'(x) = -(x_0 - x)^{n-1}/(n-1)!.$$

L'application de la formule de Cauchy aux fonctions F et G dans l'intervalle $a \leq x \leq x_0$ et l'observation que $F(x_0) = G(x_0) = 0$ donnent

$$\frac{F(a)}{G(a)} = \frac{F'(c)}{G'(c)}, \quad a < c < x_0.$$

Donc

$$F(a) = \frac{F'(c)}{G'(c)} G(a),$$

le remplacement de $F(a)$, $F'(c)$, $G(a)$ et $G'(c)$ dans cette égalité donne la formule de Taylor pour $x = x_0$. ∎

Remarques

1. Le terme $\dfrac{f^{(n)}(c)}{n!}(x-a)^n$ est appelé *reste de Lagrange*.

2. Lorsque $a = 0$, on obtient, pour c entre 0 et x,

$$f(x) = \sum_{k=0}^{n-1} \frac{f^{(k)}(0)}{k!} x^k + \frac{f^{(n)}(c)}{n!} x^n. \tag{5.1}$$

Cette forme particulière de la formule de Taylor est appelée *formule de MacLaurin avec reste de Lagrange*.

3. Lorsque $n = 1$, on retrouve le théorème de la moyenne.

4. Signalons la forme suivante de la formule de Taylor (il suffit de remplacer x par $x + h$ et a par x),

$$f(x+h) = \sum_{k=0}^{n-1} \frac{f^{(k)}(x)}{k!} h^k + \frac{h^n}{n!} f^{(n)}(x + \theta h), \quad 0 < \theta < 1.$$

Le théorème de Taylor est important : il permet d'estimer une fonction quelconque à l'aide d'une fonction polynomiale. En effet, le polynôme de degré $n-1$ obtenu de la formule de Taylor en négligeant le reste $\dfrac{f^{(n)}(c)}{n!}(x-a)^n$ approxime la fonction

$f(x)$. L'erreur commise $E(x)$ est le reste de Lagrange. Pour en déterminer une borne supérieure, il suffit de trouver une borne supérieure de $f^{(n)}(c)$ lorsque c varie entre a et x. La formule de Taylor est donc intéressante si on peut évaluer le reste de Lagrange avec une certaine précision.

Exemple 5.32

1. Trouvons un polynôme de degré $n-1$ qui approxime e^x.

SOLUTION   La fonction e^x est définie et admet des dérivées sur tout intervalle. La formule 5.1 donne

$$e^x = \sum_{k=0}^{n-1} \frac{x^k}{k!} + \frac{x^n}{n!}e^c, \quad \text{où } c \text{ est entre } 0 \text{ et } x.$$

La formule sans le reste est commode pour le calcul approché de e^x pour des petites valeurs de x. Pour $x = 1$,

$$e \approx \sum_{k=0}^{n-1} \frac{1}{k!}$$

avec une erreur E telle que

$$0 < E = \frac{e^c}{n!} < \frac{e}{n!} < \frac{3}{n!}.$$

En choisissant $n = 9$, on trouve $e = 2{,}718\,28\ldots$ avec une erreur positive $E < 3/9! < 10^{-5}$.

Cela permet de démontrer que e est un nombre irrationnel. En effet,

$$e = 1 + \frac{1}{1!} + \frac{1}{2!} + \cdots + \frac{1}{(n-1)!} + \frac{e^c}{n!}, \quad c \in (0,1).$$

Donc

$$(n-1)!\,e - (n-1)!\left(1 + \frac{1}{1!} + \cdots + \frac{1}{(n-1)!}\right) = \frac{e^c}{n}. \tag{5.2}$$

Supposons que e est un nombre rationnel, c'est-à-dire que $e = p/q$ où p et q sont des entiers positifs. Donc pour $n - 1 > q$, $n \geq 4$ et $0 < c < 1$, le premier membre de (5.2) est un entier alors que $0 < e^c/n < 1$. Contradiction, donc e est un nombre irrationnel.

2. Développons la fonction $\sin x$ par la formule de Taylor.

SOLUTION   Pour tout entier k, on a $f^{(k)}(x) = \sin\left(x + k\frac{\pi}{2}\right)$. Donc

$$f^{(k)}(0) = \sin\left(k\frac{\pi}{2}\right), 1 \le k \le n-1, \qquad f^{(n)}(c) = \sin\left(c + n\frac{\pi}{2}\right).$$

La formule 5.1 donne

$$\sin x = x - \frac{x^3}{3!} + \frac{x^5}{5!} - \ldots + \frac{x^{n-1}}{(n-1)!} \sin\left((n-1)\frac{\pi}{2}\right) + \frac{x^n}{n!} \sin\left(c + n\frac{\pi}{2}\right),$$

pour un c tel que $0 < c < x$.

Pour $n = 2m$,

$$\sin x = \sum_{k=0}^{m-1} \frac{(-1)^k x^{2k+1}}{(2k+1)!} + \frac{(-1)^m x^{2m}}{(2m)!} \sin c.$$

Dans ce cas, $|E| \le x^{2m}/(2m)!$. La valeur absolue de l'erreur d'approximation de

$$\sin x \text{ par } x - \frac{x^3}{3!} + \frac{x^5}{5!},$$

par exemple, est inférieure à la valeur absolue du premier terme négligé, $x^7/7!$. On peut donc calculer $\sin(\pi/4)$ avec une erreur plus petite que $(\pi/4)^7/7! < 42 \cdot 10^{-6}$.

3. Montrons que pour $x \ge 0$,

$$\sin x \le x - \frac{x^3}{3!} + \frac{x^5}{5!}.$$

SOLUTION   La formule (5.1) avec $n = 5$ donne

$$\sin x = x - \frac{x^3}{3!} + \frac{x^5}{5!} \cos c,$$

où c est entre 0 et x.

Or $\cos x \le 1, \forall x \in \mathbb{R}$. Donc

$$\sin x \le x - \frac{x^3}{3!} + \frac{x^5}{5!}, \qquad x \ge 0.$$

Remarque   On peut aussi écrire la formule de Taylor pour la fonction $\sin x$ sous la forme

$$\sin x = \sum_{k=0}^{n-1} \frac{(-1)^k x^{2k+1}}{(2k+1)!} + \frac{(-1)^n x^{2n+1}}{(2n+1)!} \cos c,$$

où c est entre 0 et x.

5.6.1   Exercices

1. a) À l'aide de la formule de Taylor, montrer qu'il existe un nombre réel c entre 0 et x tel que

$$\cos x = \sum_{k=0}^{n-1} \frac{(-1)^k x^{2k}}{(2k)!} + \frac{(-1)^n x^{2n-1}}{(2n-1)!} \sin c.$$

   b) Évaluer $\cos(\pi/3)$ et calculer l'erreur commise pour $n = 3$.

2. Montrer que pour tout nombre réel x, $\cos x \geq 1 - (1/2)x^2$.

3. À l'aide de la formule de Taylor, montrer qu'il existe un nombre réel $c \in (0, x)$ tel que

$$(1 + x)^a = 1 + \sum_{k=1}^{n-1} \frac{(a)_k}{k!} x^k + \frac{(a)_n}{n!} (1 + c)^{a-n} x^n,$$

où $(a)_j = a(a - 1) \ldots (a - j + 1)$.

4. Montrer que pour $x > 0$,

$$1 + \frac{x}{2} - \frac{x^2}{8} \leq (1 + x)^{1/2} \leq 1 + \frac{x}{2}.$$

5. Montrer qu'il existe $c, 0 < c < x$, tel que

$$\log(1 + x) = \sum_{k=1}^{n-1} \frac{(-1)^{k-1} x^k}{k} + \frac{(-1)^{n-1}}{n} \left(\frac{x}{1 + c} \right)^n.$$

5.7   Notations O, o et développements limités

Soit $f(x)$ et $g(x)$ deux fonctions, et x_0 un nombre donné. Supposons que $g(x)$ est positive et continue dans un intervalle I autour de x_0 (si $x_0 = \infty$, on remplace «un intervalle I autour de x_0» par «pour tout x suffisamment grand»).

Définition 5.33   Si $\lim\limits_{x \to x_0} \dfrac{f(x)}{g(x)} = 0$, on dit que $f(x) = o\left(g(x)\right)$ (lire $f(x)$ égale petit o de $g(x)$) lorsque $x \to x_0$.

Remarque   D'après cette définition, $f(x) = o\left(g(x)\right) \iff$ pour tout nombre $\varepsilon > 0$, il existe un intervalle I autour de x_0 tel que pour tout $x \in I$, $|f(x)| \leq \varepsilon|g(x)|$.

Exemple 5.34   Les résultats suivants sont immédiats.

1. $x^2 = o(x)$ $(x \to 0)$.

2. $\sin x = o(1)$ $(x \to 0)$.

3. $\log x = o(x)$ $(x \to \infty)$.

4. $\sin x = x + o(x)$ $(x \to 0)$.

5. $\cos x = 1 - \frac{1}{2}x^2 + o(x^2)$ $(x \to 0)$.

Définition 5.35 S'il existe une constante M telle que $|f(x)| \leq Mg(x)$, $\forall x \in I$, on dit que $f(x) = O\left(g(x)\right)$ (lire $f(x)$ égale grand O de $g(x)$) lorsque $x \to x_0$.

Remarques

1. Si $x_0 = \infty$, on remplace « $\forall x \in I$ » par « $\forall x$ suffisamment grand ».

2. On écrit $f(x) = O\left(g(x)\right) \iff$ il existe un intervalle I et un nombre $M > 0$ tel que $\forall x \in I$, $|f(x)| \leq M|g(x)|$. Il est alors immédiat que $f(x) = O(|f(x)|)$.

Exemple 5.36 D'après la définition précédente, pour $x \to 0$,

1. $x^2 = O(x^2)$.

2. $\sin x = O(x)$, $\sin x = O(1)$.

3. $\cos x = O(1)$.

Théorème 5.37 *Lorsque $x \to x_0$,*

1. *Si $g(x) = o\left(f(x)\right)$ et $f(x) = o\left(h(x)\right)$, alors $g(x) = o\left(h(x)\right)$,*
   c'est-à-dire que $o\left(o\left(h(x)\right)\right) = o\left(h(x)\right)$.

   Si $g(x) = O\left(f(x)\right)$ et $f(x) = O\left(h(x)\right)$, alors $g(x) = O\left(h(x)\right)$,
   c'est-à-dire que $O\left(O\left(h(x)\right)\right) = O\left(h(x)\right)$.

2. a) *Si $g(x) = o\left(f(x)\right)$ et $h(x) = o\left(f(x)\right)$, alors*
   $g(x) \pm h(x) = o\left(f(x)\right)$ et $g(x)h(x) = o\left(f(x)\right)$,
   c'est-à-dire que $o\left(f(x)\right) \pm o\left(f(x)\right) = o\left(f(x)\right)$ et $o\left(f(x)\right) o\left(f(x)\right) = o\left(f(x)\right)$.
   b) *Si $g(x) = O\left(f(x)\right)$ et $h(x) = O\left(f(x)\right)$, alors*
   $g(x) \pm h(x) = O\left(f(x)\right)$ et $g(x)h(x) = O\left(f(x)\right)$,
   c'est-à-dire que $O\left(f(x)\right) \pm O\left(f(x)\right) = O\left(f(x)\right)$ et $O\left(f(x)\right) O\left(f(x)\right) = O\left(f(x)\right)$.

3. *Si $g(x) = o\left(f(x)\right)$, alors $h(x)g(x) = o\left(h(x)f(x)\right)$,*

   c'est-à-dire que $h(x)o\left(f(x)\right) = o\left(h(x)f(x)\right)$.

4. *Si $a \neq 0$ et $g(x) = o\left(af(x)\right)$, alors $g(x) = o\left(f(x)\right)$.*

5. *Si $f(x) = o\left(g(x)\right)$, alors $f(x) = O(g(x))$.*

6. $\dfrac{1}{1 + f(x)} = 1 - f(x) + o\left(f(x)\right)$ *si* $\lim\limits_{x \to x_0} f(x) = 0$.

DÉMONSTRATION   Nous prouverons seulement les énoncés 1, 2a) et 6. Les autres sont laissés en exercices.

1. Par hypothèse,

$$\lim_{x \to x_0} \frac{g(x)}{f(x)} = 0 = \lim_{x \to x_0} \frac{f(x)}{h(x)}.$$

   Donc

$$\lim_{x \to x_0} g(x)/h(x) = 0 \quad \text{et} \quad g(x) = o(h(x)).$$

   Pour la seconde partie, procédons comme suit. Par hypothèse,

   il existe un intervalle I_1 et un nombre M_1 tel que $\forall x \in I_1$, $|g(x)| \leq M_1 f(x)$,
   et il existe un intervalle I_2 et un nombre M_2 tel que $\forall x \in I_2$, $|f(x)| \leq M_2 h(x)$.

   Soit $I = I_1 \cap I_2$. Pour tout $x \in I$, les deux inégalités sont vérifiées simultanément, donc

$$|g(x)| < M_1 M_2 h(x).$$

2. a) On a

$$\lim_{x \to x_0} \frac{g(x) \pm h(x)}{f(x)} = \lim_{x \to x_0} \frac{g(x)}{f(x)} \pm \lim_{x \to x_0} \frac{h(x)}{f(x)} = 0.$$

   D'où la conclusion.

6. On a

$$\frac{1}{1 + v} = 1 - v + v\frac{v}{1 + v}.$$

Le remplacement de v par $f(x)$ donne la conclusion puisque $f(x)/\left(1 + f(x)\right) \to 0$ lorsque $x \to x_0$. ∎

Exemple 5.38

1. Montrons que $\dfrac{1}{1 + \sin x} = 1 + o(1)$ lorsque $x \to 0$.

SOLUTION   On sait que $\sin x = o(1)$. D'où

$$\frac{1}{1 + \sin x} = 1 - \sin x + o(\sin x) = 1 + o(1) + o\left(o(1)\right)$$
$$= 1 + o(1).$$

2. Soit $a_0, a_1, \ldots, a_n, \ldots, a_m$ des nombres réels. Pour $x \to 0$, il vient immédiatement

$$(a_0 + a_1 x + \cdots + a_n x^n) \cdot o(x^n) = o(x^n)$$

et

$$a_{n+1} x^{n+1} + \cdots + a_m x^m = o(x^n).$$

Définition 5.39   Soit f une fonction définie au voisinage de $x = 0$, sauf peut-être pour $x = 0$. On dit que f admet un développement limité d'ordre n au voisinage de 0 s'il existe un intervalle ouvert $(-a, a)$ tel que, pour tout $x \neq 0$ appartenant à $(-a, a)$,

$$f(x) = a_0 + a_1 x + \cdots + a_n x^n + o(x^n).$$

Remarque   Le polynôme $a_0 + a_1 x + \cdots + a_n x^n$ est appelé *partie principale* du développement limité et le terme $o(x^n)$ est appelé *reste*.

Moyennant quelques conditions très larges, établissons l'existence d'un développement limité d'ordre n d'une fonction f, au voisinage de 0.

Théorème 5.40   *Soit f une fonction définie sur $[-a, a]$, $a > 0$. Si les dérivées $f'(x)$, $f''(x)$, \ldots, $f^{(n)}(x)$ existent pour tout $x \in [-a, a]$ et si $f^{(n+1)}(x)$ existe et est bornée sur $[-a, a]$,*

$$f(x) = f(0) + \frac{f'(0)}{1!} x + \cdots + \frac{f^{(n)}(0)}{n!} x^n + o(x^n)$$

lorsque $x \to 0$.

DÉMONSTRATION   D'après la formule de MacLaurin,

$$f(x) = f(0) + \frac{f'(0)}{1!} x + \cdots + \frac{f^{(n)}(0)}{n!} x^n + \frac{f^{(n+1)}(\theta x)}{(n+1)!} x^{n+1}.$$

Or $|f^{(n+1)}(\theta x)| \le M$. Donc

$$\frac{x^{n+1}}{(n+1)!} f^{(n+1)}(\theta x) = o(x^n).$$

D'où la conclusion. ∎

Remarques

1. Nous avons montré que si la formule de MacLaurin est applicable à une fonction f jusqu'à l'ordre n et si la dérivée d'ordre $n+1$ est bornée au voisinage de 0, f possède un développement limité d'ordre n au voisinage de 0.

2. Une fonction f peut avoir un développement limité sans qu'on puisse appliquer la formule de MacLaurin. Considérons, par exemple, la fonction f définie au voisinage de 0 par $f(x) = 1 + x + xh(x)$ où

$$h(x) = \begin{cases} 0 & \text{si } x \text{ est rationnel,} \\ x & \text{si } x \text{ est irrationnel.} \end{cases}$$

La fonction f admet bien un développement limité d'ordre 1 au voisinage de 0, mais on ne peut appliquer la formule de MacLaurin puisque f n'est pas dérivable pour $x \ne 0$. Si elle l'était, la fonction $h(x) = (f(x) - 1 - x)/x$ le serait aussi, ce qui serait contraire à l'hypothèse.

Théorème 5.41 *Si f admet un développement limité d'ordre n au voisinage de 0, il est unique.*

Démonstration Soit

$$f(x) = a_0 + a_1 x + \cdots + a_n x^n + o(x^n) \text{ et}$$
$$f(x) = b_0 + b_1 x + \cdots + b_n x^n + o(x^n)$$

deux développements limités de f au voisinage de 0. Il faut montrer que $a_0 = b_0, \ldots, a_n = b_n$. Supposons qu'il n'en soit pas ainsi et soit k le plus petit entier tel que $a_k \ne b_k$. Or lorsque $x \to 0$,

$$0 = (a_k - b_k)x^k + (a_{k+1} - b_{k+1})x^{k+1} + \cdots + (a_n - b_n)x^n + o(x^n).$$

Donc pour $x \ne 0$,

$$0 = a_k - b_k + (a_{k+1} - b_{k+1})x + \cdots + (a_n - b_n)x^{n-k} + o(x^{n-k}).$$

Le calcul de la limite au point 0 donne $a_k = b_k$, ce qui est absurde, d'où la conclusion. ∎

Remarque   Toute fonction f qui admet un développement limité d'ordre n au voisinage de 0 admet aussi un développement limité d'ordre m $(0 < m < n)$ de partie principale

$$a_0 + a_1x + \cdots + a_mx^m.$$

En effet, lorsque $x \to 0$,

$$
\begin{aligned}
f(x) &= a_0 + a_1x + \cdots a_nx^n + o(x^n) \\
&= a_0 + a_1x + \cdots + a_mx^m \\
&\quad x^m\left(a_{m+1}x + a_{m+2}x^2 + \cdots + a_nx^{n-m} + o(x^{n-m})\right) \\
&= a_0 + a_1x + \cdots + a_mx^m + o(x^m).
\end{aligned}
$$

Exemple 5.42   Lorsque $x \to 0$, on a les développements limités

$$e^x = 1 + \frac{x}{1!} + \frac{x^2}{2!} + \cdots + \frac{x^n}{n!} + o(x^n),$$

$$\cos x = 1 - \frac{x^2}{2!} + \frac{x^4}{4!} - \cdots + \frac{(-1)^nx^{2n}}{(2n)!} + o(x^{2n}),$$

$$\sin x = x - \frac{x^3}{3!} + \frac{x^5}{5!} - \cdots + \frac{(-1)^nx^{2n+1}}{(2n+1)!} + o(x^{2n+1}),$$

$$(1+x)^a = 1 + ax + \frac{a(a-1)}{2!}x^2 + \cdots + \frac{a(a-1)\ldots(a-n+1)}{n!}x^n + o(x^n),$$

où a est un nombre réel arbitraire.

Posons $a = -1$ dans la dernière équation. Il vient

$$\frac{1}{1+x} = 1 - x + x^2 - \cdots + (-1)^nx^n + o(x^n),$$

$$\frac{1}{1-x} = 1 + x + x^2 + \cdots + x^n + o(x^n).$$

Si une fonction f admet au voisinage de 0 des dérivées $f', \ldots, f^{(n)}$ continues et une dérivée $f^{(n+1)}$ bornée, alors par la formule de MacLaurin,

$$f(x) = f(0) + \frac{f'(0)}{1!}x + \frac{f''(0)}{2!}x^2 + \cdots + \frac{f^{(n)}(0)}{n!}x^n + o(x^n). \qquad (5.3)$$

Les hypothèses permettent d'appliquer la formule de MacLaurin à la fonction f' et d'écrire

$$f'(x) = f'(0) + \frac{f''(0)}{1!}x + \cdots + \frac{f^{(n)}(0)}{(n-1)!}x^{n-1} + o(x^{n-1}). \qquad (5.4)$$

La partie principale du développement limité (5.4) est la dérivée de la partie principale du développement limité (5.3). Donc si la formule de MacLaurin est applicable à une fonction f de développement limité

$$f(x) = a_0 + a_1 x + \cdots + a_n x^n + o(x^n),$$

le développement limité de f' est

$$f'(x) = a_1 + 2a_2 x + \cdots + na_n x^{n-1} + o(x^{n-1}).$$

Inversement, si l'on sait que la formule de MacLaurin est applicable à la fonction f telle que le développement limité de f' est

$$f'(x) = a_1 + a_2 x + \cdots + a_n x^{n-1} + o(x^{n-1}),$$

le développement limité de f est

$$f(x) = f(0) + a_1 x + a_2 \frac{x^2}{2} + \cdots + a_n \frac{x^n}{n} + o(x^n).$$

Par exemple, du développement limité

$$\frac{1}{1-x} = 1 + x + x^2 + \cdots + x^n + o(x^n)$$

on déduit que

$$\frac{1}{(1-x)^2} = 1 + 2x + \cdots + nx^{n-1} + o(x^{n-1}).$$

Or

$$\frac{1}{1+x^2} = 1 - x^2 + x^4 + \cdots + (-1)^n x^{2n} + o(x^{2n}).$$

D'où le développement limité

$$\arctan x = x - \frac{x^3}{3} + \frac{x^5}{5} - \cdots + \frac{(-1)^n x^{2n+1}}{2n+1} + o(x^{2n+1}).$$

De même, à l'aide du développement limité

$$\frac{1}{1+x} = 1 - x + x^2 - x^3 + \cdots + (-1)^n x^n + o(x^n),$$

on obtient

$$\log(1+x) = x - \frac{x^2}{2} + \frac{x^3}{3} - \cdots + \frac{(-1)^n x^{n+1}}{n+1} + o(x^{n+1}).$$

Établissons maintenant quelques résultats de certaines opérations élémentaires sur les développements limités. Soit f et g deux fonctions admettant des développements limités au voisinage de 0. D'après une remarque précédente, on peut supposer que ce sont des développements du même ordre, c'est-à-dire que

$$f(x) = a_0 + a_1 x + \cdots + a_n x^n + o(x^n),$$
$$g(x) = b_0 + b_1 x + \cdots + b_n x^n + o(x^n).$$

Il est immédiat que

$$f(x) + g(x) = (a_0 + b_0) + (a_1 + b_1)x + \cdots + (a_n + b_n)x^n + o(x^n).$$

Or

$$o(x^n)(a_0 + a_1 x + \cdots + a_n x^n) = o(x^n),$$
$$o(x^n)(b_0 + b_1 x + \cdots + b_n x^n) = o(x^n),$$
$$o(x^n)o(x^n) = o(x^n).$$

Donc

$$f(x)g(x) = (a_0 + a_1 x + \cdots a_n x^n)(b_0 + b_1 x + \cdots + b_n x^n) + o(x^n).$$

Soit $c_0 + c_1 x + \cdots c_{2n} x^{2n}$ le développement de

$$(a_0 + a_1 x + \cdots a_n x^n)(b_0 + b_1 x + \cdots + b_n x^n).$$

Or

$$c_{n+1} x^{n+1} + \cdots + c_{2n} x^{2n} = o(x^n).$$

Donc

$$f(x)g(x) = c_0 + c_1 x + \cdots + c_n x^n + o(x^n),$$

c'est-à-dire que *la partie principale du développement limité d'ordre n de $f(x)g(x)$ se compose des termes de degré au plus égal à n du produit des parties principales de $f(x)$ et $g(x)$.*

Si $b_0 \neq 0$, la fonction g n'égale pas 0 au voisinage de 0. Posons

$$A(x) = a_0 + a_1 x + \cdots + a_n x^n,$$
$$B(x) = b_0 + b_1 x + \cdots + b_n x^n.$$

Divisons $A(x)$ par $B(x)$ suivant les puissances croissantes jusqu'à l'ordre n. On obtient

$$A(x) = B(x)Q(x) + x^{n+1}R(x),$$

où deg $Q(x) \leq n$ et $R(x)$ est un polynôme. Il vient

$$f(x) - o(x^n) = (g(x) - o(x^n)) Q(x) + x^{n+1} R(x).$$

D'où

$$f(x) = g(x)Q(x) + x^n[o(1) - o(1)Q(x) + xR(x)]$$
$$\frac{f(x)}{g(x)} = Q(x) + \frac{o(x^n)}{g(x)}.$$

Or $\lim_{x \to 0} g(x) = b_0 \neq 0$. Donc $o(1)/g(x) = o(1)$ et

$$\frac{f(x)}{g(x)} = Q(x) + o(x^n),$$

c'est-à-dire que *la fonction f/g admet un développement limité d'ordre n dont on obtient la partie principale en divisant la partie principale du développement limité de f par la partie principale du développement limité de g, suivant les puissances croissantes jusqu'à l'ordre n.*

Exemple 5.43

1. Trouvons le développement limité d'ordre 5 de $\tan x$.

SOLUTION   On a
$$\sin x = x - \frac{x^3}{3!} + \frac{x^5}{5!} + o(x^5)$$

et
$$\cos x = 1 - \frac{x^2}{2!} + \frac{x^4}{4!} + o(x^5).$$

La division donne
$$\tan x = x + \frac{x^3}{3} + \frac{2x^5}{15} + o(x^5).$$

2. Les développements limités permettent d'étudier des fonctions au voisinage d'un point. Ils peuvent donc servir à trouver des limites. Montrons par les développements limités que
$$\lim_{x \to 0} \left(\frac{1}{x^2} - \frac{1}{x \tan x} \right) = \frac{1}{3}.$$

SOLUTION On a

$$\frac{1}{\tan x} = \frac{1}{x + x^3/3 + o(x^3)} = \frac{1/x}{1 + x^2/3 + o(x^2)}$$

$$= \frac{1}{x}\left(1 - x^2/3 + o(x^2)\right) = \frac{1}{x} - \frac{x}{3} + o(x).$$

D'où

$$\frac{1}{x^2} - \frac{1}{x \tan x} = \frac{1}{3} + o(1).$$

5.7.1 Exercices

1. Montrer que

$$\sin ax = o(1), \qquad \frac{\cos x}{1 + \sin 2x} = 1 + o(1).$$

2. Montrer que pour $x \to 0$,

a) $\dfrac{e^x}{1-x} = 1 + 2x + \dfrac{5}{2}x^2 + \dfrac{8}{3}x^3 + o(x^3)$,

b) $\log(1 + ax) = ax + o(x)$,

c) $(\sin x)(\log(1+x)) = x^2 - \dfrac{x^3}{2} + \dfrac{x^4}{6} + o(x^4)$,

d) $(1+x)^{1/x} = e\left(1 - x/2 + 11x^2/24 + o(x^2)\right)$,

e) $\log(1-x) = -x - \dfrac{x^2}{2} - \dfrac{x^3}{3} - \cdots - \dfrac{x^{n+1}}{n+1} + o(x^{n+1})$,

f) $\arcsin x = x + \dfrac{x^3}{6} + \cdots + \dfrac{1 \cdot 3 \cdots (2n-1)}{2 \cdot 4 \cdots (2n)} \dfrac{x^{2n+1}}{2n+1} + o(x^{2n+1})$.

3. Par les développements limités, calculer

a) $\displaystyle\lim_{x \to 0} \frac{\sin 3x}{\sin 2x}$,

b) $\displaystyle\lim_{x \to 0} \frac{\sin x - x}{x^2}$,

c) $\displaystyle\lim_{x \to 0} \frac{\log(1+x)}{e^x - 1}$,

d) $\displaystyle\lim_{x \to 0} \frac{(1+x)^{1/x} - e}{x}$.

5.8 Extremums d'une fonction

Définition 5.44 Soit $f: D_f \to \mathbb{R}$ et $x_0 \in D_f$. On dit que la fonction $f(x)$ admet au point x_0 un maximum relatif (resp. minimum relatif) s'il existe un voisinage $V(x_0, \delta)$ tel que pour tout $x \in D_f \cap V(x_0, \delta)$, $f(x) \le f(x_0)$ (resp. $f(x) \ge f(x_0)$).

Remarque On appelle *extremums* d'une fonction ses maximums relatifs et ses minimums relatifs.

Théorème 5.45 *Soit* $f : [a, b] \to \mathbb{R}$. *Si* $x_0 \in (a, b)$ *est un extremum et si* f *est différentiable à* x_0, *alors* $f'(x_0) = 0$.

DÉMONSTRATION Supposons que x_0 est un maximum relatif. Puisque f est dérivable à x_0, on a

$$f'(x_0) = \lim_{x \to x_0^+} \frac{f(x) - f(x_0)}{x - x_0} = \lim_{x \to x_0^-} \frac{f(x) - f(x_0)}{x - x_0}.$$

Puisque x_0 est un maximum relatif, il existe un voisinage $V(x_0, \delta)$ tel que pour tout $x \in [a, b] \cap V(x_0, \delta)$, $f(x) \leq f(x_0)$. Autrement dit, pour tout $x \in [a, x_0) \cap V(x_0, \delta)$,

$$\frac{f(x) - f(x_0)}{x - x_0} \geq 0, \text{ soit } f'(x_0) \geq 0,$$

et pour tout $x \in (x_0, b] \cap V(x_0, \delta)$,

$$\frac{f(x) - f(x_0)}{x - x_0} \leq 0, \text{ soit } f'(x_0) \leq 0.$$

De $f'(x_0) \geq 0$ et $f'(x_0) \leq 0$ il vient $f'(x_0) = 0$, ce qui démontre le théorème lorsque x_0 est un maximum relatif. Même raisonnement lorsque x_0 est un minimum relatif. ∎

Remarques

1. Ne pas confondre maximum relatif (resp. minimum relatif) avec borne supérieure (resp. borne inférieure) d'une fonction.

2. La réciproque du théorème précédent n'est pas vraie. Une fonction peut en effet avoir une dérivée nulle en un point sans y avoir de maximum ni de minimum relatif. C'est le cas de la fonction $f(x) = x^3$ au point 0.

3. N'utiliser la méthode de recherche des extremums d'une fonction par les dérivées que si la fonction est dérivable au point envisagé. Si la fonction n'est pas dérivable en certains points, il faut chercher par la définition d'extremum si la fonction a ou n'a pas d'extremums en ces points litigieux. La fonction $f(x) = |x|$, par exemple, n'est pas dérivable à l'origine, ce point est cependant un minimum puisque pour tout x, on a $f(x) \geq f(0)$.

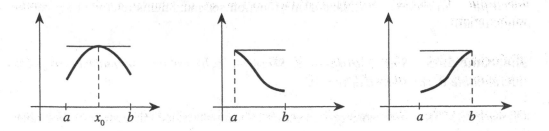

Figure 5.3

Si x_0 est l'origine ($x_0 = a$) ou l'extrémité ($x_0 = b$) de $[a, b]$, le théorème précédent n'est pas vrai. La fonction $f(x) = x$, par exemple, est différentiable dans $[0, 1]$, possède un maximum en 1 et pourtant la dérivée $f'(x) \neq 0$. La distinction entre les points intérieurs et les points a et b de $[a, b]$ s'explique géométriquement comme suit. Si x_0 est un maximum relatif, le graphe de f monte et descend lorsque x varie de la gauche de x_0 vers la droite de x_0. La tangente doit donc être horizontale au point x_0, c'est-à-dire que $f'(x_0) = 0$.

Cette situation ne peut cependant se présenter aux points a et b puisque x varie seulement d'un côté de x_0. On peut seulement conclure que $f'(x_0) \leq 0$ si $x_0 = a$, $f'(x_0) \geq 0$ si $x_0 = b$ (figure 5.3). On peut aussi trouver une interprétation géométrique lorsque x_0 est un minimum relatif. D'après le théorème 5.45, les points intérieurs pour lesquels on obtient un maximum ou un minimum relatif sont ceux qui vérifient $f'(x) = 0$. Les points qui vérifient $f'(x) = 0$ sont appelés *points critiques*. Le théorème 5.46 ci-dessous donne un critère pour décider si f possède un maximum ou un minimum relatif à un point critique x_0.

Théorème 5.46   *Soit $f : [a, b] \to \mathbb{R}$, $x_0 \in (a, b)$ et n un entier au moins égal à deux. Supposons que*

$$f'(x_0) = f''(x_0) = \ldots = f^{(n-1)}(x_0) = 0, \quad f^{(n)}(x_0) \neq 0$$

et que la dérivée d'ordre n est continue au point x_0. Alors

a) *si n est pair et $f^{(n)}(x_0) < 0$ (resp. $f^{(n)}(x_0) > 0$), f possède un maximum (resp. minimum) relatif en x_0.*

b) *si n est impair et $f^{(n)}(x_0) > 0$ (resp. $f^{(n)}(x_0) < 0$), f est strictement croissante (resp. décroissante) au point x_0.*

DÉMONSTRATION   D'après la formule de Taylor,

$$f(x) = f(x_0) + 0(x - x_0) + \cdots + 0\frac{(x - x_0)^{n-1}}{(n-1)!} + f^{(n)}(c)\frac{(x - x_0)^n}{n!}$$

ou

$$f(x) - f(x_0) = f^{(n)}(c)\frac{(x - x_0)^n}{n!}, \quad \text{où } c \text{ est entre } x \text{ et } x_0.$$

Puisque $f^{(n)}(x)$ est continue en x_0, on peut choisir $\varepsilon > 0$ tel que $f^{(n)}(x)$ est de même signe que $f^{(n)}(x_0)$ lorsque $|x - x_0| < \varepsilon$. Donc $f^{(n)}(c)$ et $f^{(n)}(x_0)$ sont de même signe lorsque $|x - x_0| < \varepsilon$.

Si n est pair, $(x - x_0)^n > 0$ pour $x \neq x_0$. Donc $f^{(n)}(x_0) > 0$ entraîne que $f(x) > f(x_0)$ pour $0 < |x - x_0| < \varepsilon$ tandis que $f^{(n)}(x_0) < 0$ entraîne $f(x) < f(x_0)$ pour $0 < |x - x_0| < \varepsilon$; c'est-à-dire que $f(x)$ a un maximum relatif en x_0 si $f^{(n)}(x_0) < 0$ et a un minimum relatif en x_0 si $f^{(n)}(x_0) > 0$.

Si n est impair,

$$(x - x_0)^n = \begin{cases} < 0 & \text{si } x < x_0, \\ > 0 & \text{si } x > x_0. \end{cases}$$

D'où

$$f(x) - f(x_0) = \begin{cases} > 0 & \text{si } x > x_0 \text{ et } f^{(n)}(x_0) > 0, \\ < 0 & \text{si } x < x_0 \text{ et } f^{(n)}(x_0) > 0, \end{cases}$$

et

$$f(x) - f(x_0) = \begin{cases} < 0 & \text{si } x > x_0 \text{ et } f^{(n)}(x_0) < 0, \\ > 0 & \text{si } x < x_0 \text{ et } f^{(n)}(x_0) < 0, \end{cases}$$

pour $|x - x_0| < \varepsilon$. Cela termine la démonstration du théorème. ∎

Exemple 5.47

1. Montrons que la fonction $f(x) = x^4$ possède un minimun relatif en $x = 0$.

SOLUTION   En effet, $f(0) = f'(0) = f''(0) = f^{(3)}(0) = 0$ et $f^{(4)}(0) = 24 > 0$ et 4 est un entier pair.

2. Montrons que pour tout nombre réel x,

$$e^x \geq 1 + x. \tag{5.5}$$

En déduire que si $a_1, a_2, \ldots, a_n$ sont des nombres réels positifs,

$$\sqrt[n]{a_1 a_2 \ldots a_n} \leq \frac{a_1 + a_2 + \cdots + a_n}{n}$$

et que l'égalité est vraie si et seulement si tous les a_i, $i = 1, 2, \ldots, n$, sont égaux. (Les nombres $\sqrt[n]{a_1 a_2 \ldots a_n}$ et $(a_1 + a_2 + \cdots + a_n)/n$ sont appelés respectivement *moyenne géométrique* et *moyenne arithmétique* des nombres $a_1, a_2, \ldots, a_n$).

SOLUTION   Soit $f(x) = e^x - 1 - x$. Il vient $f'(x) = e^x - 1$, $f''(x) = e^x$. D'où f possède un minimum à $x = 0$. Donc $f(x) \geq f(0) = 0$, ce qui démontre l'inégalité : $e^x \geq 1 + x$, $\forall x \in \mathbb{R}$.

Pour démontrer l'autre partie, posons

$$A = \frac{a_1 + a_2 + \cdots + a_n}{n}, \qquad G = \sqrt[n]{a_1 a_2 \ldots a_n}$$

et choisissons $x = \frac{a_k}{A} - 1$, pour $k = 1, 2, \ldots, n$. D'après (5.5),

$$\exp\left(\frac{a_1}{A} - 1\right) \geq \frac{a_1}{A}, \ldots, \exp\left(\frac{a_n}{A} - 1\right) \geq \frac{a_n}{A}, \tag{5.6}$$

où $\exp(t) = e^t$. La multiplication de ces inégalités donne

$$\exp\left(\frac{a_1 + a_2 + \cdots + a_n}{A} - n\right) \geq \frac{a_1 \ldots a_n}{A^n},$$

soit $1 \geq G^n / A^n$, d'où $A \geq G$.

De plus, $A = G$ si et seulement si $\exp\left(\frac{a_i}{A} - 1\right) = \frac{a_i}{A}$, $i = 1, 2, \ldots, n$. Cela arrive lorsque $a_i = A$, $i = 1, 2, \ldots, n$. Donc $A = G$ seulement lorsque tous les a_i sont égaux.

3. Montrons que la fonction $f(x) = e^x/x^e$, $0 < x < \infty$, est strictement décroissante dans $(0, e)$, strictement croissante dans (e, ∞) et qu'elle prend la valeur minimun 1 au point $x = e$. De cela, déduisons que $e^\pi > \pi^e$.

SOLUTION   Il vient

$$f'(x) = \frac{x^{e-1} e^x (x - e)}{x^{2e}}.$$

Donc f est strictement croissante dans (e, ∞), strictement décroissante dans $(0, e)$ et elle prend la valeur minimum 1 au point $x = e$. Donc $f(x) \geq 1$ pour $0 < x < \infty$ et $f(\pi) = e^\pi/\pi^e > 1$.

5.8.1 Exercices

1. Soit $f: \mathbb{R} \to \mathbb{R}$ une fonction définie par $f(x) = |x|^3$. Les dérivées $f'(0)$, $f''(0)$, et $f'''(0)$ existent-elles?

2. Soit $f: (0, \infty) \to \mathbb{R}$ une fonction définie par $f(x) = \sqrt{x^x}$. Pour quel x la dérivée de f s'annule-t-elle?

3. Trouver et classer les points critiques de

   a) x^x, b) $\sin(3x) - 3\sin x$, c) $3x^5 - 125x^3 + 2160x$,

   d) $x/\log x$, e) $x^3 - \frac{9}{2}x^2 + 6x$.

4. Étudier les extremums de

   a) $f(x) = \dfrac{x^4}{4} - \dfrac{4x^3}{3} + \dfrac{3x^2}{2}$,

   b) $f(x) = e^x + 2\cos x + e^{-x}$ lorsque $x = 0$.

5. Montrer que la fonction $f(x) = \dfrac{\log(x^a)}{x^b}$, $0 < x < \infty$, $b > 0$, $a > 0$, est strictement croissante dans $(0, e^{1/b})$ et strictement décroissante dans $(e^{1/b}, \infty)$. Montrer qu'elle prend la valeur maximum $\dfrac{a}{be}$ au point $x = e^{1/b}$ et donc que $f(x) \le \dfrac{a}{be}$ $\forall x \in (0, \infty)$.

6. Soit p et q des nombres réels positifs tels que $1/p + 1/q = 1$. Considérer la fonction $f(x) = \dfrac{x^p}{p} + \dfrac{x^{-q}}{q}$, $0 < x < \infty$ et montrer que

   a) f prend la valeur minimum 1 au point $x = 1$,

   b) f est strictement décroissante dans $(0, 1)$ et strictement croissante dans $(1, \infty)$,

   c) $f(x) \ge 1$.

7. Soit $a > 0$ et $p > 1$ tels que $1/p + 1/q = 1$. Considérer la fonction $f(x) = ax - p^{-1}x^p$, $0 \le x < \infty$ et montrer que

   a) f possède un maximum à $x = a^{1/(p-1)}$,

   b) f est strictement croissante dans $(0, a^{1/(p-1)})$ et strictement décroissante dans $(a^{1/(p-1)}, \infty)$,

   c) $ax \le p^{-1}x^p + q^{-1}a^q$, $x \in [0, \infty)$.

8. Soit $f(x) = x^a y^b - ax - by$, $x > 0$, $y > 0$, $a + b = 1$, $0 < a < 1$ et y désigne un paramètre. Montrer que la plus grande valeur de f est 0 et qu'elle a lieu lorsque $x = y$. Déduire que $x^a y^b < ax + by$ excepté lorsque $x = y$.

5.9 Méthode de Newton

Voyons le problème d'analyse numérique consistant à déterminer le plus précisément possible les racines réelles d'une équation de la forme

$$f(x) = 0.$$

Si $f(x) = ax^2 + bx + c$, la formule des racines est

$$x = \frac{-b \pm \sqrt{b^2 - 4ac}}{2a}.$$

Il n'y a pas en général de formule des racines pour une expression de f plus compliquée. On utilise alors des méthodes d'approximation dont en particulier *la méthode de Newton*, l'objet de cette section. Avant d'utiliser cette méthode, il faut s'assurer qu'il y a des racines. Si oui, on essaie d'isoler chacune d'entre elles dans un petit intervalle.

Soit f une fonction continue sur $[a, b]$ telle que $f(a)f(b) < 0$. D'après le théorème des valeurs intermédiaires, il existe un nombre réel $x_0 \in (a, b)$ tel que $f(x_0) = 0$. Supposons que f est différentiable sur (a, b) et que $f'(x)$ conserve son signe sur $[a, b]$. Dans ce cas, x_0 est l'unique racine de $f(x) = 0$ dans (a, b). Nous voulons estimer x_0 avec une assez grande précision. Sans perdre de généralité, on peut supposer que $f''(x)$ conserve aussi son signe sur $[a, b]$ (si ce n'est pas le cas, réduire la longueur de l'intervalle contenant la racine pour qu'il en soit ainsi). Soit x_1 le premier estimé de x_0. L'équation de la tangente au graphe passant par le point $(x_1, f(x_1))$ est $y = f(x_1) + f'(x_1)(x - x_1)$. Cette tangente coupe l'axe des x au point x_2 défini par

$$x_2 = x_1 - \frac{f(x_1)}{f'(x_1)}.$$

Le remplacement de x_1 par le second estimé x_2 donne un point x_3, et ainsi de suite (figure 5.4). La n-ième itération donne le point x_{n+1} défini par

$$x_{n+1} = x_n - \frac{f(x_n)}{f'(x_n)}.$$

On peut prendre a et b comme premières approximations de la racine x_0 de $f(x)$. Pour déterminer lequel d'entre eux conviendra le mieux, étudions les graphes (figure 5.5). On voit immédiatement qu'il faut tracer la tangente à la courbe à l'extrémité de l'arc où les signes de la fonction et de sa dérivée seconde coïncident. Le choix d'une autre approximation peut faire sortir le point x_2 en dehors de l'intervalle $[a, b]$. Cela donne la règle que voici de la méthode de Newton :

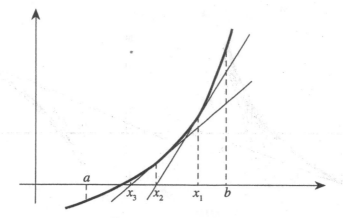

Figure 5.4

Supposons qu'en a et b la fonction $f(x)$ prenne des valeurs de signes contraires et qu'entre a et b elle admette une dérivée seconde positive. Prendre comme première approximation le point a ou b où la fonction $f(x)$ est positive. Si la dérivée seconde est négative dans $[a, b]$, prendre pour première approximation le point où la fonction $f(x)$ est négative.

Exemple 5.48 Trouvons une valeur approximative de $\sqrt{5}$ à l'aide de la méthode de Newton.

SOLUTION Soit $f(x) = x^2 - 5$. Cherchons une racine positive de $f(x) = 0$. Puisque $f'(x) = 2x$, la formule de récurrence est donc

$$x_{n+1} = x_n - \frac{x_n^2 - 5}{2x_n} = \frac{1}{2}\left(x_n + \frac{5}{x_n}\right).$$

Si $x_1 = 3$, on obtient successivement $x_2 = 2{,}333\ldots$, $x_3 = 2{,}238\ldots$, $x_4 = 2{,}236\,06\ldots$, $x_5 = 2{,}236\,067\ldots$ On a exactement $\sqrt{5} = 2{,}236\,067\,8\ldots$

L'application du procédé de récurrence de la méthode de Newton étant facile, il importe de savoir dans quelles conditions $|x_n - x_0|$ tend vers 0 lorsque $n \to \infty$. D'après le théorème 5.49 ci-dessous, si f'' n'est pas trop grand ni f' trop petit, $|x_n - x_0|$ tend vers 0 lorsque $n \to \infty$.

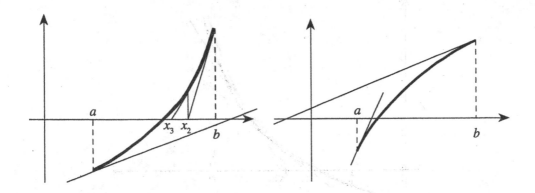

Figure 5.5

Théorème 5.49 *Soit* $f: [a, b] \to \mathbb{R}$ *une fonction telle que* $f''(x)$ *existe pour tout* $x \in (a, b)$. *Supposons que* $f(a)f(b) < 0$ *et soit* m, M *des constantes telles que* $|f'(x)| \geq m > 0$ *et* $|f''(x)| \leq M$ *pour tout* $x \in [a, b]$. *Si* x_0 *est une racine de* $f(x) = 0$ *dans* $[a, b]$, *il existe un intervalle* $[a^*, b^*] \subset [a, b]$ *contenant* x_0 *et tel que pour tout* $x_1 \in [a^*, b^*]$, *la suite* $\{x_n\}$ *définie par*

$$x_{n+1} = x_n - \frac{f(x_n)}{f'(x_n)}, \qquad n \geq 1,$$

appartient aussi à $[a^*, b^*]$ *et* $\{x_n\}$ *converge vers* x_0. *De plus,*

$$|x_{n+1} - x_0| \leq \frac{M}{2m}|x_n - x_0|^2.$$

DÉMONSTRATION Puisque $f(a)f(b) < 0$ et que $f'(x) \neq 0$ pour tout $x \in [a, b]$, x_0 est la seule racine de $f(x) = 0$. Soit $x_n \in [a, b]$. D'après la formule de Taylor,

$$0 = f(x_0) = f(x_n) + f'(x_n)(x_0 - x_n) + \frac{f''(c)}{2}(x_0 - x_n)^2,$$

où c est entre x_n et x_0. Cette équation peut s'écrire

$$x_n - \frac{f(x_n)}{f'(x_n)} - x_0 = \frac{(x_0 - x_n)^2}{2} \frac{f''(c)}{f'(x_n)},$$

ou

$$|x_{n+1} - x_0| \leq \frac{M}{2m}|x_n - x_0|^2. \tag{5.7}$$

Choisissons $\delta > 0$ tel que $\delta < 2m/M$ et considérons l'intervalle $[a^*, b^*] = [x_0 - \delta, x_0 + \delta] \subset [a, b]$. Si $x_n \in [a^*, b^*]$, donne

$$|x_{n+1} - x_0| \leq \frac{M}{2m}|x_n - x_0|^2 \leq \frac{M}{2m}\delta^2 < \delta,$$

c'est-à-dire que $x_{n+1} \in [a^*, b^*]$. Donc $x_1 \in [a^*, b^*]$ entraîne $x_n \in [a^*, b^*]$ pour tout $n \geq 1$. Donc par (5.7), il vient, pour tout $n \geq 1$,

$$|x_{n+1} - x_0| < \left(\frac{M\delta}{2m}\right)^n |x_1 - x_0|.$$

Mais $M\delta/2m < 1$. Donc $\lim_{n \to \infty} x_n = x_0$, ce qui démontre le théorème. ∎

Remarque Si x_1 est près de x_0, disons $x_1 - x_0 < 0,1$, $x_2 - x_0 < \frac{M}{2m}(0,1)^2$. Si $M/2m$ n'est pas trop grand, x_2 est une meilleure approximation de x_0 que x_1. On peut donc espérer voir l'erreur diminuer selon la suite $0,1$, $0,01$, $0,0001$, ...

Exemple 5.50 Puisque $f(x) = x^2 - 5$ est une fonction telle que $|f'(x)| \geq 4$ et $|f''(x)| \leq 2$ pour tout $x \in [2, 3]$,

$$|x_{n+1} - \sqrt{5}| \leq (x_n - \sqrt{5})^2,$$

c'est-à-dire que

$$\lim_{n \to \infty}(x_n - \sqrt{5}) = 0.$$

En effet, si l'on pose $x_1 - \sqrt{5} = a < 1$, il vient $|x_{n+1} - \sqrt{5}| < a^{2^n}$ et $\lim_{n \to \infty} a^{2^n} = 0$.

Remarque Le choix de x_1 est très important parce que dans certains cas le procédé ne mène pas à une racine. La figure 5.6 illustre plusieurs possibilités.

Exemple 5.51 Montrons que $x^3 - 4x + 2 = 0$ possède trois solutions et trouvons-les au millième près.

SOLUTION Soit $f(x) = x^3 - 4x + 2$. Il vient $f'(x) = 3x^2 - 4$ et $f''(x) = 6x$. D'après la formule de Newton,

$$x_{n+1} = \frac{2(x_n^3 - 1)}{3x_n^2 - 4}.$$

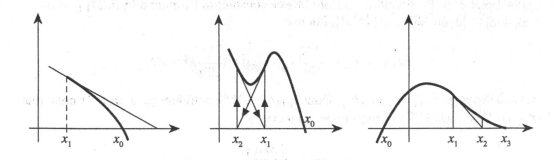

Figure 5.6

D'après le théorème des valeurs intermédiaires, l'équation $f(x) = 0$ admet une solution dans chacun des intervalles $[-3, -2]$, $[0, 1]$ et $[1, 2]$. Cherchons d'abord la solution comprise dans le premier intervalle. Comme $f''(x) < 0$, choisissons $x_1 = -3$ (puisque $f(-3) = -13$). Il vient $x_2 = -2,43\ldots$, $x_3 = -2,23\ldots$, $x_4 = -2,214\ldots$, $x_5 = -2,214\ldots$ L'égalité $x_4 = x_5 = -2,214\ldots$ est vérifiée au millième près. La racine cherchée égale donc $-2,214$ au millième près. Cherchons la deuxième racine. Il vient $f''(x) \geq 0$. Prenons $x_1 = 0$. Il vient successivement $x_2 = 0,5$, $x_3 = 0,538\ldots$, $x_4 = 0,539\ldots$, $x_5 = 0,539\ldots$ Puisque $x_4 = x_5 = 0,539\ldots$, la solution cherchée égale donc $0,539$ au millième près. Enfin, la troisième solution est $1,675$ au millième près.

5.9.1 Exercices

1. Trouver par la méthode de Newton une valeur approximative de $\sqrt[3]{7}$ et montrer que si $x_n \in [1, 2]$,
$$|x_{n+1} - \sqrt[3]{7}| \leq 2(x_n - \sqrt[3]{7})^2.$$

2. Montrer que $x^3 - 2x - 17$ possède une et une seule racine réelle et la trouver au millième près.

3. Montrer que $\tan x = x$ possède une solution dans $(\pi, 3\pi/2)$ et la trouver au millième près.

4. Montrer que $x + \sin x = 1.5$ possède une solution et la trouver au millième près.

Remarque Si l'expression de la dérivée est difficile à évaluer, une valeur approchée suffit parfois. Le point de départ naturel est

$$f'(x) \approx \frac{f(x+h) - f(x)}{h}.$$

Pour des valeurs suffisamment petites de h, c'est évidemment théoriquement vrai, mais ce n'est pas suffisant pour les calculs numériques en raison des erreurs d'arrondissement. La fonction $f(x) = x^8$, par exemple, donne $f'(1) = 8$. Une calculatrice donne

h	$\left(f(1+h) - f(1)\right)/h$
0,000 1	8,002 78
0,000 001	8
0,000 000 1	7,99

Lorsque h diminue les résultats s'écartent donc de la valeur exacte en raison des erreurs d'arrondissement.

Or d'après la formule de Taylor

$$f(x+h) = f(x) + hf'(x) + \frac{h^2}{2!}f''(x) + \frac{h^3}{3!}f^{(3)}(h) + \frac{h^4}{4!}f^{(4)}(h) + O(h^5). \quad (5.8)$$

La valeur approchée antérieure devient donc

$$\frac{f(x+h) - f(x)}{h} = f'(x) + \frac{h}{2}f''(x) + O(h^2).$$

Sauf si $f''(x) = 0$, l'erreur pour

$$\frac{f(x+h) - f(x)}{h} \approx f'(x)$$

est donc $O(h)$, ce qui n'est pas très bon. D'après (5.8),

$$f(x+h) - f(x-h) = 2hf'(x) + \frac{h^3}{3}f^{(3)}(x) + O(h^5).$$

D'où la valeur approchée

$$\frac{f(x+h) - f(x-h)}{2h} = f'(x) + \frac{h^2}{6}f^{(3)}(x) + O(h^4).$$

Sauf si $f^{(3)}(x) = 0$, l'erreur est $O(h^2)$ et la racine est mieux approchée.

5. À l'aide de la remarque ci-dessus, construire un programme pour trouver une racine d'une fonction par la méthode de Newton.

Exercices sur le chapitre 5

1. Déterminer les fonctions indéfiniment différentiables $f \colon \mathbb{R} \to \mathbb{R}$ telles que

   a) $f(x + y) = f(x) + f(y) + xy$,   b) $f(x + y) = f(x) f(y)$.

2. Soit f une fonction continue sur $[a, b]$ et différentiable sur (a, b). Si $f^2(a) - f^2(b) = b - a$, montrer qu'il existe un nombre $x_0 \in (a, b)$ tel que $f'(x_0) f(x_0) + 1/2 = 0$ (Suggestion : Considérer $F(x) = f^2(x) + x$).

3. Soit $f \colon [a, b] \to \mathbb{R}$ une fonction continue et différentiable sur (a, b). Montrer que si $f'(x) \neq 0$, $\forall x \in (a, b)$, f est injective.

4. Soit $f \colon \mathbb{R} \to \mathbb{R}$ la fonction définie par

$$f(x) = \begin{cases} x & \text{si } x \text{ est rationnel}, \\ \sin x & \text{si } x \text{ est irrationnel}. \end{cases}$$

   Montrer que $f'(0) = 1$.

5. Soit $f, g \colon [a, b] \to \mathbb{R}$ deux fonctions continues et différentiables sur (a, b). Si $f'(x) = g'(x)$, $\forall x \in (a, b)$, montrer qu'il existe une constante k telle que $f(x) = g(x) + k$, $\forall x \in [a, b]$.

6. Soit $f \colon (a, b) \to \mathbb{R}$ une fonction différentiable sur (a, b). Si f' est bornée sur (a, b), montrer que f est uniformément continue sur (a, b).

7. Soit f une fonction continue sur $[a, b]$ et différentiable sur (a, b) telle que $f(a) = b$ et $f(b) = a$. Montrer qu'il existe des nombres x et y, $a < x < y < b$, tels que

$$\frac{1}{f'(x)} + \frac{1}{f'(y)} = -2.$$

8. Soit $f \colon [a, b] \to \mathbb{R}$ une fonction telle que f'' existe dans (a, b) et que $f(a) = f(b) = 0$. Si $f''(x) \neq 0$ pour tout $x \in (a, b)$, montrer que $f(x) \neq 0$ pour tout $x \in (a, b)$.

9. Pour tout $x > 0$, montrer que

$$\frac{1}{x + 1} < \log \frac{x + 1}{x} < \frac{1}{x}.$$

   En déduire que pour $m \geq n > 1$,

$$\log \frac{m + 1}{n} < \sum_{i=0}^{m-n} \frac{1}{n + i} < \log \frac{m}{n - 1}.$$

et calculer

$$\lim_{n \to \infty} \left(\frac{1}{n} + \frac{1}{n+1} + \cdots + \frac{1}{3n} \right).$$

10. Soit $f : \mathbb{R}^+ \to \mathbb{R}$ la fonction définie par

$$f(x) = \frac{\log x}{x}.$$

a) Montrer que f est strictement croissante pour $0 < x \le e$ et strictement décroissante pour $x \ge e$.

b) Montrer qu'elle prend la valeur maximum $1/e$ en $x = e$.

c) Déduire que

   i) si $0 < x < y \le e$, $x^y < y^x$,

   ii) si $e \le x < y$, $x^y > y^x$,

   iii) pour $n > 8$, $(\sqrt{n})^{\sqrt{n+1}} > (\sqrt{n+1})^{\sqrt{n}}$.

11. Calculer

$$\lim_{x \to 0} \left(\frac{\sin x}{\arcsin x} \right)^{1/x^2}.$$

12. Montrer que $x^3 + ax + b = 0$ possède trois racines $\iff 4a^3 + 27b^2 < 0$.

13. Soit $f : \mathbb{R} \to \mathbb{R}$ la fonction définie par

$$f(x) = e^x \sin x.$$

a) Calculer la dérivée de f et mettre $f'(x)$ sous la forme

$$f'(x) = A e^x \sin(x + a),$$

où a et A sont des constantes à calculer.

b) Montrer que

$$f^{(n)}(x) = \left(\sqrt{2} \right)^n e^x \sin(x + \tfrac{n\pi}{4}), \quad n \ge 0.$$

c) À l'aide de b) et de la formule de Leibniz, montrer que pour tout $n \ge 0$ et pour tout $x \in \mathbb{R}$,

$$\sum_{k=0}^{n} \binom{n}{k} \sin\left(x + \frac{k\pi}{2} \right) = \left(\sqrt{2} \right)^n \sin\left(x + \frac{n\pi}{4} \right).$$

14. Soit $f: \mathbb{R} \to \mathbb{R}$ la fonction définie par $f(x) = (1+x)^n$. À l'aide du binôme de Newton et de la dérivation, calculer $\sum_{k=1}^{n} k \binom{n}{k}$.

15. Soit a, b et c des nombres réels positifs tels que $a > b$ et $a = bc$. Soit $f, g: \mathbb{R} \to \mathbb{R}$ deux fonctions définies par

$$f(x) = ax - b|x| \quad \text{et} \quad g(x) = cx + |x|.$$

Montrer que $f'(0)$ et $g'(0)$ n'existent pas et que $(g \circ f)'(0) = ac - b$.

16. Trouver le nombre de racines réelles des équations ci-dessous en fonction de k.

a) $\dfrac{x^4}{4} - \dfrac{5x^3}{3} + 3x^2 + k = 0$,   b) $\dfrac{x^4}{4} - \dfrac{5x^3}{3} + 2x^2 + k = 0$.

17. Soit $f: \mathbb{R} \to \mathbb{R}$ la fonction définie par

$$f(x) = \begin{cases} (x+1)\log(|x+1|) & \text{si } x \neq -1, \\ 0 & \text{si } x = -1. \end{cases}$$

Étudier la continuité et la dérivabilité de f en $x = -1$.

18. Soit $f: \mathbb{R} \to \mathbb{R}$ la fonction définie par

$$f(x) = \begin{cases} x(1 - \log|x|) & \text{si } x \neq 0, \\ 0 & \text{si } x = 0. \end{cases}$$

a) Montrer que f est continue sur $\mathbb{R}$.
b) Montrer que $f(-x) = -f(x)$.
c) f est-elle dérivable au point $x = 0$?

19. Soit $f: \mathbb{R} \to \mathbb{R}$ la fonction définie par

$$f(x) = \begin{cases} x + e^{-1/x^2} & \text{si } x > 0, \\ \sin x & \text{si } x \leq 0. \end{cases}$$

a) Montrer que f est différentiable sur $\mathbb{R}$.
b) Montrer que $f''(0)$ existe.

20. Soit $f: [0, \infty) \to \mathbb{R}$ une fonction continue sur $[0, \infty)$ et différentiable sur $(0, \infty)$. Supposer que $f(0) = 0$ et que $f(x) \to 0$ lorsque $x \to \infty$. Montrer qu'il existe un $c \in (0, \infty)$ tel que $f'(c) = 0$.

21. Par définition, le Wronskien de deux fonctions différentiables f et g est le déterminant

$$W(f,g) = \begin{vmatrix} f(x) & g(x) \\ f'(x) & g'(x) \end{vmatrix}.$$

Supposer que $W(f,g) \neq 0$ pour tout $x \in [a,b]$. Montrer que si x_1 et x_2 sont deux racines de $f(x) = 0$ sur $[a,b]$, il existe au moins un nombre $x_0 \in (x_1, x_2)$ tel que $g(x_0) = 0$.

22. Soit f, g et h des fonctions continues sur $[a,b]$ et différentiables sur (a,b). Montrer qu'il existe un $c \in (a,b)$ tel que

$$\begin{vmatrix} f(a) & f(b) & f'(c) \\ g(a) & g(b) & g'(c) \\ h(a) & h(b) & h'(c) \end{vmatrix} = 0.$$

23. Montrer que

a) $\dfrac{d^n}{dx^n}\left(e^{x\cos a}\cos(x\sin a)\right) = e^{x\cos a}\cos(x\sin a + na)$,

b) $\dfrac{d^n}{dx^n}(x^{n-1}e^{1/x}) = \dfrac{(-1)^n e^{1/x}}{x^{n+1}}$,

c) $(\cos x)^{(n)} = \begin{cases} (-1)^{n/2}\cos x & \text{si } n \text{ est pair,} \\ (-1)^{(n+1)/2}\sin x & \text{si } n \text{ est impair,} \end{cases}$

d) $(\sin x \sin 2x)^{(n)} = \frac{1}{2}\left(\cos(x + \frac{n\pi}{2}) - 3^n\cos(3x + \frac{n\pi}{2})\right)$.

24. a) Soit f une fonction n fois différentiable sur (a,b). Montrer par induction sur n que pour tout nombre réel x tel que $1/x$ appartient à (a,b),

$$\frac{d^n}{dx^n}\left(x^{n-1}f(1/x)\right) = \frac{(-1)^n}{x^{n+1}}\left(\frac{d^n f}{dx^n}\right)(1/x).$$

b) De a), déduire la dérivée n-ième de $x^{n-1}e^{1/x}$.

25. Soit f une fonction différentiable et périodique de période T. Montrer que f' est aussi périodique et de période T.

26. Montrer que

a) Si $g(x) = O\left(f(x)\right)$ et $h(x) = o\left(f(x)\right)$, $g(x) + h(x) = O\left(f(x)\right)$.

b) Si $g(x) = O\left(f(x)\right)$ et $h(x) = o\left(g(x)\right)$, $h(x) = o\left(f(x)\right)$.

c) Si $g(x) = o\left(f(x)\right)$ et $h(x) = O\left(g(x)\right)$, $h(x) = o\left(f(x)\right)$.

27. Montrer à l'aide de l'exercice 7 de la section 5.8.1.

a) Si p et q sont des nombres réels tels que $p > 1$ et $p^{-1} + q^{-1} = 1$,

$$\sum_{i=1}^{n} |a_i b_i| \leq \left(\sum_{i=1}^{n} |a_i|^p\right)^{1/p} \left(\sum_{i=1}^{n} |b_i|^q\right)^{1/q}.$$

b) Pour $p \geq 1$,

$$\left(\sum_{i=1}^{n} |a_i + b_i|^p\right)^{1/p} \leq \left(\sum_{i=1}^{n} |a_i|^p\right)^{1/p} + \left(\sum_{i=1}^{n} |b_i|^p\right)^{1/p},$$

où a_i et b_i sont des nombres réels. Ces inégalités sont l'*inégalité d'Hölder* et l'*inégalité de Minkowski*, respectivement.

Chapitre 6

Intégrale de Riemann

6.1   Introduction

Dans ce chapitre nous définirons l'intégrale de Riemann d'une fonction, nous verrons les propriétés de cette intégrale et nous étudierons les fonctions intégrables et la relation avec le calcul différentiel.

Sauf avis contraire, toutes les fonctions considérées sont bornées sur $[a, b]$, $-\infty < a < b < \infty$.

6.2   Intégrale de Riemann

Définition 6.1   Une partition p de $[a, b]$ est un ensemble fini $p = \{x_0, x_1, \ldots, x_n\}$ dont les points sont numérotés de telle sorte que $a = x_0 < x_1 < \ldots < x_n = b$ (x_i sont les points de subdivision). Le pas (aussi appelé diamètre ou norme) d'une partition p est :

$$|p| = \max_{1 \leq i \leq n} (x_i - x_{i-1}).$$

Notation

$$\mathcal{P}_{[a,b]} = \{p \mid p \text{ est une partition de } [a, b]\}.$$

Définition 6.2   Soit f une fonction bornée définie sur $[a, b]$ et p une partition de $[a, b]$. Adoptons les notations suivantes (figure 6.1).

$$m(f) = \inf\{f(x) \mid x \in [a, b]\}, \qquad M(f) = \sup\{f(x) \mid x \in [a, b]\},$$
$$m_i(f, p) = \inf\{f(x) \mid x \in [x_{i-1}, x_i]\}, \ i = 1, 2, \ldots, n,$$
$$M_i(f, p) = \sup\{f(x) \mid x \in [x_{i-1}, x_i]\}, \ i = 1, 2, \ldots, n,$$

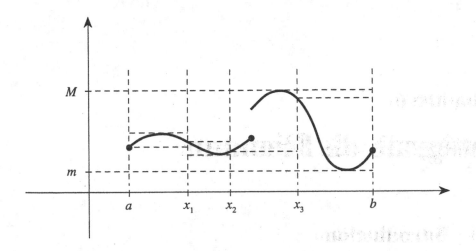

Figure 6.1

$$s(f,p) = \sum_{i=1}^{n} m_i(f,p)(x_i - x_{i-1}), \qquad \text{somme inférieure,}$$

$$S(f,p) = \sum_{i=1}^{n} M_i(f,p)(x_i - x_{i-1}), \qquad \text{somme supérieure.}$$

Remarque   Puisque la fonction f est bornée sur $[a,b]$, $M(f)$, $m(f)$, $M_i(f,p)$ et $m_i(f,p)$ pour $i = 1, 2, \ldots, n$, sont définis.

Exemple 6.3   Soit $f(x) = x^2 - 4$ sur $[0,3]$. Calculons $s(f,p)$ et $S(f,p)$ pour la partition $p = \{0, \frac{1}{2}, 1, 2, 2\frac{1}{2}, 3\}$.

SOLUTION   Il vient

$$s(f,p) = (-4) \cdot \frac{1}{2} + \left(-\frac{15}{4}\right) \cdot \frac{1}{2} + (-3) \cdot 1 + 0 \cdot \frac{1}{2} + \frac{9}{4} \cdot \frac{1}{2} = -\frac{23}{4},$$

$$S(f,p) = \left(-\frac{15}{4}\right) \cdot \frac{1}{2} + (-3) \cdot \frac{1}{2} + 0 \cdot 1 + \frac{9}{4} \cdot \frac{1}{2} + 5 \cdot \frac{1}{2} = \frac{1}{4}.$$

Remarquer que pour toute partition $p \in \mathcal{P}_{[a,b]}$,

$$m(f)(b-a) \le s(f,p) \le S(f,p) \le M(f)(b-a).$$

En effet, il est immédiat que

$$m(f) \leq m_i(f, p) \leq M_i(f, p) \leq M(f).$$

D'où

$$m(f)(x_i - x_{i-1}) \leq m_i(f, p)(x_i - x_{i-1}) \leq M_i(f, p)(x_i - x_{i-1}) \leq M(f)(x_i - x_{i-1})$$

pour $i = 1, 2, \ldots, n$. L'addition de ces n équations donne la conclusion.

Considérons toutes les partitions $p \in \mathcal{P}_{[a,b]}$. Les nombres $s(f, p)$ forment un ensemble borné, qui admet donc une plus petite borne supérieure et une plus grande borne inférieure. Il en est de même pour les nombres $S(f, p)$. Posons donc

$$\inf\{S(f, p) \mid p \in \mathcal{P}_{[a,b]}\} = \overline{\int_a^b} f\, dx,$$
$$\sup\{s(f, p) \mid p \in \mathcal{P}_{[a,b]}\} = \underline{\int_a^b} f\, dx,$$

appelés respectivement *intégrale supérieure* de f et *intégrale inférieure* de f. Ces intégrales possèdent respectivement les propriétés suivantes.

$$m(f)(b - a) \leq \underline{\int_a^b} f\, dx, \qquad \overline{\int_a^b} f\, dx \leq M(f)(b - a).$$

Définition 6.4 (de l'intégrale de Riemann)   On dit qu'une fonction f est intégrable au sens de Riemann sur $[a, b]$ si et seulement si

$$\underline{\int_a^b} f\, dx = \overline{\int_a^b} f\, dx.$$

Dans ce cas, on représente son intégrale de Riemann sur $[a, b]$ par $\int_a^b f(x)\, dx$ et on a $\int_a^b f(x)\, dx = \underline{\int_a^b} f\, dx = \overline{\int_a^b} f\, dx$.

Remarque   Le remplacement de la lettre x, variable muette, par une autre lettre n'affecte pas la signification. Donc

$$\int_a^b f(x)\, dx = \int_a^b f(y)\, dy = \int_a^b f(t)\, dt, \text{ etc.}$$

Nous dirons « intégrable » pour « intégrable au sens de Riemann », et « intégrale » pour « intégrale au sens de Riemann ». Nous désignerons par $\mathcal{R}([a, b])$ la classe des fonctions intégrables. Donc $f \in \mathcal{R}([a, b])$ signifie que f est intégrable sur $[a, b]$.

Exemple 6.5 Soit f la fonction définie sur $[0, 1]$ par

$$f(x) = \begin{cases} 0 & \text{si } x \text{ est rationnel,} \\ 1 & \text{si } x \text{ est irrationnel.} \end{cases}$$

Montrons que cette fonction n'est pas intégrable sur $[0, 1]$.

SOLUTION   Soit p une partition arbitraire de $[0,1]$. Puisque tout intervalle de longueur non nulle contient des rationnels et des irrationnels, $m_i(f, p) = 0$ et $M_i(f, p) = 1$, $\forall i$. D'où pour chaque partition p de $[0,1]$,

$$s(f, p) = 0 \quad \text{et} \quad S(f, p) = 1.$$

Puisque p est une partition arbitraire de $[0,1]$, $\underline{\int_0^1} f \, dx = 0$ et $\overline{\int_0^1} f \, dx = 1$. La fonction f n'est donc pas intégrable sur $[0,1]$.

6.2.1   Exercices

1. Soit $p = \{x_0, x_1, \dots, x_n\}$ une partition de $[a, b]$. Montrer que

$$\sum_{i=1}^n (x_i - x_{i-1}) = b - a.$$

2. Soit $f \colon [a, b] \to \mathbb{R}$ la fonction définie par $f(x) = k$, $\forall x \in [a, b]$. Montrer que f est intégrable sur $[a, b]$ et déduire que

$$\int_a^b f(x) \, dx = k(b - a).$$

3. Soit $p_n = \{0, 1/n, 2/n, \dots, n/n\}$ une partition de $[0, 1]$ et $f(x) = x$.

   a) Trouver $\lim\limits_{n \to \infty} S(f, p_n)$ et $\lim\limits_{n \to \infty} s(f, p_n)$.

   b) Montrer que

   $$\frac{1}{2} = \sup\{s(f, p_n) \mid n \in \mathbb{N}\} \leq \sup\{s(f, p) \mid p \in \mathcal{P}_{[0,1]}\}$$

   et que

   $$\inf\{S(f, p) \mid p \in \mathcal{P}_{[0,1]}\} \leq \inf\{S(f, p_n) \mid n \in \mathbb{N}\} = \frac{1}{2}.$$

4. Soit $p_n = \{0, 1/n, 2/n, \ldots, n/n\}$ une partition de $[0, 1]$ et $f(x) = x^2$. Trouver $\lim_{n \to \infty} S(f, p_n)$.

5. Soit $f: [0, 1] \to \mathbb{R}$ la fonction définie par

$$f(x) = \begin{cases} 1 & \text{si } x \text{ est rationnel,} \\ -1 & \text{si } x \text{ est irrationnel.} \end{cases}$$

Montrer que f n'est pas intégrable sur $[0, 1]$ et que $|f|$ l'est.

6.3 Intégrabilité d'une fonction

Dans cette section, nous étudierons la question délicate de l'intégrabilité d'une fonction.

Définition 6.6 Soit p, p' deux partitions de $[a, b]$. On dit que p' est un raffinement de p si $p \subset p'$, c'est-à-dire que tout point de subdivision de p est aussi un point de subdivision de p'. Soit p_1, p_2 deux partitions de $[a, b]$. L'ensemble $p_1 \cup p_2$ désigne la partition ayant comme points de subdivision les points de p_1 et les points de p_2. On dit que $p_1 \cup p_2$ est un raffinement commun de p_1 et p_2.

Théorème 6.7 *Si p' est un raffinement de p, alors pour toute fonction f,*

$$s(f, p) \leq s(f, p') \leq S(f, p') \leq S(f, p).$$

DÉMONSTRATION Supposons d'abord qu'on obtient p' en ajoutant un seul point à p. Donc

$$p = \{x_0, x_1, \ldots, x_n\} \text{ et } p' = \{x_0, x_1, \ldots, x_{i-1}, c, x_i, \ldots, x_n\}.$$

Posons (figure 6.2)

$$M_i' = \sup\{f(x) \mid x \in [x_{i-1}, c]\}, \qquad M_i'' = \sup\{f(x) \mid x \in [c, x_i]\},$$
$$m_i' = \inf\{f(x) \mid x \in [x_{i-1}, c]\}, \qquad m_i'' = \inf\{f(x) \mid x \in [c, x_i]\}.$$

Alors, $M_i(f, p) \geq M_i', M_i''$ et $m_i(f, p) \leq m_i', m_i''$. Donc

$$S(f, p) - S(f, p') = M_i(f, p)(x_i - x_{i-1}) - M_i'(c - x_{i-1}) - M_i''(x_i - c)$$
$$= (M_i(f, p) - M_i')(c - x_{i-1}) + (M_i(f, p) - M_i'')(x_i - c)$$
$$\geq 0$$

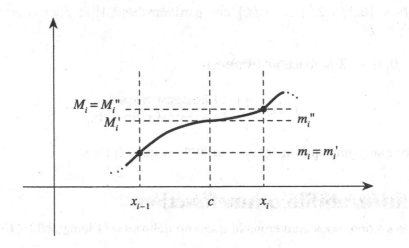

Figure 6.2

et

$$s(f,p) - s(f,p') = m_i(f,p)(x_i - x_{i-1}) - m_i'(c - x_{i-1}) - m_i''(x_i - c)$$
$$= (m_i(f,p) - m_i')(c - x_{i-1}) + (m_i(f,p) - m_i'')(x_i - c)$$
$$\leq 0,$$

c'est-à-dire que

$$s(f,p) \leq s(f,p') \leq S(f,p') \leq S(f,p).$$

Supposons maintenant qu'on obtient p' en ajoutant m points à p. Construisons une suite de $m+1$ partitions $p = p_0 \subset p_1 \subset p_2 \ldots \subset p_m = p'$, la partition p_{j+1} étant obtenue de p_j en lui ajoutant un point, $j = 0, 1, \ldots, m-1$. La première partie de la preuve donne

$$S(f,p) \geq S(f,p_1) \geq \ldots \geq S(f,p_m),$$

c'est-à-dire que

$$S(f,p) \geq S(f,p').$$

De façon analogue,

$$s(f,p') \geq s(f,p).$$

D'où, finalement,

$$s(f,p) \leq s(f,p') \leq S(f,p') \leq S(f,p),$$

■

Théorème 6.8 *Pour toute fonction f,*

$$\underline{\int_a^b} f \, dx \leq \overline{\int_a^b} f \, dx.$$

DÉMONSTRATION   Soit p_1 une partition arbitraire de $[a, b]$. Pour toute partition p de $[a, b]$,

$$s(f, p_1) \leq s(f, p_1 \cup p) \leq S(f, p_1 \cup p) \leq S(f, p).$$

Donc

$$s(f, p_1) \leq \inf\{S(f, p) \mid p \in \mathcal{P}_{[a,b]}\} = \overline{\int_a^b} f \, dx.$$

Cette inégalité tient pour toute partition p_1 de $[a, b]$. Donc

$$\underline{\int_a^b} f \, dx = \sup\{s(f, p) \mid p \in \mathcal{P}_{[a,b]}\} \leq \overline{\int_a^b} f \, dx,$$

qui démontre le théorème.   ∎

Le théorème 6.9 donne un critère simple d'intégrabilité d'une fonction que l'on utilise souvent.

Théorème 6.9 (critère d'intégrabilité)   *Une fonction f est intégrable sur $[a, b]$ $\iff$ pour tout $\varepsilon > 0$, il existe une partition p telle que $S(f, p) - s(f, p) < \varepsilon$.*

DÉMONSTRATION

$\impliedby$)   Pour chaque partition p,

$$s(f, p) \leq \underline{\int_a^b} f \, dx \leq \overline{\int_a^b} f \, dx \leq S(f, p).$$

Mais pour tout $\varepsilon > 0$ il existe une partition p telle que $S(f, p) - s(f, p) < \varepsilon$. Donc

$$0 \leq \overline{\int_a^b} f \, dx - \underline{\int_a^b} f \, dx \leq S(f, p) - s(f, p) < \varepsilon.$$

Puisque ε est arbitraire,

$$\overline{\int_a^b} f \, dx = \underline{\int_a^b} f \, dx.$$

Donc $f \in \mathcal{R}([a, b])$.

$\Longrightarrow$)   Supposons que f est intégrable sur $[a, b]$. Donc

$$\overline{\int_a^b} f\, dx = \underline{\int_a^b} f\, dx.$$

Ainsi, pour $\varepsilon > 0$ donné, il existe une partition $p_1(\varepsilon)$ telle que

$$\underline{\int_a^b} f\, dx - \frac{1}{2}\varepsilon < s\left(f, p_1(\varepsilon)\right)$$

et une partition $p_2(\varepsilon)$ telle que

$$S\left(f, p_2(\varepsilon)\right) < \overline{\int_a^b} f\, dx + \frac{1}{2}\varepsilon.$$

Ces deux inégalités découlent directement de la définition du supremum et de l'infimum, respectivement. Donc

$$0 \le S\left(f, p_2(\varepsilon)\right) - s\left(f, p_1(\varepsilon)\right) < \varepsilon.$$

Soit $p = p_1(\varepsilon) \cup p_2(\varepsilon)$. Alors

$$s\left(f, p_1(\varepsilon)\right) \le s(f, p) \le S(f, p) \le S\left(f, p_2(\varepsilon)\right).$$

D'où

$$0 \le S(f, p) - s(f, p) \le S\left(f, p_2(\varepsilon)\right) - s((f, p_1(\varepsilon)) < \varepsilon,$$

ce qui démontre le théorème.   ∎

Exemple 6.10   Soit $0 \le a < b$ et $f(x) = x$ pour $x \in [a, b]$. Montrons que f est intégrable sur $[a, b]$ et que

$$\int_a^b x\, dx = \frac{1}{2}(b^2 - a^2).$$

SOLUTION   Soit $\varepsilon > 0$ et $p = \{x_0, x_1, \ldots, x_n\}$ une partition arbitraire de $[a, b]$ telle que $|p| < \varepsilon/(b - a)$. Puisque f est croissante et continue,

$$M_i(f, p) = f(x_i) = x_i \qquad \text{et} \qquad m_i(f, p) = f(x_{i-1}) = x_{i-1},$$

$$S(f, p) = \sum_{i=1}^n x_i(x_i - x_{i-1}) \quad \text{et} \quad s(f, p) = \sum_{i=1}^n x_{i-1}(x_i - x_{i-1}).$$

Donc

$$S(f,p) - s(f,p) = \sum_{i=1}^{n}(x_i - x_{i-1})(x_i - x_{i-1})$$

$$< \sum_{i=1}^{n} \frac{\varepsilon}{b-a}(x_i - x_{i-1}) = \varepsilon.$$

Cette inégalité signifie que f est intégrable sur $[a, b]$, $0 \le a < b$. Il reste à évaluer $\int_a^b x\,dx$. Puisque $x_{i-1} \le \frac{1}{2}(x_i + x_{i-1}) \le x_i$, alors pour toute partition p de $[a, b]$

$$S(f,p) \ge \frac{1}{2}\sum_{i=1}^{n}(x_i + x_{i-1})(x_i - x_{i-1}) = \frac{1}{2}\sum_{i=1}^{n}(x_i^2 - x_{i-1}^2) = \frac{1}{2}(b^2 - a^2),$$

$$s(f,p) \le \frac{1}{2}\sum_{i=1}^{n}(x_i + x_{i-1})(x_i - x_{i-1}) = \frac{1}{2}\sum_{i=1}^{n}(x_i^2 - x_{i-1}^2) = \frac{1}{2}(b^2 - a^2).$$

D'après ces deux inégalités, pour toute partition p de $[a, b]$,

$$s(f,p) \le \frac{1}{2}(b^2 - a^2) \le S(f,p).$$

Les inégalités

$$s(f,p) \le \int_a^b f(x)\,dx \le S(f,p)$$

donnent

$$\left|\int_a^b f(x)\,dx - \frac{1}{2}(b^2 - a^2)\right| \le S(f,p) - s(f,p)$$

pour toute partition p de $[a, b]$. D'après le théorème 6.9, pour $\varepsilon > 0$ donné, il existe une partition $p(\varepsilon)$ telle que

$$0 \le S\left(f, p(\varepsilon)\right) - s\left(f, p(\varepsilon)\right) < \varepsilon.$$

Donc pour tout $\varepsilon > 0$,

$$\left|\int_a^b x\,dx - \frac{1}{2}(b^2 - a^2)\right| < \varepsilon.$$

Cette inégalité permet de conclure que

$$\int_a^b x\,dx = \frac{1}{2}(b^2 - a^2).$$

La fonction f de l'exemple précédent est une fonction continue sur $[a, b]$. Généralisons cela.

Théorème 6.11 *Toute fonction f continue sur $[a, b]$ est intégrable sur $[a, b]$.*

DÉMONSTRATION Puisque f est continue sur $[a, b]$, elle est uniformément continue sur $[a, b]$. Donc pour tout $\varepsilon > 0$, il existe un $\delta(\varepsilon) > 0$ tel que pour tout $x, y \in [a, b]$, $|x - y| < \delta(\varepsilon)$ entraîne $|f(x) - f(y)| < \varepsilon$. Soit $n > (b - a)/\delta(\varepsilon)$ et $p = \{x_0, x_1, \ldots, x_n\}$ la partition de $[a, b]$ telle que

$$x_i = a + \frac{i}{n}(b - a), \qquad i = 0, 1, 2, \ldots, n.$$

Comme f est continue sur $[x_{i-1}, x_i]$, il existe un $c_i \in [x_{i-1}, x_i]$ tel que $f(c_i) = M_i(f, p)$ et il existe un $d_i \in [x_{i-1}, x_i]$ tel que $f(d_i) = m_i(f, p)$, $i = 1, 2, \ldots, n$. Puisque

$$x_i - x_{i-1} = \frac{b - a}{n} < \delta(\varepsilon),$$

$$S(f, p) - s(f, p) = \sum_{i=1}^{n} \left(f(c_i) - f(d_i) \right) (x_i - x_{i-1})$$

$$< \varepsilon \cdot \sum_{i=1}^{n} (x_i - x_{i-1}) = \varepsilon(b - a).$$

La fonction f est donc intégrable sur $[a, b]$. ∎

D'après ce théorème, la continuité sur $[a, b]$ est une condition suffisante pour qu'une fonction soit intégrable, mais elle n'est pas une condition nécessaire. Il existe en effet des fonctions discontinues intégrables. Avant de voir un exemple intéressant d'une fonction discontinue intégrable, voyons le théorème 6.12.

Théorème 6.12 *Toute fonction f bornée, définie sur $[a, b]$ et à ensemble fini de points de discontinuité est intégrable sur $[a, b]$.*

DÉMONSTRATION Supposons que $|f(x)| \leq M$ pour tout $x \in [a, b]$. Soit c_i, $i = 1, 2, \ldots, n$, les points de discontinuité de f. Pour tout $\varepsilon > 0$, il existe donc des intervalles ouverts (α_i, β_i) tels que $c_i \in (\alpha_i, \beta_i)$, pour $i = 1, 2, \ldots, n$. Posons $A = \cup_{i=1}^{n}(\alpha_i, \beta_i)$.

Puisque f est continue sur l'ensemble compact $[a,b] \setminus A$, f est uniformément continue sur ce compact. Il existe donc δ_1 tel que pour tout $x, y \in [a,b] \setminus A$ vérifiant $|x - y| < \delta_1$,

$$|f(x) - f(y)| < \frac{\varepsilon}{2(b-a)}.$$

Soit $p = \{x_0, x_1, \ldots, x_m\}$ ($m \geq n$) une partition de $[a,b]$ telle que $|p| < \delta$ où $\delta = \min\{\delta_1, \varepsilon/16Mn\}$. Pour les intervalles $[x_{i-1}, x_i]$ satisfaisant à $[x_{i-1}, x_i] \subset [a,b] \setminus A$, il existe des éléments $e_i, d_i \in [x_{i-1}, x_i]$ tels que $f(e_i) = M_i(f,p)$ et $f(d_i) = m_i(f,p)$. On a

$$f(e_i) - f(d_i) < \frac{\varepsilon}{2(b-a)}.$$

Dans ce cas,

$$\sum_{\substack{i=1 \\ [x_{i-1},x_i] \subset [a,b] \setminus A}}^{m} \left(M_i(f,p) - m_i(f,p)\right)(x_i - x_{i-1})$$

$$\leq \sum_{\substack{i=1 \\ [x_{i-1},x_i] \subset [a,b] \setminus A}}^{m} \frac{\varepsilon}{2(b-a)}(x_i - x_{i-1})$$

$$\leq \frac{\varepsilon}{2(b-a)} \sum_{i=1}^{m}(x_i - x_{i-1}) = \frac{\varepsilon}{2}.$$

Pour terminer la démonstration, il suffit d'évaluer

$$\sum_{\substack{i=1 \\ [x_{i-1},x_i] \cap A \neq \emptyset}}^{m} \left(M_i(f,p) - m_i(f,p)\right)(x_i - x_{i-1}).$$

Supposons que $\beta_i - \alpha_i < \varepsilon/8Mn$, d'où la longueur de l'intervalle A est plus petite que $\varepsilon/8M$. Puisque $|f(x)| \leq M$,

$$-M \leq m_i(f,p) \leq M_i(f,p) \leq M.$$

Donc

$$M_i(f,p) - m_i(f,p) \leq 2M.$$

D'où

$$\sum_{\substack{i=1 \\ [x_{i-1},x_i] \cap A \neq \emptyset}}^{m} \left(M_i(f,p) - m_i(f,p)\right)(x_i - x_{i-1}) \leq \sum_{\substack{i=1 \\ [x_{i-1},x_i] \cap A \neq \emptyset}}^{m} 2M(x_i - x_{i-1})$$

$$\leq 2M\left(\frac{\varepsilon}{8M} + 2n\frac{\varepsilon}{16Mn}\right)$$

$$< \frac{\varepsilon}{2}.$$

Ces deux sommes correspondantes donnent l'inégalité

$$S(f,p) - s(f,p) < \varepsilon.$$

La fonction f est donc intégrable sur $[a, b]$. ∎

Exemple 6.13   Soit $f : [0, 1] \to \mathbb{R}$ la fonction définie par

$$f(x) = \begin{cases} 0 & \text{si } x \text{ est irrationnel,} \\ 1/q & \text{si } x = p/q, p \text{ et } q \text{ relativement premiers, } p > 0, q > 0, \\ 1 & x = 0. \end{cases}$$

Montrons que cette fonction est intégrable sur $[0, 1]$.

SOLUTION   Tout intervalle contient des nombres irrationnels. Donc pour toute partition p de $[0, 1]$, $s(f, p) = 0$. D'où

$$\underline{\int_0^1} f \, dx = 0.$$

Si nous parvenons à montrer que f est intégrable sur $[0, 1]$, nous aurons

$$\underline{\int_0^1} f \, dx = \int_0^1 f(x) \, dx = 0.$$

Soit $0 < \varepsilon < 1$. Pour montrer que f est intégrable sur $[0, 1]$, il suffit de trouver une partition $p(\varepsilon)$ telle que $S(f, p(\varepsilon)) < \varepsilon$. Soit $\{r_0, r_1, \ldots, r_n\}$ l'ensemble des nombres rationnels de $[0, 1]$ tels que $f(r_i) \geq \frac{1}{2}\varepsilon$ (nous prenons donc tous les nombres rationnels de la forme p/q où p et q n'ont aucun facteur en commun et tel que $0 < q \leq 2/\varepsilon$). Supposons que

$$0 = r_0 < r_1 < \ldots < r_n = 1.$$

Nous voulons construire une partition $p(\varepsilon)$ (figure 6.3) de $[0,1]$ telle que $S(f, p(\varepsilon)) < \varepsilon$. Posons $p(\varepsilon) = \{x_0, x_1, \ldots, x_{2n+1}\}$ une partition de $[0, 1]$ telle que

$$x_{2k} < r_k < x_{2k+1}, \qquad k = 1, 2, \ldots, n - 1$$

et

$$x_{2k+1} - x_{2k} < \frac{\varepsilon}{2(n + 1)}, \qquad k = 1, 2, \ldots, n.$$

Figure 6.3

Ce choix de la partition $p(\varepsilon)$ peut sembler mystérieux, mais il permet d'avoir une très petite somme supérieure correspondant à f pour des valeurs plus grandes que $\frac{1}{2}\varepsilon$. On a

$$
\begin{aligned}
S\left(f, p(\varepsilon)\right) &= \sum_{i=1}^{2n+1} M_i\left(f, p(\varepsilon)\right)\left(x_i - x_{i-1}\right) \\
&= \sum_{i=0}^{n} M_{2i+1}\left(f, p(\varepsilon)\right)\left(x_{2i+1} - x_{2i}\right) \\
&\qquad + \sum_{i=1}^{n} M_{2i}\left(f, p(\varepsilon)\right)\left(x_{2i} - x_{2i-1}\right) \\
&< \sum_{i=0}^{n}\left(x_{2i+1} - x_{2i}\right) + \sum_{i=1}^{n}\frac{\varepsilon}{2}\left(x_{2i} - x_{2i-1}\right) \\
&< (n+1)\frac{\varepsilon}{2(n+1)} + \frac{\varepsilon}{2} = \varepsilon.
\end{aligned}
$$

D'après le critère d'intégrabilité, f est intégrable sur $[0,1]$ et de plus

$$
\int_0^1 f(x)\, dx = 0.
$$

Nous avons établi que toute fonction f bornée, définie sur $[a,b]$ et à ensemble fini de points de discontinuité appartient à $\mathcal{R}([a,b])$. D'après l'exemple précédent, ce n'est pas une condition nécessaire pour que f soit intégrable et il existe des fonctions intégrables ayant une infinité de points de discontinuité. D'où la question : quelles fonctions sont intégrables au sens de Riemann? Le théorème 6.16 répond à cette question. Mais auparavant donnons une définition et traitons un exemple.

Définition 6.14   Un ensemble $E \subset \mathbb{R}$ est de mesure zéro si étant donné $\varepsilon > 0$, il existe une suite d'intervalles ouverts $\{(a_n, b_n)\}$ telle que

i) $E \subset \bigcup_{n=1}^{\infty}(a_n, b_n)$,   ii) $\sum_{n=1}^{\infty}(b_n - a_n) < \varepsilon$.

Exemple 6.15 Soit $E = \{x_1, x_2, \ldots, x_n, \ldots\}$ un ensemble dénombrable. Montrons que E est un ensemble de mesure zéro.

SOLUTION Soit $\varepsilon > 0$ et $(a_n, b_n) = (x_n - \dfrac{\varepsilon}{2^{n+2}}, x_n + \dfrac{\varepsilon}{2^{n+2}})$. Donc

$$\bigcup_{n=1}^{\infty} (a_n, b_n) \supset E \quad \text{et} \quad \sum_{n=1}^{\infty} (b_n - a_n) = \frac{\varepsilon}{2} < \varepsilon.$$

Théorème 6.16 (critère de Lebesgue) *Une fonction f est intégrable $\Longleftrightarrow$ l'ensemble des points de discontinuité de f est de mesure zéro.*

Nous ne démontrerons pas ce théorème. Disons cependant que Lebesgue a défini une intégrale plus générale que celle de Riemann en introduisant la notion de mesure d'un ensemble.

6.3.1 Exercices

1. Soit $f : [0, 2] \to \mathbb{R}$ la fonction définie par

$$f(x) = \begin{cases} 2 & \text{si } x \neq 1/2, \\ 0 & \text{si } x = 1/2. \end{cases}$$

Montrer que f est intégrable sur [0,2] et que $\int_0^2 f(x)\, dx = 4$.

2. Montrer que les fonctions suivantes sont intégrables.

a) $f(x) = \begin{cases} x & \text{si } x \in [0, \frac{1}{2}) \\ 3x + 1 & \text{si } x \in [\frac{1}{2}, 1], \end{cases}$ b) $f(x) = \begin{cases} 0 & \text{si } x \in [0, 2) \\ 1 & \text{si } x = 2 \\ 2 & \text{si } x \in (2, 3], \end{cases}$

c) $f(x) = \begin{cases} 0 & \text{si } x = 0 \\ 2x/(x+1) & \text{si } x \in (0, 1) \\ 2 & \text{si } x = 1. \end{cases}$

3. Soit $f : [0, 1] \to \mathbb{R}$ la fonction définie pour tout $n \in \mathbb{N}$ par

$$f(x) = \begin{cases} 0 & \text{si } x = 1/n, \\ 1 & \text{si } x \neq 1/n. \end{cases}$$

Montrer que f est intégrable sur [0,1] et calculer $\int_0^1 f(x)\, dx$.

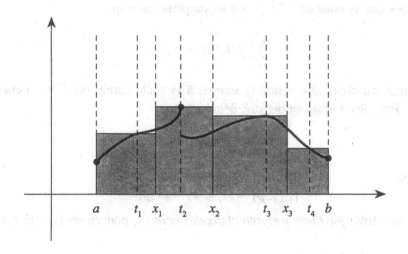

Figure 6.4

6.4   L'intégrale comme limite d'une somme

Nous avons défini l'intégrale $\int_a^b f(x)\,dx$ à partir des sommes supérieures et des sommes inférieures. Considérons maintenant le point de vue suivant.

Soit $f\colon [a,b] \to \mathbb{R}$ une fonction bornée et $p = \{x_0, x_1, \ldots, x_n\}$ une partition de $[a,b]$. Pour chaque $i \in \{1, 2, \ldots, n\}$, choisissons $t_i \in [x_{i-1}, x_i]$ et posons

$$T(f,p) = \sum_{i-1}^{n} f(t_i)(x_i - x_{i-1}).$$

Le nombre $T(f,p)$ est l'aire totale des rectangles de la figure 6.4. Or pour chaque $i \in \{1, 2, \ldots, n\}$,

$$m_i(f,p) \le f(t_i) \le M_i(f,p).$$

D'où

$$s(f,p) \le T(f,p) \le S(f,p).$$

Si f est une fonction intégrable, $s(f,p)$ et $S(f,p)$ tendent vers $\int_a^b f(x)\,dx$. Il est donc raisonnable de penser que la somme $T(f,p)$ se comportera de même.

Définition 6.17   On dit que $\displaystyle\lim_{|p|\to 0} T(f,p) = A$ si, pour chaque $\varepsilon > 0$, on peut faire correspondre un nombre $\delta > 0$ tel que $|T(f,p) - A| < \varepsilon$ dès que $|p| < \delta$.

Remarquons que la notation $T(f,p)$ est incomplète parce que

$$\sum_{i=1}^{n} f(t_i)(x_i - x_{i-1})$$

dépend aussi du choix des points t_i soumis à la seule condition d'être compris dans $[x_{i-1}, x_i]$. Pour lever toute ambiguïté, décidons que

$$\lim_{|p| \to 0} T(f,p) = A$$

signifie que

$$|T(f,p) - A| < \varepsilon, \quad \text{si } |p| < \delta$$

est vraie *pour toute partition p et tout choix des points t_i* pourvu seulement que $|p| < \delta$.

Théorème 6.18 (de Darboux) *Si f est intégrable,* $\displaystyle\lim_{|p| \to 0} (S(f,p) - s(f,p)) = 0.$

DÉMONSTRATION   Soit $\varepsilon > 0$ arbitraire. Supposons que $p(\varepsilon)$ est une partition ($p(\varepsilon) = \{x_0, x_1, \ldots, x_n\}$) telle que

$$S(f, p(\varepsilon)) - s(f, p(\varepsilon)) < \varepsilon.$$

Soit $\delta > 0$ tel que $\delta < \min\{x_i - x_{i-1} \mid i = 1, 2, \ldots, n\}$ et $p = \{z_0, z_1, \ldots, z_k\}$ une partition quelconque de $[a, b]$ telle que $|p| < \delta$. Nous sommes certains que chaque intervalle $[z_{i-1}, z_i]$ contient au plus un point x_j. Soit $p' = p \cup p(\varepsilon)$, $p' = \{y_0, y_1, \ldots, y_m\}$. Posons

$$M_{y_i, y_{i+1}} = \sup\{f(x) \mid y_i \le x \le y_{i+1}\}.$$

Il vient

$$|S(f,p) - S(f,p')| = \sum \{M_{z_{i-1}, z_i}(z_i - z_{i-1}) \\ - M_{z_{i-1}, x_k}(x_k - z_{i-1}) - M_{x_k, z_i}(z_i - x_k)\},$$

la sommation étant prise sur tous les intervalles $[z_{i-1}, z_i]$ qui contiennent un point x_k. Donc

$$|S(f,p) - S(f,p')| = \sum \{(M_{z_{i-1}, z_i} - M_{z_{i-1}, x_k})(x_k - z_{i-1}) \\ + (M_{z_{i-1}, z_i} - M_{x_k, z_i})(z_i - x_k)\}.$$

Puisque la partition $p(\varepsilon)$ a au plus $n + 1$ points de subdivision,

$$|S(f,p) - S(f,p')| \le 2(n+1)\delta M,$$

où $M = \sup\{|f(x)| \mid x \in [a, b]\}$. On obtient de même l'inégalité

$$|s(f, p) - s(f, p')| \leq 2(n + 1)\delta M.$$

Donc

$$S(f, p) \leq S(f, p') + 2(n + 1)\delta M \leq S\left(f, p(\varepsilon)\right) + 2(n + 1)\delta M$$

et

$$s(f, p) \geq s(f, p') - 2(n + 1)\delta M \geq s\left(f, p(\varepsilon)\right) - 2(n + 1)\delta M.$$

Soit $\delta_1 < \min\{x_i - x_{i-1}, \varepsilon/2(n + 1)M\}$. Pour $|p| < \delta_1$,

$$S(f, p) - s(f, p) < 3\varepsilon.$$

Donc $S(f, p) - s(f, p) \to 0$ lorsque $|p| \to 0$. ∎

Corollaire 6.19 *Si f est intégrable,*

$$\lim_{|p| \to 0} s(f, p) = \lim_{|p| \to 0} S(f, p) = \int_a^b f(x)\, dx.$$

DÉMONSTRATION   Pour une partition p arbitraire,

$$s(f, p) \leq \int_a^b f(x)\, dx \leq S(f, p),$$

et

$$\int_a^b f(x)\, dx - s(f, p) \leq S(f, p) - s(f, p) \to 0 \text{ lorsque } |p| \to 0,$$

$$-\int_a^b f(x)\, dx + S(f, p) \leq S(f, p) - s(f, p) \to 0 \text{ lorsque } |p| \to 0. \blacksquare$$

Corollaire 6.20 *Si f est intégrable,*

$$\lim_{|p| \to 0} T(f, p) = \int_a^b f(x)\, dx.$$

DÉMONSTRATION   Pour toute partition p, $s(f, p) \leq T(f, p) \leq S(f, p)$. Le corollaire 6.19 donne le résultat. ∎

Théorème 6.21 (caractérisation par les limites) *Une fonction f est intégrable sur $[a, b] \iff$ les sommes de la forme $T(f, p)$ convergent lorsque $|p| \to 0$. Dans ce cas,*

$$\lim_{|p| \to 0} T(f, p) = \int_a^b f(x)\, dx.$$

DÉMONSTRATION

$\Longrightarrow$) Cette partie a été démontrée dans le corollaire 6.20.

$\Longleftarrow$) Pour $\varepsilon > 0$ donné, prenons $\delta > 0$ assez petit pour que

$$|T(f, p) - T| < \varepsilon \quad \text{dès que } |p| < \delta,$$

où $T = \lim\limits_{|p| \to 0} T(f, p)$.

Soit $p = \{x_0, x_1, \ldots, x_n\}$ une partition telle que $|p| < \delta$. Choisissons t_i, t_i', $i = 1, 2, \ldots, n$ de telle sorte que, pour

$$T(f, p) = \sum_{i=1}^n f(t_i)(x_i - x_{i-1}) \quad \text{et} \quad T'(f, p) = \sum_{i=1}^n f(t_i')(x_i - x_{i-1}),$$

on ait

$$S(f, p) - T(f, p) < \varepsilon \quad \text{et} \quad T'(f, p) - s(f, p) < \varepsilon.$$

Or

$$|T(f, p) - T| < \varepsilon \quad \text{et} \quad |T'(f, p) - T| < \varepsilon.$$

D'où

$$|T(f, p) - T'(f, p)| = |T(f, p) - T + T - T'(f, p)| < 2\varepsilon.$$

Donc

$$S(f, p) - s(f, p) = S(f, p) - T(f, p) + T(f, p) - T'(f, p) + T'(f, p) - s(f, p) < 4\varepsilon,$$

c'est-à-dire que f est intégrable. ∎

Rappelons qu'une caractérisation, comme dans le nom du théorème 6.21, est simplement une définition équivalente. Dans ce cas, nous avons établi la définition équivalente de l'intégrale de Riemann donnée comme définition fondamentale dans certains livres.

La formule

$$\int_a^b f(x)\, dx = \lim_{|p| \to 0} \sum_{i=1}^n f(t_i)(x_i - x_{i-1})$$

montre que l'intégrale est la limite d'une somme de termes qui tendent vers zéro quand le nombre de ces termes tend vers l'infini (chaque terme $f(t_i)(x_i - x_{i-1})$ tend vers zéro quand le nombre n tend vers l'infini).

Exemple 6.22

1. Soit f une fonction continue sur $[a, b]$. Montrons que

$$\lim_{n \to \infty} \frac{b-a}{n} \sum_{i=1}^{n} f\left(a + i\frac{b-a}{n}\right) = \int_a^b f(x)\, dx.$$

SOLUTION   Puisque f est intégrable sur $[a, b]$,

$$\lim_{|p| \to 0} T(f, p) = \int_a^b f(x)\, dx.$$

Soit $p = \{x_0, x_1, \ldots, x_n\}$ une partition de $[a, b]$ telle que les points de subdivision soient

$$x_i = a + i\frac{b-a}{n}, \qquad i = 0, 1, 2, \ldots, n.$$

Il vient $|p| = (b-a)/n$. Soit $t_i = x_i$. Donc

$$T(f, p) = \sum_{i=1}^{n} f\left(a + i\frac{b-a}{n}\right)(x_i - x_{i-1})$$

$$= \frac{b-a}{n} \sum_{i=1}^{n} f\left(a + i\frac{b-a}{n}\right).$$

$|p| \to 0$ lorsque $n \to \infty$. D'où la conclusion.

2. Calculons

$$\lim_{n \to \infty} \frac{1}{n}\left(e^{1/n} + e^{2/n} + \cdots + e^{n/n}\right).$$

SOLUTION   Posons $f(x) = e^x$, $b = 1$ et $a = 0$. Il vient

$$\lim_{n \to \infty} \frac{1}{n}\left(e^{1/n} + e^{2/n} + \cdots + e^{n/n}\right) = \int_0^1 e^x\, dx = e - 1.$$

6.4.1   Exercices

1. Exprimer les limites suivantes sous forme d'intégrales.

a) $\displaystyle\lim_{n\to\infty} n \sum_{i=1}^{n} \frac{1}{n^2 + i^2}$,

b) $\displaystyle\lim_{n\to\infty} \sum_{i=1}^{n} \frac{1}{\sqrt{n^2 + i^2}}$,

c) $\displaystyle\lim_{n\to\infty} \frac{1}{n} \sum_{i=2}^{n} \sin\left(\frac{i-1}{n}\pi\right)$,

d) $\displaystyle\lim_{n\to\infty} \frac{1}{\sqrt{n}} \sum_{i=1}^{n} \frac{1}{\sqrt{n + i - \frac{1}{2}}}$.

2. Montrer que

a) $\displaystyle\lim_{n\to\infty} \frac{1^6 + 2^6 + \cdots + n^6}{n^7} = \int_0^1 x^6 \, dx$,

b) $\displaystyle\lim_{n\to\infty} \frac{1^r + 2^r + \cdots + n^r}{n^{r+1}} = \int_0^1 x^r \, dx$ pour tout nombre réel positif r,

c) $\displaystyle\lim_{n\to\infty} \left(\frac{1}{\sqrt{n^2 + 1}} + \frac{1}{\sqrt{n^2 + 2}} + \cdots + \frac{1}{\sqrt{n^2 + n}}\right) = 1$,

d) $\displaystyle\lim_{n\to\infty} \left(\frac{1}{\sqrt{n^2 + 1}} + \frac{1}{\sqrt{n^2 + 2}} + \cdots + \frac{1}{\sqrt{n^2 + n^2}}\right) = +\infty$.

6.5   La classe des fonctions intégrables

Établissons les trois propriétés fondamentales de l'intégrale de Riemann, à savoir la linéarité, la positivité et l'additivité.

Théorème 6.23 (linéarité)   *Si* $f, g \in \mathcal{R}([a, b])$ *et* c_1, c_2 *sont des constantes, alors* $c_1 f + c_2 g \in \mathcal{R}([a, b])$ *et*

$$\int_a^b \left(c_1 f(x) + c_2 g(x)\right) dx = c_1 \int_a^b f(x) \, dx + c_2 \int_a^b g(x) \, dx.$$

DÉMONSTRATION   Pour chaque partition $p = \{x_0, x_1, \ldots, x_n\}$ et pour chaque $x_{i-1} \leq t_i \leq x_i$, considérons les sommes

$$T(f, p) = \sum_{i=1}^{n} f(t_i)(x_i - x_{i-1}), \qquad T(g, p) = \sum_{i=1}^{n} g(t_i)(x_i - x_{i-1}).$$

On a donc

$$T(c_1 f + c_2 g, p) = \sum_{i=1}^{n} \left(c_1 f(t_i) + c_2 g(t_i)\right)(x_i - x_{i-1}) = c_1 T(f, p) + c_2 T(g, p).$$

Puisque $f, g \in \mathcal{R}([a, b])$, $\lim\limits_{|p| \to 0} T(f, p)$ et $\lim\limits_{|p| \to 0} T(g, p)$ existent, et donc aussi

$$c_1 \lim_{|p| \to 0} T(f, p) + c_2 \lim_{|p| \to 0} T(g, p).$$

Or

$$c_1 \lim_{|p| \to 0} T(f, p) + c_2 \lim_{|p| \to 0} T(g, p) = \lim_{|p| \to 0} \left(c_1 T(f, p) + c_2 T(g, p) \right).$$

Le deuxième membre existe puisque le premier est bien défini. Donc

$$c_1 f + c_2 g \in \mathcal{R}([a, b]).$$

D'après la définition de l'intégrale de Riemann par des limites,

$$\begin{aligned}
\int_a^b \left(c_1 f(x) + c_2 g(x) \right) dx &= \lim_{|p| \to 0} T(c_1 f + c_2 g, p) \\
&= c_1 \lim_{|p| \to 0} T(f, p) + c_2 \lim_{|p| \to 0} T(g, p) \\
&= c_1 \int_a^b f(x)\, dx + c_2 \int_a^b g(x)\, dx.
\end{aligned}$$

Ce qui termine la démonstration. ∎

Théorème 6.24 (positivité)   *Si* $f \in \mathcal{R}([a, b])$ *et* $f \geq 0$, *alors* $\int_a^b f(x)\, dx \geq 0$.

DÉMONSTRATION   Pour chaque partition $p = \{x_0, x_1, \ldots, x_n\}$, $M_i(f, p) \geq 0$ pour $i = 1, 2, \ldots, n$. Donc $S(f, p) \geq 0$ et

$$0 \leq \inf\{S(f, p) \mid p \in \mathcal{P}_{[a, b]}\} = \overline{\int_a^b} f\, dx = \int_a^b f(x)\, dx.$$

Ce qu'il fallait démontrer. ∎

Théorème 6.25 (additivité)   *Si* $f \in \mathcal{R}([a, b])$ *et* $c \in (a, b)$, *alors* $f \in \mathcal{R}([a, c])$, $f \in \mathcal{R}([c, b])$ *et*

$$\int_a^b f(x)\, dx = \int_a^c f(x)\, dx + \int_c^b f(x)\, dx.$$

DÉMONSTRATION   Soit $p(\varepsilon)$ une partition de $[a, b]$ telle que

$$S\left(f, p(\varepsilon)\right) - s\left(f, p(\varepsilon)\right) < \varepsilon/2.$$

Si c n'est pas un point de $p(\varepsilon)$, soit $p'(\varepsilon)$ le raffinement de $p(\varepsilon)$ obtenu en ajoutant c à $p(\varepsilon)$. Donc

$$S\left(f, p'(\varepsilon)\right) - s\left(f, p'(\varepsilon)\right) < \varepsilon/2.$$

Soit $p'(\varepsilon) = \{x_0, x_1, \ldots, x_k, \ldots, x_n\}$, où $x_k = c$, $p_1(\varepsilon) = \{x_0, x_1, \ldots, x_k\}$ et $p_2(\varepsilon) = \{x_k, x_{k+1}, \ldots, x_n\}$. On obtient aisément

$$S\left(f, p'(\varepsilon)\right) = S\left(f, p_1(\varepsilon)\right) + S\left(f, p_2(\varepsilon)\right)$$

et

$$s\left(f, p'(\varepsilon)\right) = s\left(f, p_1(\varepsilon)\right) + s\left(f, p_2(\varepsilon)\right).$$

D'où

$$S\left(f, p'(\varepsilon)\right) - s\left(f, p'(\varepsilon)\right) = S\left(f, p_1(\varepsilon)\right) + S\left(f, p_2(\varepsilon)\right) - s\left(f, p_1(\varepsilon)\right) - s\left(f, p_2(\varepsilon)\right).$$

Or

$$S\left(f, p_1(\varepsilon)\right) - s\left(f, p_1(\varepsilon)\right) \geq 0,$$
$$S\left(f, p_2(\varepsilon)\right) - s\left(f, p_2(\varepsilon)\right) \geq 0.$$

Donc

$$S\left(f, p_1(\varepsilon)\right) - s\left(f, p_1(\varepsilon)\right) < \varepsilon/2$$
$$S\left(f, p_2(\varepsilon)\right) - s\left(f, p_2(\varepsilon)\right) < \varepsilon/2,$$

c'est-à-dire que $f \in \mathcal{R}([a, c])$ et $f \in \mathcal{R}([c, b])$.
De plus,

$$\int_a^b f(x)\, dx \leq S\left(f, p'(\varepsilon)\right) < \int_a^b f(x)\, dx + \varepsilon/2$$
$$\int_a^c f(x)\, dx \leq S\left(f, p_1(\varepsilon)\right) < \int_a^c f(x)\, dx + \varepsilon/2$$
$$\int_c^b f(x)\, dx \leq S\left(f, p_2(\varepsilon)\right) < \int_c^b f(x)\, dx + \varepsilon/2.$$

L'addition des deux dernières lignes donne

$$\int_a^c f(x)\, dx + \int_c^b f(x)\, dx \leq S\left(f, p_1(\varepsilon)\right) + S\left(f, p_2(\varepsilon)\right)$$

$$< \int_a^c f(x)\, dx + \int_c^b f(x)\, dx + \varepsilon.$$

Donc

$$\int_a^c f(x)\,dx + \int_c^b f(x)\,dx \leq S\left(f, p'(\varepsilon)\right) < \int_a^c f(x)\,dx + \int_c^b f(x)\,dx + \varepsilon.$$

D'où

$$\int_a^b f(x)\,dx < \int_a^c f(x)\,dx + \int_c^b f(x)\,dx + \varepsilon,$$

$$\int_a^b f(x)\,dx > \int_a^c f(x)\,dx + \int_c^b f(x)\,dx - \varepsilon/2.$$

Ces deux inégalités donnent la conclusion du théorème. ∎

Soit $f \in \mathcal{R}([a, b])$ et c un point fixe, mais arbitraire de $[a, b]$. Pour $c < d \leq b$, $\int_c^d f(x)\,dx$ est bien définie. Pour définir $\int_c^d f(x)\,dx$ pour tout $c, d \in [a, b]$, posons la définition supplémentaire suivante.

Définition 6.26

$$\int_c^c f(x)\,dx = 0, \quad \int_d^c f(x)\,dx = -\int_c^d f(x)\,dx \text{ pour } a \leq c < d \leq b.$$

Ce prolongement de la définition de l'intégrale définit $\int_c^d f(x)\,dx$ pour tout couple $c, d \in [a, b]$. Ainsi

$$\int_c^d f(x)\,dx = -\int_d^c f(x)\,dx \quad a \leq c, d \leq b.$$

Ce prolongement oblige à reprendre les trois propriétés fondamentales.

Théorème 6.27 (linéarité) *Si $f, g \in \mathcal{R}([a, b])$ et c_1, c_2 sont des constantes quelconques, alors*

$$\int_c^d \left(c_1 f(x) + c_2 g(x)\right)\,dx = c_1 \int_c^d f(x)\,dx + c_2 \int_c^d g(x)\,dx,$$

où $a \leq c, d \leq b$.

DÉMONSTRATION   L'équation est déjà vérifiée pour $c < d$ et elle est triviale pour $c = d$. Il reste à la vérifier pour $d < c$. On a donc

$$\int_c^d \left(c_1 f(x) + c_2 g(x)\right)\,dx = -\int_d^c \left(c_1 f(x) + c_2 g(x)\right)\,dx$$

$$= -\left\{ c_1 \int_d^c f(x)\, dx + c_2 \int_d^c g(x)\, dx \right\}$$

$$= c_1 \int_c^d f(x)\, dx + c_2 \int_c^d g(x)\, dx. \qquad \blacksquare$$

Théorème 6.28 (positivité) *Ce théorème reste vrai sous la forme : si $f \in \mathcal{R}([a,b])$, $f \geq 0$ et $a \leq c \leq d \leq b$, alors*

$$\int_c^d f(x)\, dx \geq 0.$$

DÉMONSTRATION En effet, il faut imposer implicitement, comme partie de l'hypothèse, la condition $c \leq d$ qui était déjà dans le contexte original, avant le prolongement de la définition. $\qquad \blacksquare$

Théorème 6.29 (additivité) *Si $f \in \mathcal{R}([a,b])$, alors*

$$\int_c^e f(x)\, dx = \int_c^d f(x)\, dx + \int_d^e f(x)\, dx,$$

où $a \leq c, d, e \leq b$.

DÉMONSTRATION L'additivité est déjà établie pour $c < d < e$, donc aussi pour $c \leq d \leq e$ (car les cas $c = d = e$ et $c < d = e$ sont triviaux). Le cas $c = e$ est celui de la définition, quel que soit d.

1er cas $c < e$.

Si $d < c < e$, $\displaystyle\int_d^e f(x)\, dx = \int_d^c f(x)\, dx + \int_c^e f(x)\, dx$ et donc

$$\int_c^e f(x)\, dx = -\int_d^c f(x)\, dx + \int_d^e f(x)\, dx$$

$$= \int_c^d f(x)\, dx + \int_d^e f(x)\, dx.$$

Si $c < e < d$, $\displaystyle\int_c^d f(x)\, dx = \int_c^e f(x)\, dx + \int_e^d f(x)\, dx$ et donc

$$\int_c^e f(x)\, dx = \int_c^d f(x)\, dx - \int_e^d f(x)\, dx = \int_c^d f(x)\, dx + \int_d^e f(x)\, dx.$$

2e cas $e < c$.

On a donc

$$\int_c^e f(x)\,dx = -\int_e^c f(x)\,dx = -\left\{ \int_e^d f(x)\,dx + \int_d^c f(x)\,dx \right\}$$

$$= \int_c^d f(x)\,dx + \int_d^e f(x)\,dx.$$

Ce qu'il fallait démontrer. ∎

Les trois propriétés fondamentales subsistent après le prolongement de la définition. Le théorème suivant donne une équivalence pour la positivité.

Théorème 6.30 *Les énoncés suivants sont équivalents :*

a) *Si $a \le c \le d \le b$, $f \in \mathcal{R}([a,b])$ et $f \ge 0$, $\displaystyle\int_c^d f(x)\,dx \ge 0$.*

b) *Si $a \le c \le d \le b$, $f, g \in \mathcal{R}([a,b])$ et $f \ge g$,*

$$\int_c^d f(x)\,dx \ge \int_c^d g(x)\,dx.$$

DÉMONSTRATION

a) $\Rightarrow$ b)   Soit $a \le c \le d \le b$. Supposons que $f, g \in \mathcal{R}([a,b])$ sont telles que $f \ge g$. Donc $h = f - g \in \mathcal{R}([a,b])$ et $h \ge 0$, d'où

$$\int_c^d f(x)\,dx - \int_c^d g(x)\,dx = \int_c^d h(x)\,dx \ge 0.$$

b) $\Rightarrow$ a)   Supposons que $f \in \mathcal{R}([a,b])$ et $f \ge 0$. Posons $g = 0$, alors $f, g \in \mathcal{R}([a,b])$ et $f \ge g$. D'où

$$\int_c^d f(x)\,dx \ge \int_c^d g(x)\,dx = 0,$$

ce qui termine la démonstration. ∎

Exemple 6.31   Montrons que π est un nombre irrationnel.

SOLUTION   Supposons que π est un nombre rationnel. Il existe donc des entiers positifs a et b tels que $\pi = a/b$. Soit n un entier positif. Considérons la fonction f définie par

$$f(x) = \frac{x^n(a - bx)^n}{n!}. \tag{6.1}$$

On déduit facilement que

$$f(x) = f(\pi - x) \quad \text{et} \quad f^{(k)}(x) = (-1)^k f^{(k)}(\pi - x) \tag{6.2}$$

En écrivant sous la forme $f(x) = (ax - bx^2)^n/n!$, on obtient par le binôme de Newton,

$$f(x) = \frac{1}{n!} \sum_{j=0}^{n} \binom{n}{j} (ax)^j (-b)^{n-j} (x^2)^{n-j}$$

$$= \frac{1}{n!} \sum_{j=0}^{n} \binom{n}{j} a^j (-b)^{n-j} x^{2n-j}.$$

Posons $2n - j = i$. Alors

$$f(x) = \frac{1}{n!} \sum_{i=n}^{2n} a^{2n-i} (-b)^{i-n} \binom{n}{2n-i} x^i.$$

D'où

$$f^{(k)}(0) = \begin{cases} 0 & \text{si } k < n \text{ ou } k > 2n \\ \dfrac{k!}{n!} a^{2n-k} (-b)^{n-k} \binom{n}{2n-k} & \text{si } n \le k \le 2n. \end{cases} \tag{6.3}$$

Posons

$$F(x) = f(x) - f''(x) + f^{(4)}(x) + \cdots + (-1)^n f^{(2n)}(x).$$

On a

$$F(x) + F''(x) = f(x) \tag{6.4}$$

puisque $f^{(k)}(x) = 0$ pour $k > 2n$. D'après (6.3), $f^{(k)}(0)$ est un entier pour tout k. Donc d'après (6.2), $f^{(k)}(\pi)$ désigne aussi un entier pour tout k et donc $F(0)$ et $F(\pi)$ sont des entiers. Mais

$$\frac{d}{dx} \left[F'(x) \sin x - F(x) \cos x \right] = \left[F''(x) + F(x) \right] \sin x$$

$$= f(x) \sin x.$$

D'où

$$\int_0^\pi f(x) \sin x \, dx = \left[F'(x) \sin x - F(x) \cos x \right] \Big|_0^\pi = F(0) + F(\pi).$$

Cette intégrale est donc un nombre entier. Cependant, pour $0 < x < \pi$,

$$0 < f(x) \sin x \leq f(x) < \frac{\pi^n}{n!} a^n$$

et d'après le théorème 6.30, on a

$$0 < \int_0^\pi f(x) \sin x \, dx < \frac{(\pi a)^n}{n!} \pi.$$

Mais $\lim_{n \to \infty} (\pi a)^n / n! = 0$. On peut ainsi choisir n assez grand pour que

$$0 < \int_0^\pi f(x) \sin x \, dx < \frac{(\pi a)^n}{n!} \pi < 1.$$

Mais puisque $\int_0^\pi f(x) \sin x \, dx$ est un entier, cela est impossible et par conséquent π est un nombre irrationnel.

Nous avons montré qu'une combinaison linéaire de fonctions intégrables donne une fonction intégrable. Existe-t-il d'autres opérations qui préservent l'intégrabilité ? Par exemple, la composition de fonctions continues (resp. différentiables) donne une fonction continue (resp. différentiable). Peut-on en dire autant des fonctions intégrables ? Non. L'exemple suivant le prouve.

Exemple 6.32 Donnons un exemple d'une fonction f et d'une fonction g intégrables telles que $g \circ f$ n'est pas intégrable.

SOLUTION   Soit $f \colon [0, 1] \to \mathbb{R}$ la fonction définie par

$$f(x) = \begin{cases} 0 & \text{si } x \text{ est irrationnel,} \\ 1/q & \text{si } x = p/q, \ p \text{ et } q \text{ relativement premiers, } p > 0, \ q > 0, \\ 1 & \text{si } x = 0. \end{cases}$$

Cette fonction est intégrable sur $[0, 1]$.

Soit $g \colon [0, 1] \to \mathbb{R}$ la fonction définie par

$$g(x) = \begin{cases} 0 & \text{si } x = 0, \\ 1 & \text{si } x \in (0, 1]. \end{cases}$$

Cette fonction ne possède une discontinuité qu'au point $x_0 = 0$. Donc elle est intégrable sur $[0,1]$. Mais la fonction $g \circ f \colon [0, 1] \to \mathbb{R}$ telle que

$$(g \circ f)(x) = \begin{cases} 0 & \text{si } x \text{ est irrationnel,} \\ 1 & \text{si } x \text{ est rationnel,} \end{cases}$$

n'est pas intégrable sur $[0,1]$.

Le théorème suivant donne des conditions suffisantes pour que la composition de fonctions intégrables soit une fonction intégrable.

Théorème 6.33   *Soit $f\colon [a,b] \to \mathbb{R}$ et $g\colon [c,d] \to \mathbb{R}$ deux fonctions telles que $f([a,b]) \subset [c,d]$. Si f est intégrable sur $[a,b]$ et g continue sur $[c,d]$, la fonction $g \circ f$ est intégrable sur $[a,b]$.*

DÉMONSTRATION   Choisissons $\varepsilon > 0$. Puisque g est uniformément continue sur $[c,d]$, il existe un δ, $0 < \delta < \varepsilon$, tel que $\forall x, y \in [c,d]$ et $|x - y| < \delta$ on a $|g(x) - g(y)| < \varepsilon$. Mais f est intégrable sur $[a,b]$. Donc il existe une partition p de $[a,b]$ telle que

$$S(f,p) - s(f,p) < \delta^2.$$

Soit $p = \{x_0, x_1, \ldots, x_n\}$. Posons

$$A = \{i \mid M_i(f,p) - m_i(f,p) < \delta\}$$
$$B = \{i \mid M_i(f,p) - m_i(f,p) \geq \delta\}.$$

Pour chaque $i \in A$ et pour tout $x, y \in [x_{i-1}, x_i]$, $|f(x) - f(y)| < \delta$. D'où

$$|g(f(x)) - g(f(y))| < \varepsilon.$$

Donc

$$M_i(g \circ f, p) - m_i(g \circ f, p) < \varepsilon.$$

Pour chaque $i \in B$, $M_i(f,p) - m_i(f,p) \geq \delta$. D'où

$$\delta \cdot \sum_{i \in B}(x_i - x_{i-1}) \leq \sum_{i \in B}\left(M_i(f,p) - m_i(f,p)\right)(x_i - x_{i-1})$$
$$\leq S(f,p) - s(f,p) < \delta^2.$$

Donc

$$\sum_{i \in B}(x_i - x_{i-1}) < \delta.$$

Il vient

$$S(g \circ f, p) - s(g \circ f, p) = \sum_{i=1}^{n}\left(M_i(g \circ f, p) - m_i(g \circ f, p)\right)(x_i - x_{i-1})$$
$$= \sum_{i \in A}\left(M_i(g \circ f, p) - m_i(g \circ f, p)\right)(x_i - x_{i-1})$$
$$+ \sum_{i \in B}\left(M_i(g \circ f, p) - m_i(g \circ f, p)\right)(x_i - x_{i-1})$$
$$< \varepsilon(b - a) + 2M\delta < \varepsilon(b - a + 2M),$$

où $M = \sup\{|g(x)| \mid x \in [c,d]\}$. Donc, d'après le critère d'intégrabilité, $g \circ f$ est intégrable sur $[a,b]$. ∎

6.5.1 Exercices

1. Soit n un entier positif. Montrer que $[x]$ est intégrable sur $[0,n]$. En déduire que

   a) $\int_0^n [x]\,dx = n(n-1)/2$,   b) $\int_0^n x[x]\,dx = n(n-1)(4n+1)/12$.

2. Soit f une fonction intégrable sur $[a,b]$.

   a) Montrer que $|f|$ est intégrable sur $[a,b]$.

   b) Montrer que

   i) $\left| \int_c^d f(x)\,dx \right| \le \int_c^d |f(x)|\,dx$ où $a \le c \le d \le b$.

   ii) $\left| \int_c^d f(x)\,dx \right| \le \left| \int_c^d |f(x)|\,dx \right|$ où $a \le c, d \le b$.

3. Soit $f: [a,b] \to \mathbb{R}$ une fonction continue sur $[a,b]$. Supposer que

   $$\left| \int_a^b f(x)\,dx \right| < \int_a^b |f(x)|\,dx$$

   et montrer que f possède au moins une racine dans (a,b).

4. Soit f une fonction continue sur $[a,b]$ telle que $f(x) \ge 0$, $\forall x \in [a,b]$. Supposer qu'il existe un point $c \in [a,b]$ tel que $f(c) > 0$ et montrer que

   $$\int_a^b f(x)\,dx > 0.$$

5. Soit f une fonction continue sur $[a,b]$, $f(x) \le M$, $\forall x \in [a,b]$. Montrer que

   $$\int_a^b f(x)\,dx \ge M(b-a) \Rightarrow f(x) = M, \forall x \in [a,b].$$

6. Soit f une fonction continue sur $[a,b]$, $f(x) \ge 0$, $\forall x \in [a,b]$. Montrer que $\int_a^b f(x)\,dx = 0 \Rightarrow f(x) = 0, \forall x \in [a,b]$.

7. Montrer que

a) si $f \in \mathcal{R}([a, b])$, $f^n \in \mathcal{R}([a, b])$, pour tout $n \in \mathbb{N}$,

b) si $f, g \in \mathcal{R}([a, b])$, $f \cdot g \in \mathcal{R}([a, b])$,

c) si $f \in \mathcal{R}([a, b])$, $\sqrt{|f|} \in \mathcal{R}([a, b])$.

8. Soit f une fonction bornée et intégrable sur $[a, b]$, la borne inférieure de f étant strictement positive. Montrer que la fonction $1/f$ est aussi intégrable sur $[a, b]$.

9. Soit f une fonction continue sur $[a, b]$ telle que $\int_a^b f(x)g(x)\,dx = 0$ pour toute fonction intégrable g sur $[a, b]$. Montrer que $f(x) = 0$ pour tout $x \in [a, b]$.

10. Soit f une fonction continue sur $[a, b]$ telle que $\int_a^b f(x)\,dx = 0$. Montrer que f possède au moins une racine dans $[a, b]$.

11. Soit f une fonction intégrable sur $[a, d]$, $f(x) \geq 0$, $\forall x \in [a, d]$. Pour $a < b < c < d$, montrer que

$$\int_b^c f(x)\,dx \leq \int_a^d f(x)\,dx.$$

6.6 Théorème fondamental du calcul intégral

La théorie développée ci-dessus permet de calculer le nombre que représente l'intégrale d'une fonction sur un intervalle $[a, b]$. Le calcul de ce nombre par la définition de l'intégrale de Riemann peut être très long parce qu'elle n'est pas bien adaptée à ce but. Essayons donc de trouver des méthodes de calcul plus rapides.

Définition 6.34 Soit f, F deux fonctions ayant l'intervalle $[a, b]$ pour domaine. Supposons F dérivable et $F'(x) = f(x)$, $\forall x \in [a, b]$. La fonction F est appelée une *primitive* de f sur $[a, b]$.

Remarque Certains auteurs utilisent le terme «antidérivée» ou «intégrale indéfinie», notée $\int f(x)\,dx$, pour primitive.

Théorème 6.35 (théorème fondamental du calcul intégral) *Soit f une fonction intégrable sur $[a, b]$ et F une primitive de f sur $[a, b]$. On a*

$$\int_a^b f(x)\,dx = F(b) - F(a).$$

DÉMONSTRATION   Soit $p = \{x_0, x_1, \ldots, x_n\}$ une partition de $[a, b]$. Puisque F est différentiable sur $[x_{i-1}, x_i]$, d'après le théorème de la valeur moyenne il existe un nombre $t_i \in [x_{i-1}, x_i]$ tel que

$$F(x_i) - F(x_{i-1}) = f(t_i)(x_i - x_{i-1}).$$

D'où

$$\sum_{i=1}^{n} f(t_i)(x_i - x_{i-1}) = \sum_{i=1}^{n} \left(F(x_i) - F(x_{i-1}) \right) = F(b) - F(a).$$

Or f est intégrable sur $[a, b]$. Donc

$$\lim_{|p| \to 0} \sum_{i=1}^{n} f(t_i)(x_i - x_{i-1}) = \int_a^b f(x)\, dx = F(b) - F(a).$$

Ce qu'il fallait démontrer.   ∎

Exemple 6.36   Soit $f(x) = x + 1$ et $F(x) = \frac{1}{2}x^2 + x$ sur $[0, 2]$. La fonction F est une primitive de f sur $[0, 2]$. Donc

$$\int_0^2 f(x)\, dx = F(2) - F(0) = 4.$$

Le théorème fondamental du calcul exige que la dérivée de la fonction F égale la fonction f partout sur $[a, b]$. Si cette égalité n'est pas vraie pour au moins un point de $[a, b]$, la conclusion du théorème n'est pas obligatoirement vraie.

Exemple 6.37   Soit $f \colon [1, \frac{11}{4}] \to \mathbb{R}$ la fonction définie par $f(x) = [x]$. Montrons que cette fonction ne possède pas de primitive.

SOLUTION   Supposons que f possède une primitive F sur $[1, \frac{11}{4}]$, c'est-à-dire que $F \colon [1, \frac{11}{4}] \to \mathbb{R}$ est une fonction dérivable telle que $F'(x) = f(x)$, $\forall x \in [1, \frac{11}{4}]$. Montrons que $F'(2)$ n'existe pas. On trouve que

$$\lim_{x \to 2^+} \frac{F(x) - F(2)}{x - 2} \neq \lim_{x \to 2^-} \frac{F(x) - F(2)}{x - 2}.$$

Pour $x \in (1, \frac{11}{4})$, $x \neq 2$, le théorème de la moyenne donne

$$\frac{F(x) - F(2)}{x - 2} = F'(c), \quad \text{pour un } c \text{ entre } x \text{ et } 2.$$

Or

$$\lim_{x \to 2^+} \frac{F(x) - F(2)}{x - 2} = \lim_{x \to 2^+} F'(c) = \lim_{c \to 2^+} F'(c)$$
$$= \lim_{c \to 2^+} f(c) = 2.$$

De même

$$\lim_{x \to 2^-} \frac{F(x) - F(2)}{x - 2} = \lim_{c \to 2^-} f(c) = 1.$$

Donc il n'existe pas de fonction $F \colon [1, \frac{11}{4}] \to \mathbb{R}$ telle que $F'(x) = f(x) = [x]$ pour tout $x \in [1, \frac{11}{4}]$.

De façon générale, quelles fonctions admettent une primitive? Le corollaire 6.40 plus bas répond à cette question, mais voyons auparavant les théorèmes 6.38 et 6.39.

Théorème 6.38 *Soit f une fonction intégrable sur $[a, b]$ et c un point fixe mais arbitraire de $[a, b]$. La fonction $g \colon [a, b] \to \mathbb{R}$ définie par*

$$g(x) = \int_c^x f(t)\, dt$$

est uniformément continue sur $[a, b]$.

DÉMONSTRATION   Soit $x, y \in [a, b]$. Donc

$$|g(x) - g(y)| = \left| \int_y^x f(t)\, dt \right| \le \left| \int_y^x |f(t)|\, dt \right|$$
$$\le \left| \int_y^x M\, dt \right| = M|x - y|,$$

où $M = \sup\{|f(x)| \mid x \in [a, b]\}$. Il suffit de poser $\delta = \varepsilon/M$ pour obtenir la conclusion. ∎

Théorème 6.39 *Soit f une fonction définie et intégrable sur $[a, b]$, et F la fonction définie sur $[a, b]$ par l'équation*

$$F(x) = \int_a^x f(t)\, dt.$$

Si f est continue au point x_0, alors F est différentiable au point $x_0 \in [a, b]$ et de plus $F'(x_0) = f(x_0)$.

DÉMONSTRATION   La fonction f est continue au point x_0. Donc $\forall \varepsilon > 0$ il existe un $\delta > 0$ tel que

$$\forall x \in [a, b] \cap V(x_0, \delta), \quad |f(x) - f(x_0)| < \varepsilon.$$

Si $x \in [a, b]$ et $x_0 < x < x_0 + \delta$,

$$\left| -f(x_0) + \frac{F(x) - F(x_0)}{x - x_0} \right| = \frac{\left| \int_{x_0}^x (f(t) - f(x_0)) \, dt \right|}{x - x_0} < \frac{\varepsilon(x - x_0)}{x - x_0} = \varepsilon.$$

Si $x \in [a, b]$ et $x_0 - \delta < x < x_0$,

$$\left| -f(x_0) + \frac{F(x) - F(x_0)}{x - x_0} \right| = \frac{\left| \int_{x_0}^x (f(t) - f(x_0)) \, dt \right|}{x_0 - x} < \varepsilon.$$

Donc pour tout $\varepsilon > 0$, il existe un $\delta > 0$ tel que pour tout $x \in [a, b]$,

$$|x - x_0| < \delta \Rightarrow \left| \frac{F(x) - F(x_0)}{x - x_0} - f(x_0) \right| < \varepsilon$$

c'est-à-dire que $F'(x_0) = f(x_0)$. ∎

Corollaire 6.40   *Soit f une fonction continue sur $[a, b]$ et*

$$F(x) = \int_a^x f(t) \, dt, \quad \forall x \in [a, b].$$

F est différentiable sur $[a, b]$ et $F'(x) = f(x)$ pour tout $x \in [a, b]$.

Ce corollaire signifie que toute fonction f continue sur $[a, b]$ possède une primitive F sur $[a, b]$. Il lie donc l'intégration et la dérivation.

Exemple 6.41   La fonction F donnée par

$$F(x) = \begin{cases} x^2/2 & \text{si } x \geq 0, \\ -x^2/2 & \text{si } x < 0 \end{cases}$$

est une primitive de $|x|$.

Exemple 6.42

$$\log x = \int_1^x \frac{dt}{t}, \quad \text{pour tout } x > 0,$$

est une définition courante de la fonction logarithme népérien. D'après ce qui précède, cette fonction est continue et dérivable sur $(0, \infty)$ et

$$\frac{d}{dx} \log x = \frac{1}{x} \quad \text{pour tout } x > 0.$$

Théorème 6.43 *Soit f une fonction continue sur $[a, b]$ et $F: [a, b] \to \mathbb{R}$ une primitive de f. Alors*

$$\int_a^b f(x)\, dx = F(x)\, \Big|_a^b = F(b) - F(a).$$

DÉMONSTRATION   Soit $G: [a, b] \to \mathbb{R}$ la fonction définie par

$$G(x) = \int_a^x f(t)\, dt \quad \text{pour chaque } x \in [a, b].$$

Puisque f est continue sur $[a, b]$, la fonction G est aussi une primitive de f sur $[a, b]$. Donc $G'(x) = F'(x) = f(x)$, $\forall x \in [a, b]$ et $G(x) = F(x) + C$. Pour $x = a$, $C = -F(a)$ et en particulier, si $x = b$, $G(b) = \int_a^b f(t)\, dt = F(b) - F(a)$.   ∎

On évalue ordinairement les intégrales par ce théorème, appelé *théorème fondamental du calcul intégral* (2ᵉ forme). Il ramène le problème de l'évaluation d'une intégrale à celui de trouver une primitive F d'une fonction f. On trouve une primitive d'une fonction donnée par différentes méthodes (voir la section suivante).

D'après le théorème 6.43, si f' est une fonction continue sur $[a, b]$,

$$f(x) = \int_a^x f'(t)\, dt + f(a),$$

où $x \in [a, b]$. D'où la question : si f est différentiable sur $[a, b]$, est-ce que

$$f(x) = \int_a^x f'(t)\, dt + f(a) \ ?$$

L'exemple 6.44 ci-dessous répond à cette question.

Exemple 6.44   Soit $f: [0, 1] \to \mathbb{R}$ la fonction définie par

$$f(x) = \begin{cases} x^2 \sin(1/x^2) & \text{si } x \neq 0, \\ 0 & \text{si } x = 0. \end{cases}$$

Montrons que $f(x) \neq \int_0^x f'(t)\, dt$.

SOLUTION La fonction f est différentiable sur $[0,1]$ et f' est donnée par

$$f'(x) = \begin{cases} 2x\sin(1/x^2) - (2/x)\cos(1/x^2) & \text{si } x \neq 0, \\ 0 & \text{si } x = 0. \end{cases}$$

Dans tout voisinage de 0, f' n'est pas bornée et n'est donc pas intégrable sur $[0,1]$. Donc

$$f(x) \neq \int_0^x f'(t)\,dt,$$

puisque l'intégrale n'existe pas.

6.6.1 Exercices

1. Soit f une fonction continue et différentiable sur $[0,10]$ telle que

$$f(x) = 2\int_0^x f(t)\,dt + 5,$$

pour tout $x \in [0,10]$. Trouver une fonction élémentaire définissant f sur $[0,10]$.

2. L'impossibilité de trouver une primitive d'une fonction donnée oblige souvent à calculer une valeur approchée de l'intégrale.

   a) Soit $x \in [0,1]$. Montrer que $\dfrac{x^2}{\sqrt{2}} \leq \dfrac{x^2}{\sqrt{1+x}} \leq x^2$ et en déduire que

   $$\frac{1}{3\sqrt{2}} \leq \int_0^1 \frac{x^2}{\sqrt{1+x}}\,dx \leq \frac{1}{3}.$$

   b) Soit $x \in [\pi/6, \pi/2]$. Montrer que $x \leq \dfrac{x}{\sin x} \leq 2x$ et en déduire que

   $$\frac{\pi^2}{9} \leq \int_{\pi/6}^{\pi/2} \frac{x}{\sin x}\,dx \leq \frac{2\pi^2}{9}.$$

3. a) Soit $f(x) = \displaystyle\int_2^x \log(\log t)\,dt$, $x \geq 1$. Trouver $f'(x)$.

   b) Soit $f(x) = \displaystyle\int_0^x \cos(t^2)\,dt$. Trouver $f'(x)$.

   c) Évaluer $\displaystyle\lim_{x \to 0} \frac{1}{x}\int_0^x \cos(t^2)\,dt$.

4. Trouver une fonction continue f et une constante a telles que

a) $\displaystyle\int_a^x f(t)\,dt = \frac{1}{2}(1 - \cos(x^2))$, $\forall x \in \mathbb{R}$,

b) $\displaystyle\int_a^x f(t)\,dt = x^2 + 4x - 5$, $\forall x \in \mathbb{R}$.

5. Soit $f: [0, \infty) \to \mathbb{R}$ une fonction continue et différentiable telle que $f(x) \neq 0$, $\forall x > 0$. Si

$$f^3(x) = 2\int_0^x f(t)\,dt,$$

trouver $f(x)$.

6. Soit f une fonction continue sur $[a, b]$. Montrer que la fonction $g : [a, b] \to \mathbb{R}$ définie par $g(x) = \int_x^b f(t)\,dt$ vérifie l'équation $g'(x) = -f(x)$.

7. Soit f une fonction continue sur $[0, 1]$. Supposer que

$$\int_0^x f(t)\,dt = \int_x^1 f(t)\,dt, \quad \forall x \in (0, 1).$$

Trouver $f(t)$.

6.7   Méthodes d'intégration

Le théorème fondamental du calcul intégral donne deux méthodes d'intégration importantes, à savoir l'intégration par *changement de variables* et l'intégration par parties. Le théorème 6.45 traite de la première, le théorème 6.49 de la deuxième.

Théorème 6.45 *Soit f une fonction continue sur $[a, b]$, φ une fonction continue sur $[c, d]$ telle que φ' existe et est continue sur $[c, d]$. Si pour tout $t \in [c, d]$, $x = \varphi(t) \in [a, b]$ et $\varphi(c) = a$, $\varphi(d) = b$, alors*

$$\int_a^b f(x)\,dx = \int_c^d f\left(\varphi(t)\right)\varphi'(t)\,dt.$$

Démonstration   Soit

$$h(x) = \int_a^x f(t)\,dt.$$

Considérons la fonction $F(t) = h\left(\varphi(t)\right)$. Puisque $h'(u) = f(u)$ pour tout $u \in [a, b]$,

$$F'(t) = h'\left(\varphi(t)\right)\varphi'(t) = f\left(\varphi(t)\right)\varphi'(t)$$

et

$$\int_c^d f\left(\varphi(t)\right)\varphi'(t)\,dt = \int_c^d F'(t)\,dt = F(d) - F(c)$$
$$= h\left(\varphi(d)\right) - h\left(\varphi(c)\right) = h(b) - h(a)$$
$$= \int_a^b f(x)\,dx.$$ ∎

Exemple 6.46 Évaluons $\int_0^1 \sqrt{1-x^2}\,dx$.

SOLUTION Posons $x = \sin t$. Alors $dx = (\cos t)\,dt$ et donc

$$\int_0^1 \sqrt{1-x^2}\,dx = \int_0^{\pi/2} (\cos t)^2\,dt = \int_0^{\pi/2} \frac{1}{2}(1 + \cos(2t))\,dt$$
$$= \frac{t}{2}\bigg|_0^{\pi/2} + \frac{1}{4}\sin(2t)\bigg|_0^{\pi/2} = \frac{\pi}{4}.$$

Exemple 6.47

1. Évaluons $\int_1^e \frac{(\log x)^2}{x}\,dx$.

SOLUTION Posons $\log x = t$. Alors $(1/x)\,dx = dt$ et donc

$$\int_1^e \frac{(\log x)^2}{x}\,dx = \int_0^1 t^2\,dt = \frac{1}{3}.$$

2. Trouvons une primitive de

$$\frac{1}{\sqrt{a^2 - x^2}} \quad \text{et de} \quad \frac{1}{\sqrt{x^2 - a^2}}.$$

SOLUTION Posons $u = x/a$. Alors

$$\int \frac{dx}{\sqrt{a^2 - x^2}} = \int \frac{du}{\sqrt{1 - u^2}} = \arcsin u = \arcsin \frac{x}{a}$$

et

$$\int \frac{dx}{\sqrt{x^2 - a^2}} = \operatorname{argcosh} \frac{x}{a} = \log(x + \sqrt{x^2 - a^2}).$$

Dans ce dernier cas, la substitution $x = a \sec t$ donne

$$\int \frac{dx}{\sqrt{x^2 - a^2}} = \int \frac{1}{a \tan t} a \sec t \tan t \, dt = \int \frac{dt}{\cos t}$$

$$= \log|\sec t + \tan t| = \log\left(\frac{x + \sqrt{x^2 - a^2}}{a}\right).$$

Cette primitive diffère de la précédente par la constante $-\log a$.

Avant d'effectuer un changement de variables, s'assurer, sous peine d'erreurs, que toutes les conditions d'application du théorème de changement de variables sont remplies.

Exemple 6.48   On sait que

$$\int_{-1}^{1} \frac{dx}{1 + x^2} = \arctan x \,\Big|_{-1}^{1} = \frac{\pi}{2}.$$

Soit $f(x) = -1/(1 + x^2)$ et $x = \varphi(t) = 1/t$. Puisque $\varphi'(t) = -1/t^2$,

$$\frac{1}{1 + t^2} = f(\varphi(t)) \varphi'(t)$$

et donc

$$\int_{-1}^{1} \frac{dt}{1 + t^2} = -\int_{-1}^{1} \frac{dx}{1 + x^2} = -\frac{\pi}{2}.$$

Cette anomalie provient du fait que le changement de variables $x = 1/t$ n'est pas valable pour $t = 0$.

Remarque   Pour trouver les primitives de fonctions rationnelles, c'est-à-dire de fonctions de la forme $f(x) = P(x)/Q(x)$, où $P(x)$ et $Q(x)$ sont des polynômes, on peut utiliser les fractions partielles. Pour trouver les primitives de fonctions rationnelles en $\sin x$ et $\cos x$, c'est-à-dire de fonctions de la forme $f(x) = R(\sin x, \cos x)$, la substitution $u = \tan(x/2)$ n'est pas toujours la plus simple, mais elle fonctionne toujours.

Le théorème 6.49 ci-dessous donne une autre méthode d'intégration, c'est *l'intégration par parties*.

Théorème 6.49 *Soit deux fonctions f et g admettant des dérivées premières continues sur $[a, b]$. On a alors*

$$\int_a^b f(x)g'(x)\, dx = f(x)g(x)\, \Big|_a^b - \int_a^b f'(x)g(x)\, dx.$$

DÉMONSTRATION   Les fonctions $f(x)g'(x)$, $f'(x)g(x)$ sont continues pour tout $x \in [a, b]$. Donc elles sont intégrables sur $[a, b]$. D'où

$$\frac{d}{dx}\left\{\int_a^x f'(t)g(t)\, dt + \int_a^x f(t)g'(t)\, dt\right\} = f'(x)g(x) + f(x)g'(x)$$

$$= \frac{d}{dx}\left\{f(t)g(t)\, \Big|_a^x\right\}.$$

Donc il existe une constante C telle que

$$\int_a^x f(t)g'(t)\, dt + \int_a^x f'(t)g(t)\, dt - f(t)g(t)\, \Big|_a^x = C.$$

Pour $x = a$, le premier membre de cette équation est nul, donc $C = 0$. Il suffit de poser $x = b$ pour obtenir l'égalité voulue. ∎

Remarque   En pratique, on pose $u = f(x)$ et $dv = g'(x)\, dx$; puis on calcule $v = g(x)$ et $du = f'(x)\, dx$. Pour les intégrales indéfinies, l'intégration par parties s'écrit

$$\int u\, dv = uv - \int v\, du.$$

Exemple 6.50   On a

$$\int_0^1 xe^x\, dx = xe^x\, \Big|_0^1 - \int_0^1 e^x\, dx = 1,$$

en posant $u = x$ et $dv = e^x\, dx$. Mais si on avait posé $u = e^x$ et $dv = x\, dx$, on aurait obtenu

$$\int_0^1 xe^x\, dx = \frac{x^2 e^x}{2}\, \Big|_0^1 - \int_0^1 x^2 e^x\, dx,$$

et on aurait régressé, puisque $\int_0^1 x^2 e^x\, dx$ est plus difficile à évaluer que l'intégrale de départ.

Exemple 6.51 Soit $p(x)$ un polynôme de degré n et $f(x)$ une fonction continue. Soit

$$F_1(x) = \int f(x)\,dx,\ \ F_2(x) = \int F_1(x)\,dx, \ldots, F_{n+1}(x) = \int F_n(x)\,dx$$

et $p^{(k)}(x)$ la dérivée k-ième de $p(x)$. L'induction donne

$$\int p(x)f(x)\,dx = p(x)F_1(x) - p^{(1)}(x)F_2(x) + p^{(2)}(x)F_3(x)$$
$$- \cdots + (-1)^n p^{(n)}(x)F_{n+1}(x).$$

D'où

$$\int_a^b p(x)f(x)\,dx = \left[\sum_{k=0}^n (-1)^k p^{(k)}(x)F_{k+1}(x)\right]_a^b.$$

Par exemple,

$$\int_0^\pi x^2 \sin x\,dx = \left[x^2(-\cos x) - (2x)(-\sin x) + (2)(\cos x)\right]_0^\pi$$
$$= \pi^2 - 4.$$

Exemple 6.52 Trouvons une primitive de $\dfrac{1}{(1+x^2)^2}$.

SOLUTION La primitive égale

$$\int \frac{dx}{(1+x^2)^2} = \int \frac{(1+x^2)\,dx}{(1+x^2)^2} - \int \frac{x^2\,dx}{(1+x^2)^2}$$
$$= \int \frac{dx}{1+x^2} - \int \left(x \cdot \frac{x}{(1+x^2)^2}\right)dx.$$

Pour évaluer la deuxième intégrale du deuxième membre, posons

$$u = x \quad \text{et} \quad v' = \frac{x}{(1+x^2)^2}.$$

Il vient $u' = 1$ et $v = -\frac{1}{2}(1+x^2)^{-1}$. Finalement,

$$\int \frac{dx}{(1+x^2)^2} = \int \frac{dx}{1+x^2} + \frac{x}{2(1+x^2)} - \frac{1}{2}\int \frac{dx}{1+x^2}$$
$$= \frac{1}{2}\arctan x + \frac{x}{2(1+x^2)}.$$

Le calcul d'intégrales définies a de très nombreuses applications. On peut, par exemple, démontrer que :

- l'aire sous une courbe définie par $y = f(x)$, $x \in [a, b]$, égale

$$\int_a^b f(x)\, dx;$$

- la longueur L de la courbe $y = f(x)$ entre $x = a$ et $x = b$, égale

$$\int_a^b \sqrt{1 + (f'(x))^2}\, dx;$$

- le volume du solide de révolution de la courbe $y = f(x)$ autour de l'axe des x, $x \in [a, b]$, égale

$$\int_a^b \pi f^2(x)\, dx;$$

- l'aire de la surface de révolution de la courbe $y = f(x)$ autour de l'axe des x, $x \in [a, b]$, égale

$$2\pi \int_a^b f(x)\sqrt{1 + (f'(x))^2}\, dx.$$

6.7.1 Exercices

1. Évaluer
$$\int_0^1 \frac{x^3(x-1)^2}{1+x^2}\, dx.$$

2. Une fonction $f\colon [-a, a] \to \mathbb{R}$, $a > 0$, est dite *paire* (resp. *impaire*) si $f(-x) = f(x)$ (resp. $f(-x) = -f(x)$). Soit f une telle fonction continue. Montrer que si

   a) f est paire, $\displaystyle\int_{-a}^a f(x)\, dx = 2\int_0^a f(x)\, dx$,

   b) f est impaire, $\displaystyle\int_{-a}^a f(x)\, dx = 0$.

3. Évaluer

   a) $\displaystyle\int_{-1}^1 x|x|\, dx$,   b) $\displaystyle\int_{-\pi}^\pi x\sin(x^2)\, dx$.

4. Trouver une primitive de

a) $\dfrac{1}{x\sqrt{1 - \log^2 x}}$,

b) $\dfrac{3x - 1}{x^2 - x + 1}$,

c) $\dfrac{1}{1 + x^3}$,

d) $\dfrac{\cos x}{1 + \cos x}$,

e) $\dfrac{\arcsin x}{x^2}$,

f) $\dfrac{1}{\cos^4 x}$.

5. Calculer les intégrales définies suivantes.

a) $\displaystyle\int_0^1 \dfrac{\sqrt{x}\,dx}{1 + \sqrt[3]{x}}$,

b) $\displaystyle\int_1^2 e^{\sqrt{x+1}}\,dx$,

c) $\displaystyle\int_0^1 \dfrac{\sqrt[3]{x^2}\,dx}{1 + \sqrt{x}}$,

d) $\displaystyle\int_0^{\pi/4} \dfrac{\sin x\,dx}{\sin x + \cos x}$,

e) $\displaystyle\int_0^1 e^{2x}\cos \pi x\,dx$,

f) $\displaystyle\int_1^4 \dfrac{x\,dx}{\sqrt{2 + 4x}}$.

6. Soit $f\colon [a, b] \to \mathbb{R}$ une fonction continue telle que

$$f(a + b - x) = f(x), \quad \text{pour tout } x \in [a, b].$$

a) Par un changement de variables, montrer que

$$\int_a^b x f(x)\,dx = \frac{a + b}{2} \int_a^b f(x)\,dx.$$

b) De a), déduire que

$$\int_0^\pi \frac{x \sin x}{1 + \cos^2 x}\,dx = \frac{\pi^2}{4}.$$

7. À partir de la définition de la fonction *log* (exemple 6.42), vérifier les propriétés suivantes :

a) la fonction log est continue et $(\log x)' = 1/x$, $x > 0$,

b) $\log(xy) = \log x + \log y$,

c) $\log(x^n) = n \log x$, $x > 0$, $n \in \mathbb{N}$.

8. Trouver l'aire du domaine situé dans le premier quadrant du plan cartésien et limité par les quatre courbes :

$$y = x^3, \quad y = 4x^3, \quad x = y^3 \quad \text{et} \quad x = 4y^3.$$

9. Soit $y = \cosh x$, $-1 \leq x \leq 1$.

a) Trouver la longueur de cette courbe.

b) Trouver le volume du solide de révolution autour de l'axe des x.

c) Trouver l'aire de la surface de révolution autour de l'axe des x.

6.8 Théorèmes de la moyenne pour les intégrales

Théorème 6.53 (première loi de la moyenne pour l'intégrale) *Soit f et g deux fonctions intégrables sur $[a, b]$, $g(x) \geq 0$, $\forall x \in [a, b]$, $M = \sup\{f(x) \mid x \in [a, b]\}$ et $m = \inf\{f(x) \mid x \in [a, b]\}$. Il existe un nombre $\mu \in [m, M]$ tel que*

$$\int_a^b f(x)g(x)\, dx = \mu \int_a^b g(x)\, dx.$$

De plus, si f est continue sur $[a, b]$, il existe un point $c \in (a, b)$ tel que

$$\int_a^b f(x)g(x)\, dx = f(c) \int_a^b g(x)\, dx.$$

DÉMONSTRATION Puisque $mg(x) \leq f(x)g(x) \leq Mg(x)$,

$$m \int_a^b g(x)\, dx \leq \int_a^b f(x)g(x)\, dx \leq M \int_a^b g(x)\, dx.$$

Si $\int_a^b g(x)\, dx = 0$, $\int_a^b f(x)g(x)\, dx = 0$. Donc le théorème est vrai pour tout nombre μ. Supposons que $\int_a^b g(x)\, dx \neq 0$. Donc

$$\mu = \left(\int_a^b f(x)g(x)\, dx \right) \Big/ \left(\int_a^b g(x)\, dx \right)$$

est bien un nombre dans l'intervalle $[m, M]$ tel que cherché. Si f est continue sur $[a, b]$, alors $\exists\, \alpha, \beta \in [a, b]$ tels que $f(\alpha) = m$ et $f(\beta) = M$. D'après le théorème des valeurs intermédiaires, il existe un nombre c entre α et β tel que $f(c) = \mu$. ∎

Si f est une fonction continue sur $[a, b]$ et $g(x) \equiv 1$, les conditions du théorème 6.53 sont remplies. Donc

$$\int_a^b f(x)\, dx = f(c)(b - a).$$

Le nombre $\dfrac{1}{b - a} \displaystyle\int_a^b f(x)\, dx$ s'appelle la *valeur moyenne* de f sur $[a, b]$.

Théorème 6.54 (deuxième loi de la moyenne pour l'intégrale) *Soit f et g deux fonctions intégrables sur $[a, b]$, $g(x) \geq 0$, $\forall x \in [a, b]$, et $f(x)$ est croissante (resp. décroissante). Il existe un $c \in (a, b)$ tel que*

$$\int_a^b f(x)g(x)\, dx = f(a) \int_a^c g(x)\, dx + f(b) \int_c^b g(x)\, dx.$$

DÉMONSTRATION La fonction

$$F(t) = f(a) \int_a^t g(x)\,dx + f(b) \int_t^b g(x)\,dx$$

est continue sur $[a, b]$, et

$$F(a) = f(b) \int_a^b g(x)\,dx, \qquad F(b) = f(a) \int_a^b g(x)\,dx.$$

Puisque f est croissante (resp. décroissante), le nombre μ de la démonstration du théorème précédent est situé entre $f(a)$ et $f(b)$. Donc le nombre

$$\mu \int_a^b g(x)\,dx = \int_a^b f(x)g(x)\,dx$$

est situé entre $F(a)$ et $F(b)$. D'après le théorème des valeurs intermédiaires, il existe un $c \in (a, b)$ tel que

$$F(c) = \int_a^b f(x)g(x)\,dx.$$

Cela termine la démonstration. ∎

Soit n un entier positif, et f une fonction telle que $f^{(k)}(x)$, $0 \le k \le n$, existe et est continue sur $[a, b]$. D'après le théorème fondamental du calcul intégral,

$$f(x) = f(a) + \int_a^x f'(t)\,dt. \tag{6.5}$$

L'intégration par parties donne

$$\int_a^x f'(t)\,dt = -f'(t)(x - t) \Big|_a^x + \int_a^x f''(t)(x - t)\,dt$$

$$= f'(a)(x - a) + \int_a^x f''(t)(x - t)\,dt.$$

Portons cette équation dans (6.5). On obtient

$$f(x) = f(a) + f'(a)(x - a) + \int_a^x f''(t)(x - t)\,dt. \tag{6.6}$$

Utilisons de nouveau l'intégration par parties. On obtient

$$\int_a^x f''(t)(x - t)\,dt = -f''(t)\frac{(x - t)^2}{2} \Big|_a^x + \int_a^x f^{(3)}(t)\frac{(x - t)^2}{2}\,dt$$

$$= f''(a)\frac{(x - a)^2}{2} + \int_a^x f^{(3)}(t)\frac{(x - t)^2}{2}\,dt.$$

Portons cette équation dans (6.7). On obtient

$$f(x) = f(a) + f'(a)(x-a) + f''(a)\frac{(x-a)^2}{2!} + \int_a^x f^{(3)}(t)\frac{(x-t)^2}{2!}\,dt.$$

La poursuite de ce procédé donne

$$f(x) = \sum_{k=0}^{n-1} \frac{f^{(k)}(a)}{k!}(x-a)^k + \frac{1}{(n-1)!}\int_a^x (x-t)^{n-1} f^{(n)}(t)\,dt. \qquad (6.7)$$

Nous avons retrouvé la formule de Taylor de reste, cette fois,

$$\frac{1}{(n-1)!}\int_a^x (x-t)^{n-1} f^{(n)}(t)\,dt.$$

La première loi de la moyenne pour l'intégrale donne en posant $g(t) = (x-t)^{n-1}$ et $f(t) = f^{(n)}(t)$,

$$\frac{1}{(n-1)!}\int_a^x (x-t)^{n-1} f^{(n)}(t)\,dt = \frac{f^{(n)}(c)}{(n-1)!}\int_a^x (x-t)^{n-1}\,dt$$

$$= \frac{f^{(n)}(c)}{n!}(x-a)^n, \quad a < c < x,$$

et on retrouve la forme originale de la formule de Taylor.

6.8.1 Exercices

1. Si $a, b > 0$, montrer que

$$\int_0^b e^x |\sin x|^a\,dx \le e^b - 1.$$

2. Soit f une fonction continue sur $[a, b]$ et

$$g : \mathcal{D} \to [a, b]$$

une fonction différentiable sur $\mathcal{D}$. Soit $F : \mathcal{D} \to \mathbb{R}$ la fonction telle que

$$F(x) = \int_a^{g(x)} f(t)\,dt, \ x \in \mathcal{D}.$$

Montrer que F est différentiable pour chaque $x \in \mathcal{D}$ et que $F'(x) = f(g(x))\,g'(x)$.

3. Trouver $f'(x)$ pour

a) $f(x) = \displaystyle\int_0^{x^2} (1 + t^2)^{-1}\, dt,$

b) $f(x) = \displaystyle\int_0^{\sin x} \sin t\, dt,$

c) $f(x) = \displaystyle\int_0^{x+\sin x} \frac{dt}{1 + t^2},$

d) $f(x) = \displaystyle\int_0^{x^2} e^{t^3}\, dt,$

e) $f(x) = \displaystyle\int_{-x^2}^{x^2} t^2 e^t\, dt,$

f) $f(x) = \displaystyle\int_x^{x^2} \frac{t}{(t - 2)(t^2 + 1)}\, dt.$

6.9   Intégrales impropres

Dans la discussion sur la théorie de l'intégration, nous avons supposé que les fonctions et le domaine d'intégration étaient bornés. Si une de ces conditions n'est pas satisfaite, la théorie de l'intégration vue ne s'applique pas. Précisons brièvement les changements à apporter pour étendre les résultats obtenus à ces cas.

Définition 6.55   Pour $f\colon [a, b] \to \mathbb{R}$ une fonction discontinue en $x_0 \in (a, b)$, on pose

$$\int_a^b f(x)\, dx = \lim_{\varepsilon \to 0^+} \int_a^{x_0 - \varepsilon} f(x)\, dx + \lim_{\varepsilon \to 0^+} \int_{x_0 + \varepsilon}^b f(x)\, dx.$$

Définition 6.56   Pour $f\colon [a, \infty) \to \mathbb{R}$, on pose

$$\int_a^{+\infty} f(x)\, dx = \lim_{b \to +\infty} \int_a^b f(x)\, dx.$$

Pour $f\colon [-\infty, b] \to \mathbb{R}$, on pose

$$\int_{-\infty}^b f(x)\, dx = \lim_{a \to -\infty} \int_a^b f(x)\, dx.$$

Pour $f\colon (-\infty, \infty) \to \mathbb{R}$, on pose

$$\int_{-\infty}^{+\infty} f(x)\, dx = \int_{-\infty}^a f(x)\, dx + \int_a^{+\infty} f(x)\, dx.$$

Remarque   Dans tous ces cas, la limite existe ou n'existe pas. Lorsque la limite n'existe pas, on dit que l'*intégrale impropre diverge*. Dans le dernier cas, les deux limites (correspondants aux deux intégrales du deuxième membre) doivent exister pour que l'intégrale impropre converge. En général,

$$\int_{-\infty}^{+\infty} f(x)\, dx \neq \lim_{M \to \infty} \int_{-M}^M f(x)\, dx.$$

Par exemple, $\lim_{M \to \infty} \int_{-M}^{M} \sin x \, dx = -\cos M - (-\cos M) = 0$. Or

$$\int_0^\infty \sin x \, dx = \lim_{b \to \infty} \int_0^b \sin x \, dx = \lim_{b \to \infty} (1 - \cos b) \text{ n'existe pas.}$$

Donc $\int_{-\infty}^{\infty} \sin x \, dx$ n'existe pas.

Exemple 6.57 On a

$$\int_1^\infty \frac{dx}{x^a} = \begin{cases} 1/(a-1) & \text{si } a > 1, \\ \text{n'existe pas} & \text{si } a \leq 1. \end{cases}$$

6.9.1 Exercices

1. Évaluer les intégrales impropres suivantes.

a) $\int_0^1 \frac{x \, dx}{\sqrt{1 - x^2}}$,   b) $\int_0^2 \frac{dx}{x^3}$,   c) $\int_0^1 \log x \, dx$,

d) $\int_{-\infty}^{+\infty} \frac{dx}{x^2 + 2x + 2}$,   e) $\int_{-1}^1 \frac{dx}{x^3}$,   f) $\int_1^{+\infty} \frac{dx}{\sqrt{x}}$.

2. Montrer que

a) $\int_0^{+\infty} \frac{dx}{x^2 + a} = \frac{\pi}{2\sqrt{a}}$,   b) $\int_0^{+\infty} \frac{dx}{(x^2 + 1)^{n+1}} = \frac{\pi}{2} \frac{1 \cdot 3 \cdots (2n-1)}{2^n \cdot n!}$.

6.10 Une méthode numérique

Cette section traite d'un problème important d'analyse numérique : le *calcul approché* ou *approximatif* des intégrales définies. Pour évaluer $\int_a^b f(x) \, dx$, il suffit en théorie de trouver une primitive F de f sur $[a, b]$ pour obtenir

$$\int_a^b f(x) \, dx = F(b) - F(a).$$

Cette formule est illusoire si la fonction f est trop compliquée ou si on ne peut pas exprimer la primitive F à l'aide de fonctions usuelles. Et parfois on ne connaît pas f, mais seulement un ensemble de couples de données. C'est le cas dans les problèmes pratiques.

On utilise alors une méthode de calcul approché (méthode des rectangles, méthode de Simpson, méthode des trapèzes, etc.). Nous verrons la *méthode de Simpson*. Elle consiste à remplacer f par une fonction polynomiale de degré inférieur ou égal à 2.

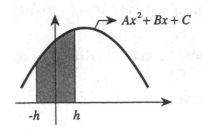

Figure 6.5

Remarquons d'abord que la surface sous la courbe de $y = Ax^2 + Bx + C$ entre $x = -h$ et $x = +h$ (figure 6.5) est

$$S(h) = \int_{-h}^{h} (Ax^2 + Bx + C)\, dx = \frac{2Ah^3}{3} + 2Ch.$$

Puisque la courbe passe par les points $(-h, f(-h))$, $(0, f(0))$ et $(h, f(h))$, $C = f(0)$ et

$$2Ah^2 = f(-h) + f(h) - 2f(0).$$

Donc

$$S(h) = \frac{h}{3}(2Ah^2 + 6C) = \frac{h}{3}\left(f(-h) + 4f(0) + f(h)\right). \qquad (6.8)$$

Revenons au problème initial.

Soit $p = \{x_0, x_1, \ldots, x_{2n}\}$ une partition de $[a, b]$. Prenons $(h = (b-a)/2n)$ (figure 6.6),

$$x_i = a + i\frac{b-a}{2n}, \quad i = 0, 1, 2 \ldots, 2n$$

et posons

$$f_i = f(x_i), \quad i = 0, 1, 2, \ldots, 2n.$$

La formule (6.8) permet d'écrire

$$\int_{x_0}^{x_2} f(x)\, dx \approx \frac{h}{3}(f_0 + 4f_1 + f_2)$$
$$\int_{x_2}^{x_4} f(x)\, dx \approx \frac{h}{3}(f_2 + 4f_3 + f_4)$$

$$\vdots$$

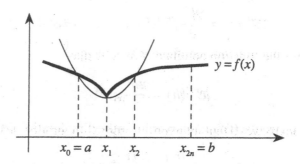

Figure 6.6

$$\int_{x_{2n-2}}^{x_{2n}=b} f(x)\,dx \approx \frac{h}{3}(f_{2n-2} + 4f_{2n-1} + f_{2n}).$$

Par addition de ces n équations,

$$\int_a^b f(x)\,dx \approx \frac{b-a}{6n}(f_0 + 4f_1 + 2f_2 + 4f_3 + 2f_4 + \cdots + 2f_{2n-2} + 4f_{2n-1} + f_{2n}).$$

Telle est la *formule de Simpson*. Le nombre de points de subdivision $2n$ est arbitraire. Plus il est grand, meilleure est l'approximation.

Étudions l'erreur de cette méthode. Supposons que $f^{(4)}(x)$ existe et est continue sur l'intervalle $[a,b]$. Posons

$$E(h) = \frac{h}{3}\left(f(-h) + 4f(0) + f(h)\right) - \int_{-h}^{h} f(x)\,dx.$$

Dérivons cette équation par rapport à h. Il vient

$$E'(h) = \frac{1}{3}\left(f(-h) + 4f(0) + f(h)\right) + \frac{h}{3}\left(f'(h) - f'(-h)\right)$$
$$- \left(f(h) + f(-h)\right)$$
$$= -\frac{2}{3}\left(f(h) + f(-h)\right) + \frac{4}{3}f(0) + \frac{h}{3}\left(f'(h) - f'(-h)\right).$$

Remarquons que $E'(0) = 0$ et que

$$E''(h) = \frac{h}{3}\left(f''(h) + f''(-h)\right) - \frac{1}{3}\left(f'(h) - f'(-h)\right); \quad E''(0) = 0,$$

$$E'''(h) = \frac{h}{3}\left(f'''(h) - f'''(-h)\right); \quad E'''(0) = 0.$$

Puisque $f^{(4)}$ est continue, on peut appliquer le théorème de la moyenne à $f'''(x)$. On obtient

$$E'''(h) = \frac{2h^2}{3}f^{(4)}(\theta h), \quad -1 < \theta < 1.$$

On peut donc définir une fonction continue $\varphi(h)$ telle que

$$E'''(h) = \frac{2h^2}{3}\varphi(h). \tag{6.9}$$

En intégrant (6.9), on trouve (il faut intervertir l'ordre d'intégration de l'intégrale double)

$$E(h) = \int_0^h \frac{(h-t)^2}{2}\frac{2}{3}t^2\varphi(t)\,dt.$$

D'après le premier théorème de la moyenne pour l'intégrale, avec $g(t) = \dfrac{t^2(h-t)^2}{3}$,

$$E(h) = \varphi(\theta' h)\int_0^h \frac{(h-t)^2}{2}\frac{2}{3}t^2\,dt = \frac{h^5}{90}\varphi(\theta' h),$$

où $0 < \theta' < 1$. D'où

$$E(h) = \frac{h^5}{90}f^{(4)}(\xi), \quad -h < \xi < h. \tag{6.10}$$

L'addition (6.10) sur n intervalles donne

$$E \equiv E_1 + E_2 + \cdots E_n = \frac{nh^5}{90}\left(\frac{f^{(4)}(\xi_1) + f^{(4)}(\xi_2) + \cdots + f^{(4)}(\xi_n)}{n}\right).$$

Avec $m < f^{(4)}(\xi_i) < M$, on a $m < (1/n)\sum_{i=1}^n f^{(4)}(\xi_i) < M$, et puisque $f^{(4)}$ est continue, $\exists\,\xi \in (a,b)$ tel que

$$f^{(4)}(\xi) = \frac{1}{n}\sum_{i=1}^n f^{(4)}(\xi_i).$$

En posant $h = (b-a)/2n$, il vient

$$E = (b-a)\frac{h^4}{180}f^{(4)}(\xi), \quad a < \xi < b.$$

6.10.1   Exercice

1. Construire un programme qui permet de trouver une valeur approximative de

$$\log 3 = \int_1^3 \frac{dt}{t}.$$

Exercices sur le chapitre 6

1. Soit f une fonction intégrable sur $[a, b]$ et g une fonction obtenue en changeant les valeurs de f à un nombre fini de points. La fonction g est intégrable sur $[a, b]$ et

$$\int_a^b f(x)\,dx = \int_a^b g(x)\,dx.$$

2. Soit f une fonction intégrable sur $[a, b]$. Montrer que

$$\lim_{n \to \infty} \frac{b-a}{n} \sum_{i=1}^n f\left(a + (i - \alpha)\frac{b-a}{n}\right) = \int_a^b f(x)\,dx, \quad 0 \le \alpha \le 1.$$

3. Montrer que

$$\lim_{n \to \infty} \sum_{k=n}^{2n} \frac{1}{k} = \log 2.$$

4. Montrer que

a) $\displaystyle \lim_{n \to \infty} \frac{1}{n} \prod_{i=1}^n (n+i)^{1/n} = e^{\int_0^1 \log(1+x)\,dx} = e^{2\log 2 - 1} = \frac{4}{e}$,

b) $\displaystyle \lim_{n \to \infty} \frac{1}{n^2} \prod_{i=1}^{2n} (n+i)^{1/n} = e^{\int_0^2 \log(1+x)\,dx} = e^{3\log 3 - 2} = \frac{27}{e^2}$,

c) $\displaystyle \lim_{n \to \infty} \frac{1}{n^2} \prod_{i=1}^n \left(n^2 + (i - \tfrac{1}{2})^2\right)^{1/n} = e^{\int_0^1 \log(1+x^2)\,dx}$.

5. Soit $f : [0, 1] \to \mathbb{R}$ la fonction définie par

$$f(x) = \begin{cases} 0 & \text{si } x \text{ est irrationnel,} \\ 1/q & \text{si } x = p/q,\ p \text{ et } q \text{ relativement premiers, } p > 0,\ q > 0, \\ 1 & \text{si } x = 0. \end{cases}$$

Montrer que cette fonction ne possède pas de primitive.

6. Soit f une fonction continue et positive sur $[a, b]$. Montrer qu'il existe un $c \in [a, b]$ tel que

$$\int_a^c f(x)\, dx = \int_c^b f(x)\, dx.$$

7. Montrer que

a) $\lim\limits_{x \to 0} \dfrac{1}{x} \int_0^x (1 + \sin 3t)^{1/t} dt = e^3$,

b) $\lim\limits_{x \to 0} \dfrac{x \int_0^x e^{-t^2} dt}{1 - e^{-x^2}} = 1$.

8. Soit $[x]$ la partie entière de x. Montrer que pour tout nombre réel $a > 1$,

a) $\displaystyle\int_0^a [x]\, dx = a[a] - \frac{1}{2}[a]([a] + 1)$,

b) $\displaystyle\int_1^a [x] f'(x)\, dx = [a] f(a) - \{f(1) + f(2) + \cdots + f([a])\}$, où $f : [1, a] \to \mathbb{R}$ est une fonction telle que f' soit intégrable.

9. Soit $\{x\} = x - [x]$ la partie fractionnaire de x. Montrer que pour tout entier positif n,

$$\frac{1}{2(n+1)^2} \leq \int_n^{n+1} \frac{\{t\}}{t^2}\, dt \leq \frac{1}{2n(n+1)}.$$

(Suggestion : Pour l'inégalité de droite, utiliser l'inégalité

$$\log(1 + t) \leq (t^2 + 2t)/(2t + 2), \; t \geq 0.)$$

10. Par intégration de chaque membre de l'identité

$$(1 + x)^n = \sum_{k=0}^n \binom{n}{k} x^k,$$

montrer que

a) $\displaystyle\sum_{k=0}^n \frac{\binom{n}{k}}{k + 1} = \frac{2^{n+1} - 1}{n + 1}$,

b) $\displaystyle\sum_{k=0}^n \frac{(-1)^k \binom{n}{k}}{k + 1} = \frac{1}{n + 1}$,

c) $\displaystyle\sum_{k=0}^n \frac{\binom{n}{k}}{(k + 1)(k + 2)} = \frac{2^{n+2} - (n + 3)}{(n + 1)(n + 2)}$.

11. Considérer l'intégrale

$$B(n, m) = \int_0^1 x^n (1 - x)^m\, dx$$

où n et m désignent des entiers positifs.

a) Montrer que $B(n, m) = B(m, n)$.

b) Montrer que $B(n, m) = \frac{n}{m+1} B(n-1, m+1)$.

c) De b), déduire que

$$B(n, m) = \frac{n!\, m!}{(n + m + 1)!}.$$

d) Par le changement de variable $\varphi = \arcsin \sqrt{x}$, montrer que

$$\int_0^{\pi/2} (\sin \varphi)^{2n+1} (\cos \varphi)^{2m+1} \, d\varphi = \frac{n!\, m!}{2(n + m + 1)!}.$$

12. Une fonction f est dite *périodique* de période T si

$$f(t + T) = f(t) \quad \text{pour tout } t.$$

Montrer que, pour tout $a \in \mathbb{R}$,

$$\int_a^{a+T} f(t) \, dt = \int_0^T f(t) \, dt.$$

13. Démontrer l'inégalité de Cauchy-Schwarz pour les intégrales

$$\int_a^b |f(x) g(x)| \, dx \leq \left(\int_a^b |f(x)|^2 \, dx \right)^{1/2} \left(\int_a^b |g(x)|^2 \, dx \right)^{1/2},$$

où $f, g \in \mathcal{R}([a, b])$.

14. L'inégalité de Minkowski pour les intégrales est

$$\left(\int_a^b (f(x) + g(x))^2 \, dx \right)^{1/2} \leq \left(\int_a^b f^2(x) \, dx \right)^{1/2} + \left(\int_a^b g^2(x) \, dx \right)^{1/2},$$

où $f, g \in \mathcal{R}([a, b])$. La déduire de l'inégalité de Cauchy-Schwarz pour les intégrales.

15. Démontrer la proposition suivante par l'inégalité de Cauchy-Schwarz. Si f est une fonction intégrable sur $[a, b]$, $f(x) \geq m > 0$, $\forall x \in [a, b]$,

$$\left(\int_a^b f(x) \, dx \right) \left(\int_a^b \frac{1}{f(x)} \, dx \right) \geq (b - a)^2.$$

16. Soit $f: [0, 1] \to \mathbb{R}$ la fonction définie par

$$f(x) = \begin{cases} x & \text{si } x \text{ est rationnel,} \\ 1 - x & \text{si } x \text{ est irrationnel.} \end{cases}$$

Montrer que f n'est pas intégrable sur $[0,1]$.

17. Soit f une fonction continue sur $[a, b]$ telle que

$$f(x) + f(a + b - x) = 2f\left(\tfrac{a+b}{2}\right), \text{pour tout } x \in [a, b].$$

a) Montrer que $\displaystyle\int_a^b f(x)\, dx = (b - a)f\left(\frac{a + b}{2}\right).$

b) En utilisant le résultat obtenu en a) déduire la valeur de

$$\int_0^{\pi/2} \frac{\sqrt{\sin x}}{\sqrt{\sin x} + \sqrt{\cos x}}\, dx, \qquad \int_2^4 \frac{\sqrt{\log(9 - x)}}{\sqrt{\log(9 - x)} + \sqrt{\log(3 + x)}}\, dx.$$

Chapitre 7

Séries numériques

7.1 Introduction

Les sommes finies de nombres réels nous sont familières. Le but de ce chapitre est de déterminer si on peut attribuer un nombre réel, sa somme, à une expression infinie de la forme $a_1 + a_2 + a_3 + \cdots$

Plus précisément, nous répondrons aux questions :

a) La série $\displaystyle\sum_{n=1}^{\infty} a_n$ (lire «série de terme général a_n») a-t-elle une somme?

b) Si oui, quelle est-elle?

Le bref aperçu qui suit de la théorie des séries repose sur la théorie des suites.

7.2 Convergence des séries numériques

Définition 7.1 Soit la suite $\{a_n\}$ de nombres réels, $n \geq 1$. La série associée à cette suite et représentée par l'expression

$$\sum_{n=1}^{\infty} a_n = a_1 + a_2 + a_3 + \cdots,$$

est, par définition, la suite des sommes partielles $\{S_n\}$ définie par

$$S_n = \sum_{k=1}^{n} a_k, \quad n \geq 1.$$

D'après cette définition, la série $\sum_{n=1}^{\infty} a_n$ est la suite $\{S_n\}$.

La figure 7.1 résume la théorie des séries développée dans le chapitre 7.

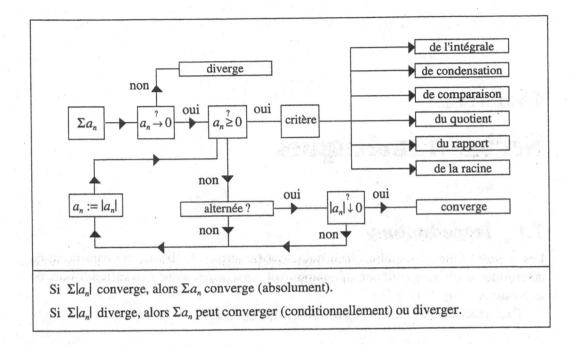

Si $\Sigma|a_n|$ converge, alors Σa_n converge (absolument).

Si $\Sigma|a_n|$ diverge, alors Σa_n peut converger (conditionnellement) ou diverger.

Figure 7.1   Algorithme d'étude de la convergence d'une série.

Définition 7.2   La série $\sum_{n=1}^{\infty} a_n$ converge si la suite des sommes partielles $\{S_n\}$ converge. La limite S vers laquelle cette suite converge, si c'est le cas, est appelée somme ou valeur de la série et est notée aussi $\sum_{n=1}^{\infty} a_n$. La série $\sum_{n=1}^{\infty} a_n$ diverge si elle ne converge pas.

D'après la définition 7.2, *étudier une série, c'est trouver si elle converge ou diverge, et, lorsqu'elle converge, évaluer si possible sa somme.*

Remarques

1. Si $\lim_{n \to \infty} S_n = \pm\infty$, on dit que $\pm\infty$ est la valeur de la série et on écrit $\sum_{n=1}^{\infty} a_n = \pm\infty$. D'après la définition 7.2, cette série diverge.

2. Avant de calculer une valeur approchée de la somme d'une série il faut démontrer qu'elle converge. En effet, sauf dans des cas très particuliers, un ordinateur ne peut calculer que des sommes partielles.

3. La signification du symbole $\sum_{n=1}^{\infty} a_n$ est ambiguë. Il désigne en effet tantôt la suite

$\{S_n\}$, tantôt la somme $S = \lim\limits_{n \to \infty} S_n$. Le contexte de $\sum_{n=1}^{\infty} a_n$ clarifie habituellement sa signification. « $\sum_{n=1}^{\infty} a_n$ converge », par exemple, se rapporte à la suite $\{S_n\}$ tandis que dans « $\sum_{n=1}^{\infty} a_n = 2$ » se rapporte à la somme.

Exemple 7.3 Montrons que $\displaystyle\sum_{n=1}^{\infty} \frac{1}{n(n+1)}$ converge et calculons sa valeur.

SOLUTION   On a $S_n = \sum_{k=1}^{n} 1/k(k+1)$. Il vient

$$S_n = \sum_{k=1}^{n} \left(\frac{1}{k} - \frac{1}{k+1} \right)$$
$$= 1 - \frac{1}{n+1}.$$

La suite $\{S_n\}$ converge vers 1 et donc la série converge aussi vers 1.

Puisqu'étudier la série $\sum_{n=1}^{\infty} a_n$ revient à étudier la suite $\{S_n\}$, on peut appliquer les résultats connus sur les suites. En particulier, la suite $\{S_n\}$ converge $\iff \{S_n\}$ est une suite de Cauchy. D'où le théorème 7.4 ci-dessous.

Théorème 7.4 (critère de Cauchy)   *La série $\sum_{n=1}^{\infty} a_n$ converge $\iff \forall \varepsilon > 0$, il existe un N tel que pour tout $n > N$ et pour tout $k > 0$, $\left| \sum_{i=n+1}^{n+k} a_i \right| < \varepsilon$.*

Exemple 7.5   La série $\sum_{n=1}^{\infty} 1/n$ (appelée série harmonique) diverge.

SOLUTION   On a

$$S_{2n} - S_n = \left(1 + \frac{1}{2} + \cdots + \frac{1}{n} + \cdots + \frac{1}{2n} \right) - \left(1 + \frac{1}{2} + \cdots + \frac{1}{n} \right)$$
$$= \frac{1}{n+1} + \frac{1}{n+2} + \cdots + \frac{1}{2n}.$$

Chacun des n termes de la dernière somme est supérieur à $1/2n$. D'où

$$S_{2n} - S_n \geq n \cdot \frac{1}{2n} = \frac{1}{2}.$$

Donc $\{S_n\}$ n'est pas une suite de Cauchy. Par conséquent, la suite $\{S_n\}$ diverge et donc la série harmonique diverge.

Le théorème 7.6 donne le critère le plus simple de divergence d'une série.

Théorème 7.6 *Si la série $\sum_{n=1}^{\infty} a_n$ converge, alors $\lim_{n \to \infty} a_n = 0$.*

DÉMONSTRATION Il suffit de poser $k = 1$ dans le théorème 7.4 ou bien de procéder comme suit. Posons $\lim_{n \to \infty} S_n = S$. Donc $\forall \varepsilon > 0$, $\exists N(\varepsilon)$ tel que pour tout $n > N(\varepsilon)$, $|S_n - S| < \varepsilon$. Or

$$|a_n| = |S_n - S_{n-1}| = |S_n - S + S - S_{n-1}|$$
$$\leq |S_n - S| + |S - S_{n-1}| < \varepsilon$$

dès que $n > N(\varepsilon/2) + 1$. ∎

En d'autres termes, pour que la série $\sum_{n=1}^{\infty} a_n$ converge, il faut que $\lim_{n \to \infty} a_n = 0$. Cela équivaut à dire : *si a_n ne tend pas vers 0 lorsque $n \to \infty$, on peut affirmer que la série $\sum_{n=1}^{\infty} a_n$ diverge*. Mais la série $\sum_{n=1}^{\infty} a_n$ peut diverger même si $a_n \to 0$ quand $n \to \infty$, comme on l'a vu pour la série harmonique (exemple 7.5).

Exemple 7.7 Les séries

$$\sum_{n=1}^{\infty} \left(\frac{n+1}{n} \right)^n \quad \text{et} \quad \sum_{n=1}^{\infty} \frac{1}{n^{1/n}}$$

divergent puisque

$$\lim_{n \to \infty} \left(\frac{n+1}{n} \right)^n = e \neq 0 \quad \text{et} \quad \lim_{n \to \infty} n^{1/n} = 1 \neq 0.$$

De même, les séries $\sum_{n=1}^{\infty} (-1)^n$ et $\sum_{n=1}^{\infty} (-1)^n n$ divergent.

Nous terminerons cette section en démontrant quelques théorèmes élémentaires sur les séries.

Théorème 7.8 *Soit $\sum_{n=1}^{\infty} a_n$ et $\sum_{n=1}^{\infty} b_n$ deux séries convergentes. Pour toutes constantes k_1 et k_2, la série $\sum_{n=1}^{\infty} (k_1 a_n + k_2 b_n)$ converge et*

$$\sum_{n=1}^{\infty} (k_1 a_n + k_2 b_n) = k_1 \sum_{n=1}^{\infty} a_n + k_2 \sum_{n=1}^{\infty} b_n.$$

Démonstration On a

$$\lim_{n\to\infty}\sum_{i=1}^{n}(k_1 a_i + k_2 b_i) = \lim_{n\to\infty}\left(k_1\sum_{i=1}^{n}a_i + k_2\sum_{i=1}^{n}b_i\right)$$

$$= k_1\lim_{n\to\infty}\sum_{i=1}^{n}a_i + k_2\lim_{n\to\infty}\sum_{i=1}^{n}b_i.$$

D'où la convergence de $\sum_{i=1}^{\infty}(k_1 a_i + k_2 b_i)$ et l'égalité voulue. ∎

Si les séries $\sum_{n=1}^{\infty}a_n$ et $\sum_{n=1}^{\infty}b_n$ divergent, la série $\sum_{n=1}^{\infty}(a_n+b_n)$ n'est pas obligatoirement divergente. En effet, soit $a_n = (-1)^n$ et $b_n = (-1)^{n+1}$. Les séries $\sum_{n=1}^{\infty}a_n$ et $\sum_{n=1}^{\infty}b_n$ divergent tandis que la série $\sum_{n=1}^{\infty}(a_n+b_n) = 0$ converge.

Théorème 7.9 *Soit $\{a_n\}$ et $\{b_n\}$ deux suites de nombres réels. Supposons qu'il existe un entier $N > 0$ tel que $a_n = b_n$ pour $n \geq N$. La série $\sum_{n=1}^{\infty}a_n$ converge $\iff$ la série $\sum_{n=1}^{\infty}b_n$ converge.*

Démonstration Soit $S_n = \sum_{i=1}^{n}a_i$, $S_n^* = \sum_{i=1}^{n}b_i$ et A l'ensemble des indices pour lequel $a_i \neq b_i$. Donc $A \subset \{1, 2, \ldots, N-1\}$, et pour $n \geq N$,

$$S_n - S_n^* = \sum_{i\in A}(a_i - b_i) = C.$$

Supposons que $\sum_{n=1}^{\infty}b_n$ converge, c'est-à-dire que $\lim_{n\to\infty}S_n^*$ est un nombre réel. Or

$$\lim_{n\to\infty}S_n = \lim_{n\to\infty}S_n^* + C.$$

Donc $\sum_{n=1}^{\infty}a_n$ converge.

Inversement, si $\sum_{n=1}^{\infty}a_n$ converge, $\sum_{n=1}^{\infty}b_n$ converge car $\lim_{n\to\infty}S_n^* = \lim_{n\to\infty}S_n - C$. ∎

D'après ce théorème, on ne modifie par la nature d'une série en changeant un nombre fini de ses termes. Par conséquent, il n'est pas essentiel à la notion de séries que la suite des indices des termes commence avec l'entier 1; un entier k quelconque peut servir de premier indice. Le premier indice n'agit pas sur la convergence (ou la divergence) d'une série. On peut donc considérer la série $\sum_{n=1}^{\infty}a_n$, $\sum_{n=0}^{\infty}a_n$ ou $\sum_{n=k}^{\infty}a_n$ (k étant un entier quelconque) ou supprimer la référence au premier terme et écrire simplement $\sum a_n$: dans chaque cas, la somme est la même à partir d'un certain indice.

Théorème 7.10 (associativité finie) *Si $\sum_{n=1}^{\infty} a_n$ converge, on peut grouper les termes en blocs finis (mais en conservant l'ordre des termes) sans changer la convergence et la valeur de la somme. Autrement dit, si $1 = k_1 < k_2 < k_3 < \dots$,*

$$\sum_{n=1}^{\infty} \sum_{i=k_n}^{k_{n+1}-1} a_i = \sum_{n=1}^{\infty} a_n.$$

DÉMONSTRATION Soit $S_n = \sum_{i=1}^{n} a_i$, pour $n = 1, 2, \dots$ Puisque $\{S_n\}$ converge, sa sous-suite $\{S_{k_{n+1}-1}\}$ converge vers la même limite. Or

$$\sum_{j=1}^{n} \sum_{i=k_j}^{k_{j+1}-1} a_i = \sum_{i=1}^{k_{n+1}-1} a_i = S_{k_{n+1}-1}.$$

D'où

$$\sum_{n=1}^{\infty} \sum_{i=k_n}^{k_{n+1}-1} a_i = \lim_{n\to\infty} \sum_{j=1}^{n} \sum_{i=k_j}^{k_{j+1}-1} a_i = \lim_{n\to\infty} S_{k_{n+1}-1} = \lim_{n\to\infty} S_n = \sum_{n=1}^{\infty} a_n. \quad \blacksquare$$

La réciproque du théorème 7.10 est fausse : la convergence de $\sum_{n=1}^{\infty} \sum_{i=k_n}^{k_{n+1}-1} a_i$ n'entraîne pas obligatoirement celle de $\sum_{n=1}^{\infty} a_n$. La série $\sum_{n=1}^{\infty} (-1)^n$, par exemple, diverge mais le groupement des termes deux à deux ($k_n = 2n - 1$) donne

$$\sum_{n=1}^{\infty} \sum_{i=k_n}^{k_n+1} (-1)^i = 0,$$

une série convergente.

Cet exemple montre qu'il faut manipuler les séries très prudemment pour éviter tout paradoxe.

Considérons finalement le théorème 7.11 ci-dessous.

Théorème 7.11 *Soit la suite $\{k_n\}$ d'entiers strictement croissante telle que $\{k_{n+1} - k_n\}$ est bornée. Si $\lim\limits_{n\to\infty} a_n = 0$, alors les séries*

$$\sum_{n=1}^{\infty} a_n \quad et \quad \sum_{n=1}^{\infty} \sum_{i=k_n}^{k_{n+1}-1} a_i$$

sont de même nature.

DÉMONSTRATION D'après le théorème 7.10, la convergence de la série $\sum_{n=1}^{\infty} a_n$ entraîne celle de la série $\sum_{n=1}^{\infty} \sum_{i=k_n}^{k_{n+1}-1} a_i$.

Supposons que $\sum_{n=1}^{\infty} \sum_{i=k_n}^{k_{n+1}-1} a_i$ converge. Soit $\varepsilon > 0$. Posons $M = \sup\{k_{n+1} - k_n \mid n \geq 1\}$ et soit N tel que $n \geq N$ implique $|a_n| < \varepsilon/M$. Pour $m > k_N \geq N$, $k_n < m \leq k_{n+1}$ pour un unique indice $n \geq N$ et donc

$$|S_m - S_{k_n}| = |a_{k_n+1} + a_{k_n+2} + \cdots + a_m| \leq (k_{n+1} - k_n)\frac{\varepsilon}{M} < \varepsilon.$$

Donc $\lim_{m \to \infty} S_m = \lim_{n \to \infty} S_{k_n}$ et la série $\sum_{n=1}^{\infty} a_n$ converge (vers la même valeur que la série $\sum_{n=1}^{\infty} \sum_{i=k_n}^{k_{n+1}-1} a_i$). ∎

La connaissance de nombreux exemples est utile pour étudier les séries. Ces exemples rendent sagace et servent souvent, comme nous le verrons, pour étudier la convergence d'autres séries. Voici quelques exemples classiques.

Exemple 7.12

1. Si $k \neq 0$ et $|r| < 1$, la série géométrique $\displaystyle\sum_{n=0}^{\infty} kr^n$ converge vers $k/(1-r)$. Si $k = 0$, elle converge pour tout r. Dans les autres cas, elle diverge.

SOLUTION Soit $S_n = \sum_{i=0}^{n-1} kr^i$. Si $k = 0$, $\lim_{n \to \infty} S_n = \lim_{n \to \infty} 0 = 0$. Si $r = 1$, $S_n = nk$ et $\lim_{n \to \infty} nk = \infty$, et donc la série diverge. Pour $r \neq 1$,

$$S_n = k + kr + \cdots + kr^{n-1}$$

ou

$$rS_n = kr + \cdots + kr^{n-1} + kr^n.$$

La soustraction de ces deux équations donne

$$S_n = \frac{k(1 - r^n)}{1 - r}.$$

Si $|r| < 1$, $\lim_{n \to \infty} r^n = 0$ et donc

$$\lim_{n \to \infty} S_n = \frac{k}{1 - r}.$$

Si $|r| > 1$, $\lim\limits_{n \to \infty} |r^n| = \infty$ et donc $\{S_n\}$ diverge.

Finalement, si $r = -1$, la série $\sum_{n=0}^{\infty} (-1)^n$ diverge.

2. La série $\sum\limits_{n=1}^{\infty} \dfrac{1}{n^2}$ converge.

SOLUTION La suite $\{S_n\}$ étant croissante, il suffit de voir qu'elle est bornée supérieurement. Ainsi

$$S_n = 1 + \frac{1}{2 \cdot 2} + \cdots + \frac{1}{n \cdot n} < 1 + \frac{1}{1 \cdot 2} + \cdots + \frac{1}{(n-1) \cdot n}$$
$$= 1 + \left(1 - \frac{1}{2}\right) + \cdots + \left(\frac{1}{n-1} - \frac{1}{n}\right) = 2 - \frac{1}{n} < 2.$$

7.2.1 Exercices

1. Trouver les nombres rationnels ayant respectivement pour représentation décimale

   a) $0,\overline{3} = 0,3 + 0,03 + 0,003 + \cdots$,

   b) $0,\overline{21} = 0,21 + 0,002\,1 + 0,000\,021 + \cdots$,

   c) $0,1\,\overline{234}$.

2. Soit a un nombre réel positif. Montrer que la série $\sum |\sin n|^a$ diverge.

3. Si la série $\sum a_n$ converge, montrer que la série $\sum \cos a_n$ diverge.

4. Montrer que la série $\sum \log\left(n/(n+1)\right)$ diverge.

5. Si la série $\sum a_n$ converge et la série $\sum b_n$ diverge, montrer que la série $\sum (a_n + b_n)$ diverge.

6. Si la série $\sum a_n$ diverge, montrer que, $\forall k \in \mathbb{R} \setminus \{0\}$, la série $\sum k a_n$ diverge.

7. Étudier les séries

   a) $\sum\limits_{n \geq 1} \dfrac{3^n + 7^n}{5^n}$,   b) $\sum\limits_{n \geq 1} \dfrac{3^n + 4^n}{5^n}$.

8. Soit a un nombre réel positif. Démontrer par les fractions partielles que

a) $\displaystyle\sum_{n=0}^{\infty} \frac{1}{(n+a)(n+1+a)} = \frac{1}{a}$,   b) $\displaystyle\sum_{n=1}^{\infty} \frac{1}{n(n+1)(n+2)} = \frac{1}{4}$.

9. Soit la matrice $A = \begin{pmatrix} a & 0 \\ 0 & b \end{pmatrix}$, $a \neq 1$, $b \neq 1$. À quelles conditions la somme $S_n = I + A + A^2 + \cdots + A^n$ a-t-elle une limite? Calculer cette limite.

10. Soit
$$a_n = \begin{cases} n^3 & \text{si } n \leq 100^{23}, \\ (2/5)^n & \text{si } n > 100^{23}. \end{cases}$$

Étudier la série $\sum a_n$.

7.3   Critères de convergence

Établissons quelques critères (appelés aussi tests) de convergence qui permettent parfois de déterminer la nature d'une série $\sum a_n$ et, si elle converge, de calculer sa somme avec une précision donnée.

Définition 7.13   La série $\sum_{n=1}^{\infty} a_n$ converge absolument si $\sum_{n=1}^{\infty} |a_n|$ converge. Si la série $\sum_{n=1}^{\infty} a_n$ converge et la série $\sum_{n=1}^{\infty} |a_n|$ diverge, on dit que la série $\sum_{n=1}^{\infty} a_n$ converge conditionnellement ou est semi-convergente.

Exemple 7.14   Les séries $\sum_{n=0}^{\infty} (-1)^n k r^n$, $|r| < 1$ et $\sum_{n=1}^{\infty} 1/n^2$ convergent absolument.

Théorème 7.15   *Toute série absolument convergente converge.*

DÉMONSTRATION   Soit $\sum_{n=1}^{\infty} a_n$ une série absolument convergente. Puisqu'elle converge, la série $\sum_{n=1}^{\infty} |a_n|$ satisfait au critère de Cauchy. Montrons qu'il en est de même pour la série $\sum_{n=1}^{\infty} a_n$. Soit $\varepsilon > 0$. Il existe donc un nombre N tel que pour tout $n > N$ et pour tout $k > 0$,

$$||a_{n+1}| + |a_{n+2}| + \cdots + |a_{n+k}|| < \varepsilon.$$

Or

$$|a_{n+1} + \cdots + a_{n+k}| \leq |a_{n+1}| + |a_{n+2}| + \cdots + |a_{n+k}|.$$

Donc
$$|a_{n+1} + \cdots + a_{n+k}| < \varepsilon.$$

La série $\sum_{n=1}^{\infty} a_n$ satisfait au critère de Cauchy et donc elle converge.   ∎

Puisque la convergence absolue entraîne la convergence, la première tâche sera de classer (jusqu'à un certain point) les séries absolument convergentes ou divergentes. Dans un premier temps nous délaisserons les séries qui convergent conditionnellement. Nous commencerons par quelques critères de comparaison, qui permettent, leur nom le dit, de classer certaines séries par comparaison avec d'autres séries déjà classées. L'application des critères de comparaison à la série géométrique conduira à quelques critères intrinsèques (recourant à la formule du terme général, sans référence à d'autres séries).

Théorème 7.16 (critère intégral)   *Si $f(x)$ est une fonction positive, continue et décroissante pour tout $x \geq N$, et telle que $f(n) = a_n$ pour tout $n \geq N$, alors*

$$\sum_{n=1}^{\infty} a_n \quad converge \iff \lim_{n \to \infty} \int_N^n f(x)\, dx \quad existe.$$

DÉMONSTRATION   Si $m \geq N$, alors pour tout $m \leq x \leq m+1$,

$$f(m+1) \leq f(x) \leq f(m).$$

Donc
$$a_{m+1} = f(m+1) \leq \int_m^{m+1} f(x)\, dx \leq f(m) = a_m.$$

D'où pour tout $n > N$,

$$a_{N+1} + \cdots + a_{n+1} \leq \int_N^{n+1} f(x)\, dx \leq a_N + \cdots + a_n. \tag{7.1}$$

Si $\lim_{n \to \infty} \int_N^n f(x)\, dx$ existe, la suite de nombres $\{\int_N^n f(x)\, dx\}$ est convergente et donc bornée. D'après l'inégalité ci-dessus, la suite des sommes partielles de $\sum a_n$ est bornée et par conséquent la série $\sum_{n=1}^{\infty} a_n$ converge. Inversement, si la série $\sum_{n=1}^{\infty} a_n$ converge vers A, la suite des sommes partielles de $\sum_{n=1}^{\infty} a_n$ est bornée et par conséquent

$$\int_N^{n+1} f(x)\, dx \leq a_N + \cdots + a_n \leq A.$$

Donc la suite de nombres $\left\{ \int_N^{n+1} f(x)\,dx \right\}$ est croissante et bornée supérieurement par A. Par conséquent

$$\lim_{n \to \infty} \int_N^n f(x)\,dx \quad \text{existe.} \qquad \blacksquare$$

Remarque Le théorème 7.16 permet de trouver l'ordre de grandeur d'une somme finie. En effet, d'après (7.1),

$$\sum_{k=N+1}^n f(k) \le \int_N^n f(x)\,dx \le \sum_{k=N}^{n-1} f(k)$$

ou

$$\sum_{k=N}^n f(k) - f(N) \le \int_N^n f(x)\,dx \le \sum_{k=N}^n f(k) - f(n).$$

Finalement,

$$f(n) \le \sum_{k=N}^n f(k) - \int_N^n f(x)\,dx \le f(N).$$

En particulier,

$$f(n) \le \sum_{k=1}^n f(k) - \int_1^n f(x)\,dx \le f(1). \qquad (7.2)$$

Lorsque $f(x) = 1/x$, ces inégalités deviennent

$$0 < \frac{1}{n} < x_n \stackrel{\text{déf}}{=} \sum_{k=1}^n \frac{1}{k} - \log n < 1.$$

D'après le théorème de la moyenne, il est immédiat que pour tout $x > 0$,

$$\frac{1}{x+1} < \log \frac{x+1}{x} < \frac{1}{x},$$

et donc

$$x_{n+1} - x_n = \frac{1}{n+1} - \log \frac{n+1}{n} < 0.$$

Par conséquent, la suite $\{x_n\}$ décroît et est bornée inférieurement par 0. Donc elle converge. On peut poser

$$\lim_{n \to \infty} \left\{ \sum_{k=1}^n \frac{1}{k} - \log n \right\} = \gamma.$$

Ce nombre γ est appelé *constante d'Euler*, qui la calcula avec 6 décimales en 1735 et 16 en 1781. La voici avec 24 décimales

$$\gamma = 0{,}577\ 215\ 664\ 901\ 532\ 860\ 606\ 512\ldots$$

On ne sait pas encore si γ est un nombre rationnel ou irrationnel.

Avant d'aborder les autres critères, classons la série $\sum_{n=1}^{\infty} 1/n^r$ à l'aide du critère intégral.

Exemple 7.17   Soit r un nombre réel. Montrons que

$$\sum_{n=1}^{\infty} \frac{1}{n^r} \begin{cases} \text{converge} & \text{si } r > 1, \\ \text{diverge} & \text{si } r \leq 1. \end{cases}$$

Cette série est appelée *série de Riemann*.

SOLUTION   Si $r \leq 0$, $\lim_{n \to \infty} 1/n^r \neq 0$ et la série diverge. Supposons $r > 0$. Appliquons le critère intégral en posant $f(x) = 1/x^r$. Il vient

$$\int_1^n x^{-r}\, dx = \begin{cases} \dfrac{1 - n^{-r+1}}{r - 1} & \text{si } r \neq 1, \\ \log n & \text{si } r = 1. \end{cases}$$

Donc pour $r \leq 1$, $\lim_{n \to \infty} \int_1^n x^{-r}\, dx$ n'existe pas et l'intégrale ne converge pas. Pour $r > 1$, $\int_1^{\infty} x^{-r}\, dx$ converge.

Théorème 7.18 (critère de condensation de Cauchy)   *Soit la suite décroissante* $\{a_n\}$, $a_n \geq 0$.

$$\sum_{n=1}^{\infty} a_n \text{ converge} \iff \sum_{n=0}^{\infty} 2^n a_{2^n} \text{ converge}.$$

DÉMONSTRATION   Soit la suite des sommes partielles

$$S_{2^{n+1}-1} = a_1 + (a_2 + a_3) + (a_4 + \cdots + a_7) + \cdots + (a_{2^n} + \cdots + a_{2^{n+1}-1}).$$

Puisque $\{a_n\}$ décroît,

$$2^n a_{2^{n+1}} \leq a_{2^n} + a_{2^n+1} + \cdots + a_{2^{n+1}-1} \leq 2^n a_{2^n}.$$

Donc

$$S_{2^{n+1}-1} \geq a_1 + 2a_4 + 4a_8 + \cdots + 2^n a_{2^{n+1}} \geq a_1 + \frac{1}{2} \sum_{k=2}^{n+1} 2^k a_{2^k}, \qquad (7.3)$$

et

$$S_{2^{n+1}-1} \leq a_1 + 2a_2 + \cdots + 2^n a_{2^n} \leq a_1 + \sum_{k=1}^{n} 2^k a_{2^k} = \sum_{k=0}^{n} 2^k a_{2^k}. \qquad (7.4)$$

Si $\sum_{n=1}^{\infty} a_n$ converge, $\{S_{2^{n+1}-1}\}$ converge et, d'après (7.3), la suite $a_1 + \frac{1}{2} \sum_{k=2}^{n+1} 2^k a_{2^k}$ est bornée pour tout $n \geq 2$. Donc $\sum_{n=0}^{\infty} 2^n a_{2^n}$ converge.

Inversement, si $\sum_{n=0}^{\infty} 2^n a_{2^n}$ converge, d'après (7.4), la suite $\{S_{2^{n+1}-1}\}$ est bornée et donc $\sum_{n=1}^{\infty} a_n$ converge. ∎

Remarque   Le théorème 7.18 tient encore lorsque $\{a_n\}$ décroît à partir d'un certain entier N.

Exemple 7.19

1. La série harmonique diverge.

SOLUTION   Dans le théorème 7.18 posons $a_n = 1/n$. Donc $2^n a_{2^n} = 1$, pour tout $n \geq 0$. La divergence de $\sum_{n \geq 0} 1$ entraîne celle de la série harmonique.

2. La série

$$\sum_{n=2}^{\infty} \frac{1}{n(\log n)^r}$$

converge pour $r > 1$ et diverge pour $r \leq 1$.

SOLUTION   Utilisons le critère précédent puisque pour tout $r \in \mathbb{R}$, $\{1/n(\log n)^r\}$ est une suite décroissante (à partir d'un entier N qui dépend de r) de termes non négatifs. D'où

$$\sum_{k=1}^{\infty} 2^k \frac{1}{2^k (\log 2^k)^r} = \frac{1}{(\log 2)^r} \sum_{k=1}^{\infty} \frac{1}{k^r},$$

et la conclusion cherchée.

Théorème 7.20 (critère de comparaison)   *Soit deux séries $\sum_{n=1}^{\infty} a_n$ et $\sum_{n=1}^{\infty} b_n$ telles que $b_n \geq 0$.*

a) *Si la série $\sum_{n=1}^{\infty} b_n$ converge et s'il existe des nombres positifs N et M tels que $|a_n| \leq M b_n$ pour tout entier positif $n \geq N$, la série $\sum_{n=1}^{\infty} a_n$ converge absolument.*

b) *Si la série $\sum_{n=1}^{\infty} b_n$ diverge et s'il existe des nombres positifs N et $M > 0$ tels que $a_n \geq M b_n$ pour tout entier positif $n \geq N$, la série $\sum_{n=1}^{\infty} a_n$ diverge.*

DÉMONSTRATION   Soit $S_n = \sum_{i=1}^{n} b_i$ et $S_n^* = \sum_{i=1}^{n} |a_i|$. Par hypothèse, $\{S_n\}$ converge. La suite $\{S_n\}$ est donc bornée et croissante. Mais pour $n \geq N$, la suite $\{S_n^*\}$ est aussi croissante et bornée. Donc la série $\sum_{n=1}^{\infty} |a_n|$ converge.

Pour démontrer la seconde partie, il suffit pour obtenir une contradiction de supposer que la série $\sum_{n=1}^{\infty} a_n$ converge. En effet, on a $0 \leq b_n \leq a_n/M$ et par la première partie la série $\sum_{n=1}^{\infty} b_n$ converge. ∎

Exemple 7.21

1. Montrons que la série $\displaystyle\sum_{n=1}^{\infty} \frac{(-1)^n}{(n+3)^2}$ converge absolument.

   SOLUTION   En effet,
   $$\left| \frac{(-1)^n}{(n+3)^2} \right| = \frac{1}{(n+3)^2} < \frac{1}{n^2}$$
   et puisque $\sum 1/n^2$ converge, la série donnée converge absolument.

2. Montrons que la série $\displaystyle\sum_{n=1}^{\infty} \frac{2n^2+3}{5n^3+7}$ diverge.

   SOLUTION   On a
   $$\frac{2n^2+3}{5n^3+7} > \frac{1}{3n}.$$
   La série donnée diverge puisque la série $\sum 1/n$ diverge.

3. Montrons que, pour $a < 1$ et $b \in \mathbb{R}$, la série
   $$\sum_{n=2}^{\infty} \frac{1}{n^a \log^b n}$$
   diverge.

SOLUTION   Puisque $\lim\limits_{n\to\infty} n^a \log^b n/n = 0$, il existe un nombre N tel que pour tout $n > N$, $n^a \log^b n/n < 1$. Donc

$$0 < \frac{1}{n} \leq \frac{1}{n^a \log^b n} \quad \text{pour tout } n > N.$$

La série donnée diverge puisque la série $\sum 1/n$ diverge.

4. Étudions les séries

$$\sum_{n=2}^{\infty} \frac{1}{(\log n)^{\log n}}, \qquad \sum_{n=3}^{\infty} \frac{1}{(\log n)^{\log(\log n)}}.$$

SOLUTION   Pour n suffisamment grand,

$$\frac{1}{(\log n)^{\log n}} = \frac{1}{n^{\log(\log n)}} < \frac{1}{n^2}.$$

D'après le critère de comparaison, la première série converge. La seconde série diverge. En effet, puisque $(\log x)^2/x \to 0$ lorsque $x \to \infty$, on a $(\log x)^2 < x$ pour x suffisamment grand et donc $(\log(\log n))^2 < \log n$ pour $n > N$. D'où

$$\frac{1}{(\log n)^{\log(\log n)}} = \frac{1}{e^{(\log(\log n))^2}} > \frac{1}{e^{\log n}} = \frac{1}{n}.$$

Le critère de comparaison montre que la deuxième série diverge.

Le théorème 7.22 découle du critère de comparaison. Il est très utile.

Théorème 7.22 (critère du quotient)   *Soit les deux séries $\sum a_n$ et $\sum b_n$. Posons*
$$\lim_{n\to\infty} \left| \frac{a_n}{b_n} \right| = L$$

a) *Si $L \neq 0$ ou ∞, les séries $\sum |a_n|$ et $\sum |b_n|$ sont de même nature.*

b) *Si $L = 0$ et si la série $\sum b_n$ converge absolument, $\sum a_n$ converge absolument. Si la série $\sum |a_n|$ diverge, la série $\sum |b_n|$ diverge.*

c) *Si $L = \infty$ et si la série $\sum |b_n|$ diverge, la série $\sum |a_n|$ diverge. Si la série $\sum |a_n|$ converge, la série $\sum |b_n|$ converge.*

DÉMONSTRATION

a) Par hypothèse $\forall \varepsilon > 0$ il existe un nombre $N(\varepsilon)$ tel que pour tout $n > N(\varepsilon)$,

$$\left| \left| \frac{a_n}{b_n} \right| - L \right| < \varepsilon.$$

D'après l'inégalité

$$\left| \left| \frac{a_n}{b_n} \right| - |L| \right| \leq \left| \left| \frac{a_n}{b_n} \right| - L \right|,$$

il vient, en posant $\varepsilon = |L|/2$,

$$\tfrac{1}{2}|L||b_n| < |a_n| < \tfrac{3}{2}|L||b_n|, \quad \text{si } n > N(|L|/2).$$

Le critère de comparaison donne la conclusion de a).

b) Par hypothèse il existe un $K > 0$ et un entier N tel que pour tout $n > N$, $|a_n/b_n| < K$ donc $|a_n| < K|b_n|$. Le critère de comparaison donne la conclusion de b).

c) Par hypothèse $\forall M > 0$ il existe un entier N tel que pour tout $n > N$, $|a_n/b_n| > M$ donc $|a_n| > M|b_n|$. Le critère de comparaison donne la conclusion de c). ■

Remarques

1. Dans le cas particulier de $b_n = 1/n^r$, le critère du quotient est appelé *critère de Riemann*.

2. Lorsque $L = 1$ on écrit $a_n \sim b_n$ (lire «a_n est équivalent à b_n»).

Exemple 7.23

1. Montrons que la série $\displaystyle\sum_{n=1}^{\infty} \frac{5n+2}{2n^3 + n + 1}$ converge.

SOLUTION $\displaystyle\lim_{n\to\infty} n^2 \cdot \frac{5n+2}{2n^3 + n + 1} = \frac{5}{2}$ et $\displaystyle\sum_{n=1}^{\infty} \frac{1}{n^2}$ converge. Donc la série donnée converge.

2. Montrons que la série $\displaystyle\sum_{n=1}^{\infty} \frac{1}{2 \cdot 3^n + \cos n}$ converge.

SOLUTION $\dfrac{1}{2 \cdot 3^n + \cos n} \sim \dfrac{1}{2 \cdot 3^n}$ et la série $\displaystyle\sum_{n=1}^{\infty} \dfrac{1}{3^n}$ converge. Donc la série donnée converge.

3. Montrons que la série $\displaystyle\sum_{n=1}^{\infty} \dfrac{\log n}{\sqrt{n} + 7}$ diverge.

SOLUTION $\displaystyle\lim_{n \to \infty} \sqrt{n} \cdot \dfrac{\log n}{\sqrt{n} + 7} = \infty$ et la série $\displaystyle\sum_{n=1}^{\infty} \dfrac{1}{\sqrt{n}}$ diverge. Donc la série donnée diverge.

4. Montrons que la série $\displaystyle\sum \dfrac{1}{n^{1+1/n}}$ diverge.

SOLUTION $\displaystyle\lim_{n \to \infty} n \cdot \dfrac{1}{n^{1+1/n}} = 1$ et la série $\sum 1/n$ diverge. Donc la série donnée diverge.

Exemple 7.24

1. Étudions la nature de la série $\displaystyle\sum_{n=1}^{\infty} \dfrac{\sin \frac{n\pi}{2}}{\sqrt{n}}$.

SOLUTION $\displaystyle\lim_{n \to \infty} \dfrac{\sin n\pi/2}{\sqrt{n}} = 0$. Donc cette série est de même nature que la série (d'après le théorème 7.11) de terme général

$$a_n = \sum_{k=4n}^{4n+3} \frac{\sin \frac{k\pi}{2}}{\sqrt{k}} = \sin \frac{(4n+1)\pi/2}{\sqrt{4n+1}} + \sin \frac{(4n+3)\pi/2}{\sqrt{4n+3}}$$

$$= \frac{1}{\sqrt{4n+1}} - \frac{1}{\sqrt{4n+3}}$$

$$= \frac{1}{2\sqrt{n}} \left(\frac{1}{\sqrt{1+(4n)^{-1}}} - \frac{1}{\sqrt{1+3(4n)^{-1}}} \right)$$

$$= \frac{1}{2\sqrt{n}} \left(\frac{1}{2n^2} + o\left(\frac{1}{n^2} \right) \right).$$

D'où $a_n \sim 1/4n^{3/2}$. Or la série $\sum 1/n^{3/2}$ converge. Donc la série donnée converge elle aussi.

2. Calculons $\displaystyle\sum_{n=0}^{\infty} \arctan\left(\frac{3}{n^2 + 5n + 5}\right)$.

SOLUTION $\arctan(3/(n^2 + 5n + 5)) \sim 3/(n^2 + 5n + 5)$. Donc la série proposée converge. Or

$$\frac{3}{n^2 + 5n + 5} = \frac{(n+4) - (n+1)}{1 + (n+4)(n+1)}$$
$$= \tan\left(\arctan(n+4) - \arctan(n+1)\right)$$

et $\arctan(n+4) - \arctan(n+1) \in (-\pi/2, \pi/2)$. D'où

$$\arctan\left(\frac{3}{n^2 + 5n + 5}\right) = \arctan(n+4) - \arctan(n+1)$$

et par conséquent

$$S_n = \sum_{k=0}^{n} \arctan\left(\frac{3}{k^2 + 5k + 5}\right) = \arctan(n+4) + \arctan(n+3)$$
$$+ \arctan(n+2) - \arctan 3 - \arctan 2 - \arctan 1.$$

Donc

$$\sum_{n=0}^{\infty} \arctan\left(\frac{3}{n^2 + 5n + 5}\right) = \frac{5\pi}{4} - \arctan 2 - \arctan 3 = \frac{\pi}{2}.$$

Remarque Dans certains critères, les termes de la série $\sum_{n=1}^{\infty} a_n$ sont au dénominateur d'une fraction, ce qui entraîne le problème de la division par zéro. La suppression des termes nuls n'influe pas sur la convergence (ni sur la divergence) ni sur la valeur vers laquelle la série converge. S'il faut $a_n \neq 0$, pour $n = 1, 2, \ldots$, $\sum a_n$ désigne la série originale une fois les termes nuls retranchés.

Théorème 7.25 (critère de d'Alembert ou du rapport) *Soit la série $\sum a_n$ ($a_n \neq 0$) telle que la limite $L = \lim\limits_{n \to \infty} \left|\dfrac{a_{n+1}}{a_n}\right|$ existe.*

a) *Si $L < 1$, la série converge absolument.*

b) *Si $L > 1$, la série diverge.*

c) *Si $L = 1$, on ne peut rien conclure.*

DÉMONSTRATION

a) Supposons $L < 1$ et soit r tel que $L < r < 1$. Puisque

$$\lim_{n \to \infty} |a_{n+1}/a_n| = L < r,$$

$\exists N$ tel que pour tout $n > N$,

$$\left| \frac{a_{n+1}}{a_n} \right| < r \quad \text{ou} \quad |a_{n+1}| < r|a_n|.$$

D'où les inégalités

$$|a_{N+2}| < r|a_{N+1}|$$
$$|a_{N+3}| < r|a_{N+2}| < r^2|a_{N+1}|$$
$$|a_{N+4}| < r|a_{N+3}| < r^3|a_{N+1}|$$
$$\vdots \quad \vdots$$
$$|a_{N+k+1}| < r^k|a_{N+1}|, \quad k \geq 1.$$

La série géométrique $\sum_{k=1}^{\infty} r^k$ converge car $0 < r < 1$. Donc, d'après le théorème de comparaison, la série a_n converge absolument.

b) Si $\lim_{n \to \infty} |a_{n+1}/a_n| > 1$, on montre de la même façon qu'il existe un nombre $r > 1$ et un indice N tels que $|a_{N+k+1}| > r^k|a_{N+1}|$, pour $k \geq 1$. Or $r > 1$. Donc $|a_n| > |a_N|$ pour $n > N$. La série diverge puisque la suite $\{a_n\}$ ne converge pas vers vers 0.

c) Considérons les deux séries $\sum 1/n$, $\sum 1/n^2$. Nous avons montré que la première diverge et que la seconde converge. On montre facilement dans les deux cas que $\lim_{n \to \infty} |a_{n+1}/a_n| = 1$. ∎

Exemple 7.26 Étudions la série $\sum_{n=0}^{\infty} x^n/n!$.

SOLUTION   On a $|a_{n+1}/a_n| = |x|/(n+1)$. D'où

$$\lim_{n \to \infty} \left| \frac{a_{n+1}}{a_n} \right| = 0.$$

Donc la série $\sum_{n=0}^{\infty} x^n/n!$ converge absolument pour tout x.

Remarques

1. Si $\lim\limits_{n\to\infty} |a_{n+1}/a_n| = 1$ et s'il existe un nombre N tel que pour tout $n > N$, $|a_{n+1}/a_n| > 1$, la série $\sum |a_n|$ diverge. En effet, si $|a_{n+1}/a_n| > 1$, $|a_{n+1}| > |a_n|$ et donc $\lim\limits_{n\to\infty} |a_n| = 0$ est faux.

2. Si $\lim\limits_{n\to\infty} |a_{n+1}/a_n| = \infty$, la série $\sum |a_n|$ diverge. En effet, si $\lim\limits_{n\to\infty} |a_{n+1}/a_n| = \infty$, il existe un nombre N tel que pour $n > N$, $|a_{n+1}/a_n| > 1$.

Exemple 7.27   Étudions la série $\sum\limits_{n=1}^{\infty} \dfrac{e^n n!}{n^n}$.

SOLUTION   On a

$$\lim_{n\to\infty} \left| \frac{a_{n+1}}{a_n} \right| = e \lim_{n\to\infty} \left(\frac{n}{n+1} \right)^n = 1.$$

On ne peut donc pas conclure si la série converge ou diverge. Or $e > \left(\dfrac{n+1}{n} \right)^n$. Donc, d'après la remarque précédente, la série donnée diverge.

Théorème 7.28 (critère de Cauchy ou de la racine)   *Soit la série $\sum a_n$ telle que la limite $L = \lim\limits_{n\to\infty} \sqrt[n]{|a_n|}$ existe.*

   a) *Si $L < 1$, la série converge absolument.*
   b) *Si $L > 1$, la série diverge.*
   c) *Si $L = 1$, on ne peut rien conclure.*

DÉMONSTRATION

a) Puisque $L < 1$ prenons un nombre r tel que $L < r < 1$. Donc il existe un nombre N tel que pour tout $n > N$,

$$\sqrt[n]{|a_n|} < r.$$

Donc

$$|a_n| < r^n \quad \text{dès que } n > N.$$

Or $0 < r < 1$. Donc la série $\sum r^n$ converge et, d'après le critère de comparaison, la série converge absolument.

b) Si $L > 1$, choisissons un r tel que $L > r > 1$. D'après la définition de la limite, il existe un nombre N tel que pour tout $n > N$,

$$\sqrt[n]{|a_n|} > r.$$

Donc

$$|a_n| > r^n \quad \text{dès que } n > N.$$

Or $r > 1$. Donc le terme général de la série $\sum a_n$ ne peut tendre vers 0 et par conséquent la série diverge.

c) Il suffit de considérer les deux séries $\sum 1/n$ et $\sum 1/n^2$. ∎

Exemple 7.29 La série $\displaystyle\sum_{n=1}^{\infty} \left(\frac{n}{2n+1}\right)^n$ converge puisque

$$\lim_{n \to \infty} \sqrt[n]{\left(\frac{n}{2n+1}\right)^n} = \lim_{n \to \infty} \frac{n}{2n+1} = \frac{1}{2} < 1.$$

Remarque Quel est le critère le plus commode pour étudier une série? En règle générale, les applications du critère de Riemann sont beaucoup plus nombreuses que celles des critères de d'Alembert et de Cauchy. Donc penser à lui en premier lieu. La simplicité des critères de d'Alembert et de Cauchy joue en leur faveur dans certains cas. On démontre que si $|a_{n+1}/a_n|$ tend vers 1 (cas douteux du critère de d'Alembert), $\sqrt[n]{|a_n|}$ tend aussi vers 1 (cas douteux du critère de Cauchy). Il est donc inutile d'essayer le critère de Cauchy après l'échec de celui de d'Alembert.

7.3.1 Exercices

1. Montrer que la série $\displaystyle\sum_{n=1}^{\infty} a^n \sin bn$, $0 < a < 1$, $b \in \mathbb{R}$, converge.

2. Montrer que $\displaystyle\sum_{n=3}^{\infty} \log\left(1 - \frac{4}{n^2}\right)$ converge et trouver sa valeur.

3. Montrer que la série $\displaystyle\sum_{n=1}^{\infty} \left(1 - \frac{a}{n}\right)^n$ diverge pour tout $a \in \mathbb{R}$.

4. Étudier $\displaystyle\sum_{n=1}^{\infty} \frac{n^{n+a}}{n!}$ en fonction de a.

5. Classer les séries ci-dessous en séries convergentes et en séries divergentes.

a) $\sum \dfrac{1}{n \log n}$,

b) $\sum \dfrac{1}{5n}$,

c) $\sum \dfrac{n+3}{n+14}$,

d) $\sum \dfrac{1}{n \log n \log(\log n)}$,

e) $\sum \dfrac{\sin^2 n}{3^n}$,

f) $\sum \dfrac{5}{3 + \log n}$,

g) $\sum \dfrac{(-1)^n n}{3^n}$,

h) $\sum \dfrac{n!}{n^n}$,

i) $\sum \dfrac{n^n}{n!}$,

j) $\sum \dfrac{a^n}{n!}$, $a > 0$,

k) $\sum \dfrac{\sqrt{n}}{n^2 + 17}$,

l) $\sum \dfrac{1}{\sqrt{n} \log n}$,

m) $\sum \dfrac{1}{n^3} \cos\left(\dfrac{2n\pi}{n+6}\right)$,

n) $\sum \dfrac{2^n + 3}{5^n + 7}$,

o) $\sum \dfrac{2^n n!}{n^n}$,

p) $\sum \left(\dfrac{n}{n+1}\right)^{n^2}$,

q) $\sum \dfrac{(-1)^n}{n!}$,

r) $\sum \dfrac{(n!)^n}{n^{n^2}}$,

s) $\sum (-1)^{(n^2+n)/2} \dfrac{n}{2^n}$,

t) $\sum \log\left(1 + \dfrac{1}{n}\right)^n$.

6. Étudier la série (de Bertrand) $\displaystyle\sum_{n=2}^{\infty} \dfrac{1}{n^a (\log n)^b}$ en fonction de a et b.

7. Étudier la série $\displaystyle\sum_{n=1}^{\infty} \left(\dfrac{n+a}{n+b}\right)^{n^2}$ en fonction de a et b.

8. Dire si les séries suivantes convergent ou divergent.

a) $\sum n \sin(\pi/n)$,

b) $\sum \dfrac{(19/7)^n n!}{(n+1)^n}$,

c) $\sum \dfrac{\sin(\pi/n)}{n}$,

d) $\sum (n^{1/n} - 1)^{2n}$,

e) $\sum \dfrac{(n+1)^n}{e \cdot n^n}$,

f) $\sum \dfrac{n^n}{(n+1)^{n+1}}$,

g) $\sum \left(\dfrac{n+4}{2n+3}\right)^{n \log n}$,

h) $\sum \dfrac{\log n}{n + \log n}$,

i) $\sum \dfrac{3^n + 5n^2}{n! + 8n}$,

j) $\sum \left(\dfrac{1}{n^3}\right)^{\sin(2n\pi/3)}$,

k) $\sum \dfrac{\log n}{n^2}$,

l) $\sum \left(\dfrac{3n+2}{4n}\right)^n$.

9. Montrer que $\displaystyle\sum_{n=1}^{\infty} \dfrac{n^2}{n!}$ converge et calculer sa somme sachant que $\sum_{n=0}^{\infty} 1/n! = e$.

10. Soit une série $\sum a_n$ absolument convergente et $\{b_n\}$ une suite bornée. Montrer que $\sum a_n b_n$ converge absolument.

7.4   Séries alternées et réarrangement d'une série

La série $\sum_{n=1}^{\infty} b_n$ est dite *alternée* si ses termes sont alternativement positifs et négatifs. Le terme général d'une série alternée est de la forme $b_n = (-1)^{n+1} a_n$, $a_n \geq 0$.

Théorème 7.30 (critère des séries alternées ou de Leibniz)   *Si $\{a_n\}$ est une suite décroissante de termes positifs et $\lim\limits_{n \to \infty} a_n = 0$,*

$$\sum_{n=1}^{\infty} (-1)^{n+1} a_n$$

converge. De plus, si $S_n = \sum_{k=1}^{n} (-1)^{k+1} a_k$ et $S = \sum_{n=1}^{\infty} (-1)^{n+1} a_n$,

$$|S - S_n| \leq a_{n+1}$$

pour tout entier positif n.

DÉMONSTRATION   Pour chaque entier positif n,

$$S_{2n} = S_{2n-2} + a_{2n-1} - a_{2n} \geq S_{2n-2}$$

et

$$S_{2n+1} = S_{2n-1} - a_{2n} + a_{2n+1} \leq S_{2n-1}.$$

Donc la suite $\{S_{2n}\}$ croît et la suite $\{S_{2n-1}\}$ décroît. Or

$$S_2 \leq S_{2n} = S_{2n-1} - a_{2n} < S_{2n-1} \leq S_1.$$

Par conséquent, la suite $\{S_{2n}\}$ est bornée supérieurement par S_1 et la suite $\{S_{2n-1}\}$ est bornée inférieurement par S_2. Donc la suite $\{S_{2n}\}$ possède une limite S et la suite $\{S_{2n-1}\}$ une limite S^*. Or

$$\lim_{n \to \infty} S_{2n} - \lim_{n \to \infty} S_{2n-1} = \lim_{n \to \infty} (S_{2n} - S_{2n-1}) = \lim_{n \to \infty} -a_{2n} = 0.$$

Donc $S = S^*$, c'est-à-dire que $\sum_{n=1}^{\infty} (-1)^{n+1} a_n$ converge et égale S.

Puisque la suite $\{S_{2n}\}$ croît et que la suite $\{S_{2n-1}\}$ décroît, pour chaque entier positif n on a

$$S_{2n} \leq S \leq S_{2n+1}.$$

Donc

$$0 \leq S - S_{2n} \leq S_{2n+1} - S_{2n} = a_{2n+1}$$

ou

$$|S - S_{2n}| \leq a_{2n+1}.$$

De plus, les inégalités $S_{2n+2} \leq S \leq S_{2n+1}$ donnent

$$-a_{2n+2} = S_{2n+2} - S_{2n+1} \leq S - S_{2n+1} \leq 0.$$

Donc $|S - S_{2n+1}| \leq a_{2n+2}$ et pour tout entier positif n,

$$|S - S_n| \leq a_{n+1}.$$

La valeur absolue de l'erreur commise en limitant la série à un nombre fini de termes est donc inférieure à la valeur du premier terme négligé. ∎

Exemple 7.31 La série alternée $\sum_{n=1}^{\infty} (-1)^{n+1}/n$ converge (conséquence immédiate du critère des séries alternées). On peut approximer à un centième près, par exemple, en faisant la somme des 100 premiers termes.

Exemple 7.32 Montrons que la série $\displaystyle\sum_{n=1}^{\infty} \frac{(-1)^{n+1} n}{2^n}$ converge.

SOLUTION D'après le critère de d'Alembert, cette série converge absolument et donc converge. On obtient cela à l'aide du critère des séries alternées en vérifiant les deux conditions du théorème 7.30 avec $a_n = n/2^n$.

1. Puisque $\lim\limits_{n \to \infty} a_{n+1}/a_n < 1$, $\lim\limits_{n \to \infty} a_n = 0$.

2. La suite $\{a_n\}$ décroît puisque

$$a_{n+1} \leq a_n \iff \frac{n+1}{2^{n+1}} \leq \frac{n}{2^n} \iff n+1 \leq 2n \iff n \geq 1.$$

Cherchons n pour que S_n (somme partielle de la série alternée ci-dessus) approxime la série avec une erreur inférieure à un centième. Si la somme de cette série alternée est S,

$$|S - S_n| \leq a_{n+1} = \frac{n+1}{2^{n+1}} < \frac{1}{100} \iff n \geq 9.$$

L'erreur de l'approximation de S par S_9 est donc inférieure à un centième.

Exemple 7.33 Montrons que la série $\sum_{n=2}^{\infty} \dfrac{(-1)^{n+1} \log n}{n}$ converge conditionnellement.

SOLUTION La série $\sum \log n/n$ diverge puisque $\lim_{n \to \infty} n \log n/n = \infty$ et que $\sum 1/n$ diverge. Nous montrerons la convergence de la série $\sum_{n=1}^{\infty} (-1)^{n+1} \log n/n$ par le critère des séries alternées. Il est immédiat que $\lim_{n \to \infty} \log n/n = 0$. Il suffit donc de voir que la suite $\{\log n/n\}$ décroît. On y parvient facilement en montrant que la fonction

$$f(x) = \log x/x, \quad x \geq 3$$

décroît. On a $f'(x) = (1 - \log x)/x^2 < 0$ pour $x \geq 3$. Donc la fonction $f(x)$ décroît et $f(n+1) \leq f(n)$, pour chaque entier positif $n \geq 3$. Puisque $\sum_{n=2}^{\infty} (-1)^{n+1} \log n/n$ converge et que $\sum_{n=2}^{\infty} \log n/n$ diverge, $\sum_{n=2}^{\infty} (-1)^{n+1} \log n/n$ converge conditionnellement.

La série $\sum_{n=1}^{\infty} (-1)^{n+1}/n$ converge conditionnellement vers S, disons. Alors,

$$0 < S = 1 - \frac{1}{2} + \frac{1}{3} - \frac{1}{4} + \frac{1}{5} - \frac{1}{6} + \frac{1}{7} - \frac{1}{8} + \cdots$$

$$\frac{1}{2}S = 0 + \frac{1}{2} + 0 - \frac{1}{4} + 0 + \frac{1}{6} + 0 - \frac{1}{8} + \cdots$$

L'addition de ces deux égalités donne

$$\frac{3}{2}S = 1 + \frac{1}{3} - \frac{1}{2} + \frac{1}{5} + \frac{1}{7} - \frac{1}{4} + \frac{1}{9} + \frac{1}{11} - \frac{1}{6} + \cdots$$

Les termes de cette somme sont ceux de S, mais dans un ordre différent. On constate, fait remarquable et surprenant, que modifier l'ordre des termes d'une série conditionnellement convergente peut en changer la somme! Dans ce cas, le mélange des termes a augmenté la somme de 50 %.

Terminons cette section en montrant que l'ordre des termes d'une série est d'une extrême importance. Nous démontrerons qu'une modification arbitraire de l'ordre des termes d'une série absolument convergente ne change pas la valeur de la somme, tandis que celle de l'ordre des termes d'une série conditionnellement convergente la fait converger vers n'importe quel nombre réel ou même diverger.

Définition 7.34 Soit la fonction bijective $f \colon \mathbb{N} \to \mathbb{N}$. La série $\sum_{n=1}^{\infty} a_{f(n)}$ est appelée réarrangement de la série $\sum_{n=1}^{\infty} a_n$.

Exemple 7.35   Soit

$$f(n) = \begin{cases} n - 1 & \text{si } n \text{ est un entier pair,} \\ n + 1 & \text{si } n \text{ est un entier impair.} \end{cases}$$

La fonction f est bijective sur $\mathbb{N}$ et la série

$$\sum_{n=1}^{\infty} \frac{(-1)^n}{f(n)} = -\frac{1}{2} + 1 - \frac{1}{4} + \frac{1}{3} - \cdots$$

est un réarrangement de la série $\sum_{n=1}^{\infty} (-1)^{n+1}/n$.

Théorème 7.36   *Soit la série absolument convergente $\sum_{n=1}^{\infty} a_n$ telle que $\sum_{n=1}^{\infty} a_n = S$. Tout réarrangement de $\sum_{n=1}^{\infty} a_n$ converge aussi vers S.*

DÉMONSTRATION   Soit $\sum_{n=1}^{\infty} b_n$, $b_n = a_{f(n)}$, un réarrangement de la série $\sum_{n=1}^{\infty} a_n$. Puisque $\sum_{i=1}^{n} |b_i| \leq \sum_{n=1}^{\infty} |a_n|$, la série $\sum_{n=1}^{\infty} b_n$ converge absolument. Montrons que la série $\sum_{n=1}^{\infty} b_n$ converge vers S. Soit

$$B_n = \sum_{i=1}^{n} b_i, \quad S_n = \sum_{i=1}^{n} a_i, \quad S_n^* = \sum_{i=1}^{n} |a_i| \quad \text{et} \quad S^* = \sum_{i=1}^{\infty} |a_i|.$$

La série $\sum_{n=1}^{\infty} a_n$ converge absolument. Donc pour tout $\varepsilon > 0$, il existe un nombre N tel que pour tout $n \geq N$,

$$|S_n - S| = \left| \sum_{i=n+1}^{\infty} a_i \right| \leq \sum_{i=n+1}^{\infty} |a_i| = |S_n^* - S^*| < \frac{\varepsilon}{2}.$$

Or $f \colon \mathbb{N} \to \mathbb{N}$ est une bijection. Donc il existe un entier $M \geq N$ tel que $\{1, 2, \ldots, N\} \subset \{f(1), f(2), \ldots, f(M)\}$. Supposons $n \geq M$. On a

$$|B_n - S| \leq |B_n - S_N| + |S_N - S|$$
$$\leq |B_n - S_N| + \varepsilon/2.$$

Or

$$|B_n - S_N| = \left| \sum_{i=1}^{n} b_i - \sum_{i=1}^{N} a_i \right| = \left| \sum_{i=1}^{n} a_{f(i)} - \sum_{i=1}^{N} a_i \right|.$$

Les termes $a_1, a_2, \ldots, a_N$ s'annulent dans la soustraction. Donc

$$|B_n - S_N| \leq |a_{N+1}| + |a_{N+2}| + \cdots \leq |S_N^* - S^*| < \varepsilon/2$$

et par conséquent $|B_n - S| < \varepsilon$ si $n \geq M$.   ∎

Pour démontrer que le théorème précédent n'est pas vrai pour les séries conditionnellement convergentes, introduisons deux définitions.

Soit la série $\sum_{n=1}^{\infty} a_n$. Les suites $\{p_n\}$, $\{q_n\}$ sont définies par

$$p_n = \begin{cases} a_n & \text{si } a_n \geq 0, \\ 0 & \text{si } a_n < 0 \end{cases}$$

et

$$q_n = \begin{cases} a_n & \text{si } a_n < 0, \\ 0 & \text{si } a_n \geq 0. \end{cases}$$

La suite $\{p_n\}$ est la *partie positive* et la suite $\{q_n\}$ la *partie négative* de $\{a_n\}$. Il vient

$$p_n = \frac{a_n + |a_n|}{2}, \qquad q_n = \frac{a_n - |a_n|}{2}.$$

Donc $|a_n| = p_n - q_n$ et $a_n = p_n + q_n$.

Théorème 7.37

a) $\sum a_n$ *converge absolument* $\iff$ $\sum p_n$ *et* $\sum q_n$ *convergent; de plus* $\sum a_n = \sum p_n + \sum q_n$.

b) *Si* $\sum a_n$ *converge conditionnellement,* $\sum p_n$ *et* $\sum q_n$ *divergent.*

DÉMONSTRATION

a) Si $\sum p_n$ et $\sum q_n$ convergent, $\sum p_n - \sum q_n = \sum |a_n|$ converge. Si $\sum a_n$ converge absolument, $\sum a_n$ et $\sum |a_n|$ convergent et donc $\sum p_n$ et $\sum q_n$ convergent.

b) Puisque $\sum a_n$ converge et $\sum |a_n|$ diverge, $\sum p_n$ et $\sum q_n$ divergent. ∎

Remarque Une série qui converge conditionnellement possède une infinité de termes p_n non nuls (resp. q_n non nuls). En effet, si l'ensemble des termes positifs est un ensemble fini, $\sum p_n$ converge et donc $\sum q_n = \sum a_n - \sum p_n$ converge aussi. Donc $\sum a_n$ converge absolument, une contradiction. Même raisonnement pour les termes négatifs.

Théorème 7.38 (théorème de Riemann) *Soit la série* $\sum a_n$ *qui converge conditionnellement.*

a) *Il existe un réarrangement* $\sum a_{f(n)}$ *de* $\sum a_n$ *qui diverge.*

b) *Si b est un nombre réel quelconque, il existe un réarrangement $\sum a_{f(n)}$ de $\sum a_n$ tel que $\sum a_{f(n)} = b$.*

DÉMONSTRATION   Soit $p_1, p_2, \ldots$, la suite des indices tels que $a_{p_i} \geq 0$ et $n_1, n_2, \ldots$, la suite des indices tels que $a_{n_i} < 0$.

a) Définissons le réarrangement

$$a_{p_1}, \; a_{p_2}, \ldots, \; a_{p_{k_1}}; \; a_{n_1}; \; a_{p_{k_1+1}}, \ldots, \; a_{p_{k_2}}; \; a_{n_2}; \ldots$$

des termes a_n, en prenant p_{k_1}, le premier des indices $p_1, \; p_2, \ldots$ tel que

$$\sum_{i=1}^{k_1} a_{p_i} > 1,$$

puis p_{k_2}, le premier des indices $p_j > p_{k_1}$ tel que

$$\sum_{i=1}^{k_1} a_{p_i} + a_{n_1} + \sum_{i=k_1+1}^{k_2} a_{p_i} > 2$$

et ainsi de suite pour $3, 4, 5, \ldots$ Par construction, $\sum a_{f(n)}$ diverge.

b) Définissons le réarrangement

$$a_{p_1}, \ldots, a_{p_{k_1}}; \; a_{n_1}, \ldots, a_{n_{m_1}}; \; a_{p_{k_1+1}}, \ldots, a_{p_{k_2}}; \ldots$$

des termes a_n, en prenant p_{k_1}, le premier des indices $p_1, p_2, \ldots$ tel que

$$\sum_{i=1}^{k_1} a_{p_i} > b,$$

puis n_{m_1}, le premier des indices $n_1, n_2, \ldots$ tel que

$$\sum_{i=1}^{k_1} a_{p_i} + \sum_{i=1}^{m_1} a_{n_i} < b,$$

puis p_{k_2}, le premier des indices $p_j > p_{k_1}$ tel que

$$\sum_{i=1}^{k_1} a_{p_i} + \sum_{i=1}^{m_1} a_{n_i} + \sum_{i=k_1+1}^{k_2} a_{p_i} > b,$$

et ainsi de suite (les indices $p_{k_1}, p_{k_2}, \ldots, n_{m_1}, \ldots$ existent puisque $\sum_{j=1}^{\infty} a_{p_j} = \infty$ et $\sum_{k=1}^{\infty} a_{n_k} = -\infty$). À chaque étape, la somme partielle diffère de b par au plus un terme a_{p_j} ou a_{n_j}. Or $a_n \to 0$ lorsque $n \to \infty$. Donc ces sommes partielles tendent vers b et par conséquent $\sum_{n=1}^{\infty} a_{f(n)} = b$. ∎

Exemple 7.39 Voyons comment réarranger les termes de la série

$$\sum_{n=1}^{\infty} \frac{(-1)^{n+1}}{n}$$

pour la faire converger vers 50π.

SOLUTION   Soit m_1 le permier entier tel que

$$1 + \frac{1}{3} + \frac{1}{5} + \frac{1}{7} + \cdots + \frac{1}{2m_1 + 1} > 50\pi.$$

Donc

$$1 + \frac{1}{3} + \frac{1}{5} + \frac{1}{7} + \cdots + \frac{1}{2m_1 + 1} - \frac{1}{2} < 50\pi.$$

Soit $m_2 > m_1$ le premier entier tel que

$$1 + \frac{1}{3} + \cdots + \frac{1}{2m_1 + 1} - \frac{1}{2} + \frac{1}{2m_1 + 3} + \frac{1}{2m_1 + 5} + \cdots + \frac{1}{2m_2 + 1} > 50\pi.$$

Donc

$$1 + \frac{1}{3} + \cdots + \frac{1}{2m_1 + 1} - \frac{1}{2} + \frac{1}{2m_1 + 3} + \frac{1}{2m_1 + 5} + \cdots + \frac{1}{2m_2 + 1} - \frac{1}{4} < 50\pi.$$

Soit $m_3 > m_2$ le prochain entier tel que

$$1 + \frac{1}{3} + \cdots - \frac{1}{4} + \frac{1}{2m_2 + 3} + \cdots + \frac{1}{2m_3 + 1} > 50\pi.$$

La poursuite de ce procédé donne un réarrangement des termes de la série, qui converge vers 50π.

7.5   Multiplication de séries

Soit $\sum_{n=0}^{\infty} a_n$ et $\sum_{n=0}^{\infty} b_n$ deux séries convergentes. Posons $\sum_{n=0}^{\infty} a_n = A$ et $\sum_{n=0}^{\infty} b_n = B$.

Nous avons vu que l'addition terme à terme de ces séries donne une série $\sum_{n=0}^{\infty} (a_n + b_n)$ qui converge vers $A + B$. Dans cette section nous répondrons à la question : «Peut-on en dire autant pour la multiplication de deux séries?»

Définition 7.40   Soit les séries $\sum_{n=0}^{\infty} a_n$ et $\sum_{n=0}^{\infty} b_n$. Pour chaque entier $n \geq 0$, définissons

$$c_n = \sum_{k=0}^{n} a_k b_{n-k}.$$

La série $\sum_{n=0}^{\infty} c_n$ est appelée *produit de Cauchy* des deux séries $\sum_{n=0}^{\infty} a_n$ et $\sum_{n=0}^{\infty} b_n$.

Cette définition peut être motivée par la multiplication de polynômes. Supposons en effet que

$$P(x) = \sum_{n=0}^{s} a_n x^n \quad \text{et} \quad Q(x) = \sum_{n=0}^{r} b_n x^n$$

sont deux polynômes. Il vient

$$\begin{aligned}
P(x)Q(x) &= (a_0 + a_1 x + \cdots a_s x^s)(b_0 + b_1 x + \cdots + b_r x^r) \\
&= a_0 b_0 + (a_0 b_1 + a_1 b_0)x + \cdots \\
&\quad + (a_0 b_n + a_1 b_{n-1} + \cdots + a_n b_0)x^n + \cdots + a_s b_r x^{r+s} \\
&= c_0 + c_1 x + \cdots + c_n x^n + \cdots + c_{s+r} x^{r+s}
\end{aligned}$$

où $c_n = \sum_{k=0}^{n} a_k b_{n-k}$.

L'exemple 7.41 montre que si les séries $\sum_{n=0}^{\infty} a_n$ et $\sum_{n=0}^{\infty} b_n$ convergent respectivement vers A et B, l'affirmation $\sum_{n=0}^{\infty} c_n$ (produit de Cauchy) converge vers $A \cdot B$ n'est pas obligatoirement vraie.

Exemple 7.41   Pour $n \geq 0$, posons $a_n = b_n = (-1)^n/\sqrt{n+1}$. Montrons que les séries (égales) $\sum_{n=0}^{\infty} a_n$ et $\sum_{n=0}^{\infty} b_n$ convergent conditionnellement et que $\sum_{n=0}^{\infty} c_n$ diverge.

SOLUTION   Il est immédiat que $\sum_{n=0}^{\infty} a_n$ converge conditionnellement. Le n-ième terme du produit de Cauchy est

$$c_n = \sum_{k=0}^{n} a_k b_{n-k} = (-1)^n \sum_{k=0}^{n} \frac{1}{\sqrt{(n-k+1)(k+1)}}.$$

Si $n \geq k$,

$$(n-k+1)(k+1) = \left(\frac{n}{2}+1\right)^2 - \left(\frac{n}{2}-k\right)^2 \leq \left(\frac{n}{2}+1\right)^2.$$

Donc

$$\frac{1}{\sqrt{(n-k+1)(k+1)}} \geq \frac{1}{\frac{n}{2}+1} = \frac{2}{n+2}.$$

et

$$|c_n| \geq \sum_{k=0}^{n} \frac{2}{n+2} = \frac{2(n+1)}{n+2} \geq 1.$$

Donc la suite $\{c_n\}$ ne converge pas vers 0 et la série $\sum c_n$ diverge.

Cet exemple montre que la convergence de deux séries ne suffit pas pour garantir la convergence de leur produit de Cauchy. Le théorème 7.42 donne des conditions suffisantes pour que le produit de Cauchy converge.

Théorème 7.42 *Soit la série $\sum_{n=0}^{\infty} a_n$ qui converge absolument et la série $\sum_{n=0}^{\infty} b_n$ qui converge. Posons $\sum_{n=0}^{\infty} a_n = A$ et $\sum_{n=0}^{\infty} b_n = B$. Le produit de Cauchy $\sum_{n=0}^{\infty} c_n$ converge vers $A \cdot B$.*

DÉMONSTRATION   Posons

$$A_n = \sum_{k=0}^{n} a_k, \quad B_n = \sum_{k=0}^{n} b_k, \quad C_n = \sum_{k=0}^{n} c_k, \quad S = \sum_{k=0}^{\infty} |a_k|,$$

et $v_n = B_n - B$. Montrons que $\lim_{n \to \infty} C_n = A \cdot B$. Pour tout $n \geq 0$,

$$\begin{aligned}
C_n &= c_0 + c_1 + \cdots + c_n \\
&= a_0 b_0 + (a_0 b_1 + a_1 b_0) + \cdots + (a_0 b_n + a_1 b_{n-1} + \cdots + a_n b_0) \\
&= a_0(b_0 + b_1 + \cdots + b_n) + a_1(b_0 + b_1 + \cdots + b_{n-1}) + \cdots + a_n b_0 \\
&= a_0 B_n + a_1 B_{n-1} + \cdots + a_n B_0 \\
&= a_0(B + v_n) + a_1(B + v_{n-1}) + \cdots + a_n(B + v_0) \\
&= B A_n + a_0 v_n + a_1 v_{n-1} + \cdots + a_n v_0.
\end{aligned}$$

Puisque la suite $\{BA_n\}$ converge vers AB, il suffit de montrer que la suite

$$\{a_0 v_n + a_1 v_{n-1} + \cdots + a_n v_0\}$$

converge vers 0. Or $\lim_{n \to \infty} B_n = B$. Donc la suite $\{v_n\}$ est bornée, disons par $M > 0$, et il existe un entier N_1 tel que pour tout $n > N_1$,

$$|v_n| = |B_n - B| < \varepsilon/2(S+1).$$

Puisque la série $\sum_{n=0}^{\infty} |a_n|$ converge vers S il existe un nombre N_2 tel que pour tout $n > N_2$ et pour tout $k > 0$,

$$\sum_{i=n}^{n+k} |a_i| < \varepsilon/2M.$$

Soit $N = \max\{N_1, N_2\}$. Pour $n > 2N$, on a

$$\begin{aligned}
|a_0 v_n + a_1 v_{n-1} + \cdots + a_n v_0| &\leq \sum_{k=0}^{n} |a_k v_{n-k}| \\
&\leq \sum_{k=0}^{N} |a_k v_{n-k}| + \sum_{k=N+1}^{n} |a_k v_{n-k}| \\
&\leq \frac{\varepsilon}{2(S+1)} \sum_{k=0}^{N} |a_k| + M \sum_{k=N+1}^{n} |a_k| \\
&\leq \frac{\varepsilon}{2(S+1)} S + \frac{\varepsilon}{2M} M < \varepsilon.
\end{aligned}$$

Cela termine la démonstration. ∎

Remarque   L'ajout de la condition «la série $\sum b_n$ converge absolument» permet de montrer que le produit de Cauchy converge absolument. En effet, pour $i = 0, 1, 2, \ldots,$

$$|c_i| \leq |a_0 b_i| + |a_1 b_{i-1}| + \cdots + |a_i b_0|.$$

Donc pour tout n,

$$\begin{aligned}
\sum_{i=0}^{n} |c_i| &\leq |a_0 b_0| + (|a_0 b_1| + |a_1 b_0|) + \cdots \\
&\qquad + (|a_0 b_n| + |a_1 b_{n-1}| + \cdots + |a_n b_0|) \\
&= (|a_0| + |a_1| + \cdots + |a_n|)(|b_0| + |b_1| + \cdots + |b_n|) \\
&\leq \left(\sum_{n=0}^{\infty} |a_n| \right) \left(\sum_{n=0}^{\infty} |b_n| \right).
\end{aligned}$$

Puisque la suite des sommes partielles de $\sum_{n=0}^{\infty} |c_n|$ est bornée supérieurement, la série $\sum_{n=0}^{\infty} c_n$ converge absolument.

7.5.1   Exercices

1. Classer les séries ci-dessous en séries absolument ou conditionnellement convergentes.

a) $\displaystyle\sum \frac{(-1)^{n+1}}{3n}$,

b) $\displaystyle\sum \frac{(-1)^{n+1}}{\sqrt{n}}$,

c) $\displaystyle\sum \frac{(-1)^{n+1}}{\log n}$,

d) $\displaystyle\sum \frac{(-1)^{n+1}}{n^{1+1/n}}$,

e) $\displaystyle\sum \frac{(-1)^{n+1} n!}{n^n}$,

f) $\displaystyle\sum \frac{(-1)^{n+1} n^2}{e^n}$.

2. Montrer que la série

$$\sum_{n=1}^{\infty} \frac{(-1)^{n+1}}{2 + \sqrt{n^k}}$$

converge absolument pour $k > 2$, converge conditionnellement pour $0 < k \leq 2$ et diverge pour $k \leq 0$.

3. Montrer que $\left(\sum_{n=0}^{\infty} \frac{1}{n!} \right)^2 = \sum_{n=0}^{\infty} \frac{2^n}{n!}$.

4. Pour $|r| < 1$, montrer que

$$\frac{1}{(1-r)^2} = \left(\sum_{n=0}^{\infty} r^n \right)^2 = \sum_{n=0}^{\infty} (n+1)r^n.$$

Exercices sur le chapitre 7

1. Si $\sum a_n$ converge (resp. converge absolument), est-ce que $\sum a_n^2$ converge (resp. converge absolument)? Justifier sa réponse.

2. Si $\sum a_n$ converge et $a_n \geq 0$, est-ce que $\sum \sqrt{a_n a_{n+1}}$ converge? Justifier sa réponse.

3. Soit la suite $\{a_n\}$ de nombres réels. Montrer que la série

$$\sum_{n=1}^{\infty} (a_n - a_{n+1})$$

converge $\iff$ la suite $\{a_n\}$ converge. Si cette série converge, calculer sa somme. À l'aide de ce résultat, calculer

$$\sum_{n=1}^{\infty} \frac{2n+1}{n^2(n+1)^2}.$$

4. Si la série $\sum_{n=1}^{\infty} a_n$ converge vers S, montrer que la série $\sum_{n=1}^{\infty} (a_n + a_{n+1})$ converge. Trouver la valeur de sa somme.

5. Trouver une suite $\{a_n\}$ telle que pour tout n, $a_n > 0$, $\lim_{n \to \infty} a_n = 0$ et la série $\sum_{n=1}^{\infty} (-1)^{n+1} a_n$ diverge. Cela contredit-il le critère des séries alternées?

6. Soit les séries convergentes $\sum_{n=1}^{\infty} a_n$ et $\sum_{n=1}^{\infty} b_n$, $a_n \geq 0$ et $b_n \geq 0$ pour tout $n \geq 1$. Montrer que $\sum_{n=1}^{\infty} \max\{a_n, b_n\}$ converge. Cela est-il vrai sans l'hypothèse $a_n \geq 0$, $b_n \geq 0$, pour tout n?

7. Trouver une suite $\{a_n\}$ telle que $a_n > 0$ pour tout n, $\sum_{n=1}^{\infty} a_n$ converge et $\sum_{n=0}^{\infty} 2^n a_{2^n}$ diverge. Cela contredit-il le critère de condensation de Cauchy?

8. Soit la série convergente $\sum a_n$ à termes positifs. Montrer que pour $r \geq 1$, la série $\sum a_n^r$ converge elle aussi.

9. a) Soit $k \geq 2$ un entier. Montrer que $\displaystyle\sum_{n=2}^{\infty} \frac{1}{n^k} \leq \frac{1}{k-1}$.

   b) Montrer que la série $\displaystyle\sum_{k=2}^{\infty} \left(\frac{1}{k+1} \sum_{n=2}^{\infty} \frac{1}{n^k} \right)$ converge.

10. Calculer

   a) $\displaystyle\sum_{n=1}^{\infty} \frac{1}{(4n-3)(4n+1)}$,

   b) $\displaystyle\sum_{n=1}^{\infty} \frac{1}{n(n+1)(n+2)}$,

   c) $\displaystyle\sum_{n=2}^{\infty} \frac{2n+3}{n(n-1)(n+2)}$,

   d) $\displaystyle\sum_{n=1}^{\infty} na^{n-1}, 0 < a < 1$.

11. a) Soit la série $\sum_{n=1}^{\infty} a_n$ qui converge vers S. Supposer que $a_n = af(n+1) + bf(n) + cf(n-1)$, $a+b+c = 0$. En écrivant les termes successifs, montrer que la somme partielle S_n vaut

$$af(n+1) + (a+b)f(n) + bf(1) + cf(1) + cf(0).$$

   Si $\displaystyle\lim_{n\to\infty} f(n) = L$, montrer que

$$S = \sum_{n=1}^{\infty} a_n = (2a+b)L + (b+c)f(1) + cf(0).$$

   b) À l'aide du procédé précédent, calculer

$$\sum_{n=1}^{\infty} a_n, \quad \text{où} \quad a_n = \frac{2n+3}{(n-1)n(n+1)}, \quad a_1 = 0.$$

12. Soit un nombre réel M tel que $0 \leq M < 1$ et la suite $\{a_n\}$ telle que

$$|a_{n+1}| \leq M |a_n|, \; n > N.$$

   Soit $S = \sum_{n=1}^{\infty} a_n$. Montrer que la somme partielle S_n approxime S selon l'estimé

$$|S_n - S| \leq \frac{M}{1-M} |a_n|, \quad \text{pour } n > N.$$

13. Un développement limité du terme général est parfois utile pour étudier une série. Étudier les séries suivantes.

a) $\sum_{n=1}^{\infty} \log \dfrac{5 + n^a}{2 + n^a}$ en fonction de a, un nombre réel plus grand que 0,

b) $\sum_{n=1}^{\infty} \left(\log \dfrac{1 + \sin(2/\sqrt{n})}{1 - \sin(2/\sqrt{n})} \right)^a$ en fonction de a,

c) $\sum_{n=1}^{\infty} \left(1 - \cos \dfrac{1}{n} \right)^a$ en fonction de a,

d) $\sum_{n=1}^{\infty} \log \left(\dfrac{\sqrt{n+1} + (-1)^n}{\sqrt{n}} \right)$.

14. a) Soit la suite $\{a_n\}$, $a_n > 0$, de nombres réels et

$$L = \lim_{n \to \infty} \frac{\log(1/a_n)}{\log n}.$$

Montrer que la série $\sum a_n$ converge si $L > 1$ et diverge si $L < 1$. (Suggestion : Montrer que si $L > 1$, $a_n < n^{-r}$ pour $1 < r < L$ et n assez grand.)

b) À l'aide du résultat obtenu en a), étudier les séries suivantes.

i) $\sum_{n=2}^{\infty} \dfrac{1}{(\log n)^{\log n}}$,   ii) $\sum_{n=3}^{\infty} \dfrac{1}{(\log n)^{\log \log n}}$.

15. Les termes d'une série sont : $a_1 = 1$, $a_2 = a_3 = \frac{1}{2}$, $a_4 = a_5 = a_6 = \frac{1}{3}$ et

$$a_k = \frac{1}{n} \quad \text{si} \quad \frac{n(n-1)}{2} < k \le \frac{n(n+1)}{2}, \, n \ge 1.$$

Est-ce que cette série converge ou diverge ?

16. Soit la suite $\{a_n\}$ telle que $a_n > 0$ pour tout n. Supposer que $\sum_{n=1}^{\infty} a_n$ diverge et que $\{S_n\}$ désigne sa suite des sommes partielles. Montrer que

$$\sum_{n=1}^{\infty} \frac{a_n}{1 + a_n} \quad \text{et} \quad \sum_{n=1}^{\infty} \frac{a_n}{S_n}$$

divergent et que $\sum_{n=1}^{\infty} \dfrac{a_n}{S_n^2}$ converge.

17. Soit la suite décroissante de nombres positifs $\{a_n\}$ telle que $\sum a_n$ converge. Montrer que $\lim_{n \to \infty} n a_n = 0$.

18. Soit la série $\sum a_n$ ($a_n \neq 0$) telle que la limite $L = \lim\limits_{n \to \infty} n \left(1 - \left| \dfrac{a_{n+1}}{a_n} \right| \right)$ existe. Montrer

a) que $\sum |a_n|$ converge si $L > 1$,

b) que $\sum |a_n|$ diverge si $L < 1$,

c) qu'on ne peut rien conclure si $L = 1$.

On utilise ce critère, appelé *critère de Raabe*, lorsque le critère de d'Alembert ne donne rien.

19. Soit la série $\sum a_n$ ($a_n \neq 0$). Supposer que

$$\left| \frac{a_{n+1}}{a_n} \right| = 1 - \frac{k}{n} - \frac{f(n)}{n^2}, \qquad \text{pour tout } n,$$

où k est une constante et $f(n)$ une fonction bornée. Montrer que $\sum a_n$ converge si $k > 1$ et que $\sum |a_n|$ diverge si $k \leq 1$.

On utilise ce critère, appelé *critère de Gauss*, lorsque le critère de Raabe ne donne rien.

20. Étudier les séries suivantes en fonction de a.

$$\sum_{n=0}^{\infty} \left(\frac{1 \cdot 4 \cdot 7 \cdots (3n+1)}{2 \cdot 5 \cdot 8 \cdots (3n+2)} \right)^a, \qquad \sum_{n=1}^{\infty} \left(\frac{2 \cdot 4 \cdot 6 \cdots 2n}{1 \cdot 3 \cdot 5 \cdots (2n+1)} \right)^a.$$

Chapitre 8

Suites de fonctions

8.1 Introduction

L'étude des suites numériques du chapitre 3 vous a renseigné sur les nombres réels et les fonctions. L'étude dans ce chapitre des suites de fonctions approfondira votre connaissance de l'analyse réelle.

8.2 Convergence ponctuelle et uniforme

Soit l'ensemble $\mathcal{F}$ des fonctions (à valeurs dans $\mathbb{R}$) définies sur le même ensemble $\mathcal{D} \subset \mathbb{R}$.

Définition 8.1 Une suite de fonctions définies sur $\mathcal{D}$ est une fonction de $\mathbb{N}$ dans l'ensemble $\mathcal{F}$.

Comme pour une suite numérique, on représente une suite de fonctions par $\{f_n\}$. Remarquez que, pour un élément fixe arbitraire x_0 de $\mathcal{D}$, la suite de fonctions devient la suite numérique $\{f_n(x_0)\}$ obtenue en évaluant chaque fonction au point x_0. Ce point de vue conduit à la notion de convergence ponctuelle. Mentionnons que certains auteurs appellent *convergence simple* la convergence ponctuelle.

Définition 8.2 Soit la suite $\{f_n\}$ de fonctions définies sur un ensemble $\mathcal{D} \subset \mathbb{R}$. On dit que $\{f_n\}$ converge ponctuellement vers f sur $\mathcal{D}$ si pour tout $x \in \mathcal{D}$, la suite numérique $\{f_n(x)\}$ converge vers $f(x)$, autrement dit $\forall x \in \mathcal{D}$, $\forall \varepsilon > 0$, $\exists N$ tel que pour tout $n > N$, $|f_n(x) - f(x)| < \varepsilon$.

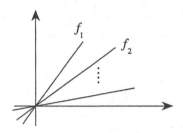

Figure 8.1

Notation

$$\lim_{n \to \infty} f_n(x) = f(x) \quad \text{ou} \quad f_n(x) \to f(x).$$

Le nombre N associé à un nombre $\varepsilon > 0$ donné dépend de ε et en général aussi de x, puisqu'on considère une suite numérique associée au nombre x. D'après l'étude des suites de Cauchy, une suite de fonctions converge ponctuellement vers f si et seulement si pour chaque $x \in \mathcal{D}$, la suite numérique est une suite de Cauchy.

Remarquons que cette notion de convergence qui vient naturellement à l'esprit ne permet malheureusement pas d'étendre certaines propriétés des fonctions $f_n(x)$ à la fonction $f(x)$ (voir l'exemple 8.3).

Exemple 8.3

1. Étudions la suite $\{f_n\}$ de fonctions définies sur $\mathcal{D} = \mathbb{R}$ par $f_n(x) = 2x/n$ (figure 8.1).

   Solution   La limite de cette suite de fonctions est la fonction f définie par $f(x) = 0, \forall x \in \mathbb{R}$. Cette convergence est ponctuelle. Remarquons que les fonctions f_n et la fonction limite f sont continues sur $\mathbb{R}$.

2. Étudions la suite $\{f_n\}$ de fonctions définies sur $[0, 1]$ par $f_n(x) = x^n$ (figure 8.2).

   Solution   On a
   $$\lim_{n \to \infty} f_n(x) = \begin{cases} 1 & \text{si } x = 1, \\ 0 & \text{si } 0 \le x < 1. \end{cases}$$

Cette convergence est ponctuelle. Remarquons que les fonctions f_n sont continues sur $[0, 1]$ tandis que la fonction limite f n'est pas continue.

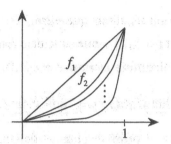

Figure 8.2

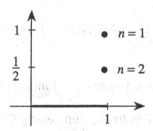

Figure 8.3

3. Étudions la suite $\{f_n\}$ de fonctions définies sur $[0,1]$ par $f_n(x) = [x]/n$ (figure 8.3).

SOLUTION La fonction limite f est définie par

$$f(x) = 0, \quad \forall x \in [0,1].$$

Remarquons que les fonctions f_n sont discontinues sur $[0,1]$ tandis que la fonction limite f est continue.

Soit une suite $\{f_n\}$ de fonctions telle que $\lim\limits_{n \to \infty} f_n(x) = f(x)$. On désire savoir si la fonction limite f est continue, on veut savoir comment évaluer $\int_a^b f(x)\,dx$ et si f est dérivable, on veut savoir comment calculer $f'(x)$.

Examinons ces trois points.

Continuité

Pour que f soit continue au point x_0, il faut que $\lim_{x \to x_0} f(x) = f(x_0)$. Mais $\lim_{n \to \infty} f_n(x) = f(x)$, $\lim_{n \to \infty} f_n(x_0) = f(x_0)$ et si $\{f_n\}$ est une suite de fonctions continues, $\lim_{x \to x_0} f_n(x) = f_n(x_0)$. Donc pour que f soit continue au point x_0, il faut que

$$\lim_{x \to x_0} \left(\lim_{n \to \infty} f_n(x) \right) = \lim_{n \to \infty} \left(\lim_{x \to x_0} f_n(x) \right).$$

Autrement dit, peut-on inverser l'ordre de $\lim_{x \to x_0}$ et de $\lim_{n \to \infty}$?

Intégration

Si on ne connaît pas d'expression analytique pour f, peut-on calculer $\int_a^b f(x)\, dx$ en évaluant $\int_a^b f_n(x)\, dx$ pour chaque n? Autrement dit, peut-on obtenir

$$\lim_{n \to \infty} \int_a^b f_n(x)\, dx = \int_a^b f(x)\, dx$$

ou

$$\lim_{n \to \infty} \int_a^b f_n(x)\, dx = \int_a^b \lim_{n \to \infty} f_n(x)\, dx?$$

Autrement dit, peut-on inverser l'ordre de $\lim_{n \to \infty}$ et de $\int_a^b$?

Dérivation

De façon semblable à l'intégration, peut-on calculer $f'(x)$ en évaluant $f_n'(x)$ pour chaque n? Autrement dit, peut-on obtenir

$$\frac{d}{dx} \left(\lim_{n \to \infty} f_n(x) \right) = \lim_{n \to \infty} \left(\frac{d}{dx} f_n(x) \right)?$$

Autrement dit, peut-on inverser l'ordre de $\lim_{n \to \infty}$ et de d/dx?

Malheureusement, la convergence ponctuelle n'est pas une condition suffisante pour répondre affirmativement à ces questions. D'après l'exemple précédent, une suite de fonctions continues peut converger vers une fonction discontinue; c'est aussi le cas pour l'intégration et la différentiation. La convergence uniforme d'une suite de fonctions permet de répondre à ces questions.

Définition 8.4   Une suite $\{f_n\}$ de fonctions converge uniformément vers f sur $\mathcal{D}$ si $\forall \varepsilon > 0$, il existe un nombre N tel que $\forall x \in \mathcal{D}$ et $\forall n > N$, $|f_n(x) - f(x)| < \varepsilon$.

Remarques

1. Dans le cas de la convergence uniforme, le nombre $N = N(\varepsilon)$ est le même pour tout $x \in \mathcal{D}$.

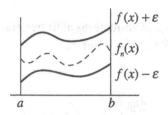

Figure 8.4

2. Si une suite $\{f_n\}$ de fonctions converge uniformément sur $\mathcal{D}$ et si $x_0 \in \mathcal{D}$, alors, d'après la définition de la convergence uniforme, $\forall \varepsilon > 0$ il existe un nombre N tel que pour tout $n > N$, $|f_n(x_0) - f(x_0)| < \varepsilon$. Donc la suite $\{f_n\}$ de fonctions converge au point $x_0 \in \mathcal{D}$. La convergence uniforme d'une suite de fonctions entraîne donc la convergence ponctuelle.

3. La convergence uniforme s'interprète géométriquement (figure 8.4). En effet, la condition

$$f(x) - \varepsilon < f_n(x) < f(x) + \varepsilon$$

dans la définition 8.4 signifie que si ε est n'importe quel nombre réel positif, le graphe de $f_n(x)$, pour n assez grand, est compris entre le graphe de $f(x) - \varepsilon$ et celui de $f(x) + \varepsilon$, pour $x \in \mathcal{D}$.

Nous avons montré que la convergence uniforme d'une suite de fonctions entraîne la convergence ponctuelle. Si la réciproque de ce résultat était vraie, les notions de convergence uniforme et de convergence ponctuelle seraient équivalentes. Après ces quelques explications nous donnerons des exemples de suites de fonctions qui convergent ponctuellement et non uniformément. Rappelons qu'une suite $\{f_n\}$ de fonctions converge ponctuellement vers f si $\forall \varepsilon > 0$, $\forall x \in \mathcal{D}$, $\exists N(\varepsilon, x)$ (le nombre N dépend de ε et de x) tel que pour tout $n > N(\varepsilon, x)$, $|f_n(x) - f(x)| < \varepsilon$. Mentionnons qu'*une suite $\{f_n\}$ de fonctions, dont la convergence est ponctuelle sur $\mathcal{D}$, converge uniformément sur $\mathcal{D}$ $\iff$ pour chaque $\varepsilon > 0$, il existe un ensemble de nombres $\{N(\varepsilon, x) \mid x \in \mathcal{D}\}$ borné supérieurement.* En effet, si $\{f_n\}$ converge ponctuellement vers f sur $\mathcal{D}$ et si N est une borne supérieure de $\{N(\varepsilon, x) \mid x \in \mathcal{D}\}$, alors $\forall x \in \mathcal{D}$, $|f_n(x) - f(x)| < \varepsilon$ dès que $n > N$, c'est-à-dire que la convergence de la suite $\{f_n\}$ est uniforme. Inversement, si $\{f_n\}$ converge uniformément vers f sur $\mathcal{D}$, alors, pour tout $\varepsilon > 0$, $\exists N$ tel que $\forall x \in \mathcal{D}$ et $n > N$, $|f_n(x) - f(x)| < \varepsilon$. Il suffit de prendre $\forall x$, $N(\varepsilon, x) = N$. Alors $\{N(\varepsilon, x) \mid x \in \mathcal{D}\} = \{N\}$ est borné supérieurement.

Exemple 8.5

1. Montrons que la suite $\{f_n\}$ de fonctions définies par $f_n(x) = 2x/n$ ne converge pas uniformément vers la fonction 0 sur $\mathbb{R}$.

SOLUTION   On a

$$|f_n(x) - f(x)| = \frac{2|x|}{n} < \varepsilon \quad \text{dès que } n > \frac{2|x|}{\varepsilon} = N(\varepsilon, x).$$

L'ensemble $\{N(\varepsilon, x) \mid x \in \mathbb{R}\}$ n'est pas borné supérieurement car

$$\lim_{x \to \infty} N(\varepsilon, x) = \infty.$$

Donc la convergence de la suite $\{f_n\}$ n'est pas uniforme. Cependant, cette suite de fonctions converge uniformément sur tout intervalle de la forme $[-M, M]$, $0 < M < \infty$.

2. Montrons que la suite $\{f_n\}$ de fonctions définies par $f_n(x) = x^n$ converge uniformément sur $[-M, M]$, $0 < M < 1$.

SOLUTION   Pour tout $x \in [-M, M]$, $\lim_{n \to \infty} x^n = 0$. Donc

$$|x^n - 0| = |x|^n \leq M^n.$$

Soit $0 < \varepsilon < 1$. On obtient

$$M^n < \varepsilon \quad \text{dès que} \quad n > \log \varepsilon / \log M = N.$$

Mais cette suite de fonctions ne converge pas uniformément sur $[0, 1]$. En effet, on trouve

$$N(\varepsilon, x) = \frac{\log \varepsilon}{\log |x|} \quad \text{et} \quad \lim_{x \to 1^-} N(\varepsilon, x) = \infty.$$

Le critère du théorème 8.6 est très utile pour déterminer si une suite de fonctions converge uniformément.

Théorème 8.6 *Soit une suite $\{f_n\}$ de fonctions bornées sur $\mathcal{D}$. La suite $\{f_n\}$ converge uniformément vers f sur $\mathcal{D}$ $\iff$ $\lim_{n \to \infty} \left(\sup_{x \in \mathcal{D}} |f_n(x) - f(x)| \right) = 0$.*

Démonstration

$\Rightarrow$) Puisque $\{f_n\}$ converge uniformément vers f sur $\mathcal{D}$, $\forall \varepsilon > 0$ $\exists N$ tel que pour tout $n > N$ et $\forall x \in \mathcal{D}$, $|f_n(x) - f(x)| < \varepsilon$. Puisque $f_n(x) - f(x)$ est une fonction bornée,

$$0 \leq \sup_{x \in \mathcal{D}} |f_n(x) - f(x)| < \varepsilon \quad \text{dès que } n > N.$$

$\Leftarrow$) Si $\lim_{n \to \infty} \left(\sup_{x \in \mathcal{D}} |f_n(x) - f(x)|\right) = 0$, $\forall \varepsilon > 0$ $\exists N$ tel que pour tout $n > N$,

$$|\sup_{x \in \mathcal{D}} |f_n(x) - f(x)| | = \sup_{x \in \mathcal{D}} |f_n(x) - f(x)| < \varepsilon \text{ dès que } n > N.$$

Donc pour tout $x \in \mathcal{D}$, $|f_n(x) - f(x)| < \varepsilon$ dès que $n > N$.

Ainsi, la suite $\{f_n\}$ converge uniformément vers f sur $\mathcal{D}$. ∎

Exemple 8.7

1. Soit la suite $\{f_n\}$ de fonctions définies par

$$f_n(x) = \frac{2nx}{5 + 3nx}, \qquad x \in [2, 4].$$

Montrons que cette suite de fonctions converge uniformément sur $[2, 4]$ vers la fonction constante $f(x) = 2/3$.

Solution   La fonction $x \mapsto f_n(x)$ croît et $2nx/(5 + 3nx) < 2/3$. Donc

$$\sup_{x \in [2,4]} |f_n(x) - f(x)| = \frac{2}{3} - \frac{4n}{5 + 6n} = \frac{10}{3(5 + 6n)}.$$

D'où

$$\lim_{n \to \infty} \left(\sup_{x \in [2,4]} |f_n(x) - f(x)|\right) = 0.$$

Donc la suite de fonctions converge uniformément sur $[2, 4]$.

2. Soit la suite $\{f_n\}$ de fonctions définies sur $[0, 1]$ par

$$f_n(x) = \frac{2nx}{5 + 3nx}.$$

Montrons que cette suite de fonctions ne converge pas uniformément sur $[0, 1]$.

SOLUTION En effet, $\displaystyle\lim_{n\to\infty} f_n(x) = f(x)$ où $f(x) = 2/3$ si $x \in (0,1]$ et $f(0) = 0$, mais

$$\sup_{x\in[0,1]} |f_n(x) - f(x)| = \frac{2}{3} \quad \text{ne tend pas vers 0.}$$

D'où le résultat.

3. Soit la suite $\{f_n\}$ de fonctions définies sur $[0,\infty)$ par

$$f_n(x) = \frac{2x}{e^{3nx}}.$$

Montrons que cette suite de fonctions converge uniformément sur $[0,\infty)$.

SOLUTION On a $\displaystyle\lim_{n\to\infty} f_n(x) = 0$. Puisque

$$\sup_{x\in[0,\infty)} |f_n(x) - f(x)| = \sup_{x\in[0,\infty)} |f_n(x)|,$$

il suffit de chercher la valeur maximum de $f_n(x)$, $x \in [0,\infty)$, et de vérifier, pour cette valeur, la condition du théorème 8.6. Or $f_n'(x) = 0$ si $x = 1/3n$. On vérifie aisément que ce point donne la valeur maximum de $f_n(x)$, qui est $2/3ne$. Puisque $\displaystyle\lim_{n\to\infty} 2/3ne = 0$, $\{f_n\}$ converge uniformément sur $[0,\infty)$.

Théorème 8.8 (critère de Cauchy pour la convergence uniforme) *La suite* $\{f_n\}$ *de fonctions converge uniformément vers f sur* $\mathcal{D}$ $\iff$ $\forall \varepsilon > 0 \ \exists N$ *tel que* $\forall x \in \mathcal{D}, \forall n > N, \forall k > 0, |f_{n+k}(x) - f_n(x)| < \varepsilon.$

DÉMONSTRATION

$\Rightarrow$) Puisque $\{f_n\}$ converge uniformément vers f sur $\mathcal{D}$, alors $\forall \varepsilon > 0 \ \exists N$ tel que $\forall x \in \mathcal{D}$,

$$|f_n(x) - f(x)| < \varepsilon/2 \quad \text{si } n > N.$$

Donc $\forall x \in \mathcal{D}, \forall n > N, \forall k > 0$,

$$|f_{n+k}(x) - f_n(x)| \le |f_{n+k}(x) - f(x)| + |f(x) - f_n(x)| < \frac{\varepsilon}{2} + \frac{\varepsilon}{2} = \varepsilon.$$

$\Leftarrow$) Soit $\varepsilon > 0$. Il existe N tel que pour tout $n > N$ et pour tout $k > 0$, $|f_{n+k}(x) - f_n(x)| < \varepsilon$, $\forall x \in D$. En particulier si x_0 est un point arbitraire de $\mathcal{D}$, on a

$$|f_{n+k}(x_0) - f_n(x_0)| < \varepsilon.$$

La suite numérique $\{f_n(x_0)\}$ est de Cauchy et donc converge vers $f(x_0)$, disons. Puisque x_0 est un point arbitraire de $\mathcal{D}$, la suite $\{f_n\}$ converge ponctuellement vers f. Il reste simplement à montrer que la suite $\{f_n\}$ converge uniformément vers f.

Soit n un entier fixe tel que $n > N$ et x un élément arbitraire de $\mathcal{D}$. Définissons la suite numérique $\{y_k\}$ par

$$y_k = |f_n(x) - f_{n+k}(x)|.$$

Puisque $\lim_{k \to \infty} f_{n+k}(x) = f(x)$, la suite $\{y_k\}$ converge vers $|f_n(x) - f(x)|$ lorsque k tend vers ∞. D'après l'hypothèse, $y_k < \varepsilon$ si $k > 0$. Donc $\lim_{k \to \infty} y_k \le \varepsilon$ ou $|f_n(x) - f(x)| \le \varepsilon$ si $n > N$ et $x \in \mathcal{D}$. ∎

8.3 Suites de fonctions continues

Démontrons maintenant une propriété importante de la convergence uniforme, à savoir la préservation de la continuité.

Théorème 8.9 *Si une suite $\{f_n\}$ de fonctions continues converge uniformément sur $\mathcal{D}$ vers une fonction f, la fonction f est continue sur $\mathcal{D}$.*

DÉMONSTRATION   Soit x_0 un point de $\mathcal{D}$ et $\varepsilon > 0$. Puisque la suite $\{f_n\}$ converge uniformément vers f sur $\mathcal{D}$, il existe un nombre N tel que pour tout $n > N$ et pour tout $x \in \mathcal{D}$,

$$|f_n(x) - f(x)| < \frac{\varepsilon}{3}.$$

Soit $n_0 > N$ un entier positif fixe. Puisque f_{n_0} est une fonction continue sur $\mathcal{D}$, il existe un nombre $\delta > 0$ tel que $\forall x \in \mathcal{D}$ et $|x - x_0| < \delta$,

$$|f_{n_0}(x) - f_{n_0}(x_0)| < \frac{\varepsilon}{3}.$$

Donc $\forall x \in \mathcal{D} \cap V(x_0, \delta)$, on a

$$|f(x) - f(x_0)| \le |f(x) - f_{n_0}(x)| + |f_{n_0}(x) - f_{n_0}(x_0)| + |f_{n_0}(x_0) - f(x_0)| < \varepsilon.$$

Puisque x_0 est un point arbitraire de $\mathcal{D}$, la fonction limite f est continue sur $\mathcal{D}$. ∎

Remarque   La convergence d'une suite $\{f_n\}$ de fonctions continues sur $\mathcal{D}$ vers une fonction continue sur $\mathcal{D}$ n'est pas obligatoirement uniforme (voir l'exemple 8.5).

Exemple 8.10   Soit la suite $\{f_n\}$ de fonctions définies sur $[0, 1]$ par

$$f_n(x) = \frac{2nx}{5 + 3nx}.$$

Montrons que la convergence de cette suite de fonctions n'est pas uniforme.

SOLUTION   Puisque cette suite de fonctions continues converge vers la fonction discontinue

$$f(x) = \begin{cases} 2/3 & \text{si } x \neq 0, \\ 0 & \text{si } x = 0, \end{cases}$$

la convergence n'est pas uniforme. Ce fait est évidemment général : *la convergence d'une suite de fonctions continues vers une fonction non continue n'est pas uniforme.*

La convergence uniforme préserve aussi la propriété d'être bornée.

Théorème 8.11   *Soit une suite $\{f_n\}$ de fonctions qui converge uniformément vers f sur $\mathcal{D}$. Si pour chaque entier n, f_n est une fonction bornée sur $\mathcal{D}$, f est bornée sur $\mathcal{D}$.*

DÉMONSTRATION   Soit $\varepsilon = 1$. Il existe un nombre N tel que $\forall n > N$ et $\forall x \in \mathcal{D}$,

$$|f_n(x) - f(x)| < 1.$$

De plus, il existe un nombre M tel que

$$|f_{N+1}(x)| \leq M \quad \text{pour tout } x \in \mathcal{D}.$$

Donc pour tout $x \in \mathcal{D}$,

$$|f(x)| \leq |f(x) - f_{N+1}(x)| + |f_{N+1}(x)| \leq 1 + M.$$

La fonction f est donc bornée sur $\mathcal{D}$.   ∎

8.3.1 Exercices

1. Étudier la convergence ponctuelle et la convergence uniforme des suites de fonctions définies sur A par respectivement

a) $f_n(x) = \dfrac{2x}{3 + nx}$, $\quad A = [0, 2]$,

b) $f_n(x) = \dfrac{x^{2n}}{1 + x^{2n}}$, $\quad A = [-2, 3]$,

c) $f_n(x) = \dfrac{x}{1 + n^2 x^2}$, $\quad A = \mathbb{R}$,

d) $f_n(x) = \dfrac{nx}{1 + n^2 x^2}$, $\quad A = (0, \infty), [a, \infty), a > 0$.

2. Étudier la convergence ponctuelle et la convergence uniforme de la suite $\{f_n\}$ de fonctions définies sur $[0, 1]$ par $f_n(x) = nx(1 - x)^n$.

8.4   Suites de fonctions intégrables

Soit la suite $\{f_n\}$ de fonctions intégrables (au sens de Riemann) sur $[a, b]$, $-\infty < a < b < \infty$, et soit une fonction f de domaine $[a, b]$ telle que

$$\lim_{n \to \infty} f_n(x) = f(x) \quad \text{(convergence ponctuelle)}.$$

La fonction f est-elle intégrable? Si oui, peut-on écrire

$$\lim_{n \to \infty} \int_a^b f_n(x)\, dx = \int_a^b \lim_{n \to \infty} f_n(x)\, dx? \tag{8.1}$$

L'intégrale de Lebesgue, qui généralise celle de Riemann, rend la relation (8.1) sensée et la valide dans des situations très générales de convergence.

Exemple 8.12   Soit la suite $\{f_n\}$ de fonctions (figure 8.5) définies sur $[0, 1]$ par

$$f_n(x) = \begin{cases} 6n^2 x & \text{si } x \in [0, 1/2n], \\ -6n^2(x - \frac{1}{n}) & \text{si } x \in (1/2n, 1/n], \\ 0 & \text{si } x \in (1/n, 1]. \end{cases}$$

Montrons que la suite $\{f_n\}$ ne converge par uniformément sur $[0, 1]$ et que

$$\int_0^1 \lim_{n \to \infty} f_n(x)\, dx \neq \lim_{n \to \infty} \int_0^1 f_n(x)\, dx.$$

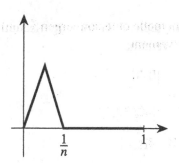

Figure 8.5

SOLUTION Les fonctions f_n sont continues et la suite $\{f_n\}$ de fonctions converge vers la fonction continue f définie par $f(x) = 0$, $x \in [0, 1]$. En effet, pour $x \in (0, 1]$ et pour tout entier $n > 1/x$, $f_n(x) = 0$ et $f_n(0) = 0$. La convergence n'est pas uniforme puisque

$$\sup_{x \in [0,1]} |f_n(x) - f(x)| = 3n$$

et que $\lim_{n \to \infty} \sup |f_n(x) - f(x)| = \infty$. On a

$$\int_0^1 f_n(x)\,dx = 3/2 \quad \text{et} \quad \int_0^1 f(x)\,dx = 0.$$

Donc

$$\lim_{n \to \infty} \int_0^1 f_n(x)\,dx = \frac{3}{2} \neq 0 = \int_0^1 \lim_{n \to \infty} f_n(x)\,dx.$$

Exemple 8.13 Soit une suite $\{r_n\}$ comprenant une et une seule fois tous les nombres rationnels dans $[0, 1]$. Pour tout entier positif n, définissons la fonction $f_n : [0, 1] \to \mathbb{R}$ par

$$f_n(x) = \begin{cases} 1 & \text{si } x = r_i,\ 1 \leq i \leq n, \\ 0 & \text{autrement.} \end{cases}$$

Montrons que $\{f_n\}$ converge ponctuellement sur $[0, 1]$ vers une fonction f non intégrable au sens de Riemann.

SOLUTION Soit x un nombre irrationnel dans $[0,1]$. Donc $f_n(x) = 0$ pour tout n et la suite $\{f_n(x)\}$ converge vers 0. Soit x un nombre rationnel dans $[0,1]$. Donc il existe un entier k tel que $x = r_k$ et ainsi $f_n(x) = 1$ si $n \geq k$. Par conséquent $\{f_n(x)\}$ converge vers 1. La suite $\{f_n\}$ de fonctions intégrables converge donc ponctuellement vers une fonction f non intégrable au sens de Riemann (celle de l'exemple 6.5).

Théorème 8.14 *Soit une suite $\{f_n\}$ de fonctions intégrables sur $[a, b]$ qui converge uniformément vers f sur $[a, b]$. La fonction f est intégrable sur $[a, b]$. De plus, si*

$$F_n(x) = \int_a^x f_n(y)\, dy \quad et \quad F(x) = \int_a^x f(y)\, dy$$

où $x, y \in [a, b]$, $\{F_n\}$ converge uniformément vers F sur $[a, b]$.

DÉMONSTRATION   Montrons que f est intégrable sur $[a, b]$. Chaque fonction f_n est bornée sur $[a, b]$ et la suite $\{f_n\}$ converge uniformément vers f sur $[a, b]$. Donc la fonction limite f est bornée sur $[a, b]$. Par hypothèse, $\forall \varepsilon > 0$, $\exists N$ tel que pour tout $n > N$ et pour tout $x \in [a, b]$, $|f_n(x) - f(x)| < \varepsilon/3(b-a)$. Soit n fixe, $n > N$. La fonction f_n étant intégrable sur $[a, b]$, il existe une partition $p = \{x_0, x_1, \ldots, x_m\}$ de $[a, b]$ telle que

$$S(f_n, p) - s(f_n, p) < \varepsilon/3.$$

Pour cette partition p et pour ce n,

$$|S(f_n, p) - S(f, p)| = \left| \sum_{i=1}^m \left(M_i(f_n, p) - M_i(f, p) \right) (x_i - x_{i-1}) \right|$$

$$< \frac{\varepsilon}{3(b-a)}(b-a) = \frac{\varepsilon}{3}.$$

On montre de même que

$$|s(f_n, p) - s(f, p)| < \varepsilon/3.$$

Ces trois inégalités donnent $S(f, p) - s(f, p) < \varepsilon$. Donc f est intégrable sur $[a, b]$.

Montrons que la suite $\{F_n\}$ converge uniformément vers F sur $[a, b]$.

Puisque la suite $\{f_n\}$ converge uniformément vers f sur $[a, b]$, il existe un nombre N tel que pour tout $n > N$ et pour tout $y \in [a, b]$,

$$|f_n(y) - f(y)| < \varepsilon/(b-a).$$

Donc pour tout $n > N$ et pour tout $x, y \in [a, b]$,

$$\left| \int_a^x f_n(y)\, dy - \int_a^x f(y)\, dy \right| = \left| \int_a^x (f_n(y) - f(y))\, dy \right|$$
$$\leq \int_a^x |f_n(y) - f(y)|\, dy$$
$$< \frac{\varepsilon}{b-a}(x - a) \leq \varepsilon.$$

Cela termine la démonstration. ∎

Remarques

1. La conclusion du théorème 8.14 peut s'écrire

$$\int_a^b f(x)\, dx = \int_a^b \lim_{n \to \infty} f_n(x)\, dx = \lim_{n \to \infty} \int_a^b f_n(x)\, dx.$$

2. On peut parfois avoir ces égalités pour une suite de fonctions qui converge mais pas uniformément. Soit la suite $\{f_n\}$ de fonctions définies sur $[0, 1]$ par

$$f_n(x) = \begin{cases} 2nx & \text{si } x \in [0, 1/2n], \\ 2n(\frac{1}{n} - x) & \text{si } x \in (1/2n, 1/n), \\ 0 & \text{si } x \in (1/n, 1]. \end{cases}$$

Pour tout $x \in [0, 1]$, $\lim\limits_{n \to \infty} f_n(x) = 0$ puisque $f_n(x) = 0$ si $n > 1/x$, $x \neq 0$, et $f_n(0) = 0$. Donc la fonction limite f est la fonction 0 sur $[0, 1]$ qui est continue. La convergence n'est pas uniforme puisque $\sup\limits_{x \in [0,1]} |f_n(x) - f(x)| = 1$. On a cependant

$$\lim_{n \to \infty} \int_0^1 f_n(x)\, dx = \lim_{n \to \infty} 1/2n = 0 = \int_0^1 f(x)\, dx.$$

Exemple 8.15   Soit la suite $\{f_n\}$ de fonctions définies sur $[0, 1]$ par

$$f_n(x) = \frac{\log(1 + n^2 x^2)}{2n^2}.$$

Montrons que cette suite de fonctions converge uniformément sur $[0, 1]$.

Solution   La suite $\{f'_n\}$ définie par

$$f'_n(x) = \frac{x}{1 + n^2 x^2}$$

converge vers la fonction 0 sur $[0, 1]$. Le maximum de $f'_n(x)$ s'obtient pour $x = 1/n$. Dans ce cas

$$\lim_{n \to \infty} \sup_{x \in [0,1]} |f'_n(x)| = \lim_{n \to \infty} \frac{1}{2n} = 0.$$

Donc $\{f'_n\}$ converge uniformément vers la fonction 0 sur $[0, 1]$. D'après le théorème **??**, la suite $\{f_n\}$ converge donc uniformément vers la fonction 0 sur $[0, 1]$.

8.5   Suites de fonctions différentiables

D'après l'exemple 8.16 ci-dessous, la convergence uniforme d'une suite $\{f_n\}$ ne suffit pas pour établir l'égalité

$$\frac{d}{dx} \left(\lim_{n \to \infty} f_n(x) \right) = \lim_{n \to \infty} \left(\frac{d}{dx} f_n(x) \right), \quad \forall x \in \mathcal{D}.$$

Exemple 8.16   Soit la suite $\{f_n\}$ de fonctions définies sur $[-1, 1]$ par

$$f_n(x) = xe^{-nx^2}.$$

Montrons que cette suite de fonctions converge uniformément vers la fonction 0 sur $[-1, 1]$ et que

$$\frac{d}{dx} \left(\lim_{n \to \infty} f_n(x) \right) \neq \lim_{n \to \infty} \left(\frac{d}{dx} f_n(x) \right), \quad \forall x \in [-1, 1].$$

Solution   Le maximum de $f_n(x)$ a lieu lorsque $x = 1/\sqrt{2n}$ et le minimum lorsque $x = -1/\sqrt{2n}$. Alors

$$\lim_{n \to \infty} \sup_{x \in [0,1]} |f_n(x)| = \lim_{n \to \infty} \frac{1}{\sqrt{2e\,n}} = 0.$$

Donc la suite $\{f_n\}$ de fonctions converge uniformément vers la fonction 0 sur $[-1, 1]$. Par conséquent

$$f'(x) = \frac{d}{dx} \lim_{n \to \infty} xe^{-nx^2} = 0$$

et

$$f'_n(x) = e^{-nx^2}(1 - 2nx^2), \text{ d'où } f'_n(0) = 1.$$

Donc

$$\frac{d}{dx} \lim_{n \to \infty} f_n(x) \neq \lim_{n \to \infty} \frac{d}{dx} f_n(x) \quad \text{pour } x = 0.$$

Le théorème 8.17 donne des conditions suffisantes pour obtenir l'égalité demandée.

Théorème 8.17 *Si la suite $\{f_n\}$ de fonctions converge ponctuellement vers f sur $[a, b]$, si $f_n'(x)$ existe pour tout $x \in [a, b]$, si f_n' est continue sur $[a, b]$ et si $\{f_n'\}$ converge uniformément vers g sur $[a, b]$, alors*

$$g(x) = f'(x) \quad \text{pour tout } x \in [a, b],$$

c'est-à-dire que

$$\lim_{n \to \infty} \left(\frac{d}{dx} f_n(x) \right) = \frac{d}{dx} \left(\lim_{n \to \infty} f_n(x) \right), \quad \forall x \in [a, b].$$

DÉMONSTRATION   La suite $\{f_n'(x)\}$ converge uniformément vers g et f_n' est continue. Donc la fonction g est aussi continue sur $[a, b]$. D'après le théorème 8.14,

$$\lim_{n \to \infty} \int_a^x f_n'(t)\, dt = \int_a^x g(t)\, dt, \quad \text{où } x \in [a, b].$$

Donc

$$\lim_{n \to \infty} [f_n(x) - f_n(a)] = \int_a^x g(t)\, dt$$

ou

$$f(x) - f(a) = \int_a^x g(t)\, dt$$

puisque $\lim_{n \to \infty} f_n(x) = f(x)$, $x \in [a, b]$. Or g est une fonction continue sur $[a, b]$. Donc, d'après le théorème fondamental du calcul intégral, $f'(x) = g(x)$.   ∎

Exemple 8.18   Soit la suite $\{f_n(x)\}$ de fonctions définies pour $x > 0$ par

$$f_n(x) = 2^n(\sqrt[2^n]{x} - 1).$$

Montrons que $\lim_{n \to \infty} 2^n(\sqrt[2^n]{x} - 1) = \log x$.

SOLUTION   Posons

$$f_n(x) = 2^n(\sqrt[2^n]{x} - 1) \quad \text{et} \quad g_n(x) = 2^n\left(1 - \frac{1}{\sqrt[2^n]{x}}\right).$$

Montrons que $\forall x$, $\{f_n(x)\}$ décroît et $\{g_n(x)\}$ croît.
   En effet, si $\sqrt[2^n]{x} > 1$,

$$2(\sqrt[2^n]{x} - 1) < (\sqrt[2^n]{x} + 1)(\sqrt[2^n]{x} - 1) = \sqrt[2^{n-1}]{x} - 1.$$

Donc $f_n(x) \leq f_{n-1}(x)$.
   Si $0 < \sqrt[2^n]{x} \leq 1$,

$$2(1 - \sqrt[2^n]{x}) \geq (1 + \sqrt[2^n]{x})(1 - \sqrt[2^n]{x}) = 1 - \sqrt[2^{n-1}]{x}.$$

Par conséquent $f_n(x) \leq f_{n-1}(x)$.
   On traite $g_n(x)$ de même. Si $\sqrt[2^n]{x} > 1$,

$$2\left(1 - \frac{1}{\sqrt[2^n]{x}}\right) > \left(1 + \frac{1}{\sqrt[2^n]{x}}\right)\left(1 - \frac{1}{\sqrt[2^n]{x}}\right) = \left(1 - \frac{1}{\sqrt[2^{n-1}]{x}}\right).$$

Donc $g_n(x) \geq g_{n-1}(x)$. On obtient donc le même résultat si $0 < \sqrt[2^n]{x} \leq 1$.
   Montrons que $\lim\limits_{n \to \infty} f_n(x) = \lim\limits_{n \to \infty} g_n(x)$.

Pour tout $x > 0$, $\sqrt[2^n]{x} - 1 \leq \sqrt[2^n]{x}(\sqrt[2^n]{x} - 1)$. Donc $1 - \frac{1}{\sqrt[2^n]{x}} \leq \sqrt[2^n]{x} - 1$ et

$$2^n\left(1 - \frac{1}{\sqrt[2^n]{x}}\right) \leq 2^n(\sqrt[2^n]{x} - 1)$$

ou

$$g_n(x) \leq f_n(x), \quad \forall n \in N.$$

Donc $\forall x$, la suite $\{f_n(x)\}$ est bornée inférieurement et la suite $\{g_n(x)\}$ est bornée supérieurement. Par conséquent $\lim\limits_{n \to \infty} g_n(x)$ et $\lim\limits_{n \to \infty} f_n(x)$ existent. Or

$$f_n(x) = 2^n(\sqrt[2^n]{x} - 1) = -2^n\left(\sqrt[2^n]{\frac{1}{x}} - 1\right)\sqrt[2^n]{x} = \sqrt[2^n]{x}\, g_n(x).$$

D'où la conclusion puisque $\lim\limits_{n \to \infty} \sqrt[2^n]{x} = 1$.
   Montrons que $\lim\limits_{n \to \infty} 2^n(\sqrt[2^n]{x} - 1) = \log x$, $x > 0$.

Utilisons le théorème 8.17. On a $f_n(x) \to f(x)$ et, pour $x > 0$ et $\forall n \geq 1$, $f_n'(x) = x^{\frac{1}{2^n}-1}$ existe et est continue. Donc $\lim_{n\to\infty} f_n'(x) = 1/x$. Si $g(x) = 1/x$, $x > 0$, $f_n'(x)$ converge uniformément vers $g(x)$ sur $[a, b]$, $0 < a < b$. En effet,

$$\left| \frac{x^{1/2^n}}{x} - \frac{1}{x} \right| \leq \frac{1}{a}|x^{1/2^n} - 1| \leq \frac{1}{a} \max_{x\in[a,b]} |x^{1/2^n} - 1|$$

$$= \frac{1}{a} \max\{1 - a^{1/2^n}, b^{1/2^n} - 1\} < \varepsilon.$$

Donc si $\lim_{n\to\infty} f_n(x) = f(x)$, $x > 0$, $f'(x) = 1/x$. Par conséquent

$$\log x - f(x) = C.$$

Or $f(1) = \log 1 = 0$. Donc $C = 0$ et par conséquent $f(x) = \log x$.

8.5.1 Exercices

1. Soit la suite $\{f_n\}$ de fonctions définies sur $\mathbb{R}$ par

$$f_n(x) = \frac{n^2 x}{1 + n^5 x^2}.$$

Montrer que $\{f_n\}$ converge uniformément vers f sur $\mathbb{R}$ et que

$$\lim_{n\to\infty} f_n'(x) = f'(x), \quad \forall x \neq 0.$$

2. Soit la suite $\{f_n\}$ de fonctions définies sur $[0,1]$ par

$$f_n(x) = \begin{cases} x^n \log x & \text{si } x \in (0, 1], \\ 0 & \text{si } x = 0. \end{cases}$$

Montrer que $\{f_n\}$ converge uniformément vers 0 sur $[0,1]$.

Trouver $\lim_{n\to\infty} \int_0^1 x^n \log x \, dx$.

3. Soit a un nombre réel tel que $0 < a < 4$. Trouver

$$\lim_{n\to\infty} \int_a^4 e^{-nx^2} \, dx.$$

Justifier ses calculs.

Exercices sur le chapitre 8

1. Étudier la convergence ponctuelle et la convergence uniforme des suites de fonctions définies sur A par respectivement

a) $f_n(x) = \begin{cases} 3n^2 x & \text{si } x \in [0, 1/2n] \\ -3n^2(x - \frac{1}{n}) & \text{si } x \in (1/2n, 1/n], \quad A = [0, 1] \\ 0 & \text{si } x \in (1/n, 1], \end{cases}$

b) $f_n(x) = nx(1 - x^2)^n, \quad A = [0, 1]$,

c) $f_n(x) = (\sin \pi x)^n, \quad A = [0, 1/2] \quad \text{et} \quad A = [0, 1/2 - a], a > 0$,

d) $f_n(x) = x^n/n, \quad A = [-1/2, 1/2]$,

e) $f_n(x) = nxe^{-nx^2}, \quad A = (0, 2] \quad \text{et} \quad A = [a, 2], a > 0$.

2. Soit la suite $\{f_n\}$ de fonctions définies sur $[0,1]$ par respectivement

a) $f_n(x) = nxe^{-nx^2}$,

b) $f_n(x) = (\sin \pi x)^n$.

La convergence de f_n' est-elle uniforme? Justifier sa réponse.

3. Soit la suite $\{f_n\}$ de fonctions définies sur $\mathbb{R}$ par

$$f_n(x) = \frac{a^2}{a^2 + n^2 x^2}, \qquad a \neq 0.$$

Étudier la convergence ponctuelle et uniforme de $\{f_n\}$ sur $\mathbb{R}$.

4. Soit la suite $\{f_n\}$ de fonctions définies sur $\mathbb{R}$ par

$$f_n(x) = \frac{n + \sin 2x}{3n + 4 \cos^2 2x}.$$

Montrer que la convergence de cette suite est uniforme et trouver

$$\lim_{n \to \infty} \int_3^8 f_n(x)\, dx.$$

5. Soit la suite $\{f_n\}$ de fonctions définies par

$$f_n(x) = \frac{nx}{n^2 x^2 + \cos^2 3x}.$$

a) Cette suite de fonctions converge-t-elle uniformément sur $(0, \infty)$, sur $[a, \infty)$, $a > 0$?

b) Trouver $\displaystyle\lim_{n\to\infty}\int_{27+\pi^3}^{44+\pi^4} f_n(x)\,dx$.

6. Soit la suite $\{f_n\}$ de fonctions définies par

$$f_n(x) = \frac{\sin nx}{nx}.$$

a) Étudier la convergence ponctuelle et uniforme de $\{f_n\}$ sur $(0, \pi]$.

b) Trouver $\displaystyle\lim_{n\to\infty}\int_{\pi/4}^{\pi} \frac{\sin nx}{nx}\,dx$.

Chapitre 9

Séries de fonctions

9.1 Introduction

Ce chapitre traite des séries de fonctions, qui généralisent les séries numériques. Nous prolongerons des résultats sur la dérivation et l'intégration d'une somme finie de fonctions, par exemple. Cette étude des séries de fonctions conduira à l'une des plus importantes classes de séries de fonctions : les *séries de puissances*.

9.2 Convergence ponctuelle et uniforme

Soit la suite $\{f_n\}$ de fonctions définies sur un même ensemble $\mathcal{D}$, à valeurs réelles. Associons-lui la suite de fonctions $\{S_n(x)\}$ définie par

$$S_n(x) = \sum_{i=1}^{n} f_i(x), \quad x \in \mathcal{D}.$$

L'expression

$$\sum_{n=1}^{\infty} f_n(x) = f_1(x) + f_2(x) + f_3(x) + \cdots$$

est appelée *série de fonctions*.

Définition 9.1 On dit que la série de fonctions $\sum_{n=1}^{\infty} f_n(x)$ converge ponctuellement et a pour somme $S(x)$ si la suite $\{S_n(x)\}$ converge ponctuellement sur $\mathcal{D}$ vers $S(x)$ et on écrit $\sum_{n=1}^{\infty} f_n(x) = S(x)$.

Donc la convergence ponctuelle est caractérisée comme suit : $\forall \varepsilon > 0$, $\forall x \in \mathcal{D}$, $\exists N(\varepsilon, x)$ tel que pour tout $n > N(\varepsilon, x)$, $|S_n(x) - S(x)| < \varepsilon$. Si la série $\sum_{n=1}^{\infty} f_n(x)$ ne converge pas pour au moins un élément $x_0 \in \mathcal{D}$, on dit qu'elle diverge sur D.

Exemple 9.2   Montrons que la série $\sum_{n=0}^{\infty} \dfrac{x^n}{n!}$ converge ponctuellement pour tout $x \in \mathbb{R}$.

SOLUTION   D'après le critère de d'Alembert, $\forall x_0 \in \mathbb{R}$,

$$\lim_{n \to \infty} \left| \frac{n! x_0^{n+1}}{(n+1)! x_0^n} \right| = \lim_{n \to \infty} \frac{|x_0|}{n+1} = 0.$$

Donc la série $\sum_{n=0}^{\infty} x^n / n!$ converge ponctuellement sur $\mathbb{R}$.

Définition 9.3   La série de fonctions $\sum_{n=1}^{\infty} f_n(x)$ converge uniformément vers $S(x)$ sur $\mathcal{D}$ si la suite de fonctions $\{S_n(x)\}$ converge uniformément vers $S(x)$ sur $\mathcal{D}$, c'est-à-dire que $\forall \varepsilon > 0$, $\exists N(\varepsilon)$ tel que $\forall n > N(\varepsilon)$, $\forall x \in \mathcal{D}$, $|S_n(x) - S(x)| < \varepsilon$.

D'après le théorème 8.8, la suite de fonctions $\{S_n(x)\}$ converge uniformément sur $\mathcal{D} \iff \forall \varepsilon > 0$, $\exists N$ tel que $\forall x \in \mathcal{D}$, $\forall n > N$, $\forall k > 0$, $|S_{n+k}(x) - S_n(x)| < \varepsilon$. Donc $\sum_{n=1}^{\infty} f_n(x)$ converge uniformément sur $\mathcal{D} \iff \forall \varepsilon > 0$, $\exists N$ tel que $\forall x \in \mathcal{D}$, $\forall n > N$, $\forall k > 0$, $\left| \sum_{i=n+1}^{n+k} f_i(x) \right| < \varepsilon$.

La série de fonctions $\sum_{n=1}^{\infty} f_n(x)$ converge absolument sur $\mathcal{D}$ si et seulement si la série de fonctions $\sum_{n=1}^{\infty} |f_n(x)|$ converge ponctuellement sur $\mathcal{D}$.

Le théorème 9.4 donne des conditions suffisantes pour la convergence uniforme d'une série de fonctions.

Théorème 9.4 (critère de Weierstrass)   *Soit la série de fonctions $\sum_{n=1}^{\infty} f_n(x)$. S'il existe une série convergente $\sum_{n=1}^{\infty} a_n$ telle que $|f_n(x)| \leq a_n$ $\forall n \in \mathbb{N}$ et $\forall x \in \mathcal{D}$, alors $\sum_{n=1}^{\infty} f_n(x)$ converge absolument et uniformément sur $\mathcal{D}$.*

DÉMONSTRATION   D'après le critère de comparaison des séries numériques, $\sum_{n=1}^{\infty} f_n(x)$ converge absolument sur $\mathcal{D}$. Pour démontrer la convergence uniforme de la série de fonctions sur $\mathcal{D}$, considérons les inégalités

$$\left| \sum_{i=n+1}^{n+k} f_i(x) \right| \leq \sum_{i=n+1}^{n+k} |f_i(x)| \leq \sum_{i=n+1}^{n+k} a_i$$

vraies $\forall n \in \mathbb{N}$, $\forall k > 0$, et $\forall x \in \mathcal{D}$. Or la série $\sum a_n$ converge. Donc, d'après le critère de Cauchy, $\exists N$ tel que $\forall n > N$, $\forall k > 0$,

$$\left| \sum_{i=n+1}^{n+k} a_i \right| < \varepsilon.$$

Donc la série $\sum_{n=1}^{\infty} f_n(x)$ (tout comme $\sum_{n=1}^{\infty} |f_n(x)|$) converge uniformément sur $\mathcal{D}$. ∎

Exemple 9.5

1. Montrons que la série $\displaystyle\sum_{n=1}^{\infty} \frac{\sin nx}{n^3}$ converge uniformément sur $\mathbb{R}$.

SOLUTION   Puisque $|\sin nx / n^3| \leq 1/n^3$ et que la série $\sum_{n=1}^{\infty} 1/n^3$ converge, la série donnée converge uniformément sur $\mathbb{R}$.

2. Montrons que la série de fonctions $\displaystyle\sum_{n=0}^{\infty} (1 - x)x^n$ converge ponctuellement sur $[0, 1]$.

SOLUTION   On a

$$S_n(x) = \sum_{i=0}^{n-1} (1 - x)x^i = 1 - x^n.$$

D'où

$$\lim_{n \to \infty} S_n(x) = \begin{cases} 1 & \text{si } x \in [0, 1), \\ 0 & \text{si } x = 1. \end{cases}$$

Donc $\{S_n(x)\}$ converge ponctuellement sur $[0,1]$. Remarquons que la suite de fonctions $\{S_n(x)\}$ ne converge pas uniformément sur $[0,1]$. En effet, $S_n(x)$ est une fonction continue sur $[0, 1]$ $\forall n$, tandis que sa fonction limite n'est pas continue. La convergence de cette série de fonctions n'est pas uniforme sur tout intervalle de la forme $[a, 1]$, $0 < a < 1$.

9.3   Propriétés des séries de fonctions

Théorème 9.6   *Si la série de fonctions $\sum_{n=1}^{\infty} f_n(x)$ converge uniformément sur $\mathcal{D}$ et si les $f_n(x)$ sont continues sur $\mathcal{D}$, $\sum_{n=1}^{\infty} f_n(x)$ est une fonction continue sur $\mathcal{D}$.*

DÉMONSTRATION   Puisque la convergence uniforme vers $S(x)$ de la série de fonctions $\sum_{n=1}^{\infty} f_n(x)$ est équivalente à la convergence uniforme vers $S(x)$ de la suite $\{S_n(x)\}$ de fonctions et puisque chaque $f_n(x)$ est continue sur $\mathcal{D}$, chaque fonction $S_n(x)$ est continue. D'où $S(x)$ est une fonction continue sur $\mathcal{D}$. ∎

Exemple 9.7

1. Montrons que $\sum_{n=1}^{\infty} x^n/n^3$ est une fonction continue sur $[-1, 1]$.

SOLUTION Puisque $|x^n|/n^3 \leq 1/n^3$ pour $x \in [-1, 1]$ et que $\sum_{n=1}^{\infty} 1/n^3$ converge, la série $\sum_{n=1}^{\infty} x^n/n^3$ de fonctions converge uniformément sur $[-1, 1]$ d'après le critère de Weierstrass. Or $\forall n \in \mathbb{N}$, x^n/n^3 est une fonction continue, d'où la conclusion.

2. Déterminons les intervalles de la forme $[-M, M]$ sur lesquels la série de fonctions $\sum_{n=1}^{\infty} nx^n$ donne une fonction continue.

SOLUTION Si $|x| \leq M$, $|nx^n| \leq nM^n$. Pour voir que la série $\sum_{n=1}^{\infty} nx^n$ converge uniformément sur $[-M, M]$ il suffit, d'après le critère de Weierstrass, de montrer que la série $\sum_{n=1}^{\infty} nM^n$ converge. D'après le critère de d'Alembert,

$$\lim_{n \to \infty} \frac{(n+1)M^{n+1}}{nM^n} = \lim_{n \to \infty} \frac{(n+1)M}{n} = M.$$

Donc la série numérique $\sum_{n=1}^{\infty} nM^n$ converge si $M < 1$ et diverge si $M \geq 1$. Donc $\sum_{n=1}^{\infty} nx^n$ donne une fonction continue sur $[-M, M]$ $\forall M$, tel que $0 < M < 1$.

Théorème 9.8 *Si la série de fonctions $\sum_{n=1}^{\infty} f_n(x)$ converge uniformément vers $S(x)$ sur $[a, b]$ et si f_n est intégrable sur $[a, b]$ $\forall n \in \mathbb{N}$, la fonction S est intégrable sur $[a, b]$ et*

$$\sum_{n=1}^{\infty} \int_a^b f_n(x)\, dx = \int_a^b \sum_{n=1}^{\infty} f_n(x)\, dx.$$

DÉMONSTRATION Soit $S_n(x) = \sum_{i=1}^{n} f_i(x)$. D'après l'hypothèse, la fonction $S_n(x)$ est intégrable sur $[a, b]$. Or $\{S_n(x)\}$ converge uniformément vers $S(x)$ sur $[a, b]$. Donc la fonction $S(x)$ est aussi intégrable sur $[a, b]$ et

$$\lim_{n \to \infty} \int_a^b S_n(x)\, dx = \int_a^b \lim_{n \to \infty} S_n(x)\, dx = \int_a^b \sum_{i=1}^{\infty} f_i(x)\, dx.$$

Mais

$$\int_a^b S_n(x)\, dx = \int_a^b \left(\sum_{i=1}^{n} f_i(x) \right) dx = \sum_{i=1}^{n} \int_a^b f_i(x)\, dx.$$

Donc

$$\lim_{n \to \infty} \int_a^b S_n(x)\, dx = \lim_{n \to \infty} \sum_{i=1}^n \int_a^b f_i(x)\, dx = \sum_{i=1}^\infty \int_a^b f_i(x)\, dx.$$

Cela termine la démonstration. ∎

Exemple 9.9   Montrons que $\dfrac{\pi}{4} = \arctan 1 = \displaystyle\sum_{n=0}^\infty \frac{(-1)^n}{2n+1}$.

Solution $\forall y \in (-1, 1)$,

$$\sum_{n=0}^\infty y^n = \frac{1}{1-y}.$$

Posons $y = -x^2$. Alors

$$\sum_{n=0}^\infty (-1)^n x^{2n} = \frac{1}{1+x^2}, \quad x \in (-1, 1).$$

D'après le critère de Weierstrass, la série $\sum_{n=0}^\infty (-1)^n x^{2n}$ converge uniformément sur $[-a, a]$, $0 < a < 1$. Donc $\forall t$, $|t| \le a$,

$$\arctan t = \int_0^t \frac{dx}{1+x^2} = \int_0^t \sum_{n=0}^\infty (-1)^n x^{2n}\, dx = \sum_{n=0}^\infty (-1)^n \int_0^t x^{2n}\, dx$$

ou

$$\arctan t = \sum_{n=0}^\infty \frac{(-1)^n t^{2n+1}}{2n+1}, \quad |t| \le a < 1.$$

Montrons que la série $\displaystyle\sum_{n=0}^\infty \frac{(-1)^n x^{2n+1}}{2n+1}$ converge uniformément sur $[-1, 1]$. La série $\displaystyle\sum_{n=0}^\infty \frac{(-1)^n x^{2n+1}}{2n+1}$ satisfait aux conditions du critère des séries alternées, donc $\forall x \in [-1, 1]$,

$$\left| \sum_{n=0}^\infty \frac{(-1)^n x^{2n+1}}{2n+1} - \sum_{i=0}^{n-1} \frac{(-1)^i x^{2i+1}}{2i+1} \right| = \left| \sum_{i=n}^\infty \frac{(-1)^i x^{2i+1}}{2i+1} \right| \le \frac{|x|^{2n+1}}{2n+1} \le \frac{1}{2n} < \varepsilon,$$

dès que $n > 1/2\varepsilon$, c'est-à-dire que la série $\displaystyle\sum_{n=0}^{\infty} \frac{(-1)^n x^{2n+1}}{2n+1}$ converge uniformément

sur $[-1, 1]$. Donc la série $\displaystyle\sum_{n=0}^{\infty} \frac{(-1)^n x^{2n+1}}{2n+1}$ représente une fonction de la variable x

sur $[-1, 1]$ et on peut poser

$$S(x) = \sum_{n=0}^{\infty} \frac{(-1)^n x^{2n+1}}{2n+1}, \quad x \in [-1, 1].$$

Nous avons montré que $S(x) = \arctan x$ pour $|x| < 1$. Mais cette égalité est-elle vraie lorsque $x = 1$? On a

$$S(x) = \begin{cases} \arctan x & \text{si } |x| < 1, \\ \displaystyle\sum_{n=0}^{\infty} \frac{(-1)^n}{2n+1} & \text{si } x = 1. \end{cases}$$

Pour répondre à la question ci-dessus, il suffit de montrer que la fonction $S(x)$ est continue en $x = 1$. La fonction $x^{2n+1}/(2n+1)$ est continue $\forall n \in \mathbb{N}$ sur $[-1, 1]$ et $\sum_{n=0}^{\infty} (-1)^n x^{2n+1}/(2n+1)$ converge uniformément sur $[-1, 1]$. Donc $S(x)$ est une fonction continue sur $[-1, 1]$ et

$$S(1) = \lim_{x \to 1} S(x) = \lim_{x \to 1} \arctan x = \arctan 1 = \pi/4.$$

Théorème 9.10   *Si la série $\sum_{n=1}^{\infty} f_n(x)$ converge ponctuellement vers $S(x)$ sur $[a, b]$, si chaque dérivée $f_n'(x)$ est continue sur $[a, b]$ et si $\sum_{n=1}^{\infty} f_n'(x)$ converge uniformément sur $[a, b]$, alors*

$$\frac{d}{dx} \sum_{n=1}^{\infty} f_n(x) = \sum_{n=1}^{\infty} \frac{d}{dx} f_n(x).$$

DÉMONSTRATION   Soit $S_n(x) = \sum_{i=1}^{n} f_i(x)$. Donc $S_n(x)$ converge ponctuellement vers $S(x)$ sur $[a, b]$. Puisque $S_n'(x) = \sum_{i=1}^{n} f_i'(x)$ et que $S_n'(x)$ converge uniformément vers $S^*(x) = \sum_{n=1}^{\infty} f_n'(x)$ sur $[a, b]$,

$$S'(x) = S^*(x), \quad \forall x \in [a, b]. \qquad \blacksquare$$

Exemple 9.11   Montrons que

$$\frac{d}{dx} \sum_{n=1}^{\infty} \frac{\sin nx}{n^3} = \sum_{n=1}^{\infty} \frac{\cos nx}{n^2}, \quad \forall x \in \mathbb{R}.$$

SOLUTION   La série $\sum_{n=1}^{\infty} \sin nx / n^3$ converge uniformément sur $\mathbb{R}$ et la fonction $\cos nx / n^2$ est continue $\forall n \in \mathbb{N}$. Il suffit donc de montrer que $\sum_{n=1}^{\infty} \cos nx / n^2$ converge uniformément sur $\mathbb{R}$, une évidence d'après le critère de Weierstrass. Le théorème 9.10 termine la démonstration.

9.3.1   Exercices

1. Trouver la région de convergence des séries de fonctions suivantes.

a) $\displaystyle\sum_{n=1}^{\infty} \frac{1}{x^n}$,

b) $\displaystyle\sum_{n=1}^{\infty} \frac{(-1)^{n+1}}{n^{\sin x}}$,

c) $\displaystyle\sum_{n=1}^{\infty} \left(x^n + \frac{1}{2^n x^n} \right)$.

2. À l'aide du critère de Weierstrass, montrer que les séries ci-dessous convergent uniformément sur l'intervalle donné.

a) $\displaystyle\sum_{n=1}^{\infty} \frac{x^n}{n^2}$, $[-1,1]$,

b) $\displaystyle\sum_{n=1}^{\infty} \left(\frac{x}{n} \right)^n$, $[-7,7]$,

c) $\displaystyle\sum_{n=0}^{\infty} \frac{e^{nx}}{a^n}$, $(-\infty, b)$, $b < \log a$, $a > 0$,

d) $\displaystyle\sum_{n=0}^{\infty} (x \log x)^n$, $(0,1]$.

3. Trouver les nombres a tels que $\displaystyle\sum_{n=1}^{\infty} \frac{x^n}{n}$ converge uniformément sur $[-a, a]$.

4. Montrer que

a) $\log \dfrac{1}{1-x} = \displaystyle\sum_{n=1}^{\infty} \frac{x^n}{n}$, $x \in (-1,1)$,

b) $\log 2 = \displaystyle\sum_{n=1}^{\infty} \frac{(-1)^{n+1}}{n}$,

c) $\dfrac{1}{(1-x)^2} = \displaystyle\sum_{n=1}^{\infty} nx^{n-1}, \quad x \in (-1, 1),$

d) $\displaystyle\int_0^1 \sum_{n=1}^{\infty} \frac{(-1)^{n+1}}{n+x^2} \, dx = \sum_{n=1}^{\infty} (-1)^{n+1} \frac{1}{\sqrt{n}} \arctan \frac{1}{\sqrt{n}},$

e) $\dfrac{d}{dx} \displaystyle\sum_{n=1}^{\infty} \frac{x^n}{n(n+1)} = \sum_{n=1}^{\infty} \frac{x^{n-1}}{n+1}, \quad x \in (-1, 1).$

9.4   Séries de puissances

Définition 9.12   Une série de fonctions de la forme

$$\sum_{n=0}^{\infty} a_n x^n = a_0 + a_1 x + a_2 x^2 + \cdots$$

est appelée série de puissances ou série entière de la variable x.

Remarques

1. Une série de puissances est une série de fonctions dont le terme général est défini par $f_n(x) = a_n x^n$.

2. La substitution d'un nombre x_0 à la variable x transforme la série de puissances en une série numérique. Si cette série numérique converge, la série de puissances converge pour $x = x_0$.

On veut trouver tous les x pour lesquels $\sum_{n=0}^{\infty} a_n x^n$ converge. Pour $x = 0$, la série de puissances $\sum_{n=0}^{\infty} a_n x^n$ se réduit à a_0 et par conséquent toutes les séries de puissances convergent pour au moins un x, à savoir $x = 0$. Remarquons que si le terme général d'une série de puissances est de la forme $a_n(x - x_0)^n$, il suffit de poser $x - x_0 = X$ pour ramener l'étude de la série $\sum_{n=0}^{\infty} a_n(x - x_0)^n$ à celle de $\sum_{n=0}^{\infty} a_n X^n$.

Exemple 9.13

1. La série géométrique $\sum_{n=0}^{\infty} kx^n$, $k \neq 0$, est une série de puissances qui converge pour $|x| < 1$ et diverge pour $|x| \geq 1$.

2. La série $\sum_{n=0}^{\infty} n! \, x^n$ converge seulement pour $x = 0$.

SOLUTION   Pour $x \neq 0$, $\lim\limits_{n \to \infty} n! \, x^n = +\infty$. Donc la limite du n-ième terme n'est pas zéro et cette série de puissances diverge pour $x \neq 0$.

3. La série $\sum_{n=0}^{\infty} x^n/n!$ converge pour tout $x \in \mathbb{R}$.

SOLUTION   D'après le critère de d'Alembert,

$$\lim_{n \to \infty} \left| \frac{x^{n+1}n!}{(n+1)!x^n} \right| = \lim_{n \to \infty} \frac{|x|}{n+1} = 0.$$

Donc la série converge $\forall x \in \mathbb{R}$.

Théorème 9.14   *Si la série de puissances $\sum_{n=0}^{\infty} a_n x^n$ converge pour $x = x_0 \neq 0$, elle converge absolument $\forall x$ tel que $|x| < |x_0|$. Si elle diverge pour $x = x_0 \neq 0$, elle diverge $\forall x$ tel que $|x| > |x_0|$.*

DÉMONSTRATION   Si la série $\sum_{n=0}^{\infty} a_n x_0^n$ converge, la suite $\{a_n x_0^n\}$ tend vers 0. Donc il existe un nombre positif M tel que

$$|a_n x_0^n| \leq M, \quad \text{pour } n = 0, 1, 2, \ldots$$

Soit x tel que $|x| < |x_0|$. Il vient

$$|a_n x^n| = \left| a_n x_0^n \frac{x^n}{x_0^n} \right| \leq M \left| \frac{x^n}{x_0^n} \right|.$$

D'après le critère de comparaison, puisque la série géométrique $\sum_{n=0}^{\infty} M|x^n/x_0^n|$ converge, $\sum_{n=0}^{\infty} a_n x^n$ converge absolument pour $|x| < |x_0|$. Pour la deuxième partie, si $\sum_{n=0}^{\infty} a_n x^n$ converge pour $x = x_1$, $|x_1| > |x_0|$, alors, d'après la première partie de ce théorème, $\sum_{n=0}^{\infty} a_n x_0^n$ converge, une contradiction.   ∎

Supposons qu'il existe un $x_c \neq 0$ tel que la série de puissances $\sum_{n=0}^{\infty} a_n x^n$ converge pour $x = x_c$ et un x_d tel que la série $\sum_{n=0}^{\infty} a_n x^n$ diverge pour $x = x_d$. Soit

$$A = \{x \in \mathbb{R} \mid x > 0 \text{ et } \sum_{n=0}^{\infty} a_n x^n \text{ converge}\}.$$

Cet ensemble A est non vide et borné supérieurement par $|x_d|$. L'axiome de complétude stipule l'existence du supremum de l'ensemble A. Notons-le R. Donc $R = \sup A$. On a $R \geq |x_c| \neq 0$, donc $R > 0$.

Nous affirmons que la série de puissances $\sum_{n=0}^{\infty} a_n x^n$ converge absolument si $|x| < R$ et diverge si $|x| > R$. En effet, supposons $|x| < R$ et choisissons un nombre

x_0 tel que $x_0 \in A$ et $|x| < x_0 \leq R$ (ceci est possible puisque R est le supremum de A). D'après le théorème 9.14, la série $\sum_{n=0}^{\infty} a_n x^n$ converge absolument. Supposons $|x| > R$. La série $\sum_{n=0}^{\infty} a_n x^n$ ne peut converger car alors la série $\sum_{n=0}^{\infty} a_n y^n$ convergerait pour $R < y < |x|$. Alors $y \in A$, ce qui contredit que R est le supremum de A.

Si l'ensemble A n'est pas borné supérieurement, $\sum_{n=0}^{\infty} a_n x^n$ converge pour tout $x \in \mathbb{R}$ et on pose $R = +\infty$. Si $\sum_{n=0}^{\infty} a_n x^n$ converge seulement pour $x = 0$, on pose $R = 0$.

Le nombre R est appelé *rayon de convergence*, et l'intervalle $(-R, R)$ *intervalle de convergence*. Donc la série de puissances converge $\forall x \in (-R, R)$ et diverge $\forall x \notin [-R, R]$. Pour $x = R$ et pour $x = -R$, la série de puissances peut converger ou diverger, une étude particulière s'impose donc.

Théorème 9.15 (formule de Cauchy-Hadamard)   *Soit la série de puissances* $\sum_{n=0}^{\infty} a_n x^n$. *Le rayon de convergence R est donné par*

$$R = \begin{cases} 0 & si \ \lim_{n \to \infty} \sqrt[n]{|a_n|} = +\infty, \\ +\infty & si \ \lim_{n \to \infty} \sqrt[n]{|a_n|} = 0, \\ 1/\lim_{n \to \infty} \sqrt[n]{|a_n|} & si \ 0 < \lim_{n \to \infty} \sqrt[n]{|a_n|} < +\infty. \end{cases}$$

DÉMONSTRATION $\lim_{n \to \infty} \sqrt[n]{|a_n x^n|} = |x| \lim_{n \to \infty} \sqrt[n]{|a_n|}$. D'après le critère de Cauchy, la série $\sum_{n=0}^{\infty} a_n x^n$ converge si $|x| \lim_{n \to \infty} \sqrt[n]{|a_n|} < 1$ et diverge si $|x| \lim_{n \to \infty} \sqrt[n]{|a_n|} > 1$. Cela termine la démonstration.   ∎

Exemple 9.16   Trouvons l'intervalle de convergence de la série de puissances $\sum_{n=0}^{\infty} e^{3n} x^n$.

SOLUTION   On a $\lim_{n \to \infty} \sqrt[n]{|a_n|} = e^3$. Donc $R = e^{-3}$ et l'intervalle de convergence est $(-e^{-3}, e^{-3})$. Remarquons que la série diverge pour $x = R$ et $x = -R$.

Théorème 9.17   *Soit la série de puissances* $\sum_{n=0}^{\infty} a_n x^n$. *Le rayon de convergence R est donné par*

$$R = \lim_{n \to \infty} \left| \frac{a_n}{a_{n+1}} \right|,$$

si cette limite existe ou égale $+\infty$.

DÉMONSTRATION   On a

$$\lim_{n \to \infty} \left| \frac{a_{n+1} x^{n+1}}{a_n x^n} \right| = |x| \lim_{n \to \infty} \left| \frac{a_{n+1}}{a_n} \right|.$$

Donc, d'après le critère de d'Alembert, $\sum_{n=0}^{\infty} a_n x^n$ converge absolument si

$$|x| \lim_{n \to \infty} |a_{n+1}/a_n| < 1$$

et diverge si

$$|x| \lim_{n \to \infty} |a_{n+1}/a_n| > 1.$$

Autrement dit, la série $\sum_{n=0}^{\infty} a_n x^n$ converge absolument si

$$|x| < \frac{1}{\lim_{n \to \infty} |a_{n+1}/a_n|} = \lim_{n \to \infty} |a_n/a_{n+1}|$$

et diverge si

$$|x| > \lim_{n \to \infty} |a_n/a_{n+1}|.$$

Cela termine la démonstration. ∎

Remarque   L'évaluation de $\lim_{n \to \infty} |a_n/a_{n+1}|$ dans le théorème 9.17 exige d'avoir $a_{n+1} \neq 0$ pour n assez grand.

Exemple 9.18

1. Trouvons l'intervalle de convergence de la série $\sum_{n=0}^{\infty} n^a x^n$, $a \in \mathbb{R}$.

   SOLUTION   On a $\lim_{n \to \infty} |a_n/a_{n+1}| = \lim_{n \to \infty} n^a/(n+1)^a = 1$. Donc la série donnée converge absolument pour $x \in (-1, 1)$.

2. Étudions la série $\sum_{n=0}^{\infty} x^{2n}/5^n$.

   SOLUTION   On est tenté de calculer $\lim_{n \to \infty} \sqrt[n]{5^{-n}} = 5^{-1}$ et de conclure que $R = 5$. Cela est faux parce que 5^{-n} est le coefficient de x^{2n} et non de x^n. Il faut donc manipuler cette série très prudemment. On peut l'écrire sous la forme

$$\sum_{n=1}^{\infty} a_n x^n, \quad a_n = \begin{cases} 0 & \text{si } n \text{ est impair,} \\ 1/5^{n/2} & \text{si } n \text{ est pair.} \end{cases}$$

Calculons R à l'aide de la sous-suite de termes non nuls. Ainsi

$$\lim_{n \to \infty} \sqrt[n]{|a_n|} = \lim_{k \to \infty} \sqrt[2k]{5^{-k}} = 5^{-1/2}.$$

Donc $R = \sqrt{5}$.

3. Étudions la série de puissances $\displaystyle\sum_{n=0}^{\infty} \frac{x^{2n}}{(2n)!}$.

SOLUTION   On ne peut appliquer le théorème 9.17 parce qu'il existe une infinité de termes a_n de $\sum_{n=0}^{\infty} a_n x^n$ nuls. Le critère de d'Alembert donne

$$\lim_{n \to \infty} \left| \frac{x^{2n+2}(2n)!}{(2n+2)!x^{2n}} \right| = \lim_{n \to \infty} \frac{x^2}{(2n+1)(2n+2)} = 0.$$

Donc la série de puissances $\sum_{n=0}^{\infty} x^{2n}/(2n)!$ converge $\forall x \in \mathbb{R}$.

9.5   Fonctions définies par une série de puissances

Soit la série de puissances $\sum_{n=0}^{\infty} a_n x^n$ de rayon de convergence R. Si $R = 0$, le domaine de convergence est $\{0\}$. Délaissons ce cas trivial. Supposons donc que $R > 0$. Cette série converge absolument pour $x \in (-R, R)$. Définissons donc une fonction $f : (-R, R) \to \mathbb{R}$ par

$$f(x) = \sum_{n=0}^{\infty} a_n x^n, \quad x \in (-R, R).$$

Si $R < \infty$, on peut parfois élargir le domaine de f à $[-R, R)$, $(-R, R]$ ou $[-R, R]$ suivant le cas. Dans cette section, nous étudierons les propriétés d'une telle fonction f définie par une série de puissances.

Théorème 9.19   *Soit la série de puissances $\sum_{n=0}^{\infty} a_n x^n$ de rayon de convergence $R \neq 0$ ($R = \infty$ étant admis). Soit a, b deux nombres réels qui vérifient les inégalités $-R < a < b < R$. La série de puissances $\sum_{n=0}^{\infty} a_n x^n$ converge uniformément sur $[a, b]$.*

DÉMONSTRATION   Soit $M = \max\{|a|, |b|\}$. Donc $\forall x \in [a, b]$, $|x| \leq M$. Alors

$$|a_n x^n| \leq |a_n| M^n$$

et M appartient à l'intervalle de convergence. Donc la série $\sum_{n=0}^{\infty} |a_n M^n|$ converge. D'après le critère de Weierstrass, $\sum_{n=0}^{\infty} a_n x^n$ converge uniformément sur $[a, b]$. ∎

Théorème 9.20 *Soit la série de puissances $\sum_{n=0}^{\infty} a_n x^n$ de rayon de convergence $R = 1/\lim\limits_{n \to \infty} \sqrt[n]{|a_n|} \neq 0$. Le rayon de convergence des séries de puissances*

$$\sum_{n=0}^{\infty} \frac{a_n}{n+1} x^{n+1} \quad et \quad \sum_{n=1}^{\infty} n a_n x^{n-1}$$

est aussi R.

DÉMONSTRATION Puisque $\lim\limits_{n \to \infty} \sqrt[n]{n} = 1$,

$$\lim_{n \to \infty} \sqrt[n]{\frac{|a_n|}{n+1}} = \lim_{n \to \infty} \frac{1}{\sqrt[n]{n+1}} \lim_{n \to \infty} \sqrt[n]{|a_n|} = \lim_{n \to \infty} \sqrt[n]{|a_n|}$$

et

$$\lim_{n \to \infty} \sqrt[n]{|n a_n|} = \lim_{n \to \infty} \sqrt[n]{n} \lim_{n \to \infty} \sqrt[n]{|a_n|} = \lim_{n \to \infty} \sqrt[n]{|a_n|}.$$

D'où la conclusion.   ∎

Les théorèmes suivants sont très utiles. Ils jouent un grand rôle dans la section concernant les séries de Taylor (Brook Taylor, mathématicien anglais, 1685-1731).

Théorème 9.21 *Soit la série de puissances $\sum_{n=0}^{\infty} a_n x^n$ de rayon de convergence $R \neq 0$. Si $f(x) = \sum_{n=0}^{\infty} a_n x^n$,*

a) *la fonction f est continue sur $(-R, R)$,*

b) *pour tout $a, b \in \mathbb{R}$ tels que $-R < a < b < R$,*

$$\int_a^b \sum_{n=0}^{\infty} a_n x^n \, dx = \sum_{n=0}^{\infty} \frac{a_n}{n+1} (b^{n+1} - a^{n+1}).$$

DÉMONSTRATION Soit $x_0 \in (-R, R)$. Donc $x_0 \in [\frac{1}{2}(x_0 - R), \frac{1}{2}(x_0 + R)] \subset (-R, R)$. D'après le théorème 9.20, la série de puissances converge uniformément sur $[\frac{1}{2}(x_0 - R), \frac{1}{2}(x_0 + R)]$. Donc, d'après le théorème 9.6, la fonction f est continue au point x_0. Or x_0 est un point arbitraire de $(-R, R)$. Donc f est continue sur $(-R, R)$.

Pour démontrer la seconde partie, il suffit d'appliquer le théorème 9.8.   ∎

Théorème 9.22 *Soit la série de puissances $\sum_{n=0}^{\infty} a_n x^n$ de rayon de convergence $R \neq 0$. Soit $f(x) = \sum_{n=0}^{\infty} a_n x^n$. La fonction f est différentiable sur $(-R, R)$ et*

$$f'(x) = \sum_{n=1}^{\infty} n a_n x^{n-1}, \quad |x| < R.$$

DÉMONSTRATION   Soit ε un nombre réel tel que $0 < \varepsilon < R$. Les séries de puissances $\sum_{n=0}^{\infty} a_n x^n$ et $\sum_{n=1}^{\infty} n a_n x^{n-1}$ ont le même rayon de convergence R. Donc elles convergent uniformément sur $[-R + \varepsilon, R - \varepsilon] \subset (-R, R)$. D'après le théorème 9.10,

$$f'(x) = \frac{d}{dx} \sum_{n=0}^{\infty} a_n x^n = \sum_{n=0}^{\infty} \frac{d}{dx} (a_n x^n)$$

$$= \sum_{n=1}^{\infty} n a_n x^{n-1}, \quad x \in [-R + \varepsilon, R - \varepsilon].$$

Puisque ε est un nombre arbitrairement petit,

$$f'(x) = \sum_{n=1}^{\infty} n a_n x^{n-1}, \quad x \in (-R, R).$$

Cela termine la démonstration.   ∎

Corollaire 9.23 *Soit la série de puissances $\sum_{n=0}^{\infty} a_n x^n$ de rayon de convergence $R \neq 0$. Soit $f(x) = \sum_{n=0}^{\infty} a_n x^n$. La dérivée $f^{(k)}(x)$ existe pour tout $k \in \mathbb{N}$, et*

$$f^{(k)}(x) = \sum_{n=k}^{\infty} a_n n(n-1) \ldots (n-k+1) x^{n-k}$$

$$= \sum_{n=k}^{\infty} \frac{n!}{(n-k)!} a_n x^{n-k}$$

$$= \sum_{n=0}^{\infty} \frac{(n+k)!}{n!} a_{n+k} x^n, \quad x \in (-R, R).$$

DÉMONSTRATION   Se fait par le théorème 9.22 et l'induction.   ∎

Exemple 9.24   Montrons que

$$\frac{k!}{(1-x)^{k+1}} = \sum_{n=0}^{\infty} \frac{(n+k)!}{n!} x^n, \quad x \in (-1, 1).$$

SOLUTION $\forall x \in (-1, 1)$,

$$f(x) = \frac{1}{1-x} = \sum_{n=0}^{\infty} x^n.$$

Donc la fonction f est continue sur $(-1, 1)$ et

$$f'(x) = \frac{1}{(1-x)^2} = \sum_{n=1}^{\infty} nx^{n-1}, \quad x \in (-1, 1).$$

Pour les mêmes raisons, la fonction f' est continue sur $(-1, 1)$ et

$$f''(x) = \frac{2}{(1-x)^3} = \sum_{n=2}^{\infty} n(n-1)x^{n-2}, \quad x \in (-1, 1).$$

D'une façon générale,

$$f^{(k)}(x) = \frac{k!}{(1-x)^{k+1}} = \sum_{n=0}^{\infty} \frac{(n+k)!}{n!}x^n, \quad x \in (-1, 1).$$

D'après le corollaire précédent, une fonction définie par une série de puissances de rayon de convergence $R \neq 0$ est *indéfiniment différentiable*, c'est-à-dire que pour tout entier positif k, f est k fois différentiable sur $(-R, R)$. Le corollaire 9.25 montre que les coefficients d'une telle série de puissances ne dépendent que des dérivées de la fonction f au point 0.

Corollaire 9.25 *Soit la série de puissances $f(x) = \sum_{n=0}^{\infty} a_n x^n$ de rayon de convergence $R \neq 0$. On a*

$$a_k = \frac{f^{(k)}(0)}{k!} \quad k = 0, 1, 2, \ldots$$

DÉMONSTRATION   Il suffit de poser $x = 0$ dans la formule du corollaire 9.23.   ∎

Le corollaire 9.26 stipule que si la représentation d'une fonction par une série de puissances au voisinage d'un point existe, elle est unique.

Corollaire 9.26 *Supposons que $f(x) = \sum_{n=0}^{\infty} a_n x^n$ et que $f(x) = \sum_{n=0}^{\infty} b_n x^n$ pour $x \in (-R, R)$, $R > 0$. On a alors*

$$a_n = b_n, \quad pour \; n = 0, 1, 2, \ldots$$

DÉMONSTRATION   D'après le corollaire précédent,

$$a_n = \frac{f^{(n)}(0)}{n!} = b_n, \quad n = 0, 1, 2, \ldots,$$

ce qui démontre le corollaire.   ∎

9.5.1   Exercices

1. Déterminer l'intervalle de convergence des séries

a) $\displaystyle\sum_{n=0}^{\infty}(3x)^n$,

b) $\displaystyle\sum_{n=0}^{\infty}(-1)^n(n+5)x^n$,

c) $\displaystyle\sum_{n=0}^{\infty}(n+1)^n x^n$,

d) $\displaystyle\sum_{n=0}^{\infty}n!x^n$,

e) $\displaystyle\sum_{n=1}^{\infty}\frac{n!}{n^n}(x-1)^n$,

f) $\displaystyle\sum_{n=1}^{\infty}\frac{x^n}{n^2 3^n}$,

g) $\displaystyle\sum_{n=1}^{\infty}\frac{n(x+2)^n}{3^n}$,

h) $\displaystyle\sum_{n=1}^{\infty}\frac{n^2 e^n}{n!}x^n$.

2. Soit la série de puissances $f(x) = \sum_{n=0}^{\infty} x^n/n!$. Trouver son rayon de convergence et montrer que $f'(x) = f(x)$, $\forall x \in \mathbb{R}$.

3. Soit la série de puissances $f(x) = \sum_{n=0}^{\infty} a_n x^n$ de rayon de convergence $R \neq 0$. Montrer que

a) si $f(-x) = f(x)$, $\forall x \in (-R, R)$ (on dit alors que f est une fonction paire), $a_n = 0$ si n est un entier impair,

b) si $f(-x) = -f(x)$, $\forall x \in (-R, R)$ (on dit alors que f est une fonction impaire), $a_n = 0$ si n est un entier pair.

9.6   Séries de Taylor

Soit f une fonction définie au voisinage de $x = 0$. Cherchons si on peut la représenter par une série de puissances $\sum_{n=0}^{\infty} a_n x^n$, qui converge au voisinage de $x = 0$. On sait déjà que cette fonction doit être indéfiniment différentiable et que si une telle série existe, elle est unique et ses coefficients sont donnés par

$$a_n = \frac{f^{(n)}(0)}{n!}.$$

Inversement, à toute fonction f indéfiniment différentiable au voisinage de $x = 0$, on peut associer la série

$$\sum_{n=0}^{\infty} \frac{f^{(n)}(0)}{n!} x^n.$$

Cette série est appelée *série de Taylor* de la fonction f. Voici les deux questions à se poser à propos de la série de Taylor :

- La série $\sum_{n=0}^{\infty} \frac{f^{(n)}(0)}{n!} x^n$ converge-t-elle dans un voisinage de 0 ?

- Si cette série converge pour $x = x_0$, sa somme égale-t-elle $f(x_0)$?

Remarque Si la série $\sum_{n=0}^{\infty} \frac{f^{(n)}(0)}{n!} x^n$ converge vers $f(x)$ pour tout $x \in (-\delta, \delta)$, $\delta > 0$, on dit que f est *analytique* dans $(-\delta, \delta)$. Mentionnons que la série

$$\sum_{n=0}^{\infty} \frac{f^{(n)}(x_0)}{n!} (x - x_0)^n$$

est aussi appelée série de Taylor. Lorsque $x_0 = 0$, cette série est souvent appelée *série de MacLaurin*.

La fonction f de l'exemple suivant est indéfiniment différentiable et analytique dans aucun voisinage de 0.

Exemple 9.27 Soit

$$f(x) = \begin{cases} e^{-1/x^2} & \text{si } x \neq 0, \\ 0 & \text{si } x = 0. \end{cases}$$

Montrons que pour $x \neq 0$,

$$f(x) \neq \sum_{n=0}^{\infty} \frac{f^{(n)}(0)}{n!} x^n.$$

SOLUTION Montrons par induction que pour $n \geq 0$ il existe un polynôme P_n tel que

$$f^{(n)}(x) = \begin{cases} 0 & \text{si } x = 0, \\ P_n\left(\dfrac{1}{x}\right) e^{-1/x^2} & \text{si } x \neq 0. \end{cases}$$

Si $n = 0$, il suffit de poser $P_0(x) = 1$. Supposons que pour $n = k$ il existe une fonction polynomiale P_k telle que

$$f^{(k)}(x) = \begin{cases} 0 & \text{si } x = 0, \\ P_k\left(\dfrac{1}{x}\right) e^{-1/x^2} & \text{si } x \neq 0. \end{cases}$$

Si $x \neq 0$,

$$f^{(k+1)}(x) = P_k\left(\frac{1}{x}\right) e^{-1/x^2} \left(\frac{2}{x^3}\right) - \left(\frac{1}{x^2}\right) P_k'\left(\frac{1}{x}\right) e^{-1/x^2}$$

$$= e^{-1/x^2} \left[\left(\frac{2}{x^3}\right) P_k\left(\frac{1}{x}\right) - \left(\frac{1}{x^2}\right) P_k'\left(\frac{1}{x}\right) \right].$$

Posons

$$P_{k+1}(x) = 2x^3 P_k(x) - x^2 P_k'(x).$$

Pour $x \neq 0$,

$$f^{(k+1)}(x) = P_{k+1}\left(\frac{1}{x}\right) e^{-1/x^2}.$$

Si $x = 0$,

$$f^{(k+1)}(0) = \lim_{x \to 0} \frac{f^{(k)}(x) - f^{(k)}(0)}{x - 0}$$

$$= \lim_{x \to 0} \left(\frac{1}{x}\right) P_k\left(\frac{1}{x}\right) e^{-1/x^2}.$$

Donc si $P_k(x) = \sum_{i=0}^{n} c_i x^i$,

$$f^{(k+1)}(0) = \lim_{x \to 0} \frac{1}{x} \sum_{i=0}^{n} c_i \left(\frac{1}{x^i}\right) e^{-1/x^2} = \sum_{i=0}^{n} c_i \lim_{x \to 0} \frac{1}{x^{i+1} e^{1/x^2}}.$$

D'après la règle de L'Hôpital,

$$\lim_{x \to 0} \frac{1}{x^{i+1} e^{1/x^2}} = 0, \quad i \geq 0.$$

Nous avons montré que $f^{(n)}$ existe et que $f^{(n)}(0) = 0$, $\forall n \in \mathbb{N}$. Donc la série de Taylor au voisinage de 0, associée à cette fonction, existe. C'est

$$\sum_{n=0}^{\infty} \frac{f^{(n)}(0)}{n!} x^n = \sum_{n=0}^{\infty} 0 \, x^n.$$

Elle converge évidemment vers 0, $\forall x \in \mathbb{R}$. Or $f(x) = 0$ seulement si $x = 0$. Donc pour $x \neq 0$,

$$f(x) \neq \sum_{n=0}^{\infty} \frac{f^{(n)}(0)}{n!} x^n.$$

Cette fonction n'est donc pas analytique dans un voisinage de 0.

On peut associer une série de puissances de la forme

$$\sum_{n=0}^{\infty} \frac{f^{(n)}(0)}{n!} x^n$$

à une fonction f indéfiniment différentiable en 0. Nous avons déjà signalé qu'une telle série ne converge pas obligatoirement vers $f(x)$. Avant de démontrer le théorème 9.28 sur la convergence de la série de Taylor $\sum_{n=0}^{\infty} f^{(n)}(0) x^n / n!$ vers $f(x)$, rappelons ce qui suit.

Soit f une fonction indéfiniment différentiable sur l'intervalle $(-R, R)$. La formule de Taylor $\forall x$ dans $(-R, R)$ et $\forall n \in \mathbb{N}$ donne

$$f(x) = \sum_{i=0}^{n} \frac{f^{(i)}(0)}{i!} x^i + R_{n+1}(x),$$

où

$$R_{n+1}(x) = \frac{1}{(n+1)!} f^{(n+1)}(c) x^{n+1}, \quad 0 < c < x.$$

Théorème 9.28 *Une condition nécessaire et suffisante pour que la série de Taylor* $\sum_{n=0}^{\infty} \frac{f^{(n)}(0)}{n!} x^n$ *converge vers $f(x)$ est que le reste de Lagrange*

$$\frac{f^{(n+1)}(c)}{(n+1)!} x^{n+1}, \quad 0 < c < x,$$

de la formule de Taylor tende vers 0 quand n tend vers l'infini.

Démonstration   L'équation

$$f(x) - \sum_{i=0}^{n} \frac{f^{(i)}(0)}{i!} x^i = \frac{f^{(n+1)}(c)}{(n+1)!} x^{n+1}$$

donne la conclusion.   ∎

Remarque D'après la formule (6.7), la série de Taylor correspondant à la fonction $f(x)$ converge vers $f(x)$ si et seulement si

$$\lim_{n \to \infty} \frac{1}{(n-1)!} \int_0^x (x-t)^{n-1} f^{(n)}(t)\, dt = 0.$$

La condition de convergence du théorème 9.28 n'est pas pratique, car elle fait intervenir un nombre c dont on sait seulement qu'il est compris entre 0 et x et qu'il varie avec n. Le corollaire 9.29 fournit une condition suffisante très intéressante.

Corollaire 9.29 *Pour que la série de Taylor $\displaystyle\sum_{n=0}^{\infty} \frac{f^{(n)}(0)}{n!} x^n$ converge vers $f(x)$ pour $x \in (-\delta, \delta)$, il suffit qu'une même constante borne toutes ses dérivées $f^{(n)}$, $n \geq 0$, dans $(-\delta, \delta)$.*

DÉMONSTRATION S'il existe un nombre M tel que $|f^{(n)}(x)| \leq M$, $\forall x \in (-\delta, \delta)$, $\forall n \in \mathbb{N}$,

$$\lim_{n \to \infty} \frac{M x^{n+1}}{(n+1)!} = 0$$

puisque $M x^{n+1}/(n+1)!$ est le terme général d'une série convergente. D'après le théorème 9.28, la fonction f est analytique dans $(-\delta, \delta)$. ∎

De nombreuses fonctions remplissent cette condition suffisante.

Exemple 9.30

1. Trouvons la série de Taylor de la fonction $f(x) = \sin x$, au voisinage de 0.

SOLUTION Soit $f(x) = \sin x$, $\forall x \in \mathbb{R}$. Puisque $|f^{(n)}(x)| \leq 1$, $\forall x \in \mathbb{R}$, $\forall n \in \mathbb{N}$, nous pouvons appliquer le corollaire 9.29. On obtient

$$\sin x = \sum_{n=0}^{\infty} \frac{f^{(n)}(0)}{n!} x^n.$$

Or

$$f^{(n)}(0) = \begin{cases} 0 & \text{si } n \text{ est pair}, \\ (-1)^{(n-1)/2} & \text{si } n \text{ est impair}. \end{cases}$$

Donc

$$\sin x = \sum_{k=0}^{\infty} \frac{(-1)^k x^{2k+1}}{(2k+1)!}.$$

De même,

$$\cos x = \sum_{k=0}^{\infty} \frac{(-1)^k x^{2k}}{(2k)!}.$$

2. Montrons que $e^x = \sum_{n=0}^{\infty} x^n/n!$.

SOLUTION   Soit $f(x) = e^x$. Donc $\forall x \in [-M, M], 0 < M < \infty$,

$$|f^{(n)}(x)| = e^x \le e^M.$$

Donc

$$e^x = \sum_{n=0}^{\infty} \frac{x^n}{n!}, \quad \forall x \in \mathbb{R}.$$

3. Soit $\alpha \in \mathbb{R}$ et $|x| < 1$. Montrons que

$$(1+x)^\alpha = 1 + \sum_{n=1}^{\infty} \frac{\alpha(\alpha-1)(\alpha-2)\ldots(\alpha-n+1)}{n!} x^n. \tag{9.1}$$

SOLUTION   Posons $f(x) = (1+x)^\alpha$. Donc pour $n = 1, 2, 3, \ldots$,

$$f^{(n)}(x) = \alpha(\alpha-1)\ldots(\alpha-n+1)(1+x)^{\alpha-n}.$$

La série de Taylor de f autour de 0 est donc

$$1 + \sum_{n=1}^{\infty} \frac{\alpha(\alpha-1)\ldots(\alpha-n+1)}{n!} x^n. \tag{9.2}$$

Cette série est appelée *série binomiale*. Par définition, $\binom{\alpha}{n} = 1$ pour $n = 0$

et $\binom{\alpha}{n} = \dfrac{\alpha(\alpha-1)\cdots(\alpha-n+1)}{n!}$ pour $n \ge 1$. La série binomiale peut donc s'écrire sous la forme

$$\sum_{n=0}^{\infty} \binom{\alpha}{n} x^n.$$

Si α est un entier ≥ 0, $\alpha(\alpha - 1) \cdots (\alpha - n + 1) = 0$ pour $\alpha < n$ et la série devient le polynôme

$$\sum_{n=0}^{\alpha} \binom{\alpha}{n} x^n.$$

Pour toutes les autres valeurs de α, on obtient une série. Pour étudier la convergence de cette série lorsque $\alpha \notin \mathbb{N}$, utilisons le théorème 9.17. Ainsi

$$\lim_{n \to \infty} \left| \frac{\binom{\alpha}{n}}{\binom{\alpha}{n+1}} \right| = \lim_{n \to \infty} \left| \frac{n+1}{\alpha - n} \right| = 1.$$

Donc pour $\alpha \in \mathbb{R} \setminus \mathbb{N}$, la série (9.2) converge absolument pour $|x| < 1$.

Montrons que

$$(1 + x)^\alpha = \sum_{n=0}^{\infty} \binom{\alpha}{n} x^n, \qquad -1 < x < 1.$$

Pour $\alpha \in \mathbb{N}$, cette équation devient l'identité bien connue (binôme de Newton)

$$(1 + x)^\alpha = \sum_{n=0}^{\alpha} \binom{\alpha}{n} x^n$$

vraie pour tout x.

Supposons que $\alpha \notin \mathbb{N}$ et $0 \leq x < 1$. D'après la formule de Taylor,

$$(1 + x)^\alpha = \sum_{k=0}^{n-1} \binom{\alpha}{k} x^k + R_n(x),$$

avec

$$R_n(x) = \frac{f^{(n)}(c)}{n!} x^n = \binom{\alpha}{n} (1 + c)^{\alpha - n} x^n, \quad c \in (0, x).$$

Pour $n > \alpha$, $(1 + c)^{\alpha - n} \leq 1$ et

$$|R_n(x)| \leq \binom{\alpha}{n} x^n.$$

Or $\binom{\alpha}{n} x^n$ est le n-ième terme de la série convergente $\sum_{n=0}^{\infty} \binom{\alpha}{n} x^n$. Donc $\lim_{n \to \infty} \binom{\alpha}{n} x^n = 0$ et $\lim_{n \to \infty} R_n(x) = 0$. D'où

$$(1 + x)^\alpha = \sum_{n=0}^{\infty} \binom{\alpha}{n} x^n, \qquad 0 \leq x < 1.$$

Il suffit maintenant d'étudier $R_n(x) = \binom{\alpha}{n}(1+c)^{\alpha-n}x^n$ pour $x \in (-1,0)$ lorsque $n \to \infty$. Or $(1+c)^{\alpha-n} \leq (1+x)^{\alpha-n}$ pour $n > \alpha$. Donc

$$|R_n(x)| \leq (1+x)^\alpha \left| \binom{\alpha}{n} \left(\frac{x}{1+x} \right)^n \right|.$$

Puisque $|x/(1+x)| > 1$ pour $-1 < x < -\frac{1}{2}$ et que

$$\lim_{n \to \infty} \left| \frac{\binom{\alpha}{n+1}(x/(1+x))^{n+1}}{\binom{\alpha}{n}(x/(1+x))^n} \right| = \lim_{n \to \infty} \left| \frac{\binom{\alpha}{n+1}}{\binom{\alpha}{n}} \frac{x}{1+x} \right| = \left| \frac{x}{1+x} \right| > 1,$$

$\left| \binom{\alpha}{n}(x/(1+x))^n \right|$ croît pour n suffisamment grand. Donc cet estimé pour $R_n(x)$ lorsque $-1 < x < -\frac{1}{2}$ est inutile puisque nous voulons montrer que $\lim_{n \to \infty} R_n(x) = 0$. Pour obtenir un meilleur estimé pour $R_n(x)$, utilisons l'équation (6.7).

Pour $|x| < 1$, on a

$$f(x) = \sum_{k=0}^{n-1} \frac{f^{(k)}(0)}{k!} x^k + R_n(x),$$

avec

$$R_n(x) = \frac{1}{(n-1)!} \int_0^x (x-t)^{n-1} f^{(n)}(t)\, dt$$

$$= \frac{1}{(n-1)!} \int_0^x (x-t)^{n-1} \alpha(\alpha-1)\cdots(\alpha-n+1)(1+t)^{\alpha-n}\, dt$$

$$= \frac{\alpha(\alpha-1)\cdots(\alpha-n+1)}{(n-1)!} \int_0^x \left(\frac{x-t}{1+t} \right)^{n-1} (1+t)^{\alpha-1}\, dt$$

Or pour $-1 < x \leq t \leq 0$,

$$\left| \frac{x-t}{1+t} \right| \leq |x|.$$

En effet, posons $t = xy$ pour $y \in [0,1]$. Il s'ensuit que

$$\left| \frac{x-t}{1+t} \right| = \left| \frac{x-xy}{1+xy} \right| = |x| \left| \frac{1-y}{1+xy} \right| \leq |x|,$$

puisque $1+xy \geq 1-y$. Donc

$$R_n(x) \leq \frac{\alpha(\alpha-1)\cdots(\alpha-n+1)}{(n-1)!} |x|^{n-1} \int_0^x |(1+t)|^{\alpha-1}\, dt.$$

Or la série

$$\sum_{n=1}^{\infty} \frac{\alpha(\alpha-1)\ldots(\alpha-n+1)}{(n-1)!} x^{n-1}$$

converge pour $|x| < 1$. Donc $\lim_{n\to\infty} \frac{\alpha(\alpha-1)\cdots(\alpha-n+1)}{(n-1)!} x^{n-1} = 0$ pour $|x| < 1$, c'est-à-dire que

$$\lim_{n\to\infty} R_n(x) = 0 \quad \text{pour } -1 < x < 0.$$

9.7   Opérations sur les séries de puissances

Analysons le comportement des séries de puissances obtenues en effectuant diverses opérations algébriques sur les séries.

Théorème 9.31   *Soit la série de puissances $f(x) = \sum_{n=0}^{\infty} a_n x^n$ de rayon de convergence R_1 et la série de puissances $g(x) = \sum_{n=0}^{\infty} b_n x^n$ de rayon de convergence R_2. On a*

a) *pour toute constante $k \neq 0$, $kf(x) = \sum_{n=0}^{\infty} k a_n x^n$ est une série de puissances de rayon de convergence R_1,*

b) *$f(x) + g(x) = \sum_{n=0}^{\infty}(a_n + b_n)x^n$ est une série de puissances de rayon de convergence $R = \min\{R_1, R_2\}$,*

c) *$f(x) \cdot g(x) = \sum_{n=0}^{\infty} c_n x^n$, où $c_n = \sum_{k=0}^{n} a_k b_{n-k}$, est une série de puissances de rayon de convergence $R = \min\{R_1, R_2\}$.*

DÉMONSTRATION

a) Soit $x \in (-R_1, R_1)$. Alors

$$k \sum_{n=0}^{\infty} a_n x^n = \sum_{n=0}^{\infty} k a_n x^n,$$

ce qui prouve a).

b) Soit $x \in (-R, R)$ où $R = \min\{R_1, R_2\}$. Les séries $\sum_{n=0}^{\infty} a_n x^n$ et $\sum_{n=0}^{\infty} b_n x^n$ convergent donc absolument. Posons $A_n = a_n x^n$, $B_n = b_n x^n$. Alors

$$\sum_{n=0}^{\infty} A_n + \sum_{n=0}^{\infty} B_n = \sum_{n=0}^{\infty}(A_n + B_n)$$

ce qui prouve b).

c) Il suffit d'utiliser l'égalité

$$\left(\sum_{n=0}^{\infty} A_n\right)\left(\sum_{n=0}^{\infty} B_n\right) = \sum_{n=0}^{\infty} C_n,$$

où $C_n = \sum_{k=0}^{n} A_k B_{n-k} = \sum_{k=0}^{n} a_k x^k b_{n-k} x^{n-k} = x^n \sum_{n=0}^{n} a_k b_{n-k} = c_n x^n.$ ∎

Exemple 9.32   Pour $|x| < 1$, montrons que

$$\log \frac{1+x}{1-x} = 2 \sum_{n=0}^{\infty} \frac{x^{2n+1}}{2n+1}.$$

SOLUTION   Pour $|x| < 1$,

$$\log(1+x) = \sum_{n=0}^{\infty} (-1)^n \frac{x^{n+1}}{n+1}. \tag{9.3}$$

Le remplacement de x par $-x$ dans cette équation donne

$$\log(1-x) = -\sum_{n=0}^{\infty} \frac{x^{n+1}}{n+1}, \quad |x| < 1. \tag{9.4}$$

Les deux séries (9.3) et (9.4), ont un intervalle de convergence commun : $|x| < 1$. La soustraction de l'égalité (9.4) de l'égalité (9.3) et l'utilisation des parties a) (avec $k = -1$) et b) du théorème 9.31 donnent

$$\log \frac{1+x}{1-x} = 2 \sum_{n=0}^{\infty} \frac{x^{2n+1}}{2n+1}, \quad |x| < 1. \tag{9.5}$$

Cette équation peut servir pour calculer le logarithme népérien de tout entier positif. En effet, si on pose

$$\frac{1+x}{1-x} = \frac{N+1}{N}, \quad N > 0,$$

on trouve $x = 1/(2N+1)$ et en remplaçant cette valeur dans (9.5), on obtient

$$\log \frac{N+1}{N} = 2 \sum_{k=1}^{\infty} \frac{1}{(2k-1)(2N+1)^{2k-1}} \tag{9.6}$$

qui converge pour tout $N > 0$. Évaluons l'erreur E_n commise en ne gardant que les n premiers termes dans le deuxième membre de (9.5). Ainsi

$$E_n = 2 \sum_{k=n+1}^{\infty} \frac{1}{(2k-1)(2N+1)^{2k-1}}$$

$$< \frac{2}{(2n+1)} \frac{1}{(2N+1)^{2n+1}} \sum_{k=0}^{\infty} \frac{1}{(2N+1)^{2k}}.$$

Or

$$\sum_{k=0}^{\infty} \frac{1}{(2N+1)^{2k}} = \frac{(2N+1)^2}{4N(N+1)}.$$

D'où

$$E_n < \frac{1}{2(2n+1)} \frac{1}{(2N+1)^{2n-1}} \frac{1}{N(N+1)}.$$

Si on pose $N = 1$ et $n = 4$, par exemple, dans (9.5), on obtient

$$\log 2 \approx 2 \left(\frac{1}{3} + \frac{1}{3 \cdot 3^3} + \frac{1}{5 \cdot 3^5} + \frac{1}{7 \cdot 3^7} \right) = 0{,}693\ 12$$

et l'erreur vérifie

$$E_4 < \frac{1}{2 \cdot 9 \cdot 3^7 \cdot 2} < \frac{1}{75\ 000}.$$

On obtient donc $\log 2$ avec quatre décimales exactes.

Exemple 9.33   Trouvons la série de puissances de $\cos^2 x$.

SOLUTION   La série $\displaystyle\sum_{n=0}^{\infty} \frac{(-1)^n x^{2n}}{(2n)!}$ converge absolument vers $\cos x$ pour tout x. On peut donc obtenir la série de puissances de $\cos^2 x$ par multiplication. Cette série sera valable pour tout x. Donc

$$\cos^2 x = \sum_{n=0}^{\infty} \frac{(-1)^n x^{2n}}{(2n)!} \sum_{n=0}^{\infty} \frac{(-1)^n x^{2n}}{(2n)!}$$

$$= \sum_{n=0}^{\infty} \left(\sum_{k=0}^{n} \frac{(-1)^k x^{2k}}{(2k)!} \frac{(-1)^{n-k} x^{2n-2k}}{(2n-2k)!} \right)$$

$$= \sum_{n=0}^{\infty} \left((-1)^n x^{2n} \sum_{k=0}^{n} \frac{1}{(2k)!(2n-2k)!} \right)$$

$$= \sum_{n=0}^{\infty} \left(\frac{(-1)^n}{(2n)!} \left(\sum_{k=0}^{n} \binom{2n}{2k} \right) x^{2n} \right)$$

$$= 1 + \sum_{n=1}^{\infty} \left(\frac{(-1)^n}{(2n)!} \left(\sum_{k=0}^{n} \binom{2n}{2k} \right) x^{2n} \right).$$

Or

$$\binom{2n}{2k} = \binom{2n-1}{2k-1} + \binom{2n-1}{2k}.$$

D'où

$$\sum_{k=0}^{n} \binom{2n}{2k} = \sum_{i=0}^{2n-1} \binom{2n-1}{i} = (1+1)^{2n-1} = 2^{2n-1}.$$

Donc

$$\cos^2 x = 1 + \sum_{n=1}^{\infty} \frac{(-1)^n 2^{2n-1}}{(2n)!} x^{2n}.$$

Puisque $\cos^2 x = \frac{1}{2}(1 + \cos(2x))$, alors

$$\frac{1}{2} \left(1 + \sum_{n=0}^{\infty} \frac{(-1)^n (2x)^{2n}}{(2n)!} \right) = 1 + \sum_{n=1}^{\infty} \frac{(-1)^n 2^{2n-1} x^{2n}}{(2n)!}.$$

C'est donc dire que le résultat est bon. De même, en faisant le produit ou en utilisant $\sin^2 x = \frac{1}{2}(1 - \cos(2x))$, on trouve

$$\sin^2 x = \sum_{n=1}^{\infty} \frac{(-1)^{n-1} 2^{2n-1}}{(2n)!} x^{2n}.$$

L'addition de ces deux séries de puissances donne l'identité bien connue

$$\cos^2 x + \sin^2 x = 1, \quad x \in \mathbb{R}.$$

Théorème 9.34 *Soit la série de puissances $\sum_{n=0}^{\infty} a_n x^n$, $a_0 = 1$, de rayon de convergence différent de 0. Alors*

$$\frac{1}{\sum_{n=0}^{\infty} a_n x^n} = \sum_{n=0}^{\infty} b_n x^n$$

*est une série de puissances de rayon de convergence différent de 0, et les termes b_i
sont*

$$b_0 = 1$$
$$b_1 = -a_1 b_0$$
$$\vdots$$
$$b_n = -\sum_{k=1}^{n} a_k b_{n-k}.$$

DÉMONSTRATION   S'il existe une telle série de puissances,

$$\left(\sum_{n=0}^{\infty} a_n x^n\right)\left(\sum_{n=0}^{\infty} b_n x^n\right) = 1$$
$$= \sum_{n=0}^{\infty} c_n x^n$$

où $c_n = \sum_{k=0}^{n} a_k b_{n-k}$.

Mais d'après l'unicité des termes d'une série de puissances,

$$c_0 = 1 \quad \text{et} \quad c_n = 0 \quad \text{pour } n = 1, 2, \ldots$$

Donc

$$a_0 b_0 = b_0 = 1 \quad \text{et} \quad \sum_{k=0}^{n} a_k b_{n-k} = 0 \quad \text{pour } n = 1, 2, \ldots,$$

ou

$$b_n = -\sum_{k=1}^{n} a_k b_{n-k} \quad \text{pour } n = 1, 2, \ldots$$

Pour terminer la démonstration de ce théorème, il reste à montrer que $\sum_{n=0}^{\infty} b_n x^n$ est
une série de puissances de rayon de convergence différent de 0.

Soit $R > 0$ le rayon de convergence de la série de puissances $\sum_{n=0}^{\infty} a_n x^n$. Donc
pour tout $r \in \mathbb{R}$ tel que $0 < r < R$, la série $\sum_{n=0}^{\infty} a_n r^n$ converge et par conséquent
il existe un nombre $M \geq 1$ tel que

$$|a_n r^n| \leq M, \quad n = 0, 1, 2 \ldots$$

Donc

$$|a_n| \leq M/r^n, \quad \text{pour } n = 0, 1, 2, \ldots$$

D'où

$$|b_0| = 1 = |a_0| \le M$$

$$|b_1| = |a_1 b_0| = |a_1| \le M/r$$

$$|b_2| \le |a_1 b_1| + |a_2 b_0| \le \left(\frac{M}{r}\right)^2 + \frac{M}{r^2} \cdot M \le 2\frac{M^2}{r^2}.$$

Par induction,

$$|b_n| \le 2^{n-1} M^n / r^n \le 2^n M^n / r^n, \quad n = 1, 2, \ldots$$

Donc, d'après le critère de comparaison, la série $\sum b_n x^n$ converge absolument pour tout x vérifiant $|x| < r/2M$. Donc le rayon de convergence de $\sum b_n x^n$ est supérieur au nombre positif $\ge r/2M$. ∎

Exemple 9.35 Trouvons la série de puissances de $\dfrac{xe^x}{\sin x}$.

SOLUTION   On a $\sin x = \displaystyle\sum_{n=0}^{\infty} \frac{(-1)^n x^{2n+1}}{(2n+1)!} = \sum_{n=0}^{\infty} a_n^* x^n$. Puisque $a_0^* = 0$, on ne peut appliquer le théorème 9.34. Pour contourner cette difficulté, étudions la fonction

$$\frac{\sin x}{x} = \sum_{n=0}^{\infty} \frac{(-1)^n x^{2n}}{(2n+1)!} = \sum_{n=0}^{\infty} a_n x^n,$$

où $a_0 = 1$. Le théorème 9.34 donne

$$\frac{x}{\sin x} = \sum_{n=0}^{\infty} b_n x^n,$$

où

$$b_0 = 1 \quad \text{et} \quad b_n = -\sum_{k=1}^{n} a_k b_{n-k}, \quad \text{pour } n = 1, 2, \ldots$$

Donc

$$b_1 = -a_1 b_0 = 0$$
$$b_2 = -(a_1 b_1 + a_2 b_0) = -a_2 = 1/6$$
$$b_3 = 0$$
$$b_4 = -(a_1 b_3 + a_2 b_2 + a_3 b_1 + a_4 b_0) = 7/360$$

et ainsi de suite. On a donc

$$\frac{x}{\sin x} = 1 + \frac{1}{6}x^2 + \frac{7}{360}x^4 + \cdots$$

Par conséquent

$$e^x \frac{x}{\sin x} = \left(1 + x + \frac{x^2}{2!} + \cdots\right)\left(1 + \frac{x^2}{6} + \frac{7}{360}x^4 + \cdots\right)$$

$$= 1 + x + \frac{2}{3}x^2 + \frac{x^3}{3} + \cdots$$

Un procédé très intéressant donne la série de puissances d'un quotient de la forme $f(x)/g(x)$. Appelé *méthode des coefficients indéterminés*, ce procédé consiste à trouver les coefficients c_n de la série de puissances

$$\sum_{n=0}^{\infty} c_n x^n = f(x)/g(x)$$

sachant que

$$g(x) = \sum_{n=0}^{\infty} a_n x^n, \quad a_0 = 1.$$

Utilisons ce procédé pour trouver la série de puissances de $\tan x$.

Posons $\tan x = \sum_{n=0}^{\infty} c_n x^n$. Puisque $\tan(-x) = -\tan x$, ($\tan x$ étant une fonction impaire), $c_n = 0$ pour chaque entier pair n. Donc

$$\tan x = \sum_{n=0}^{\infty} c_{2n+1} x^{2n+1}$$

ou

$$\sum_{n=0}^{\infty} \frac{(-1)^n x^{2n+1}}{(2n+1)!} = \sum_{n=0}^{\infty} \frac{(-1)^n x^{2n}}{(2n)!} \sum_{n=0}^{\infty} c_{2n+1} x^{2n+1}$$

$$= \sum_{n=0}^{\infty} \sum_{k=0}^{n} \frac{c_{2k+1} x^{2k+1} (-1)^{n-k} x^{2n-2k}}{(2n-2k)!}$$

$$= \sum_{n=0}^{\infty} (-1)^n \sum_{k=0}^{n} \frac{(-1)^k c_{2k+1}}{(2n-2k)!} x^{2n+1}.$$

Cette égalité permet d'écrire

$$\sum_{k=0}^{n} \frac{(-1)^k c_{2k+1}}{(2n-2k)!} = \frac{1}{(2n+1)!}, \quad n \geq 0.$$

D'où

$$c_1 = 1, \ c_3 = \frac{1}{3}, \ c_5 = \frac{2}{15}, \ \ldots$$

Donc

$$\tan x = x + \frac{x^3}{3} + \frac{2}{15}x^5 + \cdots$$

9.7.1   Exercices

1. Développer en série de Taylor autour de $x_0 = 0$ chaque fonction ci-dessous.

   a) $\cos x$, b) $(1+x)^n$, c) $(x+2)^{-1}$,

   d) $\log(1+x)$, e) $\int_0^x \frac{\sin t}{t}\, dt$, f) e^{-x^2}.

2. Développer en série de Taylor ($x_0 = 0$) la fonction $(1+x)\log(1+x)$ et trouver le rayon de convergence de cette série. Montrer que

$$\log 2 = \frac{1}{2}\left(1 + \sum_{n=1}^{\infty} \frac{(-1)^{n+1}}{n(n+1)}\right).$$

3. Développer en série de Taylor la fonction $\dfrac{d}{dx}\left\{\dfrac{e^x - 1 - x}{x^2}\right\}$ et montrer que

$$\sum_{n=1}^{\infty} n/(n+2)! = 3 - e.$$

4. Par les séries de puissances, démontrer les identités ci-dessous.

   a) $\cos(x+y) = \cos x \cos y - \sin x \sin y, \quad -\infty < x,y < +\infty,$
   b) $e^{x+y} = e^x e^y, \quad -\infty < x,y < +\infty.$

5. Trouver la série de puissances de chaque fonction ci-dessous.

   a) $e^x / \cos x$, b) $1/\tan x.$

6. a) Soit $S_n = \sum_{k=0}^{n} \dfrac{1}{k!}$. Montrer que pour tout $n \geq 1$

$$0 < e - S_n < \frac{1}{n!n}.$$

b) De la partie a), déduire que $e = \sum_{n=0}^{\infty} \dfrac{1}{n!}$ est un nombre irrationnel.

Exercices sur le chapitre 9

1. Déterminer l'intervalle de convergence de chaque série ci-dessous.

a) $\displaystyle\sum_{n=0}^{\infty} \frac{(x+2)^n}{2^n}$,

b) $\displaystyle\sum_{n=1}^{\infty} \frac{n!\,x^n}{1 \cdot 3 \cdot 5 \cdots (2n-1)}$,

c) $\displaystyle\sum_{n=0}^{\infty} \frac{(n!)^2 x^n}{(2n)!}$,

d) $\displaystyle\sum_{n=0}^{\infty} \frac{(-1)^n (5/2)^n x^n}{n+2}$,

e) $\displaystyle\sum_{n=1}^{\infty} \frac{(-1)^{n+1}(x-3)^n}{n\,5^n}$,

f) $\displaystyle\sum_{n=1}^{\infty} \frac{(-1)^{n+1} x^n}{n}$,

g) $\displaystyle\sum_{n=0}^{\infty} \frac{(2x)^n}{(n+1)!}$,

h) $\displaystyle\sum_{n=0}^{\infty} \frac{(-1)^{n+1} x^n}{3^n}$,

i) $\displaystyle\sum_{n=1}^{\infty} \frac{x^n}{2^n \sqrt{n}}$,

j) $\displaystyle\sum_{n=2}^{\infty} \frac{(-1)^n x^n}{n \log n}$.

2. Montrer chaque égalité ci-dessous.

a) $\displaystyle\int_0^\pi \sum_{n=1}^{\infty} \frac{\sin nx}{n^2}\, dx = \sum_{n=1}^{\infty} \frac{2}{(2n-1)^3}$,

b) $\dfrac{d}{dx} \displaystyle\sum_{n=1}^{\infty} n^{-x} = -\sum_{n=1}^{\infty} \frac{\log n}{n^x}$, $\quad x > 1$,

c) $\dfrac{d}{dx} \displaystyle\sum_{n=0}^{\infty} \frac{(-1)^n x^{2n+1}}{(2n+1)!} = \sum_{n=0}^{\infty} \frac{(-1)^n x^{2n}}{(2n)!}$, $\quad x \in \mathbb{R}$.

3. Soit $f(x) = \displaystyle\sum_{n=0}^{\infty} \frac{(-1)^n x^{2n}}{(2n)!}$ et $g(x) = \displaystyle\sum_{n=0}^{\infty} \frac{(-1)^n x^{2n+1}}{(2n+1)!}$.

a) Trouver le rayon de convergence de chacune de ces séries de puissances.

b) Montrer que $f'(x) = -g(x)$ et $g'(x) = f(x)$ pour tout $x \in \mathbb{R}$.

4. Déterminer le rayon de convergence de chaque série ci-dessous et trouver une fonction élémentaire qui est la somme de chacune d'elles dans l'intervalle de convergence correspondant.

a) $\displaystyle\sum_{n=1}^{\infty} \frac{x^n}{n}$,

b) $\displaystyle\sum_{n=1}^{\infty} \frac{x^n}{n(n+1)}$.

5. Développer en série de Taylor autour de $x_0 = 0$ chaque fonction ci-dessous.

a) $\displaystyle\int_0^x \frac{\sin^2 t}{t^2}\, dt$,

b) $\cos^2 x - \sin^2 x$,

c) $\log(1 + x^2)^{-1}$.

6. Par les séries de puissances, démontrer l'identité

$$\sin(x + y) = \sin x \cos y + \cos x \sin y, \quad -\infty < x, y < +\infty.$$

Annexe A

Généralités sur les ensembles

A.1 Rappels de la théorie des ensembles

Sans développer complètement la théorie des ensembles, nous donnons les principaux éléments de ce langage et les notations utilisées.

La notion d'ensemble est fondamentale en mathématiques. C'est une notion primitive, c'est-à-dire indéfinissable par d'autres notions. Les termes «groupement», «famille», «collection» sont synonymes d'«ensemble».

Comme exemples d'ensembles, citons l'ensemble des nombres premiers, un système de deux équations à deux inconnues, l'ensemble des étudiants suivant le cours d'analyse réelle. Ces exemples montrent qu'un ensemble peut être constitué d'un nombre fini ou infini d'objets.

Les objets qui composent un ensemble sont appelés *éléments* de cet ensemble. On représente les ensembles par des majuscules et leurs éléments par des minuscules. Si a est un élément de l'ensemble A, on écrit $a \in A$ et on lit «*a appartient à* (ou *est un élément de*) *A*». Si a n'est pas élément de A, on écrit $a \notin A$ et on lit «*a n'appartient pas à* (ou *n'est pas un élément de*) *A*». L'écriture $A = \{a_1, a_2, \ldots, a_m\}$ signifie que A est composé des éléments $a_1, a_2, \ldots, a_m$. Si A possède un nombre fini d'éléments, $|A|$ dénote le nombre d'éléments de A, on l'appelle aussi *cardinalité* de A. Un ensemble qui ne contient aucun élément est, par définition, *l'ensemble vide* et on le représente par le symbole $\varnothing$.

Soit A et B deux ensembles. Si A et B sont constitués des mêmes éléments, on dit qu'ils sont égaux et on écrit $A = B$. Si tous les éléments de A appartiennent à B, on dit que A est *contenu* ou *inclus* dans B, ou encore que A est un *sous-ensemble* ou une *partie* de B. Et on écrit $A \subset B$ ou $B \supset A$ (B contient A). On convient que $\varnothing$ et A sont des sous-ensembles particuliers de A. Certains auteurs utilisent la notation $A \subseteq B$ pour signifier que A est un sous-ensemble de B. Pour eux, $A \subset B$ signifie que $A \subseteq B$ et $A \neq B$.

On appelle *réunion* de deux ensembles A et B le nouvel ensemble formé de tous les éléments qui appartiennent à A ou à B; on la note $A \cup B$ et on lit «A union B». Donc

$$A \cup B = \{x \mid x \in A \text{ ou } x \in B\}.$$

On appelle *intersection* de deux ensembles A et B le nouvel ensemble formé des éléments communs à A et B; on la note $A \cap B$ et on lit «A inter B». Donc

$$A \cap B = \{x \mid x \in A \text{ et } x \in B\}.$$

Si $A \cap B = \varnothing$, on dit que A et B sont *disjoints*, sinon on dit que A et B se *coupent*.

La *différence* de deux ensembles A et B, notée $A \setminus B$ (lire «A moins B»), est le nouvel ensemble défini par

$$A \setminus B = \{x \mid x \in A \text{ et } x \notin B\}.$$

Si $A \subset B$, le *complémentaire* de A par rapport à l'ensemble B est l'ensemble formé des éléments de B qui n'appartiennent pas à A. On le note $\complement_B^A$ ou A' lorsqu'il n'y a pas d'ambiguïté.

A.2   Quelques symboles

Nous n'indiquons que les symboles logiques les plus simples et les plus courants.

1. Le signe $\Rightarrow$ indique une *implication* ou une inférence logique. Par exemple, $ABCD$ est un parallélogramme $\Rightarrow AD$ est parallèle à BC.

2. Le signe $\iff$ est le signe de l'*équivalence logique*, c'est une sorte d'implication qui se lit dans les deux sens. Par exemple,

$$n \in \mathbb{N} \text{ est un nombre pair } \iff n = 2m \text{ pour } m \in \mathbb{N}.$$

3. Le signe $\forall$ se lit «*quel que soit*» ou «*pour tout*» et il est appelé *quantificateur universel*.

4. Le signe $\exists$ se lit «*il existe*» et il est appelé *quantificateur existentiel*.

Donc $\exists\, x \in A \ldots$ signifie : «il existe un élément x de $A \ldots$»; $\forall x \in A \ldots$ signifie «pour tout élément x de $A \ldots$». Par exemple, l'expression

$$\forall \varepsilon > 0, \exists\, \delta > 0, \forall x, 0 < |x - x_0| < \delta \Rightarrow |f(x) - \ell| < \varepsilon$$

se lit «quel que soit $\varepsilon > 0$, il existe un $\delta > 0$ tel que pour tout x satisfaisant l'inégalité $0 < |x - x_0| < \delta$, $|f(x) - \ell| < \varepsilon$.»

Le symbole ▮ exprime la fin d'une démonstration. Anciennement, on écrivait C.Q.F.D. (ce qu'il fallait démontrer).

Théorème A.1 *Si $A \subset E$ et $B \subset E$,*
a) $(A')' = A$, b) $(A \cup B)' = A' \cap B'$, c) $(A \cap B)' = A' \cup B'$.

DÉMONSTRATION Pour a), on obtient

$$(A')' = \{x \in E \mid x \notin A'\} = \{x \in E \mid x \in A\} = A.$$

Les identités b) et c) sont appelées *lois de De Morgan*.

Pour démontrer b), nous procédons comme suit :

$$
\begin{aligned}
x \in (A \cup B)' &\iff x \notin A \cup B \iff non(x \in A \cup B) \\
&\iff non((x \in A) \text{ ou } (x \in B)) \iff x \notin A \text{ et } x \notin B \\
&\iff x \in A' \text{ et } x \in B' \iff x \in A' \cap B'.
\end{aligned}
$$

On démontre la partie c) de la même façon que la partie b). ▮

Remarque Notons que a) et b) impliquent c). En effet, puisque $(A' \cup B')' = (A')' \cap (B')'$, en appliquant b) à A' et B', on obtient

$$A' \cup B' = ((A' \cup B')')' = ((A')' \cap (B')')' = (A \cap B)'.$$

A.3   Relations et fonctions

Le *couple ordonné* ayant a comme première coordonnée et b comme seconde coordonnée se note (a, b). Si A et B sont des ensembles, le *produit cartésien* de A et B est

$$A \times B = \{(a, b) \mid a \in A \text{ et } b \in B\}.$$

Une *relation* de A à B est un sous-ensemble $R \subset A \times B$. Une relation $f \subset A \times B$ (écrire $f \colon A \to B$) est une *fonction* de A à B si $\forall a \in A$, il existe un et un seul $b \in B$ tel que $(a, b) \in f$. On dit que A est le *domaine* de f et B sa *portée* (ou *codomaine*). Pour un élément a donné, l'unique b tel que $(a, b) \in f$ s'appelle *l'image* de a par la fonction f et est noté $f(a)$. Si $X \subset A$, alors $f(X) = \{f(x) \mid x \in X\}$ est *l'image* (*directe*) de X par f. L'ensemble $f(A) \subset B$ s'appelle *l'image* (ou le *champ*) de f.

Si $Y \subset B$, alors $f^{-1}(Y) = \{x \in A \mid f(x) \in Y\}$ est *l'image réciproque* (ou *inverse*) de Y par f. L'ensemble des fonctions de A à B est noté B^A; cette notation, *a priori* étrange, vient du fait que si A et B sont finis et $|A| = n$, $|B| = m$, alors $|B^A| = m^n = |B|^{|A|}$.

Lemme A.2 *Si $X_1 \subset A$ et $X_2 \subset A$,*

a) $f(X_1 \cup X_2) = f(X_1) \cup f(X_2)$,

b) $f(X_1 \cap X_2) \subset f(X_1) \cap f(X_2)$,

c) $X_1 \subset X_2 \Rightarrow f(X_1) \subset f(X_2)$.

Si $Y_1 \subset B$ et $Y_2 \subset B$,

d) $f^{-1}(Y_1 \cup Y_2) = f^{-1}(Y_1) \cup f^{-1}(Y_2)$,

e) $f^{-1}(Y_1 \cap Y_2) = f^{-1}(Y_1) \cap f^{-1}(Y_2)$,

f) $Y_1 \subset Y_2 \Rightarrow f^{-1}(Y_1) \subset f^{-1}(Y_2)$.

De plus, si $X \subset A$ et $Y \subset B$, $f(f^{-1}(Y)) \subset Y$ et $X \subset f^{-1}(f(X))$.

DÉMONSTRATION   Est laissée en exercice.   ∎

Si $f: A \to B$ et $g: B \to C$ sont des fonctions, alors $g \circ f$, appelée *composée* (ou *composition*) de f et g, est la fonction de A à C définie par

$$(g \circ f)(a) = g(f(a)), \quad \forall a \in A.$$

Soit $f: A \to B$ une fonction. On dit que :

- f est *injective* si $\forall a_1, a_2 \in A$, $a_1 \neq a_2 \Rightarrow f(a_1) \neq f(a_2)$ ou $\forall a_1, a_2 \in A$, $f(a_1) = f(a_2) \Rightarrow a_1 = a_2$ ou $\forall b \in B$, $f^{-1}(\{b\})$ a au plus un élément.

- f est *surjective* si $f(A) = B$ ou $\forall b \in B$, $\exists a \in A$ tel que $f(a) = b$ ou $\forall b \in B$, $f^{-1}(\{b\})$ a au moins un élément.

- f est *bijective* si f est injective et surjective ou $\forall b \in B$, il existe un et un seul $a \in A$ tel que $f(a) = b$ ou $\forall b \in B$, $|f^{-1}(\{b\})| = 1$.

Si f est bijective alors la *fonction inverse* (ou *réciproque*) $f^{-1} \colon B \to A$ est définie par

$$f^{-1}(b) = a \iff f(a) = b.$$

Donc $f^{-1} \circ f = 1_A$ et $f \circ f^{-1} = 1_B$ où $\forall a \in A$, $1_A(a) = a$ et $\forall b \in B$, $1_B(b) = b$ (1_A et 1_B sont les *fonctions identités*). S'il existe une *bijection* (c'est-à-dire une fonction bijective) de A à B, on dit que A et B sont *équipotents* (ou *équivalents*, ou ont *même nombre d'éléments* ou *même cardinalité*). On écrit $A \cong B$.

Une relation R sur A est un sous-ensemble de $A \times A$. On dit que R est :

- *réflexive* si $\forall a \in A$, $(a, a) \in R$,

- *symétrique* si $\forall a, b \in A$, $(a, b) \in R \Rightarrow (b, a) \in R$,

- *transitive* si $\forall a, b, c \in A$, $(a, b) \in R$ et $(b, c) \in R \Rightarrow (a, c) \in R$,

- *antisymétrique* si $\forall a, b \in A$, $(a, b) \in R$ et $(b, a) \in R \Rightarrow a = b$.

Une *relation d'équivalence* est une relation à la fois réflexive, symétrique et transitive.

Une *relation d'ordre* est une relation à la fois réflexive, transitive et antisymétrique.

Si R est une relation d'équivalence sur A et $a \in A$, alors $[a] = \{b \in A \mid (a, b) \in R\}$ s'appelle la *classe d'équivalence de a selon R*. Il est facile de voir que $\forall a, b \in A$,

$$(a, b) \in R \iff [a] = [b] \iff [a] \cap [b] \neq \varnothing.$$

L'ensemble des classes d'équivalence distinctes selon R constitue donc une *partition* de A, c'est-à-dire qu'elles sont non vides, deux à deux disjointes et que leur réunion donne A.

Si R est une relation d'ordre sur A, on écrit $a \leq b$ au lieu $(a, b) \in R$. On dit que $b_0 \in B \subset A$ est un élément *maximum* (resp. *minimum*) de B si $\forall b \in B$, $b \leq b_0$ (resp. $b_0 \leq b$). Un tel élément de B, s'il existe, est unique. On dit que $a_0 \in A$ est *maximal* (resp. *minimal*) si $\forall a \in A$, $a_0 \leq a$ (resp. $a \leq a_0$) implique $a_0 = a$.

Exemple A.3 Soit X un ensemble fini, $|X| = n$, et $A = \mathcal{P}(X)$ l'ensemble de ses parties. La relation R sur A définie sur A par $(Y, Z) \in R \iff |Y| = |Z|$ est une relation d'équivalence. Si $Y \subset X$, $|Y| = k \leq n$, la classe d'équivalence $[Y]$ contient les $\binom{n}{k}$ sous-ensembles de X ayant k éléments.

Exemple A.4 La relation S sur $A = \mathcal{P}(X)$ définie par $(Y, Z) \in S \iff Y \subset Z$ est une relation d'ordre. Les éléments X et $\varnothing$ sont le maximum et le minimum de A respectivement. Si on considère plutôt la relation d'inclusion $\subset$ sur $\mathcal{P}(X) \setminus \{\varnothing, X\}$, alors les singletons sont des éléments minimaux et les complémentaires de singletons des éléments maximaux.

A.3.1 Exercices

1. Montrer que $(A \cup B) \setminus (A \cap B) = (A \setminus B) \cup (B \setminus A)$ (cet ensemble, noté $A \triangle B$, s'appelle la *différence symétrique* de A et B) et que $A \cap B = A \setminus (A \setminus B)$.

2. Soit la fonction $f \colon X \to Y$. Montrer que

   a) pour tout $A, B \subset X$, $f(A \cup B) = f(A) \cup f(B)$,

   b) pour tout $C, D \subset Y$, $f^{-1}(C \cup D) = f^{-1}(C) \cup f^{-1}(D)$,

   c) pour tout $C, D \subset Y$, $f^{-1}(C \cap D) = f^{-1}(C) \cap f^{-1}(D)$,

   d) f est injective $\iff$ pour tout $A, B \subset X$, $f(A \cap B) = f(A) \cap f(B)$.

3. Répondre par vrai ou faux. Si $f \colon A \to B$ et $X, Y \subset A$, $f(X \setminus Y) = f(X) \setminus f(Y)$.

4. Soit les fonctions $f \colon A \to B$ et $g \colon B \to C$. Montrer que pour tout $X \subset A$ et pour tout $Y \subset C$,

$$(g \circ f)(X) = g(f(X)) \quad \text{et} \quad (g \circ f)^{-1}(Y) = f^{-1}(g^{-1}(Y)).$$

5. Soit les fonctions $f \colon A \to B$ et $g \colon B \to C$. Répondre par vrai ou faux.

   a) Si f et g sont injectives, $g \circ f$ est injective.

   b) Si $g \circ f$ est injective, f est injective.

   c) Si $g \circ f$ est injective, g est injective.

6. Pour $A \subset X$, définissons la fonction $\chi_A \colon A \to \mathbb{R}$ par

$$\chi_A(x) = \begin{cases} 1 & \text{si } x \in A, \\ 0 & \text{si } x \notin A. \end{cases}$$

Montrer que

   a) $\chi_{A \cup B} = \max\{\chi_A, \chi_B\}$,

   b) $\chi_{A \cap B} = \min\{\chi_A, \chi_B\} = \chi_A \cdot \chi_B$,

   c) Soit $f \colon A \to B$, $E \subset B$ et $\chi_E \colon B \to \mathbb{R}$. Montrer que $\chi_E \circ f = \chi_{f^{-1}(E)}$.

7. Soit la fonction surjective $f \colon A \to B$. Montrer que si $g_1 \colon B \to C$ et $g_2 \colon B \to C$ sont des fonctions telles que $g_1 \circ f = g_2 \circ f$, alors $g_1 = g_2$.

8. Trouver une bijection explicite entre

   a) $\mathbb{R}$ et $(0, 1)$, b) $\mathbb{R}$ et $[0, \infty)$, c) $[0, \infty)$ et $(0, \infty)$,

   d) $(0, 1)$ et $[0, 1]$, e) $\mathbb{R}$ et $\mathbb{R} \setminus \mathbb{Q}$.

9. Soit les fonctions $f, g \colon \mathbb{N} \to \mathbb{N}$ définies par $f(n) = n + 7$ et $g(n) = 2n$. Trouver les ensembles $g(f(\mathbb{N}))$ et $f(g(\mathbb{N}))$.

10. Soit les fonctions $f \colon (0, \infty) \to \mathbb{R}$ et $g \colon \mathbb{R} \to \mathbb{R}$ définies par $f(x) = \ln x$ et $g(x) = \sin x$. Trouver

    a) $f(0, \infty)$, $g(0, \infty)$, b) $f^{-1}([0, 1])$, $f^{-1}([1, 2])$,

    c) $g^{-1}(\{1\})$, d) $g([0, \pi/6])$, $g([\pi/6, \pi/2])$, $g([5\pi/6, \pi])$.

A.4 Ensembles dénombrables

Soit $n \in \mathbb{N}$. On dit que A possède n éléments s'il est équipotent à $\{1, 2, \ldots, n\}$. On dit que A est *fini* s'il a n éléments pour un entier naturel n, sinon on dit que A est *infini*. On considère que l'ensemble vide ϕ (ensemble ne contenant aucun élément) est fini. On dit que l'ensemble A est *dénombrable* s'il est équipotent à $\mathbb{N}$ et qu'il est *au plus dénombrable* s'il est fini ou dénombrable.

Remarque L'ensemble A est au plus dénombrable si et seulement si il existe une suite $\{a_n\}_{n \geq 1}$, c'est-à-dire une fonction $\varphi \colon \mathbb{N} \to A$ telle que $\varphi(n) = a_n$, dans laquelle chaque élément de A apparaît au moins une fois.

Exemple A.5

1. Les ensembles $2\mathbb{N} = \{2, 4, \ldots\}$ et $2\mathbb{N} - 1 = \{1, 3, 5, \ldots\}$ sont bien sûr dénombrables. Tout sous-ensemble infini B d'un ensemble dénombrable A est dénombrable.

2. L'ensemble $\mathbb{Z}$ est aussi dénombrable, car la suite $0, -1, 1, -2, 2, -3 \ldots$ contient tous les entiers une et une seule fois. Plus explicitement, la fonction $\varphi \colon \mathbb{N} \to \mathbb{Z}$ définie par

$$\varphi(n) = \begin{cases} -n/2 & \text{si } n \text{ est pair,} \\ (n-1)/2 & \text{si } n \text{ est impair,} \end{cases}$$

est une bijection.

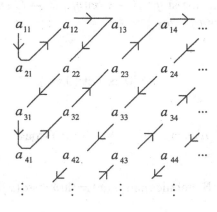 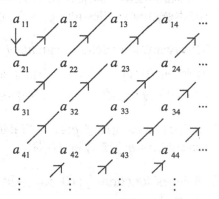

Figure A.1

Théorème A.6   *Si A et B sont des ensembles dénombrables, alors $A \cup B$ est aussi dénombrable.*

DÉMONSTRATION   Soit $A = \{a_1, a_2, \ldots\}$ et $B = \{b_1, b_2, \ldots\}$. Donc $A \cup B = \{a_1, b_1, a_2, b_2, a_3, \ldots\}$. D'où la conclusion.   ∎

Plus généralement,

Théorème A.7   *Si $A_1, A_2, \ldots$ sont des ensembles dénombrables, alors $A = \cup_{n=1}^{\infty} A_n$ est aussi dénombrable.*

DÉMONSTRATION   Soit $A_n = \{a_{n1}, a_{n2}, a_{n3}, \ldots\}$, $n \geq 1$. La figure A.1 montre deux façons (il y en a bien d'autres) d'écrire une suite formée des éléments de A.   ∎

Corollaire A.8   *L'ensemble $\mathbb{N} \times \mathbb{N}$ est dénombrable.*

DÉMONSTRATION   On a $\mathbb{N} \times \mathbb{N} = \cup_{n=1}^{\infty} \{n\} \times \mathbb{N}$, c'est-à-dire une réunion dénombrable d'ensembles dénombrables. On peut aussi considérer la bijection

$$f : \mathbb{N} \times \mathbb{N} \to \mathbb{N}$$

définie par $f(a, b) = 2^{a-1}(2b - 1)$.   ∎

Corollaire A.9 *L'ensemble $\mathbb{Q}$ est dénombrable.*

DÉMONSTRATION   Soit $\mathbb{Q}_+$ les nombres rationnels positifs et $\mathbb{Q}_-$ les nombres rationnels négatifs. Or $\mathbb{Q}_+ \cong \mathbb{Q}_-$ et $\mathbb{Q} = \mathbb{Q}_+ \cup \{0\} \cup \mathbb{Q}_-$. Il suffit donc de montrer que $\mathbb{Q}_+$ est dénombrable. Dans une suite comprenant tous les éléments de $\mathbb{N} \times \mathbb{N}$, il suffit de ne garder que les couples (a, b) où a/b est une fraction réduite pour obtenir une suite comprenant tous les rationnels strictement positifs une et une seule fois. ∎

Remarque   Pour les bijections de $\mathbb{N}$ à $\mathbb{N} \times \mathbb{N}$ de la figure A.1, on obtient les suites

$$1, 2, \frac{1}{2}, \frac{1}{3}, 3, 4, \frac{3}{2}, \frac{2}{3}, \frac{1}{4}, \frac{1}{5}, 5, \ldots \text{ et } 1, 2, \frac{1}{2}, 3, \frac{1}{3}, 4, \frac{3}{2}, \frac{2}{3}, \frac{1}{4}, 5, \ldots$$

Voici deux exemples d'ensembles infinis non dénombrables.

Théorème A.10   *L'ensemble $\mathcal{P}(\mathbb{N})$ des parties de $\mathbb{N}$ est non dénombrable.*

DÉMONSTRATION   Supposons au contraire que $\varphi \colon \mathbb{N} \to \mathcal{P}(\mathbb{N})$ est une bijection. Donc pour tout $n \in \mathbb{N}$, $\varphi(n) \subset \mathbb{N}$. Soit

$$A = \{n \in \mathbb{N} \mid n \notin \varphi(n)\} \subset \mathbb{N}.$$

$A \in \mathcal{P}(\mathbb{N})$ et φ est surjective. Donc il existe un n_0 tel que $\varphi(n_0) = A$. Si $n_0 \in A = \varphi(n_0)$, alors d'après la définition de A, $n_0 \notin \varphi(n_0)$. Si $n_0 \notin A = \varphi(n_0)$, alors encore d'après la définition de A, $n_0 \in \varphi(n_0) = A$. D'où une contradiction dans les deux cas. ∎

Théorème A.11   *L'ensemble $\mathbb{R}$ est non dénombrable.*

DÉMONSTRATION   Montrons que l'intervalle ouvert $(0, 1)$ est non dénombrable. Soit $x_1, x_2, \ldots, x_n, \ldots$, une suite dans laquelle tous les nombres de $(0, 1)$ apparaissent une et une seule fois. Soit $0, x_1^i x_2^i x_3^i \ldots$ le développement décimal de x_i. Pour $i \geq 1$, prenons $y_i \in \{1, 2, \ldots, 8\}$ tel que $y_i \neq x_i^i$ (figure A.2) et considérons le nombre réel y de développement décimal $0, y_1 y_2 y_3 \ldots$

Tous les nombres réels x $(0 < x < 1)$ sont dans la suite $\{x_n\}$. Donc $y = x_m$ pour un certain m. Cela est absurde puisque, par définition, y diffère de x_m par sa m-ième décimale. ∎

$$x_1 = 0, x_1^1 \; x_2^1 \; x_3^1 \; \ldots \qquad\qquad y = 0, \; y_1$$
$$x_2 = 0, x_1^2 \; x_2^2 \; x_3^2 \; \ldots \qquad\qquad\qquad y_2$$
$$x_3 = 0, x_1^3 \; x_2^3 \; x_3^3 \; \ldots \qquad\qquad\qquad\qquad y_3$$
$$\ldots\ldots\ldots\ldots\ldots\ldots \qquad\qquad\qquad\qquad\qquad\ddots$$

Figure A.2

Corollaire A.12 *L'ensemble* $\mathbb{R} \setminus \mathbb{Q}$ *des nombres irrationnels est infini non dénombrable.*

DÉMONSTRATION   Si ce n'était pas le cas, $\mathbb{R} = \mathbb{Q} \cup (\mathbb{R} \setminus \mathbb{Q})$ serait dénombrable.   ∎

Remarque   À l'exercice 6 ci-dessous, on demande de démontrer que l'ensemble des *nombres algébriques* (c'est-à-dire les racines des polynômes à coefficients rationnels) est dénombrable. Les nombres non algébriques (on les appelle *transcendants*), comme π et e, qui *a priori* semblaient exceptionnels, forment donc une partie infinie non dénombrable de $\mathbb{R}$ de complémentaire dénombrable.

A.4.1   Exercices

1. Montrer que l'ensemble $\mathcal{P}_f(\mathbb{N})$ des parties finies de $\mathbb{N}$ est dénombrable.

2. Soit $\mathbb{N}_0 = \{0\} \cup \mathbb{N}$ et

$$\mathcal{S}_f(\mathbb{N}_0) = \{\text{suite vide}\} \cup \mathbb{N}_0 \cup (\mathbb{N}_0 \times \mathbb{N}_0) \cup (\mathbb{N}_0 \times \mathbb{N}_0 \times \mathbb{N}_0) \cup \ldots$$

l'ensemble des suites finies d'entiers naturels. Soit $\mathcal{S}_*(\mathbb{N}_0)$ l'ensemble des suites éventuellement nulles (c'est-à-dire dont tous les termes sont zéro à partir d'un certain rang) d'entiers naturels.

a) Montrer que $\mathcal{S}_f(\mathbb{N}_0)$ et $\mathcal{S}_*(\mathbb{N}_0)$ sont dénombrables.

b) Trouver les bijections explicites entre $\mathcal{S}_f(\mathbb{N}_0)$ et $\mathcal{S}_*(\mathbb{N}_0)$, entre $\mathcal{S}_*(\mathbb{N}_0)$ et $\mathbb{N}_0$.

3. Démontrer que pour tout ensemble X, l'ensemble des parties de X, soit $\mathcal{P}(X)$, n'est pas équipotent à X, mais qu'il contient un sous-ensemble équipotent à X. (C'est le théorème de Georg Cantor.) En déduire que $\mathbb{N}, \mathcal{P}(\mathbb{N}), \mathcal{P}(\mathcal{P}(\mathbb{N})), \ldots$ forment une suite d'ensembles infinis de plus en plus grands.

4. Soit $A \subset \mathbb{N}$. Définissons la fonction caractéristique de A, $\chi_A \colon \mathbb{N} \to \{0, 1\}$, par

$$\chi_A(x) = \begin{cases} 1 & \text{si } x \in A, \\ 0 & \text{si } x \notin A. \end{cases}$$

a) Montrer que la fonction

$$\chi \colon \mathcal{P}(\mathbb{N}) \to \{\text{fonctions de } \mathbb{N} \text{ dans } \{0, 1\}\} = \{0, 1\}^{\mathbb{N}}$$

définie par $\chi(A) = \chi_A$ est bijective.

b) Montrer que $\mathcal{P}(\mathbb{N}) \cong \{0, 1\}^{\mathbb{N}}$ est non dénombrable (voir le théorème A.10) en s'inspirant de la preuve que $\mathbb{R}$ est non dénombrable (voir le théorème A.11).

5. Soit $\mathcal{S}(\{0, 1\})$ l'ensemble des suites de zéros et de uns.

a) Montrer que $\mathcal{S}(\{0, 1\})$ est non dénombrable.

b) Soit $\mathcal{S}_*(\{0, 1\})$ l'ensemble des suites éventuellement nulles. Montrer que $\mathcal{S}_*(\{0, 1\})$ est dénombrable.

c) Déduire que $\mathcal{P}_f(\mathbb{N})$ l'ensemble des parties finies de $\mathbb{N}$ est dénombrable et que $\mathcal{P}(\mathbb{N})$ ne l'est pas.

6. a) Montrer que $\mathbb{Q}[x]$, l'ensemble des polynômes à coefficients rationnels, est dénombrable.

b) Montrer que $\mathcal{A} = \{x \mid x \in \mathbb{R} \text{ et } x \text{ est algébrique}\}$ est dénombrable. (Le terme *algébrique* signifie racine d'un polynôme dans $\mathbb{Q}[x]$.)

c) Déduire que $\mathbb{R}$ contient des nombres *transcendants*, c'est-à-dire des nombres non algébriques.

7. Est-il possible de diviser $\mathbb{N}$ en deux parties disjointes A et B contenant chacune des progressions arithmétiques de longueur aussi grande que l'on veut mais aucune progression arithmétique de longueur infinie?

Annexe B

Dérivées des fonctions

B.1 Rappels sur les fonctions

Une fonction f de A à B est intuitivement une « règle mathématique » permettant d'associer à tout élément noté a de A un élément, noté $f(a)$, de B. On appelle A le *domaine* de f et B le *codomaine* de f.

Le graphe de f noté $Gr(f)$ est $\{(a, f(a) \mid a \in A\} \subset A \times B$.

Étant donné une « formule » (c'est-à-dire une expression algébrique), on obtient une fonction $f \colon A \to B$ où $A \subset \mathbb{R}$ et $B \subset \mathbb{R}$ (c'est-à-dire une fonction numérique) en prenant

$$A = \{x \in \mathbb{R} \mid \text{ la formule donne un nombre réel}\}.$$

L'ensemble A s'appelle le *domaine naturel* de la fonction.

Exemple B.1   La fonction $f(x) = \sqrt{1-x}/(x - \frac{1}{2})$ a pour domaine naturel

$$A = \{x \mid x \le 1, x \ne 1/2\} = (-\infty, 1/2) \cup (1/2, 1].$$

B.2 Fonctions usuelles

1. Soit $a \in \mathbb{R}$, x^a est la *puissance a-ième* de x. Pour $a \in \mathbb{N}$, $x^a = x \cdot x \cdots x$ où il y a a facteurs. Pour $a = r/s$, x^a est la racine s-ième de x^r et pour $a \in \mathbb{R} \setminus \mathbb{Q}$, on prend $x^a = \lim_{n \to \infty} x^{a_n}$ où $a_n \in \mathbb{Q}$, et $\{a_n\}$ converge vers a.

2. Pour $a \in \mathbb{R}$, $a > 0$, l'*exponentielle* (de base a) est a^x; l'*exponentielle naturelle* est e^x.

3. Si $a > 0$ et $a \ne 1$, pour $x > 0$ on pose

$$y = \log_a x \text{ (lire } logarithme\ de\ base\ a\ de\ x) \iff a^y = x.$$

Remarque $\log_{10} x$ a été étudié par Briggs (1561–1630); $\log_e x = \log x = \ln x$ a été étudié par Néper (ou Napier) (1550–1617).

Théorème B.2

a) $\log_a(bc) = \log_a b + \log_a c$,

b) $\log_a c = (\log_a b)(\log_b c)$.

DÉMONSTRATION   La preuve de a) est laissée en exercice.

b) Soit $\alpha = \log_a b$ et $\beta = \log_b c$. Donc $a^\alpha = b$ et $b^\beta = c$. Il s'ensuit que

$$a^{\alpha\beta} = (a^\alpha)^\beta = b^\beta = c$$

et finalement $\alpha\beta = \log_a c = (\log_a b)(\log_b c)$. ∎

Corollaire B.3 *Pour* $x > 0$,

$$\log_{10} x = (\log_{10} e) \log x.$$

Notons que $\log_{10} e = 0{,}434\ 294 \ldots$ *et* $\log_e 10 = 2{,}302\ 585 \ldots$

1. Fonctions hyperboliques

sinus hyperbolique : $\sinh x = (e^x - e^{-x})/2$
cosinus hyperbolique : $\cosh x = (e^x + e^{-x})/2$
tangente hyperbolique : $\tanh x = \sinh x/\cosh x = (e^x - e^{-x})/(e^x + e^{-x})$

On a $(\cosh x)^2 - (\sinh x)^2 = 1$. Donc $(\cosh x, \sinh x) = (u, v)$ parcourt l'hyperbole $(u - v)(u + v) = 1$ lorsque x parcourt la droite réelle.

2. Fonctions trigonométriques (ou **circulaires**)

Lorsque x parcourt la droite réelle, le point $(\cos x, \sin x)$ parcourt le cercle unité. Donc

$$\sin^2 x + \cos^2 x = 1, \quad \cos(-x) = \cos x \quad \text{et} \quad \sin(-x) = -\sin x.$$

On peut montrer que

$$\sin(x + y) = \sin x \cos y + \cos x \sin y, \quad \cos(x + y) = \cos x \cos y - \sin x \sin y.$$

3. Fonctions trigonométriques inverses

a) $y = \sin x \iff x = \arcsin y$. Pour $x \in [-1, 1]$, $\arcsin x = \sin^{-1} x$ est l'angle (en radians) entre $-\pi/2$ et $\pi/2$ dont le sinus est x.

b) $y = \cos x \iff x = \arccos y$. Pour $x \in [-1, 1]$, $\arccos x = \cos^{-1} x$ est l'angle (en radians) entre 0 et π dont le cosinus est x.

4. Fonctions hyperboliques inverses

$$y = \operatorname{argsinh} x = \sinh^{-1} x \iff \sinh y = x$$

ou

$$(e^y - e^{-y})/2 = x \iff (e^y)^2 - 2xe^y - 1 = 0$$

Donc $y = \log(x + \sqrt{x^2 + 1}) = \sinh^{-1} x$

De même,

$$
\begin{aligned}
y = \tanh^{-1} x = \operatorname{argtanh} x &\iff \tanh y = x \\
&\iff (e^y - e^{-y})/(e^y + e^{-y}) = x \\
&\iff [(e^y)^2 - 1]/[(e^y)^2 + 1] = x \\
&\iff (e^y)^2(1 - x) = 1 + x.
\end{aligned}
$$

Donc

$$y = \operatorname{argtanh} x = \log \sqrt{\frac{1 + x}{1 - x}} = \frac{1}{2} \log \left(\frac{1 + x}{1 - x} \right).$$

De même,

$$y = \operatorname{argcosh} x = \cosh^{-1} x \iff \cosh y = x.$$

Donc, par calcul,

$$y = \operatorname{argcosh} x = \log(x + \sqrt{x^2 - 1}).$$

B.3 Valeur de $\lim\limits_{x\to 0} \sin x/x$

Soit $g \colon \mathbb{R} \setminus \{0\} \to \mathbb{R}$ la fonction définie par $g(x) = \sin x/x$. Comme $x_0 = 0$ est un point d'accumulation de $\mathbb{R} \setminus \{0\}$, on peut donc considérer $\lim\limits_{x\to 0} \sin x/x$. Les aires des trois parties emboîtées grisées (figure B.1) prouvent les inégalités

$$\frac{1}{2} \sin x \cos x < \frac{x}{2} < \frac{1}{2} \frac{\sin x}{\cos x} \quad \text{où } 0 < x < \pi/2.$$

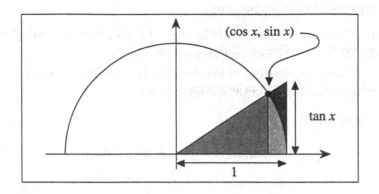

Figure B.1

Donc

$$\cos x < \frac{x}{\sin x} < \frac{1}{\cos x}, \quad \text{pour } -\pi/2 < x < \pi/2,\ x \neq 0.$$

Or $\lim_{x \to 0} \cos x = \cos 0 = 1$ (car la fonction cos est continue). Donc

$$\lim_{x \to 0} \frac{\sin x}{x} = 1.$$

B.4 Définition de la dérivée

Définition B.4 Soit f une fonction définie au voisinage de x_0. Si

$$\lim_{h \to 0} \frac{f(x_0 + h) - f(x_0)}{h}$$

existe, f est dérivable en x_0. La valeur de cette limite, appelée dérivée de f en x_0, se note $f'(x_0)$.

Remarque On peut aussi écrire

$$f'(x_0) = \lim_{x \to x_0} \frac{f(x) - f(x_0)}{x - x_0} = \lim_{\Delta x \to 0} \frac{f(x_0 + \Delta x) - f(x_0)}{\Delta x}.$$

Notation Si $y = f(x)$, on écrit aussi : $f'(x_0) = \dfrac{dy}{dx}\bigg|_{x = x_0}$.

Définition B.5 Si f est dérivable en tout point x, f' est une fonction de x appelée *dérivée de la fonction f*.

Si on considère x et y comme deux (nombres) variables, x est la *variable indépendante* et y la *variable dépendante* (puisque sa valeur dépend de celle de x par la règle $y = f(x)$). Lorsque x s'accroît de Δx (c'est-à-dire lorsqu'on passe de x à $x + \Delta x$), $y = f(x)$ devient $f(x + \Delta x)$. L'accroissement de y est donc $\Delta y = f(x + \Delta x) - f(x)$. Le rapport de ces accroissements est

$$\frac{\Delta y}{\Delta x} = \frac{f(x + \Delta x) - f(x)}{\Delta x}.$$

Le nombre $f'(x) = \lim_{\Delta x \to 0} \Delta y / \Delta x = dy/dx$ est donc le taux d'accroissement, entre les variables x et y, lorsque x subit un accroissement «infiniment petit».

Soit x et y deux variables. Si $y = f(x)$ pour une certaine fonction f, on dit que y est donnée *explicitement* en fonction de x. On a

$$y' = \frac{d}{dx} f(x) = f'(x).$$

Si y dépend de x par l'équation $f(x, y) = 0$ pour une certaine fonction f de deux variables, on dit que y est donnée *implicitement* en fonction de x. On obtient y' en dérivant les deux membres de l'équation $f(x, y) = 0$ par rapport à x.

Si $y = \psi(t)$ et $x = \phi(t)$ où t est une autre variable, et ψ et ϕ des fonctions de cette variable, on dit que x et y sont données *paramétriquement* en fonction de t. Dans ce cas, la dérivée de y par rapport à x est donnée par :

$$y' = \frac{dy}{dx} = \frac{\psi'(t)}{\phi'(t)} = \frac{dy/dt}{dx/dt}.$$

Les règles de dérivation démontrées dans le chapitre 5 sont

$$\{f(x) + g(x)\}' = f'(x) + g'(x)$$
$$\{f(x) \cdot g(x)\}' = f'(x)g(x) + f(x)g'(x)$$
$$\{f(x)/g(x)\}' = (f'(x)g(x) - f(x)g'(x))/g^2(x)$$
$$\{f(g(x))\}' = f'(g(x))g'(x).$$

B.5 Dérivée des fonctions usuelles

Dans la présente section, nous établissons la dérivée des principales fonctions rencontrées dans les premiers cours de calcul infinitésimal. Il faut retenir la dérivée des fonctions les plus simples, celle des autres se déduit habituellement assez facilement des théorèmes sur les dérivées.

Dérivée de $y = \sin x$.
On a successivement

$$y' = \lim_{h \to 0} \frac{\sin(x + h) - \sin x}{h} = \lim_{h \to 0} \frac{2 \sin(h/2) \cos(x + h/2)}{h}$$

$$= \lim_{h \to 0} \left(\frac{\sin(h/2)}{h/2} \right) \cdot \lim_{h \to 0} \cos(x + h/2) = \cos x.$$

Donc

$$\boxed{\frac{d}{dx} \sin x = \cos x.}$$

On démontre de même que $(\cos x)' = -\sin x$.

Remarque On a $(\cos x)' = (\sin(\pi/2 - x))' = (-1) \cos(\pi/2 - x) = -\sin x$. À l'aide de la relation, $\cos^2 x + \sin^2 x = 1$, on obtient par dérivation

$$2 \cos x (\cos x)' + 2 \sin x (\sin x)' = 0.$$

D'où encore $(\cos x)' = -\sin x$.

$$\boxed{\frac{d}{dx} \cos x = -\sin x.}$$

Dérivée de $y = \log_e x = \log x$
On a successivement

$$y' = \lim_{h \to 0} \frac{\log(x + h) - \log x}{h} = \lim_{h \to 0} \frac{\log(1 + h/x)}{h}$$

$$= \lim_{h \to 0} \frac{1}{x} \frac{x}{h} \log \left(1 + \frac{1}{x/h} \right) = \frac{1}{x} \lim_{h \to 0} \frac{x}{h} \log \left(1 + \frac{1}{x/h} \right).$$

Or $\log(a^b) = b \log a$. Donc

$$y' = \frac{1}{x} \lim_{h \to 0} \left[\log \left(1 + \frac{1}{x/h} \right)^{x/h} \right] = \frac{1}{x} \log \left[\lim_{h \to 0} \left(1 + \frac{1}{x/h} \right)^{x/h} \right] = \frac{1}{x} \log e = \frac{1}{x},$$

puisque $\lim_{u \to \infty} \left(1 + \frac{1}{u} \right)^u = e$.

Donc

$$\frac{d}{dx}\log x = \frac{1}{x}.$$

Par ailleurs, $\log_a x = (\log_a e)(\log x)$. Donc

$$(\log_a x)' = \frac{1}{x}\log_a e = \frac{1}{x\log a}.$$

Dérivée de $y = x^a$
On a $\log y = a\log x$. Donc, par dérivation, $\frac{1}{y}y' = a\frac{1}{x}$. D'où $y' = a \cdot x^a/x = ax^{a-1}$.
Donc

$$\frac{d}{dx}x^a = ax^{a-1}.$$

Dérivée de $y = a^x$
On a $\log y = x\log a$. Donc $(1/y)y' = \log a$, soit $y' = (\log a)a^x$. Donc

$$\frac{d}{dx}a^x = (\log a)a^x.$$

Exemple B.6

1. On a $\dfrac{d}{dx}e^x = e^x$.

2. Soit $y = u^v$ où u et v sont des fonctions de x. Trouvons y'.

   Solution   On a $\log y = v\log u$. On trouve facilement que $y' = vu^{v-1}u' + u^v v' \log u$.

3. On montre facilement à partir des définitions des fonctions hyperboliques que

$$(\sinh x)' = \cosh x, \quad (\cosh x)' = \sinh x, \quad \tanh x = \operatorname{sech}^2 x = \frac{1}{\cosh^2 x}.$$

Dérivée des fonctions trigonométriques inverses
On sait que $\sin: [-\pi/2, \pi/2] \to [-1,1]$ est une bijection, c'est-à-dire que pour tout $x \in [-1,1]$, il existe un et un seul $y \in [-\pi/2, \pi/2]$ tel que $\sin y = x$. Posons $y = \arcsin x$ et calculons y'. La dérivation (par rapport à x) des deux membres de l'équation $\sin y = x$ donne $y'\cos y = 1$. Or $1 - \sin^2 y = \cos^2 y$. Donc $1 - x^2 = \cos^2 y$ ou $\cos y = \pm\sqrt{1 - x^2}$ et par conséquent $y' = 1/\cos y = 1/\sqrt{1 - x^2}$.

Donc

$$\frac{d}{dx}\arcsin x = \frac{1}{\sqrt{1-x^2}}.$$

De même, cos: $[0, \pi] \to [-1, 1]$ est bijective. En posant $y = \arccos x \iff \cos y = x$, on obtient

$$\frac{d}{dx}\arccos x = -\frac{1}{\sqrt{1-x^2}}.$$

Remarque   On a $\arccos x = \frac{\pi}{2} - \arcsin x$ puisque $\cos\theta = \sin(\frac{\pi}{2} - \theta)$. Posons $y = \arccos x$. On obtient

$$\cos y = x = \sin\left(\frac{\pi}{2} - y\right).$$

D'où $\frac{\pi}{2} - y = \arcsin x = \frac{\pi}{2} - \arccos x$. La dérivée de $y = \arccos x = \frac{\pi}{2} - \arcsin x$ est donc $y' = -1/\sqrt{1-x^2}$.

B.6   Maximum et minimum

Soit f une fonction définie sur un intervalle ouvert (a, b) telle que f' et f'' existent sur cet intervalle. On dit que f est *convexe* sur (a, b) si pour tout $x \in (a, b)$, $f''(x) > 0$ et que f est *concave* sur (a, b) si pour tout $x \in (a, b)$, $f''(x) < 0$. Géométriquement, si f est convexe (resp. concave), la courbe d'équation $y = f(x)$ est toujours au-dessus de (resp. au-dessous) la tangente. Le point $(x_0, f(x_0))$ sur la courbe $y = f(x)$ est appelé *point d'inflexion* s'il existe $x_1, x_2 \in (a, b)$ avec $x_1 < x_0 < x_2$ tels que

f est convexe sur (x_1, x_0) et concave sur (x_0, x_2), ou bien,

f est concave sur (x_1, x_0) et convexe sur (x_0, x_2).

Remarque   Dans la définition de point d'inflexion, on ne demande pas que $(x_0, f(x_0))$ soit un point critique, c'est-à-dire que $f'(x_0) = 0$. Par exemple, $f(x) = x^3$ a évidemment un point d'inflexion en $x = 0$, mais il en est de même pour $g(x) = x + x^3$ pour laquelle on a $g'(0) = 1$, $g''(x) = 6x < 0$ pour $x < 0$, $g''(x) = 6x > 0$ pour $x > 0$.

Règle pour trouver les maximums et minimums avec uniquement $f'(x)$ et $f''(x)$
Si $f'(x_0) = 0$ et $f''(x_0) > 0$, x_0 est un minimum local. Si $f'(x_0) = 0$ et $f''(x_0) < 0$, x_0 est un maximum local. Si $f'(x_0) = 0$ et $f''(x_0) = 0$, on ne peut rien conclure.

Tableau B.1

$x < x_0$	x_0	$x > x_0$	Conclusion en x_0	Comportement de $f(x)$ près de x_0
+	0	−	maximum local	$f(x)$ croît puis décroît
−	0	+	minimum local	$f(x)$ décroît puis croît
+	0	+	point critique	$f(x)$ croît
−	0	−	point critique	$f(x)$ décroît

Règle pour trouver les maximums et minimums avec uniquement $f'(x)$

Si $f'(x_0) = 0$ et si $f'(x)$ change de signe lorsque x varie de plus petit que x_0 à plus grand que x_0, il y a un maximum ou un minimum local en x_0. Voir le tableau B.1 où les + et − indiquent le signe de $f'(x)$.

Définition B.7 On dit que la droite verticale $x = a$ est une *asymptote verticale* de la courbe $y = f(x)$ si

$$\lim_{\substack{x \to a \\ x > a}} f(x) = +\infty \ \text{ou} \ \lim_{\substack{x \to a \\ x < a}} f(x) = -\infty \ \text{ou} \ \lim_{\substack{x \to a \\ x < a}} f(x) = +\infty \ \text{ou} \ \lim_{\substack{x \to a \\ x > a}} f(x) = -\infty.$$

Définition B.8 On dit que la droite $\mathcal{D} = \{(x, y) \mid y = ax + b\}$ est une *asymptote oblique* de la courbe $y = f(x)$ si

$$\lim_{x \to +\infty} [f(x) - ax - b] = 0 \ \text{ou} \ \lim_{x \to -\infty} [f(x) - ax - b] = 0.$$

Pour trouver a et b tels que $y = ax + b$ soit une asymptote oblique, il faut calculer

$$\lim_{x \to \infty} \frac{f(x)}{x} = a \quad \text{et} \quad \lim_{x \to \infty} [f(x) - ax] = b.$$

Lorsque $a = 0$, l'asymptote oblique est appelée *asymptote horizontale*.

Marche à suivre pour étudier le graphe d'une fonction f

1. Trouver $f'(x)$.

2. Trouver les x où $f'(x) = 0$.

3. Trouver les régions où f est croissante, décroissante.

4. Trouver $f''(x)$.

5. Trouver les minimums, maximums et points d'inflexion de f.

6. Trouver les régions où f est convexe, concave.

7. Trouver les asymptotes verticales, horizontales, obliques de f.

8. Tracer le graphe de la courbe $y = f(x)$.

B.7 Exercices

1. Soit $\varphi(x) = \log\left(\dfrac{1-x}{1+x}\right)$. Vérifier que pour tout $a, b \in (-1, 1)$,

$$\varphi(a) + \varphi(b) = \varphi\left(\frac{a+b}{1+ab}\right).$$

2. Trouver le domaine naturel de définition des fonctions définies par
   a) $\sqrt{3-x} + \sqrt{7-x}$,   b) $\sqrt{1-x^2}$,   c) $\log x$,
   d) $\sqrt{(x^2 - 3x + 1)^{-1}}$,   e) $\sqrt{x-1}/\sqrt{x-3}$.

3. Prouver les identités suivantes.
   a) $\cosh^2 x - \sinh^2 x = 1$,
   b) $\cos(3x) = 4\cos^3 x - 3\cos x$,
   c) $\tanh(x/2) = \sinh x/(1 + \cosh x)$.

4. À l'aide des règles de dérivation et de la dérivée des fonctions usuelles, trouver la dérivée des fonctions définies par
   a) $\sqrt{3x} + \sqrt[3]{x} + \frac{1}{x}$,   b) $\sqrt{x + \sqrt{x}}$,   c) $\sin^2 x$,
   d) $\sin(\log x)$,   e) $\log(\log x)$,   f) $\sinh x/(1 + \cosh x)$,
   g) $\log(x + \sqrt{x^2 - 1})$,   h) x^{x^x},   i) $\arcsin(1/x)$.

5. Trouver les coordonnées des points d'inflexion de
   a) e^{-x^2},   b) $x^2/(1 + x^2)$.

6. On lance un javelot avec une vitesse initiale v_0 et un angle d'inclinaison φ, $0 \leq \varphi \leq \pi/2$. Pour quel φ la distance atteinte sera-t-elle maximum? On suppose que la Terre est plate, qu'il n'y a pas de frottement avec l'air et que v_0 est beaucoup plus petite que la vitesse de la lumière.

7. Parmi toutes les poubelles métalliques de volume V_0, trouver les dimensions de celle d'aire de métal minimum et de forme

   a) cylindrique droite et sans couvercle,

   b) prismatique droite à base carrée et sans couvercle,

   c) prismatique droite à base hexagonale et sans couvercle.

8. Étudier le comportement et construire le graphe des fonctions définies par

   a) xe^{-x},   b) $x^3/(3-x^2)$,   c) $x^2/(1+x^2)$.

9. Trouver les asymptotes des courbes

   a) $y = (1+x)\log(2+x)$,   b) $y = x^3(x-1)^{-2}$.

10. De tous les cylindres inscrits dans une sphère de rayon R, trouver celui qui est de volume maximum.

11. Trouver les asymptotes de la courbe $y = 3x^3 + \dfrac{1}{(x+2)^2}$.

12. Soit $\mathcal{D}$ la tangente à la courbe $y = 3x^2 + x - 4$ au point $(2, 10)$. Trouver les points d'intersection de $\mathcal{D}$ avec l'axe des x et l'axe des y respectivement.

13. Calculer la dérivée des fonctions définies par

   a) $\log(\cos x)$,   b) $\log\sqrt{(1+\sin x)(1-\sin x)}$,   c) e^{x^x}.

14. Soit $f(x) = \dfrac{x^4}{1+x^3}$.

   a) Trouver et classer les points critiques de f.

   b) Trouver les asymptotes verticales et obliques de la courbe $y = f(x)$.

Annexe C

Espaces métriques

C.1 Suite dans les espaces métriques

Pour $x \in \mathbb{R}$, $|x|$ est sa distance à l'origine. De même, $|x - y|$ est la distance entre les deux points x et y de $\mathbb{R}$. Généralisons cette notion de distance.

Définition C.1 Un espace métrique est formé d'un ensemble X (appelé ensemble sous-jacent de l'espace métrique) et d'une fonction $d: X \times X \to \mathbb{R}$ (appelée fonction distance). De plus, d doit satisfaire aux quatre axiomes suivants

1. $\forall x, y \in X$, $d(x,y) \geq 0$,

2. $\forall x, y \in X$, $d(x,y) = 0 \iff x = y$,

3. $\forall x, y \in X$, $d(x,y) = d(y,x)$,

4. $\forall x, y, z \in X$, $d(x,z) \leq d(x,y) + d(y,z)$ (inégalité du triangle).

Définition C.2 Soit (X,d) un espace métrique et $\{x_n\}_{n \geq 1}$ (ou tout simplement $\{x_n\}$) une suite d'éléments de X et $a \in X$. On dit que la suite $\{x_n\}$ converge (dans (X,d)) vers a (ou admet a comme limite) si

$$\forall \varepsilon > 0, \exists N \text{ tel que } n \geq N \implies d(x_n, a) < \varepsilon.$$

Dans ce cas, on écrit $\quad \lim_{n \to \infty} x_n = a \quad$ ou $x_n \to a$.

Définition C.3 Soit $\{x_n\}$ une suite d'éléments de l'espace métrique (X,d). On dit que $\{x_n\}$ converge s'il existe un $a \in X$ tel que $x_n \to a$. Sinon on dit que $\{x_n\}$ diverge.

Lemme C.4 *Soit (X, d) un espace métrique, $a, b \in X$ et $\{x_n\}$ une suite. Si $x_n \to a$ et $x_n \to b$, alors $a = b$.*

DÉMONSTRATION Supposons $a \neq b$. Alors par les axiomes 1 et 2, $d(a, b) > 0$. Soit $\varepsilon = d(a, b)/2$ et N tel que $d(x_N, a) < \varepsilon$ et $d(x_N, b) < \varepsilon$. Par les axiomes 3 et 4,

$$d(a, b) \leq d(a, x_N) + d(x_N, b) = d(x_N, a) + d(x_N, b) < \varepsilon + \varepsilon = 2\varepsilon = d(a, b),$$

une contradiction. ∎

Lemme C.5 *Soit (X, d) un espace métrique, $a \in X$ et $\{x_n\}$ une suite. On a*

$$\lim_{n \to \infty} x_n = a \iff \lim_{n \to \infty} d(x_n, a) = 0.$$

DÉMONSTRATION On a $\displaystyle\lim_{n \to \infty} x_n = a \iff \forall \varepsilon > 0$, $\exists N$ tel que pour tout $n \geq N$, $|d(x_n, a) - 0| < \varepsilon \iff \displaystyle\lim_{n \to \infty} d(x_n, a) = 0$. ∎

Remarque En général, les éléments de la suite $\{x_n\}$ et a sont quelconques (c'est-à-dire qu'ils sont des fonctions, des ensembles, des droites, etc., suivant l'espace métrique). Cependant, la suite $\{d(x_n, a)\}$ est simplement une suite de nombres réels positifs.

C.2 Ouverts et fermés

Notation Soit $r > 0$ et $a \in X$ où (X, d) est un espace métrique. Par définition,

$$B_{(X,d)}(a; r) = B_X(a; r) = \{x \in X \mid d(x, a) < r\}$$

est la *boule ouverte* de centre a et de rayon r.

Définition C.6 Le sous-ensemble A de X est dit ouvert si

$$\forall a \in A, \exists r > 0 \text{ tel que } B_X(a; r) \subset A.$$

Définition C.7 Soit A un sous-ensemble quelconque d'un espace métrique (X, d). Par définition,

$$A^\circ = int(A) = \{a \in A \mid \exists r > 0 \text{ tel que } B_X(a; r) \subset A\}.$$

est l'intérieur de A.

Lemme C.8 *Soit $A \subset X$. A est ouvert dans $X \iff int(A) = A$.*

DÉMONSTRATION On a toujours $int(A) \subset A$ et par définition, A est ouvert si et seulement si $A \subset int(A)$. ∎

Lemme C.9 *Soit $\{x_n\}$ une suite dans l'espace métrique (X, d) et $a \in X$. Les conditions suivantes sont équivalentes.*

a) $\lim\limits_{n \to \infty} x_n = a$,

b) *pour toute boule ouverte de X centrée en a, il existe N tel que*

$$\{x_N, x_{N+1}, x_{N+2}, \dots\}$$

est entièrement contenu dans cette boule,

c) *tout ouvert de X contenant a contient aussi tous les x_n à partir d'un certain rang.*

DÉMONSTRATION C'est évident puisque $d(x_n, a) < \varepsilon \iff x_n \in B_X(a; \varepsilon)$. ∎

Définition C.10 Soit A un sous-ensemble quelconque d'un espace métrique (X, d). Par définition,

$$\overline{A} = \{x \in X \mid \text{ il existe une suite } \{a_n\}, a_n \in A, a_n \to x\}.$$

est l'adhérence (ou la fermeture) de A dans X.

Si $x \in \overline{A}$, on dit que x est un *point d'adhérence* de A.

Lemme C.11 *Soit $A \subset X$. On a*

$$\overline{A} = \{x \in X \mid \forall r > 0, B_X(x; r) \cap A \text{ est non vide}\}.$$

DÉMONSTRATION Soit $x \in \{x \in X \mid \forall r > 0, B_X(x; r) \cap A \text{ est non vide}\}$. Choisissons $\forall n > 0$, $a_n \in A$, $a_n \in B_X(x; 1/n)$. Il est clair que $a_n \to x$ puisque $d(a_n, x) < 1/n \to 0$. Donc $x \in \overline{A}$. Réciproquement, soit $x \in \overline{A}$ et $\{a_n\}$ une suite convergeant vers x avec $\forall n > 0$, $a_n \in A$. Il est clair que pour tout $r > 0$, $B_X(x; r) \cap A$ est non vide puisque cet ensemble contient $\{a_N, a_{N+1}, \dots\}$ pour N assez grand. ∎

Remarque Si $x \in X$ est tel que pour tout $r > 0$, $B_X(x; r) \cap A$ est infini, on dit que x est un point d'accumulation de A. L'ensemble des points d'accumulation de A, noté A', s'appelle la *dérivée* de A.

Définition C.12 Soit $A \subset X$; A est fermé $\iff \overline{A} = A$.

Lemme C.13 *Soit $A \subset X$. On a $X \setminus \overline{A} = (X \setminus A)^\circ$.*

DÉMONSTRATION Cela découle de

$$\begin{aligned}
x \in X \setminus \overline{A} &\iff x \notin \overline{A} \\
&\iff \exists\, r > 0, B_X(x; r) \cap A = \varnothing \\
&\iff \exists\, r > 0, B_X(x; r) \subset X \setminus A \\
&\iff x \in (X \setminus A)^\circ.
\end{aligned}$$

■

Lemme C.14 *Le sous-ensemble A de X est fermé si et seulement si $X \setminus A$ est ouvert.*

DÉMONSTRATION

$$\begin{aligned}
A \text{ est fermé} &\iff A = \overline{A} \iff X \setminus A = X \setminus \overline{A} \\
&\iff X \setminus A = (X \setminus A)^\circ \iff X \setminus A \text{ est ouvert.}
\end{aligned}$$

■

Définition C.15 Soit $A \subset X$; $Fr(A) = \overline{A} \cap \overline{X \setminus A}$ s'appelle la frontière de A.

Voici quelques exemples d'espaces métriques.

Exemple C.16

1. Soit $X = \mathbb{R}$. Posons $d(x, y) = |x - y|$. Les quatre axiomes découlent immédiatement des propriétés déjà vues de la valeur absolue. Par exemple,

$$d(x, z) = |x - z| = |x - y + y - z| \leq |x - y| + |y - z| = d(x, y) + d(y, z).$$

Dans ce cas, $B_{\mathbb{R}}(a; r) = (a - r, a + r)$ et la notion de suite convergente dans $\mathbb{R}$ coïncide avec celle vue au chapitre 3.

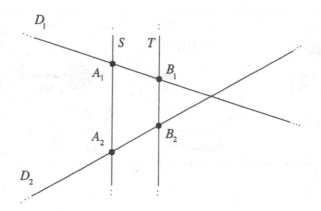

Figure C.1

2. Soit $X = \mathbb{R}^n$. Pour $x = (x_1, x_2, \ldots, x_n)$ et $y = (y_1, y_2, \ldots, y_n)$ posons

$$d(x, y) = \left(\sum_{i=1}^{n} (x_i - y_i)^2 \right)^{1/2}.$$

Ici aussi, seule la preuve de l'axiome 4 présente des difficultés. Dans ce cas, utiliser l'inégalité de Minkowski vue dans le présent texte.

3. Soit S et T deux droites parallèles dans le plan. Soit X l'ensemble des droites du plan non parallèles à S et T. Soit D_1 et D_2 deux droites de X. Posons

$$d(D_1, D_2) = |A_1 A_2| + |B_1 B_2|$$

où A_i (resp. B_i), pour $i = 1, 2$, est le point d'intersection de D_i avec S (resp. T) (figure C.1). Vérifier que (X, d) est bien un espace métrique.

4. Soit $X = \{64$ cases d'un échiquier$\}$. Pour deux cases x et y, posons $d(x, y) = $ le nombre minimum de coups requis d'un cavalier pour aller de x à y. Vérifier que cela définit bien un espace métrique. Cet exemple se généralise à n'importe quel graphe simple connexe. Dans ce genre d'exemple, seules les suites éventuellement constantes sont convergentes car $d(x, y) < 1$ implique que $x = y$. En effet, si $x_n \to x$, en prenant $\varepsilon < 1$, on doit avoir $x_N = x_{N+1} = \cdots = x$ pour un certain N. En fait, tout ensemble est à la fois ouvert et fermé car $B_X(x; r) = \{x\}$ dès que $0 < r \leq 1$.

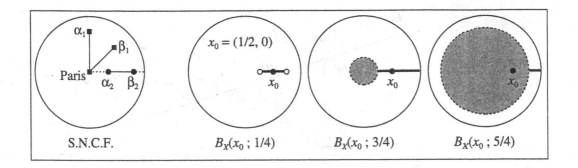

Figure C.2

5. L'espace métrique S.N.C.F. (Société nationale des chemins de fer français) a comme ensemble sous-jacent :

$$X = \{z \in \mathbb{C} \mid |z| \le 1\},$$

c'est-à-dire le disque unité dans le plan complexe. Définissons la fonction distance d par

$$d(\alpha, \beta) = \begin{cases} |\alpha| + |\beta| & \text{si } \arg \alpha \ne \arg \beta \\ |\alpha - \beta| & \text{si } \arg \alpha = \arg \beta. \end{cases}$$

Vérifier que la figure C.2 donne bien les boules de centre $(\frac{1}{2}, 0)$ et de rayon $\frac{1}{4}$, $\frac{3}{4}$ et $\frac{5}{4}$.

6. Remarquer qu'on peut munir un même ensemble de plusieurs fonctions distance différentes. Pour $X = \mathbb{R}^n$, si on pose

$$d_1(x, y) = \sum_{i=1}^{n} |x_i - y_i|,$$
$$d_2(x, y) = \max_{1 \le i \le n} \{|x_i - y_i|\},$$

les axiomes 1 à 4 sont vérifiés par d_1 et d_2. Donc $(\mathbb{R}^n, d)$, $(\mathbb{R}^n, d_1)$ et $(\mathbb{R}^n, d_2)$ sont trois espaces métriques différents ayant tous $\mathbb{R}^n$ comme ensemble sous-jacent. Pour tout $x, y \in \mathbb{R}^n$,

$$\frac{1}{\sqrt{n}} d(x, y) \le d_2(x, y) \le d_1(x, y) \le \sqrt{n} \cdot d(x, y).$$

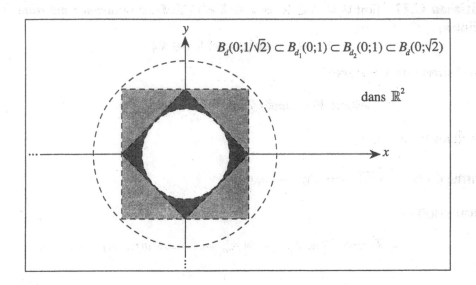

Figure C.3

En effet,

$$\frac{1}{\sqrt{n}}d(x,y) = \sqrt{\frac{\sum |x_i - y_i|^2}{n}} \leq \max_i |x_i - y_i| = d_2(x,y)$$
$$\leq \sum_i |x_i - y_i| = d_1(x,y) \leq \sqrt{n} \cdot d(x,y).$$

La dernière inégalité s'obtient en remplaçant $a_i = |x_i - y_i|$ et $b_i = 1$, $1 \leq i \leq n$ dans l'inégalité de Cauchy-Schwarz

Donc pour tout $r > 0$ et $x \in \mathbb{R}^n$, $B_d(x; r/\sqrt{n}) \subset B_{d_1}(x; r) \subset B_{d_2}(x; r) \subset B_d(x; r\sqrt{n})$. La figure C.3 montre les inclusions de ces boules pour $n = 2$, $r = 1$ et $x = (0,0)$.

Remarquez que même si les espaces métriques $(\mathbb{R}^n, d)$, $(\mathbb{R}^n, d_1)$ et $(\mathbb{R}^n, d_2)$ sont différents, ils définissent dans $\mathbb{R}^n$ les mêmes ouverts et fermés. De plus, dans les trois cas, une suite convergera si et seulement si elle converge pour chacune de ses n coordonnées.

Définition C.17   Soit $\varnothing \neq A \subset X$ et $x \in X$ où (X, d) est un espace métrique. Par définition,

$$d(x, A) = \inf\{d(x, a) \mid a \in A\}$$

est la distance de x à A, et

$$diam(A) = \sup\{d(a, a') \mid a \in A, a' \in A\}$$

est le diamètre de A.

Lemme C.18 $x \in \overline{A} \iff d(x, A) = 0$.

DÉMONSTRATION

$$x \in \overline{A} \iff \exists\{a_n\}, a_n \in A, a_n \to x \iff d(x, A) = 0. \qquad \blacksquare$$

Corollaire C.19   *Si A est fermé et $d(x, A) = 0$, alors $x \in A$.*

Définition C.20   Soit A et B deux sous-ensembles non vides de X. Par définition,

$$d(A, B) = \inf\{d(a, b) \mid a \in A, b \in B\}.$$

Remarque   On peut avoir $d(A, B) = 0$, même si A et B sont des ensembles fermés disjoints. Les ensembles $A = \{(x, 0) \mid x \in \mathbb{R}\}$ et $B = \{(x, 1/x) \mid x \neq 0\}$ dans $X = \mathbb{R}^2$ sont un tel exemple.

C.3   Complétude

Définition C.21   Soit la suite $\{x_n\}$ d'éléments d'un espace métrique (X, d). On dit que $\{x_n\}$ est une suite de Cauchy si $\forall \varepsilon > 0$, il existe un nombre N tel que pour tout $n, m > N$, $d(x_n, x_m) < \varepsilon$.

Définition C.22   L'espace métrique (X, d) est dit complet si toute suite de Cauchy dans X converge vers un élément de X.

Le théorème de Cauchy peut donc s'énoncer : $\mathbb{R}$ est complet. Il est facile de voir que $\mathbb{R}^n$, avec la distance usuelle, est aussi un espace métrique complet.

Lemme C.23 *Soit $A \subset X$ où (X, d) est un espace métrique complet. Le sous-espace métrique A est complet si et seulement si A est fermé.*

DÉMONSTRATION   Si A est fermé et $\{a_n\}$ une suite de Cauchy, $\{a_n\}$ converge (dans X) vers x. Mais alors $x \in \overline{A} = A$ et $\{a_n\}$ converge donc vers un élément de A.

Réciproquement, si $x \in \overline{A}$ et $\{a_n\}$ est une suite d'éléments de A convergeant vers x, $\{a_n\}$ est de Cauchy et doit, dans A, converger vers a. Par unicité de la limite d'une suite, $x = a \in A$. Donc $\overline{A} \subset A$. D'où l'ensemble A est fermé.   ∎

Les sous-espaces complets de $\mathbb{R}^n$ sont donc précisément les fermés de $\mathbb{R}^n$. En particulier, ni $(0, 1)$ ni $\mathbb{Q}$ ne sont des espaces métriques complets. Cela est clair puisque $\{1/n\}$ est une suite de Cauchy non convergente dans $(0, 1)$ et $\{(1 + \frac{1}{n})^n\}$ est une suite de Cauchy non convergente dans $\mathbb{Q}$.

Définition C.24   Soit k un nombre réel positif. La fonction $f \colon X \to Y$, où X et Y sont deux espaces métriques, est dite k–contractante si

$$\forall x, y \in X, d_Y(f(x), f(y)) \leq k d_X(x, y).$$

Définition C.25   On dit que $f \colon X \to Y$ est une contraction si elle est k–contractante pour un k tel que $0 \leq k < 1$.

Théorème C.26 (du point fixe de Banach)   *Soit $f \colon X \to X$ une contraction. Si X est un espace métrique complet, f admet un et un seul point fixe, c'est-à-dire qu'il existe un et un seul $a \in X$ tel que $f(a) = a$.*

DÉMONSTRATION   Considérons la suite $\{x_n\}$ définie par $x_{n+1} = f(x_n)$, $n \geq 0$, où $x_0 \in X$ est quelconque. Par conséquent $d(x_{n+1}, x_n) \leq k^n d(f(x_0), x_0)$. Donc pour $m > n$,

$$
\begin{aligned}
0 \leq d(x_m, x_n) &\leq d(x_m, x_{m-1}) + d(x_{m-1}, x_{m-2}) + \cdots + d(x_{n+1}, x_n) \\
&\leq k^{m-1} d(f(x_0), x_0) + k^{m-2} d(f(x_0), x_0) + \cdots \\
&\qquad + k^{n+1} d(f(x_0), x_0) + k^n d(f(x_0), x_0) \\
&\leq \frac{k^n}{1 - k} d(f(x_0), x_0) \to 0.
\end{aligned}
$$

La suite $\{x_n\}$ est de Cauchy. Or X est complet. Donc elle converge vers $a \in X$, disons. Comme il est évident que f est (uniformément) continue car $d(f(x), f(y)) \leq$

$kd(x, y) < d(x, y)$, il vient

$$a = \lim_{n \to \infty} x_{n+1} = \lim_{n \to \infty} f(x_n) = f(\lim_{n \to \infty} x_n) = f(a).$$

Montrons que a est le seul point fixe de f. Supposons que $f(b) = b$, où $b \neq a$. Donc $d(a, b) = d(f(a), f(b)) < d(a, b)$, une contradiction. ∎

C.4 Compacité et connexité

Définition C.27 Soit S un sous-ensemble d'un espace métrique (X, d). On dit que S est compact si de tout recouvrement de S par des ouverts on peut extraire un sous-recouvrement fini, c'est-à-dire que si $S \subset \bigcup_{i \in I} U_i$, U_i ouvert de X, $\exists\, i_1, i_2, \dots, i_n \in I$ tels que $S \subset \bigcup_{j=1}^{n} U_{i_j}$.

Exemple C.28 Par le théorème de Heine-Borel démontré au chapitre 2, tout fermé borné (par exemple un intervalle $[a, b]$) de $\mathbb{R}$ est un compact. Par contre, ni $(0, 1)$ ni $[0, \infty)$ ne sont des compacts de $\mathbb{R}$, car des recouvrements de $(0, 1) = \bigcup_{n \geq 3}(\frac{1}{n}, 1 - \frac{1}{n})$ et $[0, \infty) \subset \bigcup_{n \geq 1}(-\infty, n)$ on ne peut évidemment pas extraire de sous-recouvrements finis.

Théorème C.29 *Si $S \subset X$ est compact, S est fermé et borné.*

DÉMONSTRATION Si S n'est pas borné, $S \subset \bigcup_{n \geq 1} B_X(x_0; n)$ et de $\{B_X(x_0; n)\}_{n \geq 1}$ on ne peut extraire un sous-recouvrement fini. De même, si $x \in \overline{S} \setminus S$, alors $\{X \setminus \overline{B_X(x, \frac{1}{n})}\}_{n \geq 1}$ est un recouvrement ouvert de S duquel on ne peut extraire un sous-recouvrement fini. ∎

D'après le théorème de Heine-Borel, la réciproque de ce théorème est vraie lorsque $X = \mathbb{R}$ (et aussi $X = \mathbb{R}^n$).

Lemme C.30 *Tout sous-ensemble A infini d'un espace métrique compact X admet au moins un point d'accumulation.*

DÉMONSTRATION Sinon pour tout $x \in X$, il existe un r_x tel que $B_X(x; r_x) \cap A$ est fini et $\{B_X(x; r_x)\}_{x \in X}$ n'admet pas de sous-recouvrement fini. ∎

Lemme C.31 *Soit X un espace compact. Toute suite $\{a_n\}_{n \geq 1}$ d'éléments de X admet une sous-suite convergente.*

DÉMONSTRATION Soit $A = \{a_n \mid n \geq 1\} \subset X$. Si A est finie alors $\{a_n\}_{n \geq 1}$ admet une sous-suite constante (donc convergente). Si A est infinie et $a \in A'$, il existe une sous-suite convergeant vers a. ∎

Théorème C.32 *Tout espace compact X est un espace métrique complet.*

DÉMONSTRATION Toute suite de Cauchy d'éléments de X admet une sous-suite convergente et est donc convergente. ∎

Théorème C.33 *Si $f: X \to Y$ est une fonction continue surjective de l'espace métrique compact (X, d) sur l'espace métrique (Y, d'), alors Y est compact.*

DÉMONSTRATION Soit $Y = \bigcup_{i \in I} V_i$, V_i ouvert de Y. Alors $X = \bigcup_{i \in I} f^{-1}(V_i)$ est un recouvrement ouvert (car f est continue) duquel on peut donc extraire un sous-recouvrement fini $X = \bigcup_{j=1}^{n} f^{-1}(V_{i_j})$. D'où $Y = \bigcup_{j=1}^{n} V_{i_j}$ et $\{V_{i_j} \mid 1 \leq j \leq n\}$ est un sous-recouvrement fini de $\{V_i\}_{i \in I}$. ∎

Corollaire C.34 *Si $f: [a, b] \to \mathbb{R}$ une fonction continue, alors il existe $x_0 \in [a, b]$ tel que $f(x_0) = \sup\{f(x) \mid x \in [a, b]\}$.*

DÉMONSTRATION Puisque $f[a, b]$ est un compact de $\mathbb{R}$, il est fermé borné. Donc $\sup f[a, b]$ existe et appartient à $f[a, b]$. D'où la conclusion. ∎

Ce théorème stipule que toute fonction continue définie sur un intervalle fermé borné atteint son maximum (et aussi son minimum). Ce théorème sert à démontrer le théorème de Rolle.

Voyons la connexité.

Définition C.35 L'espace métrique (X, d) est dit connexe si les seuls sous-ensembles de X à la fois ouverts et fermés sont $\varnothing$ et X.

Ceci revient à dire que $X = U \cup V$, où U et V sont des ouverts disjoints, implique que $U = \varnothing$ ou $V = \varnothing$.

Remarque La notion d'ouvert est délicate car elle est relative à l'espace dans lequel on se place. Si (X, d) est un espace métrique et $S \subset X$ alors, avec la «distance induite», S devient lui-même un espace métrique. Un sous-ensemble A de S peut donc être ouvert dans l'espace métrique S sans l'être dans X. Par exemple, $A = [0, \frac{1}{2})$ est un ouvert de $S = [0, \infty)$ mais n'est certainement pas un ouvert de $X = \mathbb{R}$. Si $s \in S$ et $r > 0$, $B_S(s; r) = B_X(s; r) \cap S$. Donc A est un ouvert de S si et seulement si il existe un ouvert U de X tel que $A = S \cap U$.

Définition C.36   On dit que $S \subset X$ est un sous-ensemble connexe de X si le sous-espace métrique S est connexe.

Donc S est connexe si et seulement si $S \subset U \cup V$, où U et V sont des ouverts de X tels que $S \cap U \cap V = \varnothing$, implique que $S \cap U = \varnothing$ ou $S \cap V = \varnothing$.

Lemme C.37   *Avec $\varnothing$ et les singletons, les intervalles sont les seuls sous-ensembles connexes de $\mathbb{R}$.*

DÉMONSTRATION   Laissée en exercice.   ∎

Théorème C.38   *Si $f : X \to Y$ est une fonction continue et surjective de l'espace métrique connexe (X, d) sur l'espace métrique (Y, d'), alors Y est connexe.*

DÉMONSTRATION   Soit $Y = U \cup V$, $U \cap V = \varnothing$, U et V sont des ouverts de Y. Donc $X = f^{-1}(U) \cup f^{-1}(V)$ avec

$$f^{-1}(U) \cap f^{-1}(V) = f^{-1}(U \cap V) = f^{-1}(\varnothing) = \varnothing.$$

Par conséquent $f^{-1}(U) = \varnothing$ ou $f^{-1}(V) = \varnothing$, d'où $U = \varnothing$ ou $V = \varnothing$. Donc Y est connexe.   ∎

Corollaire C.39   *Soit $f : I \to \mathbb{R}$ une fonction continue où $I \subset \mathbb{R}$ est un intervalle. Si $a, b \in I$ et $f(a) \leq \alpha \leq f(b)$, il existe c entre a et b tel que $f(c) = \alpha$.*

DÉMONSTRATION   L'ensemble $f[a, b]$ est forcément un intervalle contenant $f(a)$ et $f(b)$. Donc $\alpha \in f[a, b]$, d'où l'existence de $c \in [a, b]$ avec $f(c) = \alpha$.   ∎

Ce corollaire est le théorème de la valeur intermédiaire utilisé au chapitre 5.

C.5 Exercices

1. Soit $\{x_n\}$ et $\{y_n\}$ deux suites dans l'espace métrique (X, d). Montrer que

   a) $\lim_{n\to\infty} x_n = a$ et $\lim_{n\to\infty} y_n = b \Rightarrow \lim_{n\to\infty} d(x_n, y_n) = d(a, b)$,

   b) $\{x_n\}$ et $\{y_n\}$, suites de Cauchy dans $X \Rightarrow d(x_n, y_n)$ est une suite de Cauchy dans $\mathbb{R}$.

2. Montrer que dans un espace métrique quelconque toute suite de Cauchy qui admet une sous-suite convergente converge. En déduire le critère de convergence de Cauchy à partir du théorème de Bolzano-Weierstrass.

3. Soit $D = \{z \in \mathbb{C} \mid |z| \leq 1\}$ le disque unité dans le plan complexe. Poser

   $$\rho(z_1, z_2) = \begin{cases} |z_1 - z_2| & \text{si } z_1 \neq 0,\ z_2 \neq 0 \text{ et } \arg z_1 = \arg z_2, \\ |z_1| + |z_2| & \text{autrement.} \end{cases}$$

   Vérifier que ρ est une distance sur D. Tracer les boules $B_\rho(\frac{1}{2}, \frac{3}{2})$, $B_\rho(\frac{1}{2}, 1)$ et $B_\rho(\frac{1}{2}, \frac{1}{2})$.

   Est-ce que les suites définies ci-dessous dans (D, ρ) convergent? Si oui, vers quelle valeur?

   a) $a_n = (\frac{1}{2}, \frac{1}{n})$, $n \geq 1$.

   b) $b_n = (\frac{1}{2} + \frac{1}{n+1}, 0)$, $n \geq 1$.

   c) $c_n = (\frac{1}{n} \cos \frac{n\pi}{2}, \frac{1}{n} \sin \frac{n\pi}{2})$, $n \geq 1$.

4. Soit (X, d) un espace *ultramétrique*, c'est-à-dire tel que pour tout $x, y, z \in X$, $d(x, z) \leq \max\{d(x, y), d(y, z)\}$. Montrer que

   a) tout triangle dans X est isocèle, c'est-à-dire que pour tout $x, y, z \in X$, $x \neq y$, $x \neq z$, $y \neq z$,

   $$d(x, y) = d(x, z) \text{ ou } d(y, x) = d(y, z) \text{ ou } d(z, x) = d(z, y);$$

   b) tout point d'une boule ouverte est le centre de cette boule, c'est-à-dire que $y \in B_d(x; r) \Longrightarrow B_d(y; r) = B_d(x; r)$.

5. Soit $X = \{n \in \mathbb{N} \mid 0 \leq n \leq 999\}$. Pour $n \in X$, $n = 100a + 10b + c$, $0 \leq a, b, c \leq 9$, écrivons $n = (abc)_{10}$. Soit $d \colon X \times X \to \mathbb{R}$,

   $$d(n, m) = \begin{cases} 0 & \text{si } n = m, \\ \frac{1}{3} & \text{si } a = p,\ b = q \text{ et } c \neq r, \\ \frac{1}{2} & \text{si } a = p,\ b \neq q, \\ 1 & \text{si } a \neq p, \end{cases}$$

où $n = (abc)_{10}$ et $m = (pqr)_{10}$.

a) Montrer que (X, d) est un espace ultramétrique.

b) Calculer $d(271, 281)$, $d(38, 384)$, $d(922, 822)$.

c) Décrire les boules $B_d(134; \frac{2}{3})$ et $B_d(499; \frac{1}{4})$.

d) Montrer que si $y \in B_d(X; r)$, $B_d(x; r) = B_d(y; r)$.

e) Trouver $diam(A)$ et $d(A, B)$ si $A = \{2, 4, 8, \ldots, 512\}$ et $B = \{3, 9, 81, \ldots, 729\}$.

6. Dans l'espace métrique du problème 3, considérer l'ensemble

$$A = \{(x, y) \mid x \geq 0, \ y > 0, \ \frac{1}{9} < x^2 + y^2 < \frac{4}{9}\}.$$

Trouver

a) $\overline{A}$,   b) A°,   c) $Fr(A)$,   d) $d(A, (0, 0))$, e) $d(A, (1, 0))$.

7. Considérer l'espace métrique $(\mathbb{R}^2, d)$, où

$$d\left((x_1, y_1), (x_2, y_2)\right) = \sqrt{(x_2 - x_1)^2 + (y_2 - y_1)^2}.$$

Soit la suite $\{a_n\}$ dans $\mathbb{R}^2$, $a_n = (x_n, y_n)$. Montrer que $\{a_n\}$ converge vers le point $(x, y) \in \mathbb{R}^2$ si et seulement si $x_n \to x$ et $y_n \to y$.

8. Soit $\mathcal{S}_b(\mathbb{R})$ l'ensemble des suites bornées de nombres réels. Vérifier que

$$d \colon \mathcal{S}_b(\mathbb{R}) \times \mathcal{S}_b(\mathbb{R}) \to \mathbb{R}$$

définie par $d(a, b) = \|a - b\|$, où pour $a \in \mathcal{S}_b(\mathbb{R})$ on pose $\|a\| = \sup\{|a_n| \mid n \geq 1\}$, est une distance.

9. Dans l'espace métrique $\mathcal{S}_b(\mathbb{R})$ de l'exercice précédent, étudier la convergence des suites suivantes.

a) $(1, 0, 0, \ldots)$, $(1, 1, 0, 0, \ldots)$, $(1, 1, 1, 0, 0, \ldots)$, $\ldots$

b) $(1, 0, 0, \ldots)$, $(1, \frac{1}{2}, 0, 0, \ldots)$, $(1, \frac{1}{2}, \frac{1}{3}, 0, \ldots)$, $\ldots$

10. Pour $n \in \mathbb{N}$, poser $\mathcal{V}(n) = $ le plus grand exposant k tel que 2^k divise n. Pour $n/m \in \mathbb{Q}$, poser $\mathcal{V}(\frac{n}{m}) = \mathcal{V}(n) - \mathcal{V}(m)$. En utilisant le fait que $d(x, y) = (\frac{1}{2})^{\mathcal{V}(x-y)}$ est une distance sur $\mathbb{Q}$,

a) Étudier la convergence des suites $\{1, \frac{1}{2}, \frac{1}{4}, \ldots\}$, $\{1, \frac{1}{3}, \frac{1}{9}, \ldots\}$ et $\{1, 2, 4, \ldots\}$.

b) Lesquelles parmi les trois suites de a) sont des suites de Cauchy?

c) Prouver que la série $1 + 2 + 4 + 8 + \cdots$ converge vers -1.

11. Dans l'espace métrique $(\mathbb{R}^2, d)$, trouver

a) deux fermés disjoints A et B tels que $d(A, B) = 0$,

b) deux ensembles ni ouverts ni fermés dont la réunion est un ouvert et l'intersection un fermé,

c) trois ouverts A, B et C tels que $A \cap B = A \cap C = B \cap C = \varnothing$ et $\overline{A} \cap \overline{B} \cap \overline{C} \neq \varnothing$.

12. Reprendre l'exercice précédent en remplaçant $\mathbb{R}^2$ par $\mathbb{R}$.

13. Considérer l'espace métrique (X, d) où $X = (0, 6) \subset \mathbb{R}$ et $d(x, y) = |x - y|$. Trouver $\overline{A}$, A', A° et $d(A, \pi)$ pour

$$A = (0, 1) \cup [2, 3] \cup \{5 + \frac{(-1)^n}{n!} \mid n \geq 1\} \subset X.$$

14. Montrer que $f : (0, 1) \to (0, 1)$ définie par $f(x) = x/2$ est une contraction sans point fixe. Montrer que $g : \mathbb{R} \to \mathbb{R}$ définie par $g(x) = x + 1$ est 1-contractante et sans point fixe.

15. Montrer que la fonction $f : [0, 3] \to [0, 3]$ définie par

$$f(x) = -\frac{1}{4}(x^2 - 3x - 4)$$

est une contraction. Trouver son point fixe.

16. Soit $X = \mathbb{R}^2$ et $\delta : X \times X \to \mathbb{R}$ définie par

$$\delta((x_1, x_2), (y_1, y_2)) = \sqrt{|x_1 - y_1|^3 + |x_2 - y_2|}.$$

Montrer que les axiomes 1, 2 et 3 de la définition de distance sont satisfaits mais pas l'axiome 4.

17. Montrer que les sous-ensembles connexes de $\mathbb{R}$ sont $\varnothing$, les singletons et les intervalles.

18. Soit $(\mathbb{R}, \delta)$ l'espace métrique où $\delta(x, y) = 1$ si $x \neq y$ et 0 si $x = y$.

a) Montrer que $(\mathbb{R}, \delta)$ est complet, borné et non compact.

b) Montrer que tout sous-ensemble de $\mathbb{R}$ est à la fois ouvert et fermé dans cet espace métrique.

c) Trouver les sous-ensembles compacts de $\mathbb{R}$.

19. Montrer que tout fermé d'un espace métrique compact (X, d) est compact.

Solutions des exercices

Note : *Ne regarder les solutions qu'après avoir essayé sérieusement de résoudre les exercices. On peut résoudre un grand nombre de ceux-ci de diverses façons. Votre solution peut donc différer de la nôtre. Votre solution sera souvent plus élaborée que celle que l'on vous suggère ci-dessous.*

Chapitre 1

§1.2.1 Page 9

1. oui, oui, non, non.

2. a) 17; 2,   b) 1; -1,   c) $1 + \frac{1}{\pi}$; 1,   d) 2,5; 1,   e) π; 3,

   f) $+\infty$; $-\infty$,   g) $\sqrt{3}$; $-\sqrt{3}$,   h) 1/2; 4/9,   i) 4/9; 3/37,   j) 7; 0.

3. Tous les ensembles sont bornés sauf celui de f).

4. Si $b^0 = \sup E$, $b^* = \sup E$, alors $b^0 \leq b^*$ et $b^* \leq b^0$. Donc $b^0 = b^*$.

5. Posons $x = 3\sqrt{3} + \sqrt{5}$. On obtient le polynôme $x^4 - 64x^2 + 484$. Or $484 = 2^2 \cdot 11^2$. Donc les seules racines rationnelles possibles de $x^4 - 64x^2 + 484 = 0$ sont $\pm 1, \pm 2, \pm 4, \pm 11, \pm 22, \pm 44, \pm 121, \pm 242, \pm 484$. L'essai de ces 16 valeurs montre qu'aucune d'elles n'est racine. Le polynôme n'admet donc aucune racine rationnelle et par conséquent le nombre $3\sqrt{3} + \sqrt{5}$ est un nombre irrationnel.

6. a) Posons $x = \sqrt[3]{2 + \sqrt{3}}$. On obtient l'équation $x^6 - 4x^3 + 1 = 0$. Si $\sqrt[3]{2 + \sqrt{3}} = p/q$ alors p divise 1 et q divise 1, c'est-à-dire que $\sqrt[3]{2 + \sqrt{3}}$ égale 1 ou -1. Ce qui est absurde.

   b) Le nombre égale l'entier 4.

7. a) Les racines rationnelles sont $1, -2$ et $1/2$,   b) aucune.

8. a) $0{,}1\overline{36}$,   b) $0{,}\overline{736\ 842\ 105\ 263\ 157\ 894}$,   c) $0{,}0\overline{01}$,   d) 3,141 592 9.

§1.3.1   Pages 12 et 13

1. a) $x = 5$ ou $x = 3$,   b) $x = -1$,   c) $1 < x < 3$,   d) $x \geq 2$ ou $x \leq 0$,

   e) $-4{,}5 < x < 10{,}5$,   f) $\mathbb{R} \setminus \{4\}$,   g) $x = 2$ ou $x = 3$,   h) $0 < x < 1$.

2. $x > 18\,997/9$ ou $x < -19\,003/9$.

3. a) Si $x > 0$, $|-x| = -(-x) = x = |x|$. Si $x = 0$, $|-x| = 0 = |x|$. Si $x < 0$, $|-x| = -x = |x|$.

   b) $|x - y| = |x + (-y)| \leq |x| + |-y| = |x| + |y|$.

   c) Il suffit de remplacer y par $-y$ dans le corollaire 1.19.

   d) Si $x \neq 0$, $|xx^{-1}| = |x||x^{-1}| = 1$.

4. Si $x = 0$, $|x| = 0 = x$. Donc $x^2 = |x|^2$. Si $x \neq 0$, $|x|^2 = |x||x| = xx = (-x)(-x) = x^2$.

5. Si $x > 0$, $\max\{x, -x\} = x = |x|$. Si $x = 0$, $\max\{x, -x\} = 0 = |0|$. Si $x < 0$, $\max\{x, -x\} = -x = |x|$.

6. Supposons $a < b$. Donc $\max\{a, b\} = b$ et $(a+b+|a-b|)/2 = (a+b+b-a)/2 = b$. De même, $\min\{a, b\} = a = (a + b - (b - a))/2 = (a + b - |a - b|)/2$. L'autre cas, $a > b$, s'obtient de la même façon.

§1.4.1   Pages 15 et 16

1. a) Par l'hypothèse d'induction, on a $1 + 3 + 5 + \cdots + (2n - 1) + (2n + 1) = n^2 + (2n + 1) = (n + 1)^2$.

2. b) Pour $n = 1$, le résultat est immédiat. Supposons le résultat vrai pour un n et pour tout k vérifiant $1 \leq k \leq n$. D'après a), $\binom{n+1}{k}$ est un entier.

3. a) $m(m + 1) = m^2 + m$. Donc

$$1 \cdot 2 + 2 \cdot 3 + \cdots + n(n + 1) = 1^2 + 1 + 2^2 + 2 + \cdots + n^2 + n.$$

   Par l'exemple 1.24 et l'exercice 1b de la section 1.4.1, on montre que l'expression vaut $n(n + 1)(n + 2)/3$.

   b) La formule de la somme est $n/(3n + 1)$.

4. Par l'induction et l'identité $(n + 1)^3 + 5(n + 1) = n^3 + 5n + 3(n^2 + n + 2)$.

5. a) Par l'induction et l'identité $x^{n+1} - y^{n+1} = x^{n+1} - x^n y + x^n y - y^{n+1} = x^n(x - y) + y(x^n - y^n)$.

   b) Par l'induction et l'identité $x^{2n+1} + y^{2n+1} = x^2(x^{2n-1} + y^{2n-1}) - y^{2n-1}(x^2 - y^2)$.

c) Par l'induction et l'identité $x^{2n+2} - y^{2n+2} = x^{2n}(x^2 - y^2) + y^2(x^{2n} - y^{2n})$. On peut aussi utiliser a) en remplaçant x et y par x^2 et y^2 respectivement.

6. a) Supposons $2^{n-1} \le n!$. Donc $2^n = 2 \cdot 2^{n-1} \le 2(n!) \le (n+1)!$ et par conséquent $2^{n-1} \le n!$. Pour montrer l'inégalité de droite, il suffit de considérer l'hypothèse d'induction $n! \le n^{n-1}$ et de la multiplier par $n+1$. Il vient

$$(n+1)! = (n+1)n! \le (n+1)n^{n-1}.$$

Pour $n \ge 1$, $(n+1)n^{n-1} \le (n+1)^n$. D'où la conclusion.

b) $n!$ contient n termes. Par conséquent pour $n \ge 2$, $n! < n^n$. Donc il suffit de montrer $2^n < n!$ pour $n \ge 4$ ou $2^{n+3} < (n+3)!$ pour $n \ge 1$. C'est immédiat par l'induction.

7. Soit $\sum_{k=1}^{2n}(-1)^k(2k+1) = S_n = \lambda n$. Si $n = 1$, $S_1 = 2 \cdot 1$. Donc $\lambda = 2$. Supposons l'affirmation vraie pour n et démontrons-la pour $n+1$. Il vient $S_{n+1} = 2n + (-1)^{2n+1}[2(2n+1)+1] + (-1)^{2n+2}[2(2n+2)+1] = 2(n+1)$.

8. $k(n) = (n+2)/(2n+2)$.

9. a) $-3^7\binom{11}{7}$,   b) $1{,}068$.

§1.5.1 Page 21

1. a) D'après la propriété archimédienne, $\exists n \in \mathbb{N}$ tel que $nr > 1$.

   b) 1; 0.

2. a) L'inégalité de gauche étant évidente, il suffit de montrer que $(3n+4)/2n < b_0$. Or $b_0 > 3/2$. Donc, d'après la propriété archimédienne, il existe un entier positif n tel que $n(2b_0 - 3) > 4$ ou $(3n+4)/2n < b_0$.

   b) $\sup E = 7/2$, $\inf E = 3/2$.

3. D'après la propriété archimédienne, $\exists n_1 \in \mathbb{N}$ tel que $n_1 a > 1$ et $\exists n_2 \in \mathbb{N}$ tel que $n_2 > a$. Soit $n = \max\{n_1, n_2\}$. Donc $n > a$ et $n > 1/a$.

4. Si $x \ne 0$, $x > 0$. Donc, d'après la propriété archimédienne, $\exists n \in \mathbb{N}$ tel que $nx > 1$ ou $x > \frac{1}{n}$, une contradiction.

5. a) $4/5$; $1/2$,   b) 3; $5/2$,   c) 2; -2,   d) $\sqrt{5}$; $-\sqrt{5}$,

   e) $+\infty$; 3,   f) 5; -1.

6. E est borné. Donc $b^0 = \sup E$, $b_0 = \inf E$ existent. Soit $b = \max\{|b^0|, |b_0|\}$. Donc

$$\forall x \in E, \quad -b \le -|b_0| \le b_0 \le x \le b^0 \le |b^0| \le b, \text{ ou } |x| \le b.$$

Chapitre 2

§2.3.1 Page 31

1. b) i) $2 < z < 4$, iii) $2 < z < 3$.

2. a) $(1, 2)$,   b) $(1, 4)$,   c) $(2, 3)$,   d) $(2, 3)$,   e) $\varnothing$,   f) $(2, 3)$.

3. Seul l'ensemble de b) est ouvert.

4. a) non,   b) non,   c) non,   d) non,   e) oui,   f) non,

   g) oui,   h) non,   i) non,   j) oui,   k) oui,   l) non.

5. $A = [-1, 2)$, $B = (1, 3]$ ne sont pas ouverts; $A \cap B = (1, 2)$.

6. On a $0 \in (-1/n, 1/n)$, $\forall n \in \mathbb{N}$. Donc

$$\{0\} \subset \cap_{n=1}^{\infty}(-1/n, 1/n).$$

Si $x \neq 0$, $|x| > 0$. Donc il existe un entier n tel que $n|x| > 1$. Donc $|x| > \frac{1}{n}$ ou $x \notin (-\frac{1}{n}, \frac{1}{n})$.

7. Non, car $(1, 2]$ contient tous ses points intérieurs et n'est pas ouvert.

§2.4.1 Pages 35 et 36

1. a) $\varnothing$,   b) $\varnothing$,   c) $[a, \infty)$,   d) $(-\infty, a]$,   e) $\{0\}$,   f) $[1, 2]$,

   g) $\{1\}$,   h) $\{-1, 0, 1\}$,   i) $\{-1, 1\}$,   j) $[1, 2]$,   k) $\{4\}$,   l) $[0, 1]$.

2. Les ensembles de a), b), c), d) et l) sont fermés.

3. a) oui,   b) non,   c) oui,   d) oui,   e) oui,   f) non.

4. $\{1/n \mid n \in \mathbb{N}\} \cup \{1 + \frac{1}{n} \mid n \in \mathbb{N}\} \cup \{2 + \frac{1}{n} \mid n \in \mathbb{N}\}$.

5. a) Premier ensemble : $\sup E = 3$, $\inf E = 1$; deuxième ensemble : $\sup E = 3,01$, $\inf E = 2,9$.

   b) Premier ensemble : un seul point d'accumulation : 1; deuxième ensemble : un seul point d'accumulation : 3.

   c) Le premier ensemble est fermé, le deuxième ne l'est pas.

6. Soit $x \in \mathbb{R}$. Donc tout voisinage de x contient une infinité de nombres rationnels (irrationnels).

§2.5.1 Page 38

1. a) $\{0\} \cup [1, 2] \cup [3, 4]$,   b) $E \cup \{0\} \cup [1, 2]$,   c) $(3, 4)$,

d) $\{0, 3, 4\} \cup [1, 2] \cup \{\frac{1}{n} \mid n \geq 1\}$.

2. Ces 12 ensembles sont tous différents.

§2.6.1 Page 40

1. a) Pour tout entier positif n, $2 < 2 + 1/n \leq 3$. Donc l'ensemble est borné. Pour $n \neq m$, $2 + 1/n \neq 2 + 1/m$. Par conséquent, l'ensemble possède une infinité d'éléments distincts et donc le théorème de Bolzano-Weierstrass est vérifié. Le point d'accumulation est 2. En effet, $\forall \delta > 0$, $\exists N$ tel que $N\delta > 1$ (d'après la propriété archimédienne) et donc $2 + 1/N < 2 + \delta$. Par conséquent,

$$V'(2, \delta) \cap \{2 + 1/n \mid n > N\} \neq \varnothing.$$

b) oui, 1.

c) $1 + \frac{1}{2} + \cdots + \frac{1}{2^n} = 2 - \frac{1}{2^n}$. Donc l'ensemble vérifie le théorème de Bolzano-Weierstrass. Pour tout $\delta > 0$, il existe un entier n tel que $1/2^n \leq 1/n < \delta$. Par conséquent, $V'(2, \delta) \cap \{2 - \frac{1}{2^n} \mid n \in \mathbb{N}\} \neq \varnothing$ et donc 2 est un point d'accumulation.

d) oui, 11/6.   e) oui, 0.

f) Cet ensemble n'est pas borné supérieurement. Les hypothèses du théorème de Bolzano-Weierstrass ne sont pas vérifiées. Remarquons cependant que cet ensemble a un point d'accumulation, 0.

2. a) Pour tout entier positif n, $-1 \leq \sin n \leq 1$ et pour $n \neq m$, $\sin n \neq \sin m$. Donc les hypothèses du théorème de Bolzano-Weierstrass sont vérifiées et, par conséquent, l'ensemble possède au moins un point d'accumulation.

b) oui.   c) oui.

§2.7.1 Page 44

1. a) oui,   b) oui,   c) non,   d) oui,   e) non,   f) oui,

   g) non,   h) non.

2. Un ensemble fini est un ensemble borné et fermé.

3. $\{O_n \mid n = 1, 2, \ldots, 11\}$ est un recouvrement fini de E puisque l'intervalle $O_{11} = (-1/110, 21/110)$ contient 0 et $1/n$ pour $n \geq 11$.

4. $n \in O_n$. Donc $\{O_n\}$ recouvre $\mathbb{N}$. Mais on ne peut pas recouvrir $\mathbb{N}$ par un nombre fini d'intervalles ouverts de la famille $\{O_n\}$ car $\forall N$, $N + 1 \notin \cup_{n=1}^{N} O_n$. En fait, les réunions finies de O_n sont bornées et $\mathbb{N}$ ne l'est pas.

5. Oui. Les 10 intervalles $x = 1/11, 2/11, \ldots, 10/11$, par exemple, recouvrent $[0, 1)$.

Chapitre 3

§3.2.1 Pages 53 et 54

1. $x_n = a + (n-1)d$, $n \geq 1$.

2. Par induction.

3. a) $|4 + \frac{(-1)^n}{n} - 4| = \frac{1}{n} < \varepsilon$ dès que $n > \frac{1}{\varepsilon} = 20$. Donc l'intervalle $(3\frac{19}{20}, 4\frac{1}{20})$ contient tous les termes, sauf les 20 premiers. Procéder de même pour obtenir l'intervalle qui contient tous les termes, sauf les 1000 premiers.

   b) $(19\frac{39}{40}, 20\frac{1}{40})$ contient tous les termes, sauf les 20 premiers.

   c) $(22, \infty)$.   d) $(400, \infty)$.

4. a) 250,   b) 490,   c) 31,   d) 592,   e) $1000|a|$,   f) 360.

5. a) 3,   b) 1,   c) 3,   d) 1/2.

6. a) non,   b) oui,   c) non,   d) oui,   e) non,   f) oui.

7. a) Il est immédiat que $x_n > 0$ pour $n \geq 1$. L'exercice revient donc à trouver une borne supérieure pour la suite. On montre facilement par induction que $x_n \leq 1/2$ pour tout $n \geq 1$.

   b) $n! \geq 2^{n-1}$ (voir l'exercice n° 6 de la section 1.4.1). Donc

   $$0 < x_n \leq 1 + \frac{1}{2} + \frac{1}{2^2} + \cdots + \frac{1}{2^{n-1}} + \cdots = 2.$$

8. a) $\forall \varepsilon > 0$, il faut trouver un nombre $N(\varepsilon)$ tel que

   $$|(3n+1)/n - 3| = 1/n < \varepsilon.$$

   Il suffit de prendre $N(\varepsilon) = 1/\varepsilon$.

   b) Il suffit de prendre $N(\varepsilon) = 1/\varepsilon$.

   c) Prendre $N(\varepsilon) = 1/\sqrt{\varepsilon}$.

   d) $\forall \varepsilon > 0$, il faut trouver un nombre $N(\varepsilon)$ tel que

   $$|\sqrt{n}/(n+2)| < \sqrt{n}/n = 1/\sqrt{n} < \varepsilon.$$

   Prendre $N(\varepsilon) = 1/\varepsilon^2$.

§3.3.1   Pages 62 et 63

1. a) 0,   b) 0,   c) $+\infty$.

2. a) 0,   b) 3/2,   c) 1,   d) 1,   e) 3/7,   f) 2^{-16},

   g) 2,   h) 1,   i) 1/2,   j) 2^{-5},   k) 1/2,   l) 1,   m) 1/2,

   n) $1 < \sqrt[n]{1 + n + n^2} < \sqrt[n]{n^2 + n^2 + n^2} = \sqrt[n]{3}\sqrt[n]{n^2}$: la limite est donc 1.

3. Non, en prenant $x_n = y_n = (-1)^n$, par exemple.

4. $\{x_n\} = \{n^{1/3}\}$.

5. a) Si $a = 1$, le résultat est immédiat. Si $a > 1$, $\sqrt[n]{a} > 1$. Posons $\sqrt[n]{a} = 1 + x_n$ où $x_n > 0$, $\forall n \in \mathbb{N}$. Donc $a = (1 + x_n)^n > 1 + nx_n$. Donc $0 < x_n < (a-1)/n$. Or $(a-1)/n \to 0$. D'où la conclusion car $\lim x_n = 0$. Si $0 < a < 1$, en posant $c = 1/a > 1$ il vient $\sqrt[n]{a} = 1/\sqrt[n]{c}$. Or $\lim \sqrt[n]{c} = 1$. D'où encore la conclusion.

   b) $x \le (x^n + y^n)^{1/n} \le 2^{1/n}x$. D'où la conclusion.

6. Il suffit d'utiliser le théorème 3.21.

7. La preuve de la première partie est immédiate. Pour la deuxième partie, procéder comme suit : si $\lim\limits_{n \to \infty} \sqrt[m]{x_n}$ existe, alors par la première partie,

$$(\lim \sqrt[m]{x_n})^m = \lim(\sqrt[m]{x_n})^m = \lim x_n,$$

ce qui démontre la conclusion.

8. a) On démontre l'inégalité par induction.

$$\frac{1}{n+1} \le \left(\frac{n}{n+1}\right)^n \le \frac{1}{2}$$

est vrai pour $n \ge 1$. Donc en multipliant l'hypothèse d'induction $1/n! \le n!/n^n \le 1/2^{n-1}$ par l'inégalité mentionnée, il vient

$$1/(n+1)! \le n!/(n+1)^n \le 1/2^n.$$

Le membre central équivaut à $(n+1)!/(n+1)^{n+1}$. D'où la conclusion.

   b) Il suffit de procéder comme dans l'exemple 3.14 (mais, dans cet exercice, il faut poser $\sqrt[n]{n + \sqrt{n}} = 1 + x_n$, $x_n \ge 0$) ou remarquer que $\sqrt[n]{n} < \sqrt[n]{n + \sqrt{n}} < \sqrt[n]{n}\sqrt[n]{2}$.

§3.4.1   Pages 69 à 71

1. Toutes ces suites possèdent au moins deux sous-suites qui convergent vers des valeurs différentes.

2. b) *i*) oui, *ii*) 0 et 1, *iii*) non.

3. Tous ces problèmes se résolvent de la même façon. Résolvons a), par exemple. Posons $2n = m$. Il vient

$$\lim_{n\to\infty}(1 + 1/2n)^n = \lim_{m\to\infty}(1 + 1/m)^{m/2} = \left[\lim_{m\to\infty}(1 + 1/m)^m\right]^{\frac{1}{2}} = \sqrt{e}.$$

L'exercice e) revient à évaluer

$$\lim_{n\to\infty}\left(1 + \frac{1}{n^2}\right)^n = \lim_{n\to\infty}\sqrt[n]{\left(1 + \frac{1}{n^2}\right)^{n^2}}.$$

4. a) *iii*) 3/4,

b) $\forall n \in \mathbb{N}$,

$$x_{n+1} = x_n + \frac{1}{2n+1} - \frac{1}{2n+2} > x_n$$

et

$$y_{n+1} = y_n - \frac{1}{2n+2} + \frac{1}{2n+3} < y_n.$$

Pour tout n, $x_n < y_n \leq y_1$, et $y_n > x_n \geq x_1$. Donc $\lim x_n$ et $\lim y_n$ existent et sont égales car $y_n - x_n \to 0$.

5. a) Par induction. Pour $n = 1$, le résultat est immédiat. Supposons $x_n < 2$ vrai pour n. Donc $x_{n+1} = \frac{1}{4}(3x_n + 2) < 2$. D'où la conclusion.

b) Par induction. L'hypothèse d'induction $x_n < x_{n+1}$ donne $3x_n < 3x_{n+1}$ ou $\frac{1}{4}(3x_n + 2) < \frac{1}{4}(3x_{n+1} + 2)$. Donc $x_{n+1} < x_{n+2}$, ce qui démontre la conclusion.

c) $\{x_n\}$ croît et est bornée supérieurement par 2. Donc $\lim x_n = x$ existe. Par conséquent,

$$x = \lim x_{n+1} = \lim \frac{1}{4}(3x_n + 2) = \frac{1}{4}(3x + 2)$$

et donc $x = 2$.

d) $\{x_n\}$ croît et n'est pas bornée supérieurement. Donc par induction $x_n < x_{n+1}$ et $x_n > n/2$.

6. a) $x_n/x_{n+1} > 1$ et $x_n > 0$.

b) $y_n = \frac{2}{3} \cdot \frac{4}{5} \cdots \frac{2n}{2n+1} > \frac{1}{2} \cdot \frac{3}{4} \cdots \frac{2n-1}{2n}$. Donc $x_n^2 < x_n y_n$. Or $x_n y_n = \frac{1}{2n+1}$. D'où $0 < x_n^2 < x_n y_n = \frac{1}{2n+1}$. Donc $\lim x_n = 0$.

7. b) Non, puisque $\{x_n\}$ croît et qu'elle n'est pas bornée supérieurement.

8. a) $(7 + \sqrt{13})/2$.

b) La limite n'existe pas puisque $\{x_n\}$ croît et qu'elle n'est pas bornée supérieurement. En effet, on montre par induction que $x_n \geq n$, pour $n \geq 5$, et que $x_n < x_{n+1}$, $\forall n \in \mathbb{N}$.

c) 2.   d) 4.

e) $(1 + 3x_n)/(1 + 7x_n) > 3/7$. Donc

$$x_2 > 1 + \frac{3}{7},\ x_3 > 1 + 2 \cdot \frac{3}{7}, ...,\ x_n > 1 + \frac{3(n-1)}{7}.$$

Donc $\lim x_n = +\infty$.

f) $x_n \geq n/\sqrt{2}$ pour $n \geq 6$. Donc $\lim x_n = +\infty$.

9. a) On trouve facilement l'égalité $x_{n+1} = a^n x_1$. Or $|a| < 1$. Donc $\lim x_n = 0$.

b) On trouve facilement (en utilisant l'exercice n° 2 de la section 3.2.1) l'égalité

$$x_{n+1} = (0,1)^n \cdot 4 + 5\left(1 - (0,1)^n\right).$$

Donc $\lim_{n \to \infty} x_n = 5$.

§3.5.1   Page 75

1. a) $x_n = (n+2)/n = 1 + 2/n$. Donc

$$|x_{n+k} - x_n| \leq \frac{2}{n+k} + \frac{2}{n} < \frac{4}{n} < \varepsilon$$

dès que $n > 4/\varepsilon = N(\varepsilon)$.

b) Pour tout k impair,
$$|x_{n+k} - x_n| = |(-1)^k - 1| = 2.$$

Donc $\{(-1)^n\}$ n'est pas une suite de Cauchy.

2. a) 3/5,   b) $(a + 2b)/3$.

§3.6.1   Page 77

1. a) 6,   b) 5,   c) 3,   d) 6,   e) 3,   f) 2,   g) 0,   h) 0.

2. a) $\overline{\lim} = \underline{\lim} = 0$,   b) $\overline{\lim} = 1, \underline{\lim} = -1$,   c) $\overline{\lim} = \underline{\lim} = 3/7$,

d) $\overline{\lim} = 6, \underline{\lim} = 4$,   e) $\overline{\lim} = +\infty, \underline{\lim} = 1$,   f) $\overline{\lim} = 1, \underline{\lim} = 0$,

g) $\overline{\lim} = e, \underline{\lim} = -e$,   h) $\overline{\lim} = 1, \underline{\lim} = -1$,   i) $\overline{\lim} = 2, \underline{\lim} = 0$.

3. Considérer la suite telle que $x_{2n} = 3, x_{2n+1} = 6 - \frac{1}{n}$.

4. Considérer, par exemple, les suites de l'exercice 1 ou $\{x_n\} = \{(-1)^n\}$ et $\{y_n\} = \{(-1)^{n+1}\}$.

Chapitre 4

§4.3.1   Pages 93 et 94

1. $x = 0$ et $x = 1$.

2. a) $\{x \in \mathbb{R} \mid x > -5\}$,   b) $\{x \in \mathbb{R} \mid x \neq 3,\ x \neq 4\}$,

   c) $\{x \in \mathbb{R} \mid x < -6 \text{ ou } x \geq 5\}$,   d) $\{x \in \mathbb{R} \mid x \neq 0\}$,

   e) $\{x \in \mathbb{R} \mid x \geq -7 \text{ et } x \neq 29\}$,   f) $\{x \in \mathbb{R} \mid x \leq -3 \text{ ou } x \geq 2\}$.

3. a) $f(x) = 1$ si $x > 0$, $f(x) = -1$ si $x < 0$,

   b) $f(x) = 2x - 7$ si $x \geq 4$, $f(x) = 1$ si $3 \leq x < 4$, $f(x) = -2x + 7$ si $x < 3$.

4. a) Supposons $|x - 1| < 1$. Donc

$$\left| \frac{3x - 1}{x + 2} - \frac{2}{3} \right| = \frac{7|x - 1|}{3|x + 2|} < \frac{7|x - 1|}{6} < 0{,}001.$$

   D'où $|x - 1| < \frac{6}{7}(0{,}001)$. Donc choisir $\delta = 0{,}0008 < \frac{6}{7}(0{,}001)$.

   b) Choisir $\delta = 0{,}0001$ si on suppose $|x| < 1/8$.

   c) Choisir $\delta = \min\{\varepsilon/12, 1\}$.

5. a) $\sqrt{2}/4$,   b) 20,   c) 1/3,   d) $n2^{n-1}$,   e) 1/7,   f) 0.

6. a) $2x^2 - 5x - 3 = (x - 3)(2x + 1)$. Donc $f(x) = 2x + 1$.

   b) Non, il suffit de considérer $x_n = 1/n\pi$.

7. Lorsque $x \to +\infty$, la limite égale $\sqrt{3}$. Pour $x \to -\infty$, la limite égale $+\infty$.

8. a) $\forall \varepsilon > 0$, il faut trouver un nombre $\delta(\varepsilon)$ tel que pour tout x vérifiant $|x - x_0| < \delta(\varepsilon)$, $|ax + b - (ax_0 + b)| < \varepsilon$. Or

$$|ax + b - ax_0 - b| = |a||x - x_0| < (|a| + 1)|x - x_0| < \varepsilon.$$

   Donc il suffit de choisir $\delta(\varepsilon) = \varepsilon/(|a| + 1)$.

   b) $|\sin(1/x)| \leq 1$. D'où

$$|x \sin(1/x) - 0| \leq |x| < \varepsilon.$$

   Donc choisir $\delta(\varepsilon) = \varepsilon$.

9. Le domaine $D_f = [9/4, \infty)$. Or $x \geq 9/4$. Donc

$$y^2 = 2x + \sqrt{\left(x - \frac{9}{2}\right)^2} = 2x + 2\left|x - \frac{9}{2}\right|.$$

Finalement, $y = (4x - 9)^{1/2}$ si $x \geq 9/2$ et $y = 3$ si $x \leq 9/2$. Donc $\lim_{x \to \frac{9}{2}^+} = 2/3$ et

$$\lim_{x \to \frac{9}{2}^-} = 0$$

10. Le procédé est semblable à celui de l'exercice précédent, qui en est un cas particulier.

11. a) $\lim_{x \to 0^+} = -1$, $\lim_{x \to 0^-} = +\infty$.

   b) Posons $x - 2 = u$. Il suffit donc d'évaluer $\lim \left(\frac{1}{u}\right)^{[u]}$ lorsque $u \to 0^+$ et lorsque $u \to 0^-$. Il vient $\lim_{x \to 2^+} = 1$, $\lim_{x \to 2^-} = 0$.

§4.4.1   Pages 97 et 98

1. a) 48,   b) 4.

2. a)

$$f(x) = \begin{cases} -1 & \text{si } x \text{ est rationnel,} \\ 1 & \text{si } x \text{ est irrationnel.} \end{cases} \quad \text{Et } g(x) = \begin{cases} 1 & \text{si } x \text{ est rationnel,} \\ -1 & \text{si } x \text{ est irrationnel.} \end{cases}$$

   b)

$$f(x) = \begin{cases} 0 & \text{si } x \text{ est rationnel,} \\ 1 & \text{si } x \text{ est irrationnel.} \end{cases} \quad \text{Et } g(x) = \begin{cases} 1 & \text{si } x \text{ est rationnel,} \\ 0 & \text{si } x \text{ est irrationnel.} \end{cases}$$

   c) Puisque $\lim(f(x) + g(x) - f(x)) = \lim(f(x) + g(x)) - \lim f(x)$.

6. a) Supposons que $\lim_{x \to a} f(x) = L$. Donc $\forall \varepsilon > 0$, $\exists \delta$ tel que $|x - a| < \delta$ entraîne $|f(x) - L| < \varepsilon$. Posons $x = a + h$. Il vient que $\forall \varepsilon > 0$, $\exists \delta$ tel que $|h| < \delta$ entraîne $|f(a + h) - L| < \varepsilon$. Donc $\lim_{h \to 0} f(a + h) = L$. Pour l'implication inverse, procéder de même.

   b) Puisque $|f(x) - 0| = |\,|f(x)| - 0\,| = |f(x)|$.

7. a) Puisque $|\,|f(x)| - |L|\,| \leq |f(x) - L|$; non,

   b) Appliquer le théorème 4.15 et l'exemple 4.17 (2).

8. $\exists \delta_1$ et $\exists M > 0$ tel que $|f(x)| < M$, $\forall x \in D \cap V(x_0, \delta_1)$, $\forall \varepsilon > 0, \exists \delta_2$ tel que $x \in D \cap V'(x_0, \delta_2) \Rightarrow |g(x) - 0| < \varepsilon/M$. Soit $\delta = \min\{\delta_1, \delta_2\}$. Donc pour $x \in D \cap V'(x_0, \delta)$, $|f(x)g(x)| < \varepsilon$. D'où $\lim f(x)g(x) = 0$.

§4.5.1 Page 104

1. a) Puisque $\mid |x| - |x_0| \mid \leq |x - x_0|$.

   b) Pour cet exercice, d) et e), utiliser les théorèmes 4.15 et 4.20. Pour c), utiliser l'exemple 4.6.

2. Considérer la suite $\{x_n\} = \{1/n\pi\}$ et utiliser le théorème 4.20.

3. $|x^n \sin(1/x)| \leq |x|^n$. Donc choisir $\delta(\varepsilon) = \sqrt[n]{\varepsilon}$. Oui.

4. Soit $x_0 \in \mathbb{Q} \setminus \{0\}$ et $\{x_n\}$ une suite de nombres irrationnels qui converge vers x_0. Donc $\{f(x_n)\} = \{0\}$ et cette suite ne peut converger vers $f(x_0) = x_0^2$. Donc $f(x)$ n'est pas continue sur $\mathbb{Q} \setminus \{0\}$.

   Soit $x_0 \in \mathbb{Q}^c$ et $\{x_n\}$ une suite de nombres rationnels qui converge vers x_0. Donc $\{f(x_n)\} = \{x_n^2\}$ et cette suite ne peut converger vers $f(x_0) = 0$. Par conséquent, cette fonction est discontinue sur $\mathbb{Q}^c$.

   Soit $x_0 = 0$, alors $|f(x) - f(x_0)| = |x^2 - 0| < \varepsilon$ dès que $|x| < \delta(\varepsilon) = \sqrt{\varepsilon}$.

5. Procéder comme dans l'exercice précédent. Considérer les trois cas : $x_0 \in \mathbb{Q} \setminus \{1/2\}$, $x_0 \in \mathbb{Q}^c$ et $x_0 = 1/2$.

§4.6.1 Pages 108 et 109

1. a) $\lim\limits_{x \to 2} f(x) = 5$. Donc poser $f(2) = 5$.

   b) Cette fonction est discontinue à $x = 1$ puisque $\lim\limits_{x \to 1} f(x) = -3 \neq 3$.

2. a) Continue si $x_0 \neq 0, \pm 1, \pm 2, \ldots$

   b) Continue si $x_0 \neq \pm 1, \pm 2, \ldots$

   c) Continue si $\sin x_0 \neq 0, 1$. Donc $x_0 \neq n\pi, 2n\pi + \frac{\pi}{2}, n \in \mathbb{Z}$.

   d) Continue si $\cos x_0 \neq 0, 1$. Donc $x_0 \neq n\pi + \frac{\pi}{2}, 2n\pi, n \in \mathbb{Z}$.

3. Continue si $x_0 \neq \pm 1/n, n \in \mathbb{N}$.

4. a) i) Le domaine est $\{x \in \mathbb{R} \mid x \neq \frac{\pi}{4} + n\pi, n \in \mathbb{Z}\}$, ii) oui.

   b) i) Le domaine est $\{x \in \mathbb{R} \mid x \neq \frac{3\pi}{4} + n\pi, n \in \mathbb{Z}\}$, ii) oui.

5. a) $ax + b$ et $\sin x$ sont des fonctions continues sur $\mathbb{R}$. Donc le théorème 4.24 donne la conclusion.

   b) Procéder de même qu'en a).

6. b) Surveiller le cas où n est pair. La fonction $f(x) = -1$, par exemple, est continue et pour $n = 2$, $f^{1/2}$ possède un domaine vide. Néanmoins $f^{1/2}$ est continue sur son domaine $\{x \mid f(x) \text{ existe et } f(x) \geq 0\}$.

7. $| \, |f(x)| - |f(x_0)| \, | \leq |f(x) - f(x_0)|$. L'inverse n'est pas vrai. En effet, il suffit de considérer la fonction f définie par

$$f(x) = \begin{cases} -1 & \text{si } x \geq 0, \\ 1 & \text{si } x < 0. \end{cases}$$

8. a) Si $f(x) > g(x)$,

$$\max\{f(x), g(x)\} = f(x) = \frac{1}{2}\left(f(x) + g(x) + f(x) - g(x)\right)$$

et

$$\min\{f(x), g(x)\} = g(x) = \frac{1}{2}\left(f(x) + g(x) - f(x) + g(x)\right).$$

b) Puisque la somme et la différence de fonctions continues sont continues et par l'exercice précédent.

§4.7.1 Page 112

1. $f \colon \mathbb{R} \to \mathbb{R}$ une fonction définie par $f(x) = x^2$. Donc f est continue et $f\left((-1, 1)\right) = [0, 1)$

2. Prendre $M = 1000^{20} + 9(1000)^{10} + 13(1000)^6 + 4(1000)^5 + 2125$ ou simplement $M = 1000^{21}$.

3. Choisir
   a) $M = 100^{13}$,   b) $M = 41$,   c) $M = 22$,   d) $M = 2(400)^3$.

4. a) 0 est entre $f(a)$ et $f(b)$. Donc $\exists c \in [a, b]$ tel que $f(c) = 0$. Mais $f(a) \neq 0$, $f(b) \neq 0$. D'où $c \in (a, b)$.
   b) Considérer $g(x) = f(x) - x$.
   c) Considérer $f(x) = \cos x - \tan x$.
   d) Considérer $f(x) = mx - \sin x$.
   e) Considérer $f(x) = mx - \cos x$.

5. a) Soit $f(x) = \cos x - x$. Donc $f(0) = 1 > 0$ et $f(\pi/2) = -\pi/2 < 0$. Le théorème des valeurs intermédiaires donne la conclusion.
   b) $(3\pi/16, \pi/4)$.

6. $[\frac{46}{32}, \frac{48}{32}]$.

§4.8.1 Pages 116 et 117

1. Pour $f(x) = 2x + 5$, $\delta(\varepsilon) = \varepsilon/2$. Il en est de même pour les autres fonctions, pour lesquelles $\delta(\varepsilon) = \varepsilon$.

2. a) $\delta(\varepsilon) = \varepsilon a^2/(1 + \varepsilon a)$ (voir l'exemple 4.19). On peut aussi procéder comme suit. Pour $x, y \in (a, 1)$,

$$|f(x) - f(y)| = \frac{|x - y|}{|x|\,|y|} < \frac{|x - y|}{a^2} < \varepsilon.$$

Il suffit de choisir $\delta(\varepsilon) = a^2\varepsilon$.

b)

$$\left| \frac{1}{1 + x^2} - \frac{1}{1 + y^2} \right| = \frac{|y - x|\,|y + x|}{(1 + x^2)(1 + y^2)}$$

et

$$\frac{|y + x|}{(1 + x^2)(1 + y^2)} \leq \frac{|x|}{(1 + x^2)(1 + y^2)} + \frac{|y|}{(1 + x^2)(1 + y^2)}$$

$$\leq \frac{|x|}{1 + x^2} + \frac{|y|}{1 + y^2} \leq \frac{1}{2} + \frac{1}{2} = 1.$$

Donc

$$\left| \frac{1}{1 + x^2} - \frac{1}{1 + y^2} \right| \leq |y - x| < \varepsilon.$$

D'où $\delta(\varepsilon) = \varepsilon$.

3. a) Le quotient de fonctions continues est une fonction continue.

   b) Puisque f est continue sur $[a, 2]$, $0 < a < 2$, et que $[a, 2]$ est un compact.

   c) $\lim\limits_{x \to 0^+} f(x)$ n'existe pas. Donc f n'est pas uniformément continue sur $(0, 2]$.

4. Puisque $\lim\limits_{x \to 0^+} \sin(1/x)$ n'existe pas; non.

§4.9.1 Page 120

1. a) Soit $x > y$, $x, y \in [n\pi - \frac{\pi}{2}, n\pi + \frac{\pi}{2}]$. Donc $x = n\pi + x'$, $y = n\pi + y'$ avec $x' > y'$, $x', y' \in [-\pi/2, \pi/2]$. Par conséquent,

$$\sin x - \sin y = (-1)^n \left(\sin(x') - \sin(y') \right)$$

a le même signe que $(-1)^n$ car $\sin: [-\pi/2, \pi/2] \to [-1, 1]$ est strictement croissante.

   b) $\tan x = \tan y$ implique que $\sin x \cos y - \sin y \cos x = \sin(x - y) = 0$. Donc $x = y$ puisque $x - y \in (-\pi, \pi)$.

Chapitre 5

§5.2.1   Pages 129 à 131

1. a) $y = \frac{1}{4}(x+1)$,   b) $y = 2x + 1$.

2. L'équation de la tangente est $y = 2 + \frac{x}{4}$. Donc pour $x = 0{,}016$, la valeur approximative est $2{,}004$.

3. a) Cette fonction n'est pas continue sur $\mathbb{Z} \setminus \{0\}$. Donc elle n'est pas différentiable sur $\mathbb{Z} \setminus \{0\}$. Pour $x_0 \notin \mathbb{Z}$,

$$f'(x_0) = \lim_{x \to x_0} \frac{x[x] - x_0[x_0]}{x - x_0} = [x_0] \lim_{x \to x_0} \frac{x - x_0}{x - x_0} = [x_0].$$

   Pour $x_0 = 0$, $f'(0)$ n'existe pas. Donc $f'(x_0)$ existe pour $x_0 \notin \mathbb{Z}$.

   b) Cette fonction n'est pas différentiable sur $\mathbb{Z}$. Pour $x_0 \notin \mathbb{Z}$,

$$f'(x_0) = \lim_{x \to x_0} \frac{[x]/x - [x_0]/x_0}{x - x_0} = [x_0] \lim_{x \to x_0} \frac{1/x - 1/x_0}{x - x_0} = -[x_0]x_0^{-2}.$$

   c) Il vient $f'(x_0) = 2|x_0|$.

4. Cette fonction n'est pas continue sur $\mathbb{Z}$. Donc elle n'est pas différentiable sur $\mathbb{Z}$. Pour $x_0 \notin \mathbb{Z}$, $f'(x_0) = \lim\limits_{x \to x_0} \frac{[x]x^{-2} - [x_0]x_0^{-2}}{x - x_0} = [x_0] \lim\limits_{x \to x_0} \frac{x^{-2} - x_0^{-2}}{x - x_0} = -2[x_0]x_0^{-3}$. Donc l'équation de la tangente est $y = \frac{4}{3} - \frac{16}{27}x$.

5. Puisque $\lim\limits_{x \to \frac{1}{2}} \frac{f(x) - f(1/2)}{x - 1/2}$ n'existe pas. Remarquons que $f(x) = \frac{1}{2} - |x - \frac{1}{2}|$.

6. a) Il suffit de montrer que

$$\lim_{x \to 2^+} \frac{f(x) - f(2)}{x - 2} \neq \lim_{x \to 2^-} \frac{f(x) - f(2)}{x - 2}.$$

   b) On montre facilement par les suites que f est continue seulement à 0. Montrons que $f'(0)$ existe. Il suffit de montrer que pour toute suite $\{x_n\}$, $\lim\limits_{n \to \infty} \frac{f(x_n) - f(0)}{x_n - 0}$ existe. Or

$$\frac{f(x_n) - f(0)}{x_n - 0} = \frac{f(x_n)}{x_n} \leq \frac{x_n^2}{x_n} = x_n$$

   et $\{x_n\} \to 0$. Donc $f'(0) = 0$.

7. a) $\lim\limits_{x \to 2^+} f(x) = \lim\limits_{x \to 2^-} f(x) = 1$. Donc f est continue à $x = 2$.

b)

$$\lim_{x \to 2^-} \frac{f(x) - f(2)}{x - 2} = 0 \text{ et } \lim_{x \to 2^+} \frac{e^{x-2} - 1}{x - 2} = 1.$$

Donc $f'(2)$ n'existe pas.

c) Par la différentiation,

$$f'(x) = \begin{cases} -x + 2 & \text{si } x \in (-\infty, 2), \\ e^{x-2} & \text{si } x \in (2, \infty). \end{cases}$$

8. a) On montre facilement par les suites que f n'est pas continue sur $\mathbb{R} \backslash \{0\}$. Étudions la continuité en $x_0 = 0$. Or

$$|f(x) - f(0)| = |f(x)| \leq |x|.$$

Donc il suffit de choisir $\delta(\varepsilon) = \varepsilon$ pour déduire que f est continue à 0. Mais

$$\lim_{x \to 0} \frac{f(x) - f(0)}{x - 0} = \lim_{x \to 0} \frac{f(x)}{x}.$$

Cette limite n'existe pas puisque

$$\frac{f(x)}{x} = \begin{cases} 1 & \text{si } x \text{ est rationnel,} \\ 0 & \text{si } x \text{ est irrationnel.} \end{cases}$$

b) Par les suites ou comme suit. Soit $g(x)$ la fonction de l'exemple 5.4. Il vient $f(x) = \sin x + \frac{x^2}{2} - \frac{g(x)}{2}$. Dans les deux cas, $f'(0) = 1$.

9. Puisque $\lim_{x \to 0} \sin(1/x)$ n'existe pas.

§5.3.1   Pages 138 et 139

1. a) $120(x^3 + 12x + 4)^{119}(3x^2 + 12)$,   b) $40(1 + x)^{19}(1 - x)^{-21}$,

c) $700x[(x^2 + 1)^7 + 3]^{49}(x^2 + 1)^6$,   d) $\frac{2}{3}x(1 + x^2)^{-2/3}$,

e) $2a^2x/(a^2 - x^2)\sqrt{a^4 - x^4}$,

f) $28\left[((2x^2 + x)^{20} + \cos^2 x)^{27} \{20(4x + 1)(2x^2 + x)^{19} - 2\sin x \cos x\}\right]$,

g) $(x^2 + 6)^{-1/2} - (\cos x + 2x)/(\sin x + x^2)$,

h) $(1 + \pi)(\sin x + x^2)^{\pi}(\cos x + 2x)$.

2. Puisque f peut s'écrire sous la forme

$$f(x) = \begin{cases} 4 & \text{si } 4 \leq x \leq 8, \\ 2\sqrt{x} - 4 & \text{si } x > 8, \end{cases}$$

car $f(x) = \sqrt{f^2(x)}$, $x \geq 4$.

3. Il vient

$$f'(x) = \begin{cases} 2x\sin(1/x) - \cos(1/x) & \text{si } x \neq 0, \\ 0 & \text{si } x = 0. \end{cases}$$

Donc f est différentiable sur $\mathbb{R}$ et $f'(x)$ est continue sur $\mathbb{R} \setminus \{0\}$. La fonction f' est différentiable sur $\mathbb{R} \setminus \{0\}$ et n'est pas continue en 0 puisque pour $x_n = \frac{1}{2n\pi}$, $\lim f'(x_n) = -1 \neq f'(0)$.

4. La fonction f' est continue sur $\mathbb{R}$ et différentiable sur $\mathbb{R} \setminus \{0\}$.

5. a) Par induction.

b) i) $f^{(n)}(x) = (-1)^n \dfrac{k(k+1)\ldots(k+n-1)}{(x-a)^{k+n}}$.   ii) Par l'égalité

$$f(x) = 1 + \frac{1}{x-1} + \frac{4}{x-2} + \frac{8}{(x-2)^2}.$$

c) L'égalité

$$f(x) = x + \frac{2}{x-2} + \frac{2}{x+2}$$

donne $f^{(n)}(x) = \dfrac{(-1)^n 2 \cdot n![(x+2)^{n+1} + (x-2)^{n+1}]}{(x^2-4)^{n+1}}$, $n > 1$.

d) La règle de Leibniz donne i) $x\sin(x+\frac{n\pi}{2}) - n\cos(x+\frac{n\pi}{2})$,   ii) $\frac{1}{2}n![(1-x)^{-n-1} + (-1)^n(1+x)^{-n-1}]$.

§5.4.1   Page 146

1. a) Il suffit d'appliquer le théorème de Rolle à

$$f(x) = \frac{a_0 x^{n+1}}{n+1} + \ldots + a_n x.$$

b) f n'est pas différentiable en $x = 1$.

2. a) $c = e - 1$.
b) Puisque $\frac{f(\pi/2)-f(\pi/3)}{\pi/2-\pi/3} = 2\cos 2x_0 + 3\sin x_0$.

3. a) Voir l'exemple 5.19 (2).
b) Soit $x \in (0, \pi/2)$. Il suffit d'appliquer le théorème de la moyenne sur $[0,x]$ à la fonction $f(y) = \tan y$.

c) Il suffit de montrer que $\sin x > x/2$ si $x \in (0, \pi/2)$ puisque $\sin x < x$, $x \in (0, \pi/2)$ a été démontré. Pour cela, il suffit de montrer que $\sin x/x$ est décroissante sur $(0, \pi/2)$ et de remarquer que pour $x < \pi/2$, $\sin x/x > \sin(\pi/2)/\pi/2 > 1/2$.

d) Considérer $f(x) = \arctan x - \dfrac{4x}{1+3\sqrt{1+x^2}}$ et montrer que $f(0) = 0$ et $f'(x) > 0, \forall x \neq 0$.

e) Considérer $f(x) = \arctan x$ sur $[1, 1.1]$.

f) Considérer $f(x) = (1 + x)^r - 1 - rx, x \geq 0$ et $r \in (0, 1)$.

g) Puisque

$$| \sin x - \sin y| = |2\cos\frac{x + y}{2} \sin \frac{x - y}{2}| \leq 2\left|\sin \frac{x - y}{2}\right| \leq |x - y|$$

ou

$$\sin x - \sin y = (x - y)\cos c$$

avec c entre x et y.

4. a) Soit $f(x) = x^3 + ax + b$. Donc f possède au moins une racine puisque le degré est impair. Donc $\exists x_0$ tel que $f(x_0) = 0$. Supposons qu'il existe $x_1 \neq x_0$ tel que $f(x_1) = 0$. D'après le théorème de Rolle, il existe un c entre x_1 et x_0 tel que $f'c) = 0$. Or $f'(x) = 3x^2 + a > 0$, d'où une contradiction.

b) Les zéros de $f'(x) = 8x(x^2 - 2)$ sont $-\sqrt{2}, 0$ et $\sqrt{2}$. Donc f possède au plus une racine dans $(0, \sqrt{2})$.

c) Soit $f(x) = x - a\sin x - b$. Or $f(-\pi + b)f(\pi + b) < 0$. Donc, d'après le théorème des valeurs intermédiaires, $\exists x_0 \in (-\pi + b, \pi + b)$ tel que $f(x_0) = 0$. Mais $f'(x) = 1 - a\cos x \neq 0, \forall x \in (-\pi + b, \pi + b)$, d'où x_0 est la seule racine.

5. $f(0) = 0$ et

$$\frac{f(x + h) - f(x)}{h} = \frac{f(h) - f(0)}{h}.$$

D'où $f'(x) = f'(0) = A, \forall x \in \mathbb{R}$. Donc $f(x) = Ax + C$ et finalement $C = 0$, c'est-à-dire que $f(x) = Ax$.

§5.5.1 Pages 152 et 153

1. a) 0,   b) 1,   c) $e^{\frac{-a^2 b}{2}}$,   d) 1,   e) 0,   f) $\pi/2$,   g) e^a,   h) 1,
   i) n'existe pas,   j) 1,   k) e^{-1},   l) e.

§5.6.1   Page 157

1. b) $\cos(\pi/3) \approx 0{,}502$. L'erreur E est $0{,}002$ car $\cos(\pi/3) = 0{,}5$.

2. D'après l'exercice précédent, $\cos x = 1 - \frac{1}{2}x^2 + R_2(x)$ où pour un c entre 0 et x, $R_2(x) = \frac{\sin c}{6}x^3$. Si $0 \le x \le \pi$, $0 \le c < \pi$. Or c et x^3 sont positifs. Donc $R_2(x) \ge 0$. Si $-\pi \le x \le 0$, $-\pi \le c \le 0$. Donc $\sin c$ et x^3 sont négatifs et $R_2(x) \ge 0$. Donc $1 - \frac{1}{2}x^2 \le \cos x$ pour $|x| \le \pi$. Si $|x| \ge \pi$, $1 - \frac{1}{2}x^2 < -3 \le \cos x$. D'où le résultat. On peut aussi appliquer la formule (5.1) lorsque $n = 2$. En effet, $\cos x = 1 - \frac{x^2}{2}\cos c$ et $\cos c \le 1$. Donc $\cos x \ge 1 - \frac{x^2}{2}$.

4. D'après l'exercice 3, $(1 + x)^{1/2} = 1 + \frac{x}{2\sqrt{1+c}}$, $0 < c < x$. Or $\sqrt{1+c} > 1$. Donc $\sqrt{1+x} \le 1 + \frac{x}{2}$. De même,

$$(1 + x)^{1/2} = 1 + \frac{x}{2} - \frac{x^2}{8}(1 + c)^{-3/2} \ge 1 + \frac{x}{2} - \frac{x^2}{8}.$$

§5.7.1   Page 166

1. $\lim\limits_{x \to 0} \sin ax = 0$. Donc $\sin ax = o(1)$.

2. c) $(\sin x)(\log(1 + x)) = [x - \frac{x^3}{3!} + o(x^4)][x - \frac{x^2}{2} + \frac{x^3}{3} + o(x^3)]$. D'où le résultat.

   d) $(1 + x)^{1/x} = e^{\frac{\log(1+x)}{x}}$ et $\frac{\log(1+x)}{x} = 1 - \frac{x}{2} + \frac{x^2}{3} + o(x^2)$. Donc $(1 + x)^{1/x} = e \cdot e^u$ où $u = -\frac{x}{2} + \frac{x^2}{3} + o(x^2)$. Or lorsque $u \to 0$, $e^u = 1 + u + \frac{u^2}{2} + o(u^2)$. Donc
   $$e^u = 1 - \frac{x}{2} + \frac{x^2}{3} + o(x^2) + \frac{1}{2}\left(-\frac{x}{2} + \frac{x^2}{3} + o(x^2)\right)^2 + o(x^2) = 1 - \frac{x}{2} + \frac{11}{24}x^2 + o(x^2)$$
   et $(1 + x)^{1/x} = e\left(1 - \frac{x}{2} + \frac{11}{24}x^2 + o(x^2)\right)$.

3. a) $3/2$,   b) 0,   c) 1,   d) $-e/2$.

§5.8.1   Page 171

1. La définition de la dérivée donne $f'(0) = f''(0) = 0$. Or $f''(x) = 6|x|$. Donc $f'''(0)$ n'existe pas.

2. $f'(x) = \sqrt{x^x}(1 + \log x)/2$. Donc $f'(x) = 0$ lorsque $x = 1/e$.

3. a) Le seul point critique est $x = 1/e$; c'est un minimum.

   b) Les points $\frac{\pi}{2} \pm 2k\pi$, $k = 0, 1, 2, \ldots$ sont des minimums, les points $\frac{3\pi}{2} \pm 2k\pi$, $k = 0, 1, 2, \ldots$ sont des maximums. Remarquer que les points $k\pi$, $k \in \mathbb{Z}$ sont des points d'inflexion.

   c) Les seuls points critiques sont $x = \pm 4$ et $x = \pm 3$. Les maximums sont obtenus lorsque $x = -4$ et $x = 3$, les minimums lorsque $x = -3$ et $x = 4$.

d) Le seul point critique est $x = e$; c'est un minimum.

e) $x = 2$ est un minimum et $x = 1$ est un maximum.

4. a) $f'(x) = x^3 - 4x^2 + 3x = 0$ lorsque $x = 0$, 1 et 3. De plus, $f''(x) = 3x^2 - 8x + 3$. Visiblement, 0 et 3 donnent les minimums relatifs et 1 le maximum relatif.

b) $(0,4)$ est un minimum.

5. $f'(x) = (ax^{b-1} - bx^{b-1} a \log x)/x^{2b} = ax^{b-1}(1 - b \log x)/x^{2b}$. Par conséquent, f est strictement croissante si $f'(x) > 0$, donc $1 - \log x^b > 0$ ou $x < e^{1/b}$; f est strictement décroissante si $f'(x) < 0$, donc $x > e^{1/b}$. De plus $(e^{1/b}, a/be)$ est la valeur maximum que prend f. Donc $f(x) \leq a/be, \forall x \in (0, \infty)$.

6. Il vient

$$f'(x) = x^{p-1} - x^{-q-1} = \frac{x^{p+q} - 1}{x^{q+1}}.$$

Donc le seul point critique est $x = 1$. Pour $x < 1$, $f'(x) < 0$. Donc f décroît sur $(0,1)$. Pour $x > 1$, $f'(x) > 0$. Donc f croît sur $(1, \infty)$. Par conséquent $x = 1$ est un point minimum. De plus $f(x) \geq f(1) = 1$.

7. $f'(x) = a - x^{p-1}$. Donc le seul point critique est $x = a^{1/(p-1)}$. De plus, $f''(x) < 0$. Par conséquent ce point est une valeur maximum. Donc f croît sur $(0, a^{1/(p-1)})$ et décroît sur $(a^{1/(p-1)}, \infty)$. Or $f(x) \leq f(a^{1/(p-1)}) = a^q/q$. Donc $ax \leq x^p/p + a^q/q$.

8. $f'(x) = 0$ entraîne $x^{a-1} = y^{a-1}$. Donc $x = y$ est le seul point critique. Or $f''(x) < 0$. Donc cette valeur donne le maximum 0. D'où $f(x) = x^a y^b - ax - by < f(0)$ si $x \neq y$.

§5.9.1   Page 176

2. Visiblement, $f(x) = x^3 - 2x - 17 = 0$ possède une racine dans $(2,3)$. Pour l'unicité de la racine, il faut utiliser le théorème de Rolle. On a $x_{n+1} = \frac{2x_n^3 + 17}{3x_n^2 - 2}$. Donc $x_1 = 3$, $x_2 = 2{,}84$, $x_3 = 2{,}829$, $x_4 = 2{,}829$, $x_5 = 2{,}8297$. Or $f(2{,}829) < 0$ et $f(2{,}830) > 0$. Donc la racine est 2,829 au millième près.

3. 4,493.

4. 0,789.

Chapitre 6

§6.2.1   Pages 186 et 187

1. Puisque $\sum_{i=1}^{n}(x_i - x_{i-1}) = x_n - x_0$.

2. Pour toute partition p, $s(f,p) = S(f,p) = k(b-a)$. Donc f est intégrable sur $[a,b]$ et $\int_a^b f(x)\,dx = k(b-a)$.

3. a) $s(f,p_n) = \frac{1}{2}(1 - \frac{1}{n})$ et $S(f,p_n) = \frac{1}{2}(1 + \frac{1}{n})$. Donc la valeur des limites est $1/2$.

   b) L'ensemble des partitions $\{p_n \mid n \in \mathbb{N}\}$ est un sous-ensemble de l'ensemble $\mathcal{P}_{[0,1]}$ de toutes les partitions. D'où les inégalités désirées.

4. $\lim\limits_{n \to \infty} S(f, p_n) = \frac{1}{3}$.

5. Pour toute partition p, $s(f,p) = -1$ et $S(f,p) = 1$. Donc f n'est pas intégrable.

§6.3.1 Page 196

1. La fonction f est discontinue en un seul point. Donc elle est intégrable. Or

$$\int_0^2 f(x)\,dx = \sup\{S(f,p) \mid p \in \mathcal{P}_{[0,2]}\}$$

et pour toute partition $S(f,p) = 4$. D'où la solution.

2. Par le critère de Lebesgue.

3. L'ensemble est dénombrable. Donc l'ensemble des points de discontinuité de f est de mesure zéro et, par conséquent, f est intégrable. Pour toute partition p de $[0,1]$, $S(f,p) = \sum_{i=1}^n (x_i - x_{i-1}) = 1$. Donc $\inf\{S(f,p) \mid p \in \mathcal{P}_{[0,1]}\} = 1 = \int_0^1 f\,dx$.

§6.4.1 Page 202

1. a) $\int_0^1 dx/(1 + x^2)$, b) $\int_0^1 dx/(\sqrt{1 + x^2})$, c) $\int_0^1 \sin \pi x\,dx$, d) $\int_0^1 dx/\sqrt{1 + x}$.

2. a) Puisque

$$\lim_{n \to \infty} \sum_{k=1}^n \frac{k^6}{n^7} = \lim_{n \to \infty} \frac{1}{n} \sum_{k=1}^n \left(\frac{k}{n}\right)^6 = \int_0^1 x^6\,dx,$$

d'après l'exemple 6.22.

c) Puisque $\frac{1}{\sqrt{n^2+n}} \le \frac{1}{\sqrt{n^2+i}} \le \frac{1}{\sqrt{n^2+1}}$, $i = 1, 2, \ldots, n$ et donc

$$\frac{n}{\sqrt{n^2 + n}} \le \sum_{i=1}^n \frac{1}{\sqrt{n^2 + i}} \le \frac{n}{\sqrt{n^2 + 1}}.$$

d) Puisque $\frac{1}{\sqrt{n^2+i}} \geq \frac{1}{\sqrt{n^2+n^2}} = \frac{1}{n\sqrt{2}}$, $i = 1, 2, \ldots, n^2$ et donc

$$\sum_{i=1}^{n^2} \frac{1}{\sqrt{n^2+i}} \geq \frac{n}{\sqrt{2}}.$$

§6.5.1 Pages 211 et 212

1. a) D'après l'additivité,

$$\int_0^n [x]\, dx = \int_0^1 0\, dx + \int_1^2 1\, dx + \cdots + \int_{n-1}^n (n-1)\, dx$$
$$= 1 + 2 + \cdots + (n-1) = n(n-1)/2.$$

b) D'après l'additivité, $\int_0^n x[x]\, dx = \int_1^2 x\, dx + \int_2^3 2x\, dx + \cdots + \int_{n-1}^n (n-1)x\, dx$. D'où le résultat.

2. a) $g(x) = |x|$ est continue. Donc il suffit d'utiliser le théorème 6.33.

b) i) Puisque $f, -f \leq |f|$.   ii) Supposons $a \leq c < d \leq b$. Donc $\int_c^d |f(x)|\, dx \geq 0$. D'où le résultat d'après i). Si $a \leq d < c \leq b$, $\left| \int_c^d f\, dx \right| = |\int_d^c f(x)\, dx| \leq |\int_d^c |f(x)|\, dx| = \left| \int_c^d |f(x)|\, dx \right|$.

3. Si f ne possède pas de racine, alors d'après le théorème des valeurs intermédiaires $f > 0$ ou $f < 0$. Dans chaque cas, on a l'égalité.

4. En effet, si f est continue en c, $\exists V(c, \delta) \subset [a, b]$ tel que $f(x) \geq f(c)/2, \forall x \in V(c, \delta)$. Donc $\int_a^b f = \int_a^{a-\delta} f + \int_{c-\delta}^{c+\delta} f + \int_{c+\delta}^b f > f(c)\delta > 0$.

5. $f(x) \leq M$. Donc $\int_a^b f(x)\, dx \leq M(b-a)$ et $\int_a^b f(x)\, dx = M(b-a)$. Si $f(x) \neq M$, $\exists c \in [a, b]$ tel que $f(c) < M$. Donc $M - f(c) > 0$ et ainsi d'après l'exercice 4, $\int_a^b (M - f(x))\, dx > 0$ ou $\int_a^b f(x)\, dx < M(b-a)$, d'où une contradiction.

6. S'il existe un $c \in [a, b]$ tel que $f(c) > 0$, on obtient une contradiction par l'exercice 4.

7. a) Par le théorème 6.33 et la fonction continue $g(x) = x^n$.

b) En remarquant que $f \cdot g = [(f+g)^2 - (f-g)^2]/4$.

c) Par le théorème 6.33 et la fonction continue $g(x) = \sqrt{|x|}$.

8. $g(x) = 1/x$, $x > 0$, est continue. Donc $g \circ f$ est intégrable.

9. En posant $g = f$, il vient $\int_a^b f^2(x)\, dx = 0$ et d'après l'exercice 6, $f(x) = 0, \forall x \in [a, b]$.

10. Si f n'a pas de racine, alors d'après le théorème des valeurs intermédiaires, f est toujours positive ou toujours négative. Donc $\int_a^b f \neq 0$, d'où une contradiction.

§6.6.1   Pages 217 et 218

1. Il vient $f'(x) = 2f(x)$ ou si $f(x) \neq 0$, $f'(x)/f(x) = 2$. Donc $f(x) = Ce^{2x}$. D'après l'identité $f(x) = 2\int_0^x f(t)\,dt + 5$, il vient $C = 5$. D'où $f(x) = 5e^{2x}$. Si on suppose seulement la condition « f continue », il faut procéder comme suit. Puisque f est continue, il existe une primitive F. Donc l'équation devient $F'(x) - 2F(x) = C$ où $C = 5 - 2F(0)$. La multiplication de cette équation par e^{-2x} donne $\frac{d}{dx}[F(x)e^{-2x}] = Ce^{-2x}$ ou $F(x) = -\frac{C}{2} + C_1 e^{2x}$. La dérivation de cette dernière équation donne $f(x) = 2C_1 e^{2x}$ et puisque $f(0) = 5$, $f(x) = 5e^{2x}$.

2. a) Il est immédiat que $1/\sqrt{2} \leq 1/\sqrt{1+x} \leq 1$.

   b) Il suffit de montrer que la fonction $f(x) = 1/\sin x$ décroît sur $[\pi/6, \pi/2]$.

3. a) $f'(x) = \log\log x$,   b) $f'(x) = \cos(x^2)$,   c) 1.

4. a) $f(x) = x\sin(x^2)$; $a = 0$,   b) $f(x) = 2x + 4$; $a = 1$ ou $a = -5$.

5. $3f^2(x)f'(x) = 2f(x)$ ou $3f(x)f'(x) = 2$. Donc $f(x)f'(x) = 2/3$ et $\frac{f^2(x)}{2} = \frac{2}{3}x + C$. Or $f(0) = 0$. D'où $C = 0$ et $f^2(x) = 4x/3$. La fonction $f(x) = 2\sqrt{\frac{x}{3}}$ est une solution.

6. $\int_x^b f(t)\,dt = -\int_b^x f(t)\,dt$. Donc utiliser le corollaire 6.40.

7. $f(x) = 0$, $\forall x \in (0,1)$.

§6.7.1   Pages 223 et 224

1. $\frac{19}{12} - \frac{\pi}{2}$.

2. Il suffit, dans les deux cas, de faire un changement de variables.

3. a) 0,   b) 0.

4. a) Le changement de variable : $u = \log x$ donne $\arcsin(\log x) + C$ pour primitive.

   b)
$$\int \frac{3x - 1\,dx}{x^2 - x + 1} = \frac{3}{2}\int \frac{2x - 1\,dx}{x^2 - x + 1} + \frac{2}{3}\int \frac{dx}{1 + [(x - \frac{1}{2})/\sqrt{3}/2]^2}.$$

Donc la primitive est $3\log\sqrt{x^2 - x + 1} + \frac{\sqrt{3}}{2}\arctan\left(\frac{2x-1}{\sqrt{3}}\right) + C$.

c) Les fractions partielles donnent

$$\frac{1}{3}\log(1+x) - \frac{1}{6}\log(1-x+x^2) + \frac{1}{\sqrt{3}}\arctan\left(\frac{2x-1}{\sqrt{3}}\right) + C.$$

d) La multiplication de la fonction par $(1-\cos x)/(1-\cos x)$ donne

$$-\frac{1}{\sin x} + \frac{1}{\tan x} + x + C$$

pour primitive.

e) L'intégration par parties avec $u = \arcsin x$ et $v' = 1/x^2$ donne

$$\int \frac{\arcsin x\, dx}{x^2} = -\frac{\arcsin x}{x} + \int \frac{dx}{x\sqrt{1-x^2}}.$$

Le changement de variable $x = \sin t$ donne $\displaystyle\int \frac{dt}{\sin t}$ pour intégrale du deuxième membre de la dernière équation. Posons $u = \tan(t/2)$. Il vient $\sin(t/2) = u/\sqrt{1+u^2}$, $\cos(t/2) = 1/\sqrt{1+u^2}$. Donc

$$\int \frac{dt}{\sin t} = \log(\tan(t/2)) = \log\left(\frac{x}{1+\sqrt{1-x^2}}\right) + C.$$

La primitive cherchée est donc

$$\log x - \log(1+\sqrt{1-x^2}) - \frac{\arcsin x}{x} + C.$$

f) Posons $\tan x = t$. La primitive est

$$\tan x + \tan^3 x + \frac{3}{5}\tan^5 x + \frac{1}{7}\tan^7 x + C.$$

5. a) Posons $x = t^6$. D'où la valeur $\frac{3}{2}\pi - \frac{152}{35}$.

b) Posons $t = \sqrt{x+1}$. D'où la valeur $2(\sqrt{3}-1)e^{\sqrt{3}} - 2(\sqrt{2}-1)e^{\sqrt{2}}$.

c) Posons $x = t^6$. D'où la valeur $\frac{75}{14} - \log 4 - 4\sqrt{3}\arctan(\sqrt{3}/3)$.

d) Posons $\tan(x/2) = t$. D'où la valeur $\frac{1}{4}(\log 2 + \frac{\pi}{2})$.

e) Deux intégrations par parties donnent la valeur

$$1 - \log(1+e) + \log 2.$$

f) La valeur est $3/\sqrt{2}$.

6. a) Soit $x = a + b - t$. Donc

$$\int_a^b x f(x)\, dx = \int_a^b (a + b - t) f(a + b - t)\, dt$$

$$= (a + b) \int_a^b f(x)\, dx - \int_a^b x f(x)\, dx.$$

b) Poser $x = \pi - t$.

7. b) Posons $v = yt$ dans $\int_1^x dt/t$. Il vient $\int_1^x dt/t = \int_y^{xy} dv/v$.

c) Le changement de variable $t = x^n$ dans $\int_1^{x^n} dt/t$ donne le résultat.

9. a) $e - e^{-1}$,   b) $\pi + \frac{\pi}{8}(e^2 - e^{-2})$,   c) $2\pi + \frac{\pi}{4}(e^2 - e^{-2})$.

§6.8.1   Pages 227 et 228

1. L'utilisation du premier théorème de la moyenne pour l'intégrale donne le résultat.

2. Soit $H(x) = \displaystyle\int_a^x f(t)\, dt$. Donc $F(x) = H(g(x))$ et F est la composée de deux fonctions différentiables. Par conséquent,

$$F'(x) = H'(g(x))g'(x).$$

Or $H'(x) = f(x)$. Donc
$$F'(x) = f(g(x))g'(x).$$

3. L'exercice précédent donne
   a) $2x/(1 + x^4)$,   b) $[\sin(\sin x)]\cos x$,   c) $\frac{1+\cos x}{1+(x+\sin x)^2}$,
   d) $2xe^{x^6}$,   e) $4x^5 \cosh(x^2)$,   f) $\frac{2x^3}{(x^2-2)(x^4+1)} - \frac{x}{(x-2)(x^2+1)}$.

§6.9.1   Page 229

1. a) 1,   b) diverge,   c) -1,   d) π,   e) diverge,   f) diverge.

Chapitre 7

§7.2.1   Pages 244 et 245

1. a) 1/3,   b) 7/33,   c) 137/1110.

2. $\displaystyle\lim_{n\to\infty} |\sin n|^a \neq 0$.

3. $\displaystyle\lim_{n\to\infty} \cos a_n = \cos 0 \neq 0$.

4. Puisque $S_n = \sum_{k=1}^n \log \frac{k}{k+1} = -\log(n+1) \to -\infty$.

5. Si $\sum(a_n+b_n)$ converge, $\sum(a_n+b_n-a_n) = \sum b_n$ converge. Cela contredit l'hypothèse.

6. Si $\sum ka_n$ converge, $\frac{1}{k}\sum ka_n = \sum a_n$ converge, une contradiction.

7. a) diverge,   b) converge.

8. a) Puisque
$$\frac{1}{(n+1+a)(n+a)} = \frac{1}{n+a} - \frac{1}{n+1+a}.$$

   b) Puisque
$$\frac{1}{n(n+1)(n+2)} = \frac{1}{2}\left(\frac{1}{n(n+1)} - \frac{1}{(n+1)(n+2)}\right).$$

9. Converge si $|a| < 1$ et $|b| < 1$. La limite est la matrice
$$\begin{pmatrix} 1/1-a & 0 \\ 0 & 1/1-b \end{pmatrix}.$$

10. $2/5 < 1$. Donc la série converge.

§7.3.1 Pages 257 et 258

1. $|a^n \sin bn| \le a^n$ et la série $\sum a^n$ converge. D'où le résultat.

2. $\log(1 - \frac{4}{n^2}) \sim 4/n^2$. Donc la série converge. Or $\log(1 - \frac{4}{n^2}) = \log\frac{n-2}{n} - \log\frac{n}{n+2}$.
   Donc la série converge vers $-\log 2 - \log 3$.

3. $\lim_{n\to\infty}(1 - \frac{a}{n})^n = e^{-a}$.

4. Diverge pour tout $a \in \mathbb{R}$.

5. a) diverge,   b) diverge,   c) diverge,   d) diverge,

   e) converge absolument,   f) diverge, comparer à $1/n$,   g) converge absolument,

   h) converge,   i) diverge,   j) converge,

   k) converge,   l) diverge, comparer à $1/n$,   m) converge absolument,

   n) converge,   o) converge,   p) converge,   q) converge absolument,

   r) converge, voir h),

   s) le critère du rapport nous donne que la série converge absolument,

   t) la série diverge puisque son terme général tend vers 1.

6. Converge $\iff a > 1$ ou $a = 1$ et $b > 1$.

En effet, puisque $\lim\limits_{n \to \infty} \frac{n^a \log^b n}{n} = 0$ pour $a < 1$ et $b \in \mathbb{R}$, alors, d'après le critère du quotient, la série diverge. Si $b \leq 0$, $\frac{1}{n \log^b n} \geq \frac{1}{n}$ et la série $\sum \frac{1}{n}$ diverge. Donc la série $\sum \frac{1}{n \log^b n}$ diverge. Si $b > 0$, la fonction $f : [0, \infty) \to \mathbb{R}$ définie par $f(x) = \frac{1}{x \log^b x}$ est continue, positive et décroissante. Donc $\sum \frac{1}{n \log^b n}$ est de même nature que $\int_2^{+\infty} \frac{dx}{x \log^b x}$. Donc la série $\sum \frac{1}{n \log^b n}$ converge si et seulement si $b > 1$. Le cas $a > 1$ se traite de même.

7. Converge si $a < b$ et diverge si $a \geq b$.

8. a) diverge car $\lim\limits_{n \to \infty} n \sin \pi/n \neq 0$,

b) converge,

c) converge car $\frac{\sin \pi/n}{n} \sim \pi/n^2$,

d) converge car $\lim\limits_{n \to \infty} \sqrt[n]{|a_n|} = 0$,

e) diverge car $\lim\limits_{n \to \infty} a_n = 1$,

f) diverge car $n^n/(n+1)^{n+1} > 1/5n$,

g) converge,   h) diverge, comparer avec $1/n$,   i) converge,

j) diverge,   k) converge,   l) converge.

10. $\sum a_n$ converge absolument. Donc il existe un N tel que pour tout $n > N$ et pour tout $k > 0$,

$$|a_{n+1}| + |a_{n+2}| + \cdots + |a_{n+k}| < \varepsilon/M,$$

où $|b_n| \leq M$ pour tout n. Donc pour $n > N$,

$$\left| \sum_{i=n+1}^{n+k} |a_i b_i| \right| \leq M \left(|a_{n+1}| + |a_{n+2}| + \cdots + |a_{n+k}| \right) < \varepsilon.$$

§7.5.1   Pages 268 et 269

1. a) converge conditionnellement,   b) converge conditionnellement,

c) converge conditionnellement,   d) converge conditionnellement,

e) converge absolument,   f) converge absolument.

Chapitre 8

§8.3.1 Page 283

1. a) $0 < f_n(x) < 2/n < \varepsilon$ lorsque $n > 2/\varepsilon$ pour $x > 0$ et pour $x = 0$, $f_n(0) = 0$.

Donc $\lim\limits_{n\to\infty} f_n(x) = 0$, $\forall x \in [0, 2]$. Par conséquent

$$\left| \frac{2x}{3 + nx} - 0 \right| = \frac{2x}{3 + nx} < \frac{2}{n} < \varepsilon.$$

Donc $N(\varepsilon, x) = 2/\varepsilon = N(\varepsilon)$ et $\{f_n\}$ converge uniformément vers 0 sur [0,2].

b) $\{f_n\}$ converge ponctuellement mais non uniformément. En effet,

$$\lim_{n\to\infty} f_n(x) = \begin{cases} 0 & \text{si } x \in (-1, 1), \\ \frac{1}{2} & \text{si } x = \pm 1, \\ 1 & \text{si } |x| > 1, \end{cases}$$

et la fonction limite n'est pas continue.

c) Visiblement cette suite de fonctions converge ponctuellement vers 0. Pour montrer que la convergence est uniforme, remarquons que $(1 - nx)^2 \geq 0$ pour tout $x \in \mathbb{R}$ et pour tout $n \geq 1$. D'où

$$\left| \frac{x}{1 + n^2 x^2} - 0 \right| \leq \frac{1}{2n}, \quad \forall x \in \mathbb{R}.$$

Donc la convergence est uniforme sur $\mathbb{R}$. Le théorème 8.6 aurait donné la même conclusion.

d) Si $x > 0$,

$$f_n(x) = \frac{1/nx}{1 + (1/n^2 x^2)}.$$

D'où $\lim\limits_{n\to\infty} f_n(x) = 0$. Donc

$$\lim_{n\to\infty} \frac{nx}{1 + n^2 x^2} = 0, \quad \forall x \in [a, \infty).$$

Or $|nx/(1 + n^2 x^2) - 0| < 1/n|x| < \varepsilon$ entraîne $n > 1/\varepsilon|x| = N(\varepsilon, x)$. Donc

$$\{N(\varepsilon, x) \mid x \in [a, \infty)\}$$

est borné supérieurement par $1/\varepsilon a$ et on a la convergence uniforme sur $[a, \infty)$. Or l'ensemble $\{N(\varepsilon, x) \mid x \in (0, \infty)\}$ n'est pas borné supérieurement sur $(0, \infty)$. Donc la suite $\{f_n\}$ ne converge pas uniformément sur $(0, \infty)$.

2. $\lim\limits_{n\to\infty} f_n(x) = 0$. Or $f_n'(x) = 0$, lorsque $x = 1/(n + 1)$, donne la valeur maximum. On a $\lim\limits_{n\to\infty} \sup\limits_{x\in[0,1]} f_n(x) = e^{-1} \neq 0$. Donc la convergence est non uniforme.

§8.5.1   Page 290

1. Visiblement, cette suite de fonctions converge ponctuellement vers 0. Pour montrer qu'elle converge uniformément vers 0, remarquons que pour $x \neq 0$ (car pour $x = 0$, le résultat est immédiat), on a l'inégalité

$$\frac{n^2|x|}{1 + n^5x^2} \leq \frac{1}{2\sqrt{n}},$$

qui est une conséquence de la relation $(n^{5/2}|x| - 1)^2 \geq 0$. D'où la convergence uniforme. Remarquons cependant que, dans ce cas, la démonstration de la convergence uniforme aurait été beaucoup plus facile en montrant que

$$\lim_{n \to \infty} \sup\{f_n(x) \mid x \in \mathbb{R}\} = 0.$$

Dans tous les cas, il vient $\lim_{n \to \infty} f_n(x) = 0 = f(x)$ et donc $f'(x) = 0$. De plus,

$$\lim_{n \to \infty} f'_n(x) = \frac{n^2 - n^7x^2}{(1 + n^5x^2)^2} = 0$$

si $x \neq 0$. Donc $f'(x) = \lim_{n \to \infty} f'_n(x)$, $\forall x \neq 0$. Pour $x = 0$, $\lim_{n \to \infty} f'_n(x) = \infty$ et $f'(0) = 0$.

2. $\lim_{n \to \infty} f_n(x) = 0$. On vérifie facilement que le maximum de $|f_n(x)|$ s'obtient lorsque $x = e^{-1/n}$. D'où $\sup_{x \in [0,1]} |f_n(x)| = \frac{1}{en}$. Donc $\{f_n\}$ converge uniformément vers 0 sur $[0, 1]$, et

$$\lim_{n \to \infty} \int_0^1 x^n \log x \, dx = 0.$$

Remarquons que l'intégration par parties donne

$$\int_0^1 x^n \log x \, dx = -1/(n + 1)^2,$$

ce qui confirme le résultat.

3. Sur $[a, 4]$, $e^{-nx^2} \to 0$. Donc $|e^{-nx^2}| \leq e^{-na^2} < \frac{1}{na^2} < \varepsilon$ et $\lim_{n \to \infty} \int_a^4 e^{-nx^2} \, dx = 0$.

Chapitre 9

§9.3.1   Pages 299 et 300

1. a) $(-\infty, -1) \cup (1, \infty)$,   b) $\{x \mid \sin x > 0\} = \cup_{n \in \mathbb{Z}} (2n\pi, (2n + 1)\pi)$,

c) $(-1, -\frac{1}{2}) \cup (\frac{1}{2}, 1)$.

2. a) $\forall x \in [-1, 1]$, $|x^n/n^2| \leq 1/n^2$. Or la série $\sum 1/n^2$ converge. Donc la série donnée converge uniformément sur $[-1, 1]$.

b) $\forall x \in [-7, 7]$, $|x/n|^n \leq 7^n/n^n$. Donc $\sum 7^n/n^n$ converge.

c) $\forall x \in (-\infty, b)$, $|e^{nx}/a^n| \leq e^{nb}/a^n = \left(\frac{e^b}{a}\right)^n$. Donc la série $\sum \left(\frac{e^b}{a}\right)^n$ converge si $e^b/a < 1$. Donc $b < \log a$.

d) Soit $f(x) = x \log x$. La valeur minimum $-e^{-1}$ de la fonction f survient lorsque $x = e^{-1}$. Donc $|x \log x|^n \leq e^{-n}$, $\forall x \in [0, 1]$.

3. Si $|x| \leq a$, $|x^n/n| \leq a^n/n$. Donc $\sum a^n/n$ converge si $a < 1$.

4. a) $\frac{1}{1-x} = \sum_{n=0}^{\infty} x^n$, $x \in (-1, 1)$. Si $x \in [0, 1)$, $\forall t \in [0, x]$, $|t^n| \leq x^n$. Or $\sum x^n$ converge. Donc, d'après le critère de Weierstrass, $\sum t^n$ converge uniformément sur $[0, x]$. On peut donc intégrer terme à terme cette série. Il vient

$$\int_0^x \frac{dt}{1-t} = \int_0^x \sum_{n=0}^{\infty} t^n \, dt = \sum_{n=0}^{\infty} \int_0^x t^n \, dt.$$

Donc

$$\log \frac{1}{1-x} = \sum_{n=0}^{\infty} \frac{x^{n+1}}{n+1} = \sum_{n=1}^{\infty} \frac{x^n}{n}.$$

Si $x \in (-1, 0)$, $\forall t \in [x, 0]$, $|t^n| \leq |x^n|$. Donc $\sum |x^n|$ converge et $\sum t^n$ converge uniformément sur $[x, 0]$. Par conséquent

$$\int_x^0 \frac{dt}{1-t} = \sum_{n=0}^{\infty} \int_x^0 t^n \, dt = -\sum_{n=0}^{\infty} \frac{x^{n+1}}{n+1}.$$

Donc

$$\log \frac{1}{1-x} = \sum_{n=1}^{\infty} \frac{x^n}{n}, \quad x \in (-1, 1).$$

b) Montrons que la série $\sum_{n=1}^{\infty} \frac{x^n}{n}$ converge uniformément sur $[-1, 0)$. En effet, si $x \in [-1, 0)$ alors $\sum \frac{x^n}{n}$ est une série alternée qui converge vers $S(x)$, disons. Donc

$$|S_n(x) - S(x)| < \frac{|x|^{n+1}}{n+1} \leq \frac{1}{n+1} < \varepsilon$$

si $n > \frac{1}{\varepsilon} - 1$, $\forall x \in [-1, 0)$. Donc la série $\sum \frac{x^n}{n}$ converge uniformément sur $[-1, 0)$. Par conséquent la série $\sum_1^{\infty} \frac{x^n}{n}$ représente une fonction $S(x)$ sur $[-1, 1)$.

Soit

$$S(x) = \sum_{n=1}^{\infty} \frac{x^n}{n}, \quad x \in [-1, 1).$$

On a montré que $S(x) = \log \frac{1}{1-x}$, $|x| < 1$. Puisque $\sum \frac{x^n}{n}$ converge uniformément sur $[-1, 1)$, la fonction $S(x)$ est une fonction continue. D'où

$$S(-1) = \lim_{x \to -1^+} S(x) = \lim_{x \to -1^+} \log \frac{1}{1-x} = \log \frac{1}{2}.$$

Donc

$$\log \frac{1}{1-x} = \sum_{1}^{\infty} \frac{x^n}{n}, \quad x \in [-1, 1),$$

et en particulier $\log \frac{1}{2} = \sum_{1}^{\infty} \frac{(-1)^n}{n}$.

c) $1/(1-x) = \sum_{n=0}^{\infty} x^n$, $|x| < 1$, et nx^{n-1} est continue pour chaque $n \in \mathbb{N}$. Il suffit de montrer que $\sum_{n=1}^{\infty} nx^{n-1}$ converge uniformément sur $[-a, a]$. Nous savons que $\sum_{n=1}^{\infty} nx^{n-1}$ converge lorsque $x \in (-1, 1)$. Soit $0 < a < 1$. Donc pour tout $x \in [-a, a]$, $|nx^{n-1}| \leq na^{n-1}$ et $\sum_{n=1}^{\infty} na^{n-1}$ converge. Par conséquent, en utilisant le critère de Weierstrass, $\sum_{n=1}^{\infty} nx^{n-1}$ converge uniformément sur $[-a, a]$. D'où

$$\frac{1}{(1-x)^2} = \sum_{n=1}^{\infty} nx^{n-1}, \qquad x \in [-a, a].$$

Or $0 < a < 1$. Donc

$$\frac{1}{(1-x)^2} = \sum_{n=1}^{\infty} nx^{n-1}, \qquad x \in (-1, 1).$$

d) La série alternée $\sum_{n=1}^{\infty} \frac{(-1)^{n+1}}{n+x^2}$ converge. Donc

$$\left| \sum_{k>n} \frac{(-1)^{k+1}}{k+x^2} \right| \leq \frac{1}{n+1+x^2} \leq \frac{1}{n} < \varepsilon,$$

si $n > 1/\varepsilon = N$, $\forall x \in \mathbb{R}$. Donc cette série converge uniformément sur $\mathbb{R}$. Par conséquent,

$$\int_0^1 \sum_{n=1}^{\infty} \frac{(-1)^{n+1}}{n+x^2} \, dx = \sum_{n=1}^{\infty} \int_0^1 \frac{(-1)^{n+1} \, dx}{n+x^2}$$

$$= \sum_{n=1}^{\infty} \frac{(-1)^{n+1}}{\sqrt{n}} \arctan \frac{x}{\sqrt{n}} \Big|_0^1$$

$$= \sum_{n=1}^{\infty} \frac{(-1)^{n+1}}{\sqrt{n}} \arctan \frac{1}{\sqrt{n}}.$$

e) $\sum_{n=1}^{\infty} x^n/n(n+1)$ converge pour $|x| < 1$ et la fonction $x^{n-1}/(n+1)$ est continue pour chaque $n \in \mathbb{N}$. Il suffit donc de montrer que $\sum_{n=1}^{\infty} x^{n-1}/(n+1)$ converge uniformément sur $[-a, a]$. Or $\sum_{n=1}^{\infty} x^{n-1}/(n+1)$ converge pour $x \in (-1, 1)$. Donc pour $0 < a < 1$ et pour tout $x \in [-a, a]$, $|x^{n-1}/(n+1)| \le a^{n-1}/(n+1)$ et $\sum_{n=1}^{\infty} a^{n-1}/(n+1)$ converge. Par conséquent,

$$\frac{d}{dx} \sum_{n=1}^{\infty} \frac{x^n}{n(n+1)} = \sum_{n=1}^{\infty} \frac{x^{n-1}}{n+1}, \quad x \in [-a, a].$$

Or $0 < a < 1$. Donc

$$\frac{d}{dx} \sum_{n=1}^{\infty} \frac{x^n}{n(n+1)} = \sum_{n=1}^{\infty} \frac{x^{n-1}}{n+1}, \quad |x| < 1.$$

§9.5.1   Page 308

1. a) $(-\frac{1}{3}, \frac{1}{3})$,   b) $(-1, 1)$,   c) $\{0\}$,   d) $\{0\}$,   e) $(1 - e, 1 + e)$,   f) $(-3, 3)$,
   g) $(-5, 1)$,   h) $\mathbb{R}$.

   Une étude s'impose pour $x = \pm R$.

2. Le rayon de convergence est $+\infty$. Donc la série converge pour tout $x \in \mathbb{R}$. Par conséquent, pour $x \in [-M, M]$, $0 < M < \infty$,

$$f'(x) = \sum_{n=1}^{\infty} \frac{n x^{n-1}}{n!} = \sum_{n=0}^{\infty} \frac{x^n}{n!} = f(x).$$

   M est arbitraire. Donc l'égalité ci-dessus est vraie pour tout $x \in \mathbb{R}$.

3. a) $\sum_{n=0}^{\infty} a_n x^n$ converge pour $x \in (-R, R)$ et $f(x) = f(-x)$. Donc

$$\sum_{n=0}^{\infty} [1 - (-1)^n] a_n x^n = 0.$$

   D'après l'unicité des coefficients d'une série de Taylor, $a_n = 0$ pour n impair.

   b) On procède de même qu'en a).

§9.7.1   Pages 323 et 324

1. a) $\cos x = \sum_{n=0}^{\infty} \frac{(-1)^n x^{2n}}{(2n)!}$, $\forall x \in \mathbb{R}$,

   b) $(1 + x)^n = 1 + \sum_{k=1}^{\infty} \frac{n(n-1)\ldots(n-k+1)}{k!} x^k$, $\forall x \in \mathbb{R}$,

c) $\sum_{n=0}^{\infty} \frac{(-1)^n x^n}{2^{n+1}}$, $|x| < 2$,

d) $\sum_{n=0}^{\infty} \frac{(-1)^n x^{n+1}}{n+1}$, $|x| < 1$,

e) $\sum_{n=0}^{\infty} \frac{(-1)^n x^{2n+1}}{(2n+1)(2n+1)!}$, $\forall x \in \mathbb{R}$,

f) $\sum_{n=0}^{\infty} \frac{(-1)^n x^{2n}}{n!}$, $\forall x \in \mathbb{R}$.

2. La série de Taylor de rayon 1 est

$$x + \sum_{n=2}^{\infty} \frac{(-1)^n x^n}{n(n-1)}, \quad -1 < x \leq 1.$$

Il suffit de poser $x = 1$.

3. La série de Taylor est

$$\sum_{n=1}^{\infty} \frac{n x^{n-1}}{(n+2)!}, \quad \forall x \in \mathbb{R}.$$

4. a) Il vient

$$\cos x \cos y = \sum_{n=0}^{\infty} \frac{(-1)^n x^{2n}}{(2n)!} \sum_{n=0}^{\infty} \frac{(-1)^n y^{2n}}{(2n)!}$$

$$= \sum_{n=0}^{\infty} \left(\sum_{k=0}^{n} \frac{(-1)^k x^{2k}}{(2k)!} \frac{(-1)^{n-k} y^{2n-2k}}{(2n-2k)!} \right)$$

Soit $2k = m$ et $2n - 2k = l$. Donc

$$\cos x \cos y = \sum_{\substack{m,l=0 \\ m,l \text{ pairs}}}^{\infty} \frac{(-1)^{(m+l)/2} x^m y^l}{m! \, l!}.$$

De plus,

$$\sin x \sin y = \sum_{n=0}^{\infty} \frac{(-1)^n x^{2n+1}}{(2n+1)!} \sum_{n=0}^{\infty} \frac{(-1)^n y^{2n+1}}{(2n+1)!}$$

$$= \sum_{n=0}^{\infty} \left(\sum_{n=0}^{\infty} \frac{(-1)^k x^{2k+1}}{(2k+1)!} \frac{(-1)^{n-k} y^{2n-2k+1}}{(2n-2k+1)!} \right).$$

Posons $2k + 1 = m$, $2n - 2k + 1 = l$. Il vient

$$\sin x \sin y = \sum_{\substack{m,l=0 \\ m,l \text{ impair}}}^{\infty} (-1)^{(m+l-2)/2} \frac{x^m y^l}{m! \, l!}.$$

Par soustraction,

$$\cos x \cos y - \sin x \sin y = \sum_{\substack{m,l=0 \\ m,l \text{ même parité}}}^{\infty} (-1)^{(m+l)/2} \frac{x^m y^l}{m! l!}.$$

De plus,

$$\cos(x+y) = \sum_{n=0}^{\infty} \frac{(-1)^n (x+y)^{2n}}{(2n)!} = \sum_{n=0}^{\infty} (-1)^n \sum_{k+l=2n} \frac{x^k y^l}{k! l!}$$

$$= \sum_{\substack{k,l=0 \\ k,l \text{ même parité}}}^{\infty} (-1)^{(k+l)/2} \frac{x^k y^l}{k! l!},$$

ce qui démontre l'égalité.

b)

$$e^x e^y = \sum_{n=0}^{\infty} \frac{x^n}{n!} \sum_{n=0}^{\infty} \frac{y^n}{n!} = \sum_{n=0}^{\infty} \left(\sum_{k=0}^{n} \frac{x^k}{k!} \frac{y^{n-k}}{(n-k)!} \right)$$

et

$$e^{x+y} = \sum_{n=0}^{\infty} \frac{(x+y)^n}{n!} = \sum_{n=0}^{\infty} \left(\sum_{k=0}^{n} \frac{x^k y^{n-k}}{k!(n-k)!} \right).$$

6. Supposons que $e = a/b$, où a et b sont des entiers. Donc

$$\frac{a}{b} = 1 + \frac{1}{1!} + \frac{1}{2!} + \cdots + \frac{1}{b!} + \frac{1}{(b+1)!} + \frac{1}{(b+2)!} + \cdots$$

La multiplication de cette équation par $b!$ donne

$$E_1 = E_2 + \frac{1}{b+1} + \frac{1}{(b+1)(b+2)} + \cdots,$$

où E_1 et E_2 sont les entiers positifs définis par

$$E_1 = a(b-1)!$$

$$E_2 = b! + \frac{b!}{1!} + \frac{b!}{2!} + \cdots + \frac{b!}{(b-1)!} + \frac{b!}{b!}.$$

Par conséquent,

$$E_1 - E_2 < \frac{1}{b+1} + \frac{1}{(b+1)(b+1)} + \frac{1}{(b+1)^3} + \cdots = \frac{1}{b} \le 1.$$

Donc $0 < E_1 - E_2 < 1$, ce qui est impossible.

Annexe A

§A.3.1   Pages 332 et 333

1. $x \in (A \cup B) \setminus (A \cap B) \iff x \in A \cup B$ et $x \notin A \cap B \iff x \in A \setminus B$ ou $x \in B \setminus A = x \in (A \setminus B) \cup (B \setminus A)$.

Pour la deuxième partie,

$$x \in A \cap B \iff x \in A \text{ et } x \in B \iff x \in A \text{ et } x \notin A \setminus B$$
$$\iff x \in A \setminus (A \setminus B).$$

2. a) $y \in f(A \cup B) \iff y = f(x)$ pour $x \in A \cup B \iff y = f(a)$ pour $a \in A$ ou $y = f(b)$ pour $a \in A$, $b \in B \iff y \in f(A)$ ou $y \in f(B)$ $\iff y \in f(A) \cup f(B)$.

b) D'après la définition de l'image inverse, $x \in f^{-1}(C \cup D) \iff f(x) \in C \cup D$ $\iff f(x) \in C$ ou $f(x) \in D \iff x \in f^{-1}(C)$ ou $x \in f^{-1}(D) \iff$ $x \in f^{-1}(C) \cup f^{-1}(D)$.

c) $x \in f^{-1}(C \cap D) \iff f(x) \in C \cap D \iff f(x) \in C$ et $f(x) \in D \iff$ $x \in f^{-1}(C) \cap f^{-1}(D)$.

d) Soit $A, B \subset X$. Quelle que soit $f : X \to Y$, $f(A \cap B) \subset f(A) \cap f(B)$ puisque $y \in f(A \cap B)$ implique que $y = f(x)$ pour $x \in A \cap B$. Donc $y \in f(A)$ et $y \in f(B)$.

Si f est injective, $f(A) \cap f(B) \subset f(A \cap B)$ puisque pour $y \in f(A) \cap f(B)$ implique que $y = f(a)$ pour $a \in A$ et $y = f(b)$ pour $b \in B$. D'où $y = f(x)$ pour $x = a = b \in A \cap B$. Donc $y \in f(A \cap B)$.

5. a) Si f et g sont injectives et $a \in A$, $a' \in A$, $a \neq a'$, alors $f(a) \neq f(a')$. Donc $g(f(a)) \neq g(f(a'))$. Par conséquent $g \circ f$ est injective. La réponse est donc oui.

b) Si f n'est pas injective, il existe $a \neq a'$, $a, a' \in A$, tels que $f(a) = f(a')$. Dans ce cas, pour $a \neq a'$,

$$(g \circ f)(a) = g(f(a)) = g(f(a')) = (g \circ f)(a').$$

Donc $g \circ f$ n'est pas injective, et la réponse est oui.

c) La réponse est non. Pour s'en convaincre, il suffit de considérer l'exemple suivant. Soit $A = C = \{1, 2\}$, $B = \{1, 2, 3\}$. Définissons $f : A \to B$ par $f(1) = 1$, $f(2) = 2$, et $g : B \to C$ par $g(1) = 1$, $g(2) = g(3) = 2$. Il vient $g \circ f = 1_A$. Donc $g \circ f$ injective n'implique pas que g soit injective.

6. L'expression $\max(\chi_A, \chi_B)$ signifie la fonction définie par

$$\max(\chi_A, \chi_B)(x) = \max(\chi_A(x), \chi_B(x)).$$

Pour prouver l'égalité des fonctions $\chi_{A \cup B}$ et $\max(\chi_A, \chi_B)$, il suffit de montrer que $\chi_{A \cup B}(x) = \max(\chi_A, \chi_B)(x)$ pour tout $x \in X$. Cette identité est vraie puisque

$$\chi_{A \cup B}(x) = 1 \iff x \in A \cup B \iff x \in A \text{ ou } x \in B$$
$$\iff \chi_A(x) = 1 \text{ ou } \chi_B(x) = 1$$
$$\iff \max(\chi_A(x), \chi_B(x)) = 1.$$

7. Soit $b \in B$. Or $f \colon A \to B$ est surjective. Donc il existe un élément $a \in A$ tel que $f(a) = b$. Or $g_1 \circ f = g_2 \circ f$. Donc

$$g_1(b) = g_1(f(a)) = g_2(f(a)) = g_2(b).$$

b étant arbitraire, $g_1 = g_2$.

8. c) La fonction f définie par

$$f(x) = \begin{cases} x + 1 & \text{si } x \in \mathbb{N} \cup \{0\}, \\ x & \text{si } x \notin \mathbb{N}, \end{cases}$$

est une bijection entre $[0, \infty)$ et $(0, \infty)$.

d) $\{0, 1, \frac{1}{2}, \frac{1}{3}, \frac{1}{4}, \ldots\}$ et $\{\frac{1}{2}, \frac{1}{3}, \frac{1}{4}, \ldots\}$ sont deux ensembles dénombrables. Donc ils sont en bijection. Plus précisément,

$$0 \mapsto \frac{1}{2}, \quad 1 \mapsto \frac{1}{3} \text{ et } \frac{1}{n+1} \mapsto \frac{1}{n+3} \quad \text{pour } n \geq 1.$$

Le prolongement *par identité* donne une bijection de $[0, 1]$ à $(0, 1)$.

e) Trouver une bijection explicite entre $\mathbb{R}$ et $\mathbb{R} \setminus \mathbb{Q} = \{\text{les nombres irrationnels}\}$ est plus délicat. Il y a dans $\mathbb{R} \setminus \mathbb{Q}$ l'ensemble dénombrable de nombres irrationnels

$$\mathbb{Q} + \sqrt{2} = \{r + \sqrt{2} \mid r \in \mathbb{Q}\}.$$

Choisissons une suite $r_0, r_1, r_2, \ldots$ comprenant tout rationnel une et une seule fois. Donc $r_0 + \sqrt{2}$, $r_1 + \sqrt{2}, \ldots$ comprend tous les éléments de $\mathbb{Q} + \sqrt{2}$ une et une seule fois. L'idée est de construire une bijection entre $(\mathbb{Q} + \sqrt{2}) \cup \mathbb{Q}$ et $\mathbb{Q} + \sqrt{2}$ et de prolonger par l'identité pour obtenir une bijection de $\mathbb{R}$ sur $\mathbb{R} \setminus \mathbb{Q}$. D'où la bijection

$$g(x) = \begin{cases} r_{2n} + \sqrt{2} & \text{si } x = r_n \in \mathbb{Q}, \\ r_{2n+1} + \sqrt{2} & \text{si } x = r_n + \sqrt{2} \in (\mathbb{Q} + \sqrt{2}), \\ x & \text{si } x \notin \mathbb{Q} \cup (\mathbb{Q} \cup \sqrt{2}). \end{cases}$$

9. Il vient

$$g(f(\mathbb{N})) = g(\{8, 9, \ldots\}) = \{16, 18, \ldots\} \text{ et } f(g(\mathbb{N})) = \{9, 11, 13, \ldots\}.$$

§A.4.1 Pages 336 et 337

2. a) Pour tout $n \geq 1$, $\mathbb{N}_0^n = \mathbb{N}_0 \times \mathbb{N}_0 \times \ldots \mathbb{N}_0$ (n facteurs) est dénombrable. En effet, pour $n = 1$, $\mathbb{N}_0$ est dénombrable et si $\mathbb{N}_0^k$ est dénombrable, alors $\mathbb{N}_0^{k+1} = \mathbb{N}_0^k \times \mathbb{N}_0$ l'est aussi puisque c'est le produit de deux ensembles dénombrables. $\mathcal{S}_f(\mathbb{N}_0)$ est donc dénombrable comme réunion d'un singleton avec une suite dénombrable d'ensembles dénombrables. Si à toute suite finie on associe la suite éventuellement nulle obtenue en ajoutant une suite infinie de zéros, on obtient une fonction surjective (mais pas injective) :

$$\varphi \colon \mathcal{S}_f(\mathbb{N}_0) \to \mathcal{S}_*(\mathbb{N}_0).$$

Or $\mathcal{S}_f(\mathbb{N}_0) = \{s_0, s_1, s_2, \ldots\}$ est dénombrable. Donc $\mathcal{S}_*(\mathbb{N}_0)$ l'est aussi car la suite $\varphi(s_0), \varphi(s_1), \ldots$ contient tous les éléments de $\mathcal{S}_*(\mathbb{N})$ au moins une fois (en fait une infinité de fois car, par exemple, $(1,0,1,0,0,0,0,\ldots) = \varphi(1,0,1) = \varphi(1,0,1,0) = \varphi(1,0,1,0,0) = \ldots$, et les suites finies $(1,0,1)$, $(1,0,1,0)$, $(1,0,1,0,0),\ldots$ sont distinctes).

b) Voici une jolie bijection $\psi \colon \mathcal{S}_*(\mathbb{N}_0) \to \mathbb{N}$ définie par

$$(a_1, a_2, \ldots) \mapsto p_1^{a_1} p_2^{a_2} \ldots$$

où p_i représente le i-ième nombre premier. Donc $p_1 = 2$, $p_2 = 3$, $p_3 = 5$, $p_4 = 7$, $p_5 = 11, \ldots$ Le théorème fondamental de l'arithmétique, selon lequel tout entier naturel peut s'écrire de façon unique (à l'ordre près des facteurs) comme produit de nombres premiers, assure que ψ est bien une bijection. L'inverse $\psi^{-1} \colon \mathbb{N} \to \mathcal{S}_*(\mathbb{N}_0)$ donne une suite comprenant chaque élément de $\mathcal{S}_*(\mathbb{N}_0)$ une et une seule fois :

$(0,0,0,0,\ldots)$, $(1,0,0,\ldots)$, $(0,1,0,0,\ldots)$, $(2,0,0,\ldots)$,
$(0,0,1,0,\ldots)$, $(1,1,0,0\ldots)$, $(0,0,0,1,0,\ldots)$, $(3,0,0,\ldots)$,
$(0,2,0,\ldots)$, $(1,0,1,0,\ldots)$, $(0,0,0,0,1,\ldots)$, $(2,1,0,0\ldots)$,

Pour obtenir une bijection $\gamma \colon \mathcal{S}_f(\mathbb{N}_0) \to \mathbb{N}$, on peut poser

$$\gamma(a_1, a_2, \ldots, a_n) = 2^m \cdot p_2^{a_1} p_3^{a_2} \ldots p_{n+1}^{a_n}$$

où $m \geq 0$ est le nombre de zéros à la fin de la suite. Donc la fonction $\gamma^{-1} \colon \mathbb{N} \to \mathcal{S}_f(\mathbb{N}_0)$ donnera la suite comprenant tous les éléments de $\mathcal{S}_f(\mathbb{N}_0)$ une et une seule fois : (ici ( ) dénote la suite vide) ( ), (0), (1), $(0,0)$, $(0,1)$, $(1,0)$, $(0,0,1)$, $(0,0,0)$, (2), $(0,1,0)$, $(0,0,0,1)$, $(1,0,0)$, $(0,0,0,0,1)$, $(0,0,1,0)$, $(1,1)$, $(0,0,0,0)$, $(0,0,0,0,0,1)$, $(2,0)$, $\ldots$

Bien sûr

$$\psi^{-1} \circ \gamma \colon \mathcal{S}_f(\mathbb{N}_0) \to \mathcal{S}_*(\mathbb{N}_0)$$

est une bijection.

5. a) Supposons que $\mathcal{S}(\{0, 1\})$ est dénombrable et posons

$$\mathcal{S}(\{0, 1\}) = \{s_0, s_1, s_2, \ldots\} \text{ où } s_n = (s_{n_1}, s_{n_2}, \ldots).$$

Posons $t = (t_n)_{n \geq 0}$ où $t_n = 1 - s_{nn}$. On a $t \in \mathcal{S}(\{0, 1\})$. Or pour tout n, $t \neq s_n$ puisque $t_n \neq s_{nn}$. Une contradiction.

b) À la suite éventuellement nulle $(a_0, a_1, a_2, \ldots)$ associons l'entier $a_0 + a_1 \cdot 2 + a_2 \cdot 2^2 + \cdots$ Or tout entier peut s'écrire d'une et d'une seule façon en base 2. D'où une bijection entre $\mathcal{S}_*(\{0, 1\})$ et $\mathbb{N}_0 = \{0, 1, 2 \ldots\}$.

c) Voici une bijection

$$\Gamma \colon \mathcal{S}(\{0, 1\}) \to \mathcal{P}(\mathbb{N}_0); \quad \Gamma(a_0, a_1, \ldots) = \{n \mid a_n = 1\}.$$

En fait $\Gamma = \chi^{-1}$ où $\chi \colon \mathcal{P}(\mathbb{N}_0) \to \mathcal{S}(\{0, 1\})$ est apparue au problème 4b. Or $a = (a_0, a_1, \ldots) \in \mathcal{S}_*(\{0, 1\}) \iff \{n \mid a_n = 1\}$ est fini. Donc Γ induit une bijection de $\mathcal{S}_*(\{0, 1\})$ à $\mathcal{P}_f(\mathbb{N}_0)$.

d) Par b), $\mathcal{S}_*(\{0, 1\})$ (et donc aussi $\mathcal{P}_f(\mathbb{N})$ est dénombrable). Par a), $\mathcal{S}(\{0, 1\})$ (et donc aussi $\mathcal{P}(\mathbb{N}_0) \cong \mathcal{P}(\mathbb{N})$, ce que nous savions) est non dénombrable.

7. Écrivons

$$\mathbb{N} = \{1, 2\} \cup \{3, 4, 5\} \cup \{6, 7, 8, 9\} \cup \{10, 11, 12, 13, 14\} \ldots$$

et posons

$$A = \{3, 4, 5\} \cup \{10, 11, 12, 13, 14\} \cup \ldots$$

et

$$B = \{1, 2\} \cup \{6, 7, 8, 9\} \cup \{15, 16, 17, 18, 19, 20\} \cup \ldots$$

Annexe B

§B.7 Pages 348 et 349

4. a) $\frac{\sqrt{3}}{2} x^{-1/2} + \frac{1}{3} x^{-2/3} - x^{-2}$,   b) $(1 + 2\sqrt{x})/4\sqrt{x^2 + \sqrt{x^3}}$,
   c) $2 \sin x \cos x$,   d) $\cos(\log x)/x$,   e) $1/x \log x$,   f) $1/(1 + \cosh x)$,
   g) $1/\sqrt{x^2 - 1}$,   h) $x^x(1 + \log x)x^{x^x} \log x + x^x x^{x^x - 1}$,
   i) $-1/x\sqrt{x^2 - 1}$.

5. a) Les points d'inflexion sont $(1/\sqrt{2}, 1/\sqrt{2})$ et $(-1/\sqrt{2}, 1/\sqrt{2})$.
   b) Les points d'inflexion sont $(1/\sqrt{3}, 1/4)$ et $(-1/\sqrt{3}, 1/4)$.

6. À l'instant t, la vitesse verticale du javelot est $v_0 \sin \varphi - gt$ où $g = 9,8 m/s^2$, et sa vitesse horizontale $v_0 \cos \varphi$ est constante. Il atteint sa hauteur maximum à l'instant $t_0 = v_0 \sin \varphi / g$ auquel la vitesse verticale s'annule. Il touche le sol à l'instant $2t_0$ et tombe à la distance $v_0 \sin(2\varphi)/g$. Celle-ci est maximum lorsque $\varphi = \pi/4$ et vaut v_0/g.

7. a) Soit r le rayon et h la hauteur. On a $V_0 = \pi r^2 h$. Il faut maximiser la fonction surface

$$S(r) = \pi r^2 + 2\pi r h = \pi r^2 + 2\frac{V_0}{r}.$$

Le point critique est $r_0 = \sqrt[3]{V_0/r}$ et alors $h = r_0$.

b) Soit c le côté de la base et h la hauteur. On a $c^2 h = V_0$. Il faut minimiser la fonction surface

$$S(c) = c^2 + 4ch = c^2 + 4\frac{V_0}{c}.$$

Le point critique est $c_0 = \sqrt[3]{2V_0}$ et alors $h = \sqrt[3]{V_0/4}$.

c) Soit a le côté de l'hexagone et h la hauteur. On a $V_0 = \frac{3\sqrt{3}}{2}a^2 h$. Il faut minimiser la fonction surface

$$S(a) = \frac{3\sqrt{3}}{2}a^2 + 6ah = \frac{3\sqrt{3}}{2}a^2 + \frac{4}{\sqrt{3}}\frac{V_0}{a}.$$

Le seul point critique est $a_0 = \sqrt[3]{4V_0/9}$ et alors $h = \sqrt[3]{V_0/2}/\sqrt[6]{3}$.

9. a) $x = -2$ est une asymptote verticale. Il n'y a pas d'asymptote oblique.

b) $x = 1$ est une asymptote verticale. L'asymptote oblique est $y = x + 2$.

10. Soit r le rayon du cylindre et h sa hauteur. On doit maximiser la fonction volume

$$V(r) = \pi r^2 h = 2\pi r^2 \sqrt{R^2 - r^2}.$$

Le point critique est $r_0 = R\sqrt{2/3}$ et alors $h = \sqrt{2}r_0$.

11. Il y a une asymptote verticale d'équation $x = -2$ et aucune asymptote oblique.

12. L'équation de la droite est $y = 13x - 16$. Les points cherchés sont $(16/13, 0)$ et $(0, -16)$.

13. a) $-\tan x$,   b) $-\tan x$,   c) $e^{x^x} x^x (1 + \log x)$.

14. b) $x = -1$ est l'asymptote verticale. La droite $y = x$ est une asymptote oblique.

Annexe C

§C.5 Pages 363 à 365

1. a) $d(x_n, y_n) \leq d(x_n, a) + d(a, b) + d(b, y_n)$ et $d(a, b) \leq d(a, x_n) + d(x_n, y_n) + d(y_n, b)$. Donc $\pm[d(x_n, y_n) - d(a, b)] \leq d(x_n, a) + d(y_n, b)$ ou

$$|d(x_n, y_n) - d(a, b)| \leq d(x_n, a) + d(y_n, b).$$

Soit $\varepsilon > 0$. Donc il existe N_1 tel que pour $n > N_1$, $d(x_n, a) < \varepsilon/2$, et il existe N_2 tel que pour $n > N_2$, $d(y_n, b) < \varepsilon/2$. Donc pour $n > \max\{N_1, N_2\}$, $|d(x_n, y_n) - d(a, b)| < \varepsilon$. D'où le résultat.

b) Comme dans a), on prouve que

$$|d(x_n, y_n) - d(x_m, y_m)| \leq d(x_n, x_m) + d(y_n, y_m).$$

Or $\{x_n\}$ et $\{y_n\}$ sont des suites de Cauchy. D'où le résultat.

2. Soit $\{x_n\}$ une suite de Cauchy dont $\{x_{n_k}\}$ est une sous-suite convergeant vers $x \in X$ (un espace métrique). Montrons que $\lim_{n \to \infty} x_n = x$. Soit $\varepsilon > 0$. Donc il existe N_1 tel que pour $k > N_1$, $d(x_{n_k}, x) < \varepsilon/2$. De plus, il existe N_2 tel que pour $n, m > N_2$, $d(x_n, x_m) < \varepsilon/2$. Donc pour $n > N = \max\{N_1, N_2\}$, $d(x_n, x) \leq d(x_n, x_{n_N}) + d(x_{n_N}, x) < \varepsilon$ puisque $n_N > N$.

3. a) La suite $\{a_n\}$ ne converge pas. La seule limite possible est $L = (\frac{1}{2}, 0)$. Or $\rho(a_n, L) = \frac{1}{2} + \sqrt{\frac{1}{4} + \frac{1}{n^2}} > 1$. Donc $\{\rho(a_n, L)\}$ ne converge par vers 0.

b) $\rho(b_n, L) = \frac{1}{n+1} \to 0$. Donc $\lim_{n \to \infty} b_n = (\frac{1}{2}, 0)$.

c) $\{c_n\} \to 0$ car $\rho(c_n, (0, 0)) = \frac{1}{n} \to 0$.

4. a) On peut supposer que $d(x, y) < d(x, z)$ (sinon, on inverse les rôles de z et y). Dans ce cas, $d(y, z) \leq d(x, z) \leq d(y, z)$. Donc $d(x, z) = d(y, z)$. Dans le «triangle» de sommets x, y et z, ou bien $d(x, y) = d(x, z)$ ou bien $d(x, z) = d(y, z)$. Donc au moins deux «côtés» égaux.

b) Soit $y \in B_d(x; r)$. Si $z \in B_d(y; r)$, $d(y, z), d(x, y) < r$. Donc $d(x, z) < r$ et $z \in B_d(x; r)$. Inversement, si $z \in B_d(x; r)$, $d(z, y) < r$ et $z \in B_d(y; r)$. Donc pour tout $y \in B_d(x; r)$, $B_d(y; r) = B_d(x; r)$.

5. a) Considérer tous les cas.

b) $d(271, 281) = \frac{1}{2}$, $d(38, 384) = 1$, $d(922, 822) = 1$.

c) $B_d(134, \frac{2}{3}) = \{100, 101, \dots, 199\}$.

d) Cela découle de l'exercice précédent. On peut aussi le montrer directement. Pour $r > 1$, $y \in B_d(x; r) = X$ et $B_d(y; r) = X$ aussi. Pour $\frac{1}{2} < r \leq 1$,

$y \in B_d(x; r) =$ la centaine de x. Donc x et y sont dans la même centaine. Pour $\frac{1}{3} < r \le \frac{1}{2}$, $y \in B_d(x; r)$ implique que $B_d(x; r) =$ la dizaine de x qui vaut la dizaine de $y \in B_d(y; r)$. Pour $0 < r \le \frac{1}{3}$, $y \in B_d(x; r)$ implique que $x = y$ et $B_d(x; r) = \{x\} = \{y\} = B_d(y; r)$.

e) $diam(A) = 1$, $d(A, B) = 1$.

6. a) $\overline{A} = \{(x, y) \mid x \ge 0,\ y > 0,\ \frac{1}{3} \le \sqrt{x^2 + y^2} \le \frac{2}{3}\}$.

   b) $A^\circ = A$. Donc A est ouvert.

   c) $Fr(A) = \{(x, y) \mid x \ge 0,\ y > 0,\ x^2 + y^2 = \frac{1}{9}$ ou $\frac{4}{9}\}$.

   d) $d(A, (0, 0)) = \frac{1}{3}$.   e) $d(A, (1, 0)) = \frac{4}{3}$.

7. Il suffit d'utiliser la définition de convergence.

8. Soit $\{x_n\}$, $\{y_n\}$ et $\{z_n\}$ trois suites bornées. On a $d(a, a) = 0$. De plus, si $d(a, b) = \sup\{a_n - b_n\} = 0$, alors pour tout n, $a_n = b_n$ et $a = b$. Donc $d(a, b) = d(b, a)$. Pour l'inégalité du triangle, remarquons que pour tout n,

$$|a_n - c_n| \le |a_n - b_n| + |b_n - c_n| \le d(a, b) + d(b, c).$$

D'où le résultat.

9. a) Soit $x_n = (1, 1, \ldots, 1, 0, 0, \ldots)$ avec n fois des 1. La seule limite possible pour la suite $\{x_n\}$ est $L = (1, 1, 1, \ldots)$. Or $d(x_n, L) = 1$ pour tout n. Donc la suite diverge.

   b) Soit $y_n = (1, \frac{1}{2}, \ldots, \frac{1}{n}, 0, \ldots)$. Posons $L = (1, \frac{1}{2}, \ldots)$. Donc $d(y_n, L) = 1/(n + 1) \to 0$ et la limite est L.

10. a) $d(2^{-n}, 0) = 2^n \to \infty$. Donc $2^{-n} \to 0$ est faux et $\{2^{-n}\}$ diverge! De même, $d(3^{-n}, 0) = 1$. Donc $3^{-n} \to 0$ est faux et $\{3^{-n}\}$ diverge! Finalement, $d(2^n, 0) = 2^{-n} \to 0$. Donc $\{2^n\}$ converge vers 0.

    b) $d(2^{-n}, 2^{-(n+1)}) = 2^{n+1}$, $d(3^{-n}, 3^{-(n+1)}) = \frac{1}{2}$. Donc seulement la troisième suite est de Cauchy, car elle converge.

    c) Soit $S_n = 1 + 2 + \cdots + 2^n = 2^{n+1} - 1$. Donc $d(S_n, -1) = 2^{-n-1} \to 0$. Donc la série proposée converge (relativement à cette distance) vers -1.

11. a) $A = \{(x, 1/x) \mid x > 0\}$ et $B = \{(x, -1/x) \mid x < 0\}$.

    b) N'importe quel ensemble ni ouvert ni fermé et son complément.

    c) $A = \{(x, y) \mid x > 0,\ y > 0\}$, $B = \{(x, y) \mid x < 0,\ y > 0\}$, $C = \{(x, y) \mid x < 0,\ y < 0\}$. On a $\overline{A} \cap \overline{B} \cap \overline{C} = \{(0, 0)\}$.

12. a) $A = \mathbb{N}$, $B = \{n + \frac{1}{n} \mid n \ge 2\}$.

    b) $A = (1, 3]$, $B = [2, 4)$.

c) $A = \bigcup_{n=1}^{\infty} \left(\frac{1}{3n+1}, \frac{1}{3n} \right)$, $B = \bigcup_{n=1}^{\infty} \left(\frac{1}{3n}, \frac{1}{3n-1} \right)$, $C = \bigcup_{n=1}^{\infty} \left(\frac{1}{3n-1}, \frac{1}{3n-2} \right)$.

13. $\overline{A} = A \cup \{1,5\}$, $A' = (0,1] \cup [2,3] \cup \{5\}$, $A^{\circ} = (0,1) \cup (2,3)$, $d(A, \pi) = \pi - 3$.

14. $|f(x) - f(y)| = \frac{1}{2}|x - y| < \frac{2}{3}|x - y|$. Si $x = x/2$, $x = 0$ et $0 \notin (0,1)$. Donc f est contractante sans point fixe. Remarquons que $(0,1)$ n'est pas un espace métrique complet puisque $\{1/n\}$ est une suite de Cauchy non convergente. Pour $g(x) = x + 1$, $|g(x) - g(y)| = |x - y|$. De plus, $x = x + 1$ n'a pas de solution.

15. $f(x) = -\frac{1}{4}[(x - \frac{3}{2})^2 - (\frac{5}{2})^2]$. Donc

$$f(x) - f(y) = -\frac{1}{4}(x - y)(x + y - 3).$$

Par conséquent, $|f(x) - f(y)| \le \frac{3}{4}|x - y|$ et le point fixe est $(\sqrt{17} - 1)/2$.

16. La vérification des axiomes 1, 2 et 3 est facile. Prenons $a = (0,0)$, $b = (1,1)$ et $c = (2,1)$. Donc $\delta(a,b) = \sqrt{2}$, $\delta(b,c) = 1$ et $\delta(a,c) = 3$. L'axiome 4 n'est pas vérifié.

17. Si S n'est pas un intervalle, il existe $a < c < b$ avec $a, b \in S$ et $c \notin S$. Donc $S \subset (-\infty, c) \cup (c, \infty)$ avec $S \cap (-\infty, c) \ne \varnothing$ et $S \cap (c, \infty) \ne \varnothing$, et S n'est pas connexe. Réciproquement, soit S un intervalle et $S \subset U \cup V$ avec $a \in S \cap U$ et $b \in S \cap V$, et $a < b$, disons. Posons $c = \sup ([a, b] \cap U)$. Les deux cas $c \in S \cap U$ et $c \in S \cap V$ mènent à une contradiction.

18. a) Les suites de Cauchy et les suites convergentes, dans cet espace, sont précisément les suites constantes à partir d'un certain rang ; $B_{\delta}(0; 2) = \mathbb{R}$; $\mathbb{R} = \bigcup_{x \in \mathbb{R}} B(x; \frac{1}{2}) = \bigcup_{x \in \mathbb{R}} \{x\}$.

b) Évident, car $B_{\delta}(x; \frac{1}{2}) = \{x\}$.

c) Les compacts sont les sous-ensembles finis.

19. Soit $S \bigcup_{i \in I} U_i$. Donc $\{U_i \mid x \in I\} \cup \{X \setminus S\}$ est un recouvrement ouvert de l'espace compact X. Soit $U_{i_1}, U_{i_2}, \ldots, U_{i_n}, X \setminus S$ un sous-recouvrement fini de X. Donc $U_{i_1}, U_{i_2}, \ldots, U_{i_n}$ recouvrent S.

Bibliographie

[1]   T.M. Apostol, *Mathematical Analysis*, Addison-Wesley, 1974.

[2]   R.G. Bartle et D.R. Sherbert, *Introduction to Real Analysis*, Wiley, 1982.

[3]   C.W. Burrill et J.R. Knudsen, *Real Variables*, Holt-Rinehart-Winston, 1969.

[4]   R. Couty et J. Ezra, *Analyse*, Armand Colin, 1965.

[5]   J. Douchet et B. Zwahlen, *Calcul différentiel et intégral*, Presses Polytechniques romandes, Lausanne. Vol. 1 *Fonctions réelles d'une variable réelle*, 1983 ; Vol. 2 *Fonctions réelles de plusieurs variables réelles*, 1986 ; Vol. 3 *Exercices résolus du volume 1*, 1987 ; Vol. 4 *Exercices résolus du volume 2*, 1989.

[6]   L. Flato, *Advanced Calculus*, Williams and Wilkins, 1976.

[7]   E. Gaughan, *Introduction to Analysis*, Brooks/Cole Publishing, 1968.

[8]   B.R. Gelbaum et J.M.H. Olmsted, *Counterexamples in Analysis*, Holden-day, 1964.

[9]   R.R. Goldberg, *Methods in Real Analysis*, John Wiley and Sons, 1976.

[10] G.H. Hardy, *A Course of Pure Mathematics*, Cambridge University Press, 1963.

[11] J.E. Marsden, *Elementary Classical Analysis*, W.H. Freeman, 1974.

[12] P. Morrey, *A First Course in Real Analysis*, Springer-Verlag, 1977.

[13] N. Piskounov, *Calcul différentiel et intégral*, Éditions de Moscou, 1978.

[14] K.A. Ross, *Elementary Analysis : The Theory of Calculus*, Wiley, 1982.

[15] W. Rudin, *Principles of Mathematical Analysis*, McGraw-Hill, 1964.

Index

A

Adhérence
   Fermeture 37
      d'un ensemble 353
Antidérivée 212
Approximation linéaire 125, 126
Associativité 2
   finie 242
Asymptote
   horizontale 347
   oblique 347
   verticale 347
Axiome de complétude 4

B

Binôme de Newton 15
Bolzano-Weierstrass 39
Borne
   inférieure 3
   supérieure 3
Boule ouverte 352

C

Caractérisation
   de points d'accumulation 57
   par les limites 200
Champ d'une suite 49
Changement de variables 218
Codomaine 339

Coefficients indéterminés 322
Commutativité 2
Condition de Lipschitz 122
Constante d'Euler 248
Convergence
   absolue 245, 294
   conditionnelle 245
   ponctuelle 273, 293
   simple 273
   uniforme 276, 294
Corps 1
   archimédien 17
Critère
   d'intégrabilité 189
   de Cauchy 73, 239, 256, 280
   de comparaison 249
   de d'Alembert 254
   de Gauss 272
   de Lebesgue 196
   de Leibniz 259
   de Raabe 272
   de Weierstrass 294
   du quotient 251
   intégral 246

D

Densité des nombres
   irrationnels 20
   rationnels 19
Dérivée 126, 342, 354

Développement
  décimal 5
  limité 160
    Partie principale du 160
  mixte 6
  périodique 6
  pur 6
Diamètre
  d'un ensemble 358
  d'une partition 183
Distance 358
Distributivité 2
Domaine 83, 339
  naturel 339
Droite numérique 1

E

Éléments neutres 2
Ensemble
  borné 3
  compact 42, 68
  de mesure zéro 195
  dérivé 32
  fermé 33, 354
  ouvert 29, 352
Espace
  complet 358
  métrique 351
  ultramétrique 363, 364
Extremum 167

F

Fonction(s)
  analytique 309
  bijective 117
  bornée 90
  composée 106
  continue 99, 110
  croissante 118
  décroissante 118
  différentiable 126

  discontinue 99
  distance 351
  exponentielle 339
    naturelle 339
  hyperbolique(s) 340
    inverse 341
  indéfiniment différentiable 136, 307
  identité 117
  injective 117
  intégrable 185
  localement bornée 90
  monotone 118
  périodique 122, 235
  puissance 339
  réciproque 117
  surjective 117
  trigonométriques 340
    inverses 341
Formes indéterminées 60, 151
Formule
  de Cauchy 145
  de Cauchy-Hadamard 302
  de Leibniz 137
  de MacLaurin 154
  de Simpson 231
  de Taylor 153
Frontière 38, 354

G

Graphe 339

I

Induction mathématique 14
Inégalité
  d'Hölder 182
  de Bernoulli 14
  de Cauchy-Schwarz 22, 235
  de Minkowski 182, 235
  du triangle 11
Infimum d'un ensemble 3
Intégrale 185
  impropre 228

indéfinie   212
inférieure   185
supérieure   185
Intégration par parties   220
Intérieur d'un ensemble   352
Intervalle   27
    borné   27
    de convergence   302
    fermé   27
    non borné   27
    ouvert   27
Inverse
    additif   2
    multiplicatif   2

L

Landau, E.   1
Limite
    à droite   92
    à gauche   92
    d'une fonction   84
    d'une suite   351
    inférieure   76
    supérieure   76
Logarithme   340
    népérien   216

M

Maximum relatif   166
Méthode
    de Newton   172
    de Simpson   229
Minimum relatif   166
Moyenne
    géométrique   170
    arithmétique   170

O

O, Grand   158
o, Petit   157

P

Partition   183
Période   235
Point(s)
    adhérent   36
    critiques   168
    d'accumulation   32
    d'adhérence   353
    intérieur   28
    isolé   37, 84
Primitive   212
Principe du bon ordre   13
Procédé de bissection   38
Produit de Cauchy   266
Propriété archimédienne   17

R

Racine 140
Raffinement
    commun   187
    d'une partition   187
Rayon de convergence   302
Réarrangement d'une série   261
Recouvrement   40
    fini   41
Récurrence   14
Règle
    de l'Hôpital   147, 149
    de Lagrange   153, 154
    de Riemann   252
    pour les maximums   347

S

Série(s)
    alternée   259
    binomiale   313
    convergente   238
    de Bertrand   258
    de fonctions   293
    de MacLaurin   309
    de puissances   300

de Riemann 248
de Taylor 309
divergente 238, 293
entières 300
géométrique 243
harmonique 239
numérique 237
Somme
inférieure 184
supérieure 184
Sous-suite 64
Suite 48
bornée 52
convergente 49, 351, 358
croissante 65
de Cauchy 71, 358
de Fibonacci 49
de fonctions 273
décroissante 65
divergente 49, 351
monotone 65
non bornée 52
Supremum 3
Système des nombres réels 1

T

Tangente 126
Théorème(s)
d'Heine-Borel 41
de Darboux 198
de la moyenne 141
pour l'intégrale 225
de Riemann 263
de Rolle 139
des gendarmes 56
des valeurs intermédiaires 110
fondamental du calcul intégral 216, 212

V

Valeur
absolue 9
d'adhérence 75
de la série 238
Variable
dépendante 343
indépendante 343
Voisinage 28
troué 28